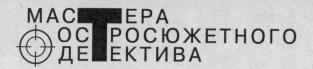

ДЖОН МАКДОНАЛЬД

БЛЕДНО-СЕРАЯ ШКУРА ВИНОВНОГО

МЕСТЬ В КОРИЧНЕВОЙ БУМАГЕ

РОМАНЫ

Москва
ЦЕНТРПОЛИГРАФ
2000

UDK 820(73)-31
BBK 84(7Coe)
M15

Серия «Мастера остросюжетного детектива»

выпускается с 1991 года

Художник О. Лопатина

Макдональд Джон
M15   Месть в коричневой бумаге: Детективные романы. —
Пер. с англ./Послесловие. — «Мастера остросюжетного
детектива». — М.: ЗАО Изд-во Центрполиграф, 2000. —
477 с.

ISBN 5-227-00936-8

Герой известного американского писателя-детективиста Тревис Макги, специалист по спасению, проявляет чудеса изобретательности и выводит преступников на
чистую воду, расследуя убийство своего друга Таша Бэннона («Бледно-серая шкура
виновного») и молодой женщины Морин («Месть в коричневой бумаге»).

UDK 820(73)-31
BBK 84(7Coe)

ISBN 5-227-00936-8

БЛЕДНО-СЕРАЯ ШКУРА ВИНОВНОГО

РОМАН

PALE GREY FOR GUILT

Глава 1

В предпоследний раз я видел Таша Бэннона живым в тот самый день, когда после почти шестинедельной возни заставил новенький катерок бегать так, как мне того хотелось.

Собравшись в испытательный пробег, я проявил признаки одной нашей современной болезни: нельзя просто взять и проехаться в автомобиле, на катере, полетать на самолете, обязательно надо выбрать место назначения.

Тогда чувствуешь себя целеустремленным.

Итак, ранним утром спокойного, тихого, безоблачного дня я погрузил на крошку «Муньекиту» ящик со льдом из своих корабельных запасов на «Лопнувшем флеше», запер «Флеш», прыгнул в новую игрушку и, поскольку казалось, будто какой-никакой слабый бриз дует с юго-запада, высунул нос из фарватера для проверки, нельзя ли пойти на север в открытом море. Длинные, неторопливо колышущиеся вверх-вниз серо-зеленые донные волны подымались всего на пять дюймов, поэтому я на милю отошел от пляжа и принялся поигрывать с частотой оборотов мотора и с расходомером горючего, пока лодка не побежала как следует, не зазвучала как следует, а каждый мотор с задним приводом мощностью сто двадцать лошадиных сил не заработал лишь на волосок ниже трех тысяч оборотов. Потом переключил управление на маленький автопилот «Колмек», взял курс на муниципальное казино Лодердейла и засек время.

Одна из хлопотливых маленьких прелестей нового судна — с иголочки нового или купленного из вторых рук — это ваше

5

стремление добиться оптимального соотношения между расходом горючего и пройденным расстоянием. Предупреждаешь себя о возможности остаться в один прекрасный день на бобах, когда придется ползти в порт на оставшейся в лучшем случае чайной чашке бензина. Поэтому очень приятно узнать, при каком количестве оборотов будет минимум шансов израсходовать его досуха.

Но, как со всеми мерами предосторожности почти в любой области человеческой деятельности, потрудившиеся это проверить зануды имеют наименьшую вероятность когда-либо столкнуться с такой щекотливой проблемой. Береговую охрану снабжают работой те, кто никогда этого не выясняет.

Лодка двигалась вверх по восточному побережью Флориды к Броуард-Бич, где я присмотрел ее на распродаже имущества, устроенной одной юридической фирмой. Принадлежала она техасцу по имени Кейд, которому где-то на Багамах изменило счастье.

Забавная вещь — названия судов. Когда я вел лодку назад в Байя-Мар, на корме у нее красовалось название «Муньекита», выведенное белыми четырехдюймовыми буквами на красивом голубом фоне цвета Гольфстрима. «Куколка» по-испански. Как-то вечером Мейер, Ирв Дейберт, Джонни Доу и я сидели, пытаясь придумать название, подходящее к «Лопнувшему флешу». Флешик? Обратный стрит[1]? Проходная карта? Договорная ставка? Забыл, какое мы сочли налучшим, так как, явившись его менять, я взглянул на уже имевшееся, признал подгонку к названию материнского корабля милой, но пустяковой причудой и удовольствовался прежним. Она была «Куколкой», начала обретать в моем сознании индивидуальность, вполне могла возмутиться любым другим именем, надуться и нахлебаться воды.

Я включил морской радиоприемник-УВЧ, настроился на коммерческие частоты и попытался найти что-нибудь не похожее на умиротворение собачьей свары в университетском женском клубе грохочущими литаврами и барабанами. Я не отрицаю, что это музыка. Разумеется, музыка, стилизованная для сопровождения обрядов половозрелых тинейджеров и поэтому

---

[1] Ф л е ш, с т р и т — комбинации карт в покере. (*Здесь и далее примеч. перев.*)

столь же далекая от меня, как «Баю-бай, поскорее засыпай». Частотно-модулированное радиовещание было великой вещью, пока обслуживало узкий сектор грандиозного американского рынка. Но, обретя коммерческий успех, пренебрегло звуком, испоганило стерео, так что приходится хорошенько обшаривать всю шкалу, чтоб найти что-нибудь, кроме подделки под фолк, рики-тики-рока и сахарного сиропа, который крутят в лифтах, на автовокзалах и «У Хауарда Джонсона»[1].

Я уже приготовился сдаться, как вдруг обнаружил, что какой-то симпатичный чудак или некто, по ошибке схвативший не ту пленку, крутит Кола Портера в исполнении Дейва Брубека[2]. Я поймал его как раз в тот момент, когда он нежно и мягко начал «Лав фор сэйл», потом деликатно уступил место Десмонду, вступившему в остроумный диалог с Джо Морелло.

Напомнив себе, что пиво без десяти восемь утра пьют только самые низменные типы, я, стоя в переднем отсеке, откупорил бутылку «Карта Бланка» и облокотился на сизо-голубую обшивку фордека, высунувшись в центральный проем, над которым укрепил подвесной ветровой щит.

Итак, я направлялся повидать старину Таша после очень долгой разлуки. Ветер бил мне в лицо, как счастливому псу, выглядывающему из окна автомобиля. За катером тянулся прямой и ровный пенный след. Моторы работали с абсолютной синхронностью. Я чувствовал медленное колыхание еле заметной зыби. Безоблачное небо начинало сиять, море засверкало. Можно было разглядеть пигмейские фигурки на пляже у Си-Ранч. Даже после вложения капитала в игрушку у меня оставался надежный запас в тайнике на борту «Лопнувшего флеша», стоявшего в эллинге Ф-18 в Байя-Мар.

Тянулось прекрасное, долгое, жаркое и ленивое лето, блаженное время доброй рыбалки, старых друзей, новых девушек, смеха и болтовни.

Холодное пиво, хорошая музыка, есть куда пойти.

---

[1] «У Х а у а р д а Д ж о н с о н а» — сеть ресторанов близ автомагистралей в зонах отдыха рядом с бензоколонками.
[2] П о р т е р Кол (1892—1964) — американский композитор и поэт-лирик, автор остроумных песен и прославленных музыкальных комедий; Б р у б е к Дейв (р. 1920) — джазовый пианист и композитор, руководитель созданного в 1951 году квартета.

Вот так Они вас и приканчивают. Так Они вас и ловят. У счетчика счастья обязательно должен быть предупредительный звоночек, чтобы всякий раз, когда стрелка взлетит чересчур высоко, раздавалось тревожное динь-динь. Ныряй, парень. Слишком уж ты сияешь, чересчур заметен. Один из Них уже залег в укрытии, определил направление ветра, поймал тебя в перекрестье прицела. Это так часто случается, что, пожалуй, пора мне быть наготове.

Я увидел справа водонапорную башню сразу за Оушн-Ридж, ориентир, отмечающий почти ровно тридцать миль к северу от муниципального казино, и время составило шестьдесят две минуты. Я записал его вместе с расходом горючего. Позже займусь математикой, выразив все в таком виде, как мне легче запомнить: статутных миль на галлон при иксе оборотов в минуту.

Ветер свежел, сворачивал к югу, и, хотя мне по-прежнему было приятно, я решил, что долго не выдержу, и вошел через Бойнтонскую бухту в озеро Уорт. Огоньки индикаторов по-прежнему оставались зелеными, но слишком долго поддерживать постоянную скорость — не самое лучшее на белом свете, поэтому, как только передо мной открылся хороший прямой и свободный путь вверх, я прибавил обороты до четырех тысяч двухсот, дойдя, по моей оценке, до сорока пяти миль в час. Прикинул, что при желании можно дойти до пятидесяти, понадеявшись никогда не попасть в порождающий такое желание переплет. Продержав лодку на этой скорости пять-шесть минут, сбросил обороты до минимума, чтобы с учетом массы брутто в данный момент просто держать нос над водой. Это все же не парусник, на котором я чуть не отправился проверять, нельзя ли дойти до Нассау раньше Уинна, Бертрама и прочих субъектов, которые совершают тридцатифутовые прыжки, а как только ты плюхнешься в воду, исполняют на твоей спине пьесы для концертино, прощупывают почки, суют тебе в зубы боксерский резиновый предохранитель. Для такого пробега крошку «Муньекиту» пришлось бы превратить в гоночную машину с каждым двигателем мощнее на сотню лошадиных сил, с особыми маховиками и гораздо большим количеством распорок и скреп для установки всех этих моторов, после чего она не годилась бы ни на что больше.

Вдобавок однажды меня уговорили выйти на паруснике. Вы, может быть, усомнитесь, что это ненамного забавней попыток прыщавого похмельного ковбоя удержаться на длиннорогом быке на родео в облаках пыли, но ощущение близкое.

Подойдя к заливу северней Броуард-Бич, пришлось вытащить карту и посмотреть, у какой отметки надо выйти из фарватера, чтобы попасть в устье Шавана-Ривер. Итак, во вторник в половине одиннадцатого утра или чуть позже я подошел к длинному, словно палец, пирсу лодочной станции Бэннона, накинул линь на сваи и заглушил моторы.

Взобрался повыше на опалубку причала и огляделся. У Бэннона швартовался десяток лодок с подвесным мотором, вдвое меньше моторных парусников, два маленьких прогулочных судна, на слипах[1] аккуратными рядами стояла дюжина плавучих домов, которые сдавались в аренду, фибергласовых, белых с оранжевой полосой. Я увидел, что он поставил ангар, о котором рассказывал мне в последнюю встречу, года полтора назад. В ширину по пятнадцать отсеков, три ряда в высоту. Грузоподъемник мог поставить туда на месячное хранение сорок пять лодок, но заполнен был только нижний ряд и наполовину средний.

Вверх по реке от его участка и на другой стороне, где во время моего последнего визита было сплошное болото, виднелись протянувшиеся на милю и больше приземистые светлые, нежилые с виду постройки. Рядом на стоянке поблескивали автомобили.

Рядом с маленьким зданием пристани и стоявшим параллельно реке и шоссе 80Д, примерно в сотне футов от того и другого, белым блочным бетонным мотелем с красной черепичной крышей никого не было видно. Я вспомнил рассказ Таша о его намерении расширить мотель с десяти номеров до двадцати. «Сейчас мы с Джанин и с тремя ребятишками занимаем два номера, так что можем сдавать всего восемь, и не могу тебе даже сказать, Трев, сколько народу приходится заворачивать».

Лежали панели для десяти дополнительных номеров, примерно три секции были сложены на высоту плеча, но поросли

---

[1] С л и п — наклонная береговая площадка для спуска и подъема судов из воды на рельсовых тележках с помощью лебедки.

какой-то дикой зеленой виноградной лозой, которая прополз-
ла вдоль стены на пятнадцать футов, свесив усики вниз.

Несколько свай на причале покосилось. Флажки на пристани выцвели, стали серыми, обтрепались на ветру до лохмотьев.

— Эй! — завопил Таш. — Ну и дела! Эй, Макги!

Вывернув из-за угла мотеля, он несся ко мне галопом, смахивая на першерона. Крупный мужчина. Почти с меня ростом
и вполовину объемом.

Очень давно и очень далеко мы с ним играли в одной фут-
больной команде. Брэнтли Брекенридж Бэннон, фулбэк[1], второй состав. Он был бы в первом составе, если б быстрей разбегался, потому что, когда разбегался, остановить его было
трудно. Сначала его называли Би-Би, потом сокращенно Биб,
а в том сезоне вдруг прозвали Ташем. Он был абсолютно не
способен ругаться. Самое большее, что мы когда-либо от него
слышали, даже в самых гнусных, несчастных, мучительных обстоятельствах, это невнятное: «Будь ты неладен!»

Потом на одной игре мы попробовали приспособиться к его
медленному старту. Его поставили справа, откуда он при брос-
ке должен был бежать налево за куотербэка, который быстро сделал несколько шагов назад, не сумел отдать пас отклонившему-
ся вправо боковому, крутнулся на месте и всадил мяч прямо в
живот Бэннону. Я в то время был нападающим на левом краю, и
при первой попытке лайнбэкер почуял пас, рванул вперед, увидел происшедшее и в подкате врубился плечами Бэннону в коленки.

При второй попытке Бэннон прибавил жару, но не было никакой возможности где-нибудь пробиться, и, пока он крутился
вдоль линии в поисках дыры, которую в конце концов отыскал, его свалили.

При третьей попытке нам надо было набрать шесть очков,
отставая на четыре. Он хорошо стартовал. Мы как следует поднажали и очистили для него большую дыру. Но, прорываясь в
дыру, он слишком увлекся жонглированием, перекатывая мяч
от подбородка на грудь, к плечу, в ладонь, забыл поберечься, и
его сбили сбоку, а мяч влетел прямо в руки центральному за-

---

[1] Фулбэк и далее куотербэк, лайнбэкер, таклер —
игроки в американском футболе, занимающие строго определенную позицию.

щитнику противника, который после продолжительной паузы смекнул, что у него в руках настоящий футбольный мяч, и пустился веселым тяжеловесным галопом, пока его не схватили сзади. Бэннон, стоя на коленях, сорвал с себя шлем, грохнул оземь, поднял взор к небесам и прокричал: «Тьфу!»

Когда на следующей игре дела у него пошли плохо, примерно четверо из нас завопили: «Тьфу!» С тех пор и навеки он стал Ташем[1].

Потом он перешел в таклеры, провел в команде АФЛ четыре года и на протяжении двух из них, уже женившись на Джанин, копил деньги. Ущемление нерва шейного позвонка превратило его в страхового агента, вполне преуспевающего, потом это ему опротивело, и он стал продавать плавучие дома, а потом купил эти десять акров на Шавана-Ривер, где принялся воплощать в жизнь Американскую Мечту.

После ритуального взаимного похлопывания по спине и плечам наши приветствия утонули в приближавшемся низком скрежещущем реве. Три огромных оранжевых «Евклида», с верхом нагруженные сырой известковой глиной, подняли массивными шестифутовыми резиновыми покрышками тучи пыли, которая поплыла к северу над пальмами и карликовыми соснами по другую сторону от местного шоссе. Тогда я заметил, что асфальтовое покрытие исчезло, а дорога расширилась.

— Тут вокруг нас кое-что улучшается, — мрачно пояснил Таш. — Будет по первому классу. Скоро. — Он глянул на восток вслед слабевшему реву огромных грузовиков. — Не нравится мне, как они тут шныряют. Джанин сейчас должна возвращаться из города. Есть несколько нехороших мест, где она может встретиться с ними. Ей приходится шоферить больше обычного с тех пор, как школьный автобус не может сюда проехать.

— Почему не может?

— Потому что им нельзя ездить по официально закрытым дорогам, вот почему. — Он посмотрел на свой берег. — Как ты сюда пришел? «Флеш» не проведешь вверх по реке при таком приливе.

— Да ведь было хорошее глубокое русло?

---

[1] Т а ш (tush) — фу-ты; тьфу! (*англ.*)

— Пока не проделали кучу дноуглубительных работ и не подняли уровень реки вверху. Сейчас первые полмили от залива до меня совсем плохие. Обещают промыть, да не говорят когда.

Мы пошли, и я показал ему «Муньекиту». Заболевание уроженцев канзасских степей морской лихорадкой дает адскую смесь, а случай Таша был очень тяжелым. Он осмотрел специально установленные дизельные моторы ОМС, выслушал мои разъяснения о причинах отказа от выбранных первым владельцем «Крайслер-Вольво», заинтересовался особой конструкцией панели «Телефлекс» и системы управления.

Я сознавал, что слишком много говорю. У меня дела шли хорошо. А моему другу Ташу Бэннону мир корчил довольно кислую мину. На покое его широкое, тяжелое веснушчатое лицо обвисло. В таких случаях всегда говоришь слишком много. Небольшой бриз утих, полуденная октябрьская жара тяжело навалилась. При температуре 95 градусов и влажности 95 процентов пот льется градом.

И мы пошли в мотель, сели в алькове на кухне под шумно грохочущим перетрудившимся маленьким оконным кондиционером, пили пиво, и Таш сообщил, что у Джанин все отлично, у мальчиков все отлично, а потом поговорили о том, про кого он слышал, а про кого нет и кто чем занимается. Стоя у окна с холодной банкой в руке, я спросил:

— Что это за крупное предприятие вон там, вверх по реке?

— ТТА, — объяснил он с заметной язвительностью. — «Тек-Текс аппликейшнс». Симпатичное чистое производство, только любая рыба, завернувшая сдуру в Шавану, то и дело переворачивается вверх брюхом и плывет вниз по течению. А порой воняет чем-то вроде аммиака, от такого аромата слезами обливаешься. Но у них работают четыреста человек, Трев. Крупная база налогообложения. Округ охотно распахнул перед ними дверь и вручил ключи.

— А я думал, в этой стране строгое зонирование, контроль за загрязнением и так далее. Я имею в виду, что ведь Броуард-Бич...

— Ты что, забыл, где находишься, парень? — перебил он. — На добрую милю к западу от границы округа. Вы в округе Шавана, мистер Макги. Кругом одни сады. Поезжай прямиком в Саннидейл, в окружную администрацию, и каждый из пяти счастливых, улыбающихся администраторов сообщит тебе, что нельзя выбрать лучше места для жизни, где можно растить детей и процветать вместе с округом.

Я удивился. Никогда Таша не считал способным на иронию — такого крупного, крепкого, дружелюбного мужчину с молочно-голубыми глазами, светлыми щетинистыми ресницами и бровями, с розовой, шелушащейся от постоянного пребывания на солнце кожей.

Послышался шум подъехавшей машины. Таш подошел к выходившему на дорогу окну, выглянул и простонал:

— Ох, нет!..

Я вышел следом за ним. Джанин вылезала из автомобиля, очень пыльного светло-голубого седана примерно двухлетней давности. С расстояния в двадцать шагов она по-прежнему выглядела неуклюжим и голенастым подростком. Стояла в вызывающей и одновременно безутешной позе, глядя на низко опущенный левый задний бампер, явно требующий дорогостоящего ремонта. Их самый младшенький — лет двух с половиной — стоял рядом, поскуливая и проливая недолговечные слезы. Джанин была в выцветших прогулочных шортах цвета хаки и в желтой майке. Пояс шорт на тонкой талии потемнел от пота. Черные волосы острижены очень коротко. Загоревшая дотемна, с выразительным удлиненным, утонченно-изящным лицом и темными глазами, она походила на средиземноморского юношу, который готов проводить тебя к римским развалинам, очистить карманы, всучить фальшивую семейную реликвию, усадить в протекающую гондолу вместе со своей вороватой кузиной.

Впрочем, форма ушей у Джанин была девичьей, так же, как уголки рта и стройная шея, а насчет того, что располагалось ниже, не возникало вообще никаких сомнений, хоть на ней и болтался какой-то чехол от матраса, — ни малейших сомнений. Я знал, что ее девичья фамилия Соренсен, что она шведка из Висконсина, которая произвела на свет светловолосых шведских ребятишек, представляя собой один из невероятных примеров генетической математики, если только какой-нибудь скандинавский викинг не привез домой из дальних стран смуглого мальчика для работы на кухне.

Таш опустился на землю позади машины, перевернулся на спину, заполз под нее.

— Это случилось всего за полмили от асфальта. Наверно, после дождя образовалась выбоина, потом туда набилась пыль... Клянусь, милый, никто бы ее не заметил.

Таш вылез.

— Стяжка рессоры.

— Мама меня ударила! — пожаловался малыш. — Жутко сильно ударила, пап.

— Ты быстро ехала, Джан? — спросил он.

Она пристально глянула на него, беспомощно подняла и уронила руку.

— Господи Иисусе, я вовсю веселилась, хохотала и распевала, ведь мир так прекрасен... Или вообще надралась в стельку и постаралась переломать ко всем чертям все, что попало!

Резко повернулась, прошла мимо, внезапно бросила на меня изумленный узнающий взгляд, но была в тот момент так поглощена ссорой, что не могла отказаться от запланированного ухода.

— Хоть бы поздоровалась с моим другом! — крикнул вслед Таш. — Могла бы, как минимум, поприветствовать моего друга!

Она сделала еще десять шагов с окаменевшими плечами, оглянулась на ступеньках мотеля и без всякого выражения на лице и в голосе проговорила:

— Привет. Привет. Привет. Иди сюда, Джимми. Пойдем с мамой.

Малыш нехотя потопал к ней. Дверь закрылась. Таш взглянул на меня, покачал головой, попробовал улыбнуться:

— Извини, старина.

— За что? Дни бывают хорошие, средние и плохие.

— Похоже, для нас один тип затянулся.

— Ну, для начала давай все исправим.

Он подогнал машину к сараю с инструментами. Мы подняли ее заднюю часть с помощью грузоподъемника. Оба пролили по два галлона пота, пока выбивали поврежденные детали, зачищали ножовкой, неуклюже втискивали на место и заколачивали молотком. Опустили машину, она встала ровно, уже не смахивая на утку, больную костным шпатом. Я поставил ногу на задний бампер, нажал, но он не поднялся, как следовало, а продол-

Мы с Джанин ели в кухонном баре мотеля сандвичи с [сы]ром и ветчиной, а маленький Джимми при каждом сво[ем по]явлении получал от матери пару легоньких нежных шлеп[ков]. Имена двух старших мальчиков я позабыл, и пришлось их у[станав]ливать в разговоре. Джонни и Джоуи. Джоуи большой пар[ень.] Шесть лет. Джонни четыре с половиной.

Сообразив, что нигде не видно Тайлера, негра, работавш[его] у них во время моих прошлых приездов, высокого, жилис[то]го, веселого нестареющего мужчину темно-шафранного цве[та] с лицом ученого и сверхъестественным даром диагностиров[ать] неполадки в морских двигателях, я спросил, не выдался ли [у] него выходной.

— О, Тайлер от нас ушел... должно быть, месяцев восемь н[а]зад. Таш очень расстроился. Знаешь, как хорошо при нем был[о]. Впрочем, теперь... тоже неплохо. Наверно, мы все равно не смо[гли] ли бы платить ему при нынешнем положении дел.

— Из-за дороги?

— И многого другого.

— Например?

— Думаю, если Ташу захочется, чтобы ты выслушал горест[ь]ную историю, он лучше сам все расскажет. Скажу только одно, Тревис Макги. — Она прищурилась и стукнула кулачком п[о] пластиковому столу. — Бежать отсюда мы не собираемся!

— Кто-то пытается вас заставить?

— Лучше поговори об этом с Ташем.

— Можешь раздобыть сиделку на нынешний вечер?

— Что?

— Нарядись пошикарней, пошатаемся втроем по Броуард-Бич, найдем выпивку и закуску, домой вернемся поздно и всю дорогу будем орать песни.

Ее узкое лицо озарилось:

— Вот это мне нравится!

И Таш, вернувшийся с двумя другими светлоголовыми отпрысками, выразил одобрение. Сиделка была под рукой. Джан объяснила, что они сдали одной супружеской паре плавучий дом за особую плату. Молодые ребята, лет по двадцати с небольшим. Живут в том плавучем доме, возле которого стоит старый желтый фургон. В другом, в дальнем конце, — пара пенсионеров. В данный момент сданы всего два.

жал качаться, весомо свидетельствуя о почти вышедших из строя амортизаторах. Таш вздохнул, и я пожалел о своем поступке.

У меня на катере была чистая одежда, Таш предоставил мне номер в мотеле, где можно было принять душ и переодеться. Я как раз застегивал свежую рубашку, когда в дверь постучала Джанин. Я открыл. Она принесла кувшин с холодным чаем, в котором позвякивали кусочки льда, и повинную гордую голову. На ней было короткое розовое платье-рубашка, губы накрашены бледно-розовой помадой.

Поставила кувшин, протянула руку:

— Теперь здравствуй, как следует, Тревис. Рада тебя видеть. Прости за некрасивую сцену.

Рука длинная, тонкая, загорелая, пожатие неожиданно крепкое. Она налила чай в два высоких стакана, один протянула мне, другой взяла себе, присела на кровать. Я мысленно прикинул и сообразил, что вижу ее в пятый раз. И как прежде, почувствовал легкую неприязнь с ее стороны. Так часто бывает, если друг знаком с мужем задолго до его женитьбы и даже до знакомства с будущей женой. По-моему, это нечто вроде ревности, напоминание о годах, когда она не жила с ним одной жизнью, о дружбе, возникшей у мужа без ее согласия. Она как бы бросала мне вызов. Покажи-ка себя, Макги. Ничего у тебя не получится, ибо ты в мой дом не вломишься. Твоя жизнь нереальна. Ты тут плаваешь, забавляешься, развлекаешься. Внушаешь моему мужу сожаление о долгах, которые у него есть, и о девушках, которых у него нет. Подойдя к моему гнезду, одним своим присутствием ты напоминаешь о праздничных временах, когда вы с ним скакали кузнечиками, а я же теперь что-то вроде стражника, сопровождающего или просто обузы.

С некоторыми женами старых друзей мне удавалось преодолеть изначальный антагонизм. Они быстро обнаруживали, что мне хорошо знакомо все, известное каждой одинокой, не связанной брачными узами личности, — мир всегда несколько выпадает из фокуса, когда в конечном счете никого, черт возьми, не волнует, жив ты или умер. Такой ценой расплачиваешься за бродяжнический образ жизни, и, если предварительно не взглянул на ценник, стало быть, в самом деле дурак.

Внешне Джан вроде бы проявляла теплоту, как бы стараясь подчеркнуть убежденность в том, что я ей зла не желаю. Но враждебность не таяла. Ей неплохо удавалось ее скрывать, но она присутствовала.

Я приветственно поднял стакан с чаем и сказал:

— Это просто ерунда, Джанин. Обычное для такой жары обалдение.

— Спасибо, — улыбнулась она. — Таш быстро поел и умчался. Взял на себя роль детского таксиста. Вернется минут через десять, и тогда устроим что-то вроде ленча.

Допила чай, налила еще стакан, чтобы взять с собой. Направившись к двери, медленно и печально покачала головой:

— Знаешь, по-моему, в основном виновата я. Бедный маленький Джимми. В чем дело, мам? Что сломалось, мам? Она поедет, мам? И я влепила ему плюху. Слишком сильно, не думая. Выместила на нем злобу. — Ее улыбка была сухой, а глаза влажными. — Не пойму, что в последнее время со мной происходит. Ох, как я ненавижу эту чертову машину! Эту проклятую вонючую машину! Как я ее ненавижу!

Глава 2

Сидя в ожидании под дующим в полную силу кондиционером и прихлебывая чай, я думал о маленьком сонном царстве под названием Детройт, которое, как всегда, на пятнадцать лет отстает от остальной Америки.

Джанин раскусила его. Люди ненавидят свои машины. Папочка уже не гордится новым автомобилем, подкатывая к дому; семейство не выскакивает навстречу, вопя от восторга; соседи не сбегаются полюбоваться. Все машины одинаковые. Для опознания собственной приходится цеплять к ветровому стеклу яркую побрякушку. Можно давать им названия в честь хищников, примитивных эмоций, астрономических объектов — в сущности, это одна большая сверкающая сточная труба, воронка, жадно всасывающая деньги — страховка, налоги, техосмотр, пошлины, покрышки, ремонт. Тебе выпадает возможность сидеть среди рева гудков, в бессильной ярости колотя по рулю кулаками, пока через милю твой рейс отправляется из аэропорта. Имеешь верный шанс быстро умереть, а еще верней — агонизировать несколько месяцев из-за разорванной плоти, раздав-

ленных кишок, переломанных костей. Приводишь маш[ину] любезному дилеру, а обслуживающий персонал смотрит [на] пока не поймаешь кого-нибудь за рукав. После чего он к[о]дует: приезжайте через неделю, считая со вторника. Пр[ед]рительно позвоните. Из-за миллионов тонн загрязняющи[х ве]ществ гибнут листья на деревьях, заболевает скот. Мы видим свои автомобили — Детройт. Те, кому удается бе[з] обойтись, обходятся с большой радостью. Если тем, кто н[е мо]жет, предоставляется альтернатива, они мигом хватаются з[а] Мы покупаем их неохотно, стараемся, чтобы они продерж[ались] подольше, и это уже не дружелюбные машины, а дорого[стоя]щий, смертоносный металлолом, умудряющийся сверкать[с пре]зрением к своим владельцам. Из-за автомобиля ты сли[шком] сильно шлепаешь своего малыша, а потом стыдишься с[амого] себя.

Недавно я развязал себе руки. Моя старушка «Мисс А[гнес]», «роллс»-пикап, была необычайно проворной, разгоня[ла с] места до шестидесяти миль в час примерно за сорок се[кунд], а развив бурную и шумную деятельность, упорно не ж[елала] останавливаться. Таким образом мы с ней медленно при[бли]жались к дорожной катастрофе, от которой нас отделя[л] утончавшийся волосок. Я отправился покупать новую, со[вер]шал пробные поездки и обнаружил, что все они фантасти[чес]ки разгоняются, все мгновенно останавливаются, и все [до]вольски мне опротивели.

Поэтому я пошел искать судно, которым можно был[о] пользоваться, вместо машины. Оставил «Мисс Агнес» для [про]селочных дорог, «Флеш» — для открытого моря и стал с[овер]шать деловые поездки на «Муньеките», а если бы мне пон[адо]бился автомобиль, есть трудолюбивый мистер Херц, еще [более] услужливый мистер Эйвис и мистер Нэшнл[1], питающие на[деж]ду переехать друг друга насмерть. Желая купить и достави[ть в] Лодердейл то, чего нельзя купить в Байя-Мар, я мог выйт[и за] покупками на «Муньеките». Приятно плыть по реке чере[з го]род и слышать в отдалении лязг крыльев столкнувшихся а[вто]мобилей, скрежет бамперов и сирену «скорой».

_____
[1] «Х е р ц», «Э й в и с», «Н э ш н л» — крупнейшие фирмы по пр[окату] автомобилей.

— Их зовут Арли и Роджер Денн, — добавила Джанин. — Немножечко странноватые. Неопрятные с виду. Он делает забавные статуэтки и украшения из раковин, она вяжет, пишет безвкусные морские пейзажики, а как только достаточно наработают, загружают фургон, едут и продают поделки в сувенирные магазины. Порой на это уходит два дня, иногда неделя.

Арли Денн явилась выполнять обязанности сиделки точно вовремя, и я согласился насчет неопрятности. Это была мягкая, сдобная, очень бледная девушка с длинными прядями светло-русых волос, с широко расставленными равнодушными водянистыми голубыми глазами, тихим певучим голоском, вечно разинутым ртом, в белой мужской рубашке — грязной, в бледно-голубых шортах — грязных, с босыми ногами — тоже грязными. Я понял, почему Джанин перед уходом покормила детей.

Отведя катерок от причалов, я передал его Ташу. Солнце садилось за нашими спинами, мы скользили по длинным, широким извивам Шавана-Ривер, мимо мангровых деревьев и белых цапель, вышли в большой залив, где на север вверх по фарватеру двигался кеч[1], банальный, как красочная открытка, под парусами, которые солнце окрасило в оранжевый цвет, перед ним пролетела диагональю нестройная стая пеликанов, направляясь на птичий базар, падая и поднимаясь по подсказкам летящего вожака.

Коснувшись огромной лапой двойных дросселей, Таш вопросительно поднял брови, и я жестом изобразил толчок. Джанин в красивом желтом платье сидела на яркой обшивке транца моторного отсека, короткие черные волосы теребил ветер, лицо сияло от наслаждения скоростью, новыми впечатлениями, дуновениями вечерней прохлады после дневной жары.

У городской пристани Таш замедлил ход, мы прошли вверх по туннелю, под мостом, вдоль береговых пляжей. Я оставил лодку в местечке под названием Бич-Марин, где, по словам смотрителя, ничто ей не помешает. Мы прошли три квартала пешком в хороший известный мне ресторанчик. В тридцати шагах от ресторана Джан, опираясь одной рукой на могучее

---

[1] К е ч — небольшое двухмачтовое судно.

плечо Таша, переобулась, сменила сандалии на туфли на высоком каблуке, достав их из соломенной сумки.

Выпивка была хорошая, бифштексы хорошие, вечер почти хороший. В любой супружеской жизни погода порой портится, выкидывает самые разные фокусы. Медленное крушение, медленная потеря всей ставки, вместо ожидаемых выигрышей, — это может отравить счастливейшие сердца. В их случае ненастье было кратковременным. Просто капало то и дело, омрачая забавы и развлечения.

Из сказанного я уяснил общий смысл ссор, споров и сожалений. С год назад у них был шанс выбраться, на участок нашелся покупатель, Джан хотела смириться с потерями и уехать. Они потеряли бы процентов десять вложенного, если не считать времени, потраченного на тяжелый труд. Но Таш утверждал, что это всего-навсего временное невезение. На самом деле никто не пытается поставить на карту против них. Все наладится. Всегда все налаживается.

Кроме тех случаев, когда становится хуже.

Таш вообще не хотел разговаривать на эту тему. Для него это было все равно что скулить. Пускай дело зайдет подальше, а потом он рванет, схватит мяч и зашвырнет его ко всем чертям в центр поля.

Впрочем, кажется, они неплохо провели время. Может, это был лучший вечер за много месяцев. Небо безоблачное, мы спешили обратно через залив, с трех сторон окруженные розовым светом. Таш высвечивал для меня бакены мощной лампой на держателе, которая отбрасывала тонкий луч на милю. Мы пришвартовали катер, а когда шли к мотелю, в пыль упали первые крупные капли. Надвигался сильный дождь. Толстая сиделка подпрыгивающим галопом помчалась в свой арендованный плавучий дом.

Должно быть, выпало дюйма три осадков за час, который мы просидели в баре Бэннона, попивая домашнее виски и рассказывая небылицы.

Вернувшись в отведенный мне номер и начав готовиться ко сну, я решил навестить «Муньекиту», проверить, справилась ли она с проливным дождем и выключилась ли автоматическая трюмная помпа, как было обещано. Воздух был чистый, голодные москиты еще не роились. Посвежевший от дождя жал качаться, весомо свидетельствуя о почти вышедших из строя амортизаторах. Таш вздохнул, и я пожалел о своем поступке.

У меня на катере была чистая одежда, Таш предоставил мне номер в мотеле, где можно было принять душ и переодеться. Я как раз застегивал свежую рубашку, когда в дверь постучала Джанин. Я открыл. Она принесла кувшин с холодным чаем, в котором позвякивали кусочки льда, и повинную гордую голову. На ней было короткое розовое платье-рубашка, губы накрашены бледно-розовой помадой.

Поставила кувшин, протянула руку:

— Теперь здравствуй, как следует, Тревис. Рада тебя видеть. Прости за некрасивую сцену.

Рука длинная, тонкая, загорелая, пожатие неожиданно крепкое. Она налила чай в два высоких стакана, один протянула мне, другой взяла себе, присела на кровать. Я мысленно прикинул и сообразил, что вижу ее в пятый раз. И как прежде, почувствовал легкую неприязнь с ее стороны. Так часто бывает, если друг знаком с мужем задолго до его женитьбы и даже до знакомства с будущей женой. По-моему, это нечто вроде ревности, напоминание о годах, когда она не жила с ним одной жизнью, о дружбе, возникшей у мужа без ее согласия. Она как бы бросала мне вызов. Покажи-ка себя, Макги. Ничего у тебя не получится, ибо ты в мой дом не вломишься. Твоя жизнь нереальна. Ты тут плаваешь, забавляешься, развлекаешься. Внушаешь моему мужу сожаление о долгах, которые у него есть, и о девушках, которых у него нет. Подойдя к моему гнезду, одним своим присутствием ты напоминаешь о праздничных временах, когда вы с ним скакали кузнечиками, а я же теперь что-то вроде стражника, сопровождающего или просто обузы.

С некоторыми женами старых друзей мне удавалось преодолеть изначальный антагонизм. Они быстро обнаруживали, что мне хорошо знакомо все, известное каждой одинокой, не связанной брачными узами личности, — мир всегда несколько выпадает из фокуса, когда в конечном счете никого, черт возьми, не волнует, жив ты или умер. Такой ценой расплачиваешься за бродяжнический образ жизни, и, если предварительно не взглянул на ценник, стало быть, в самом деле дурак.

Внешне Джан вроде бы проявляла теплоту, как бы стараясь подчеркнуть убежденность в том, что я ей зла не желаю. Но враждебность не таяла. Ей неплохо удавалось ее скрывать, но она присутствовала.

Я приветственно поднял стакан с чаем и сказал:

— Это просто ерунда, Джанин. Обычное для такой жары обалдение.

— Спасибо, — улыбнулась она. — Таш быстро поел и умчался. Взял на себя роль детского таксиста. Вернется минут через десять, и тогда устроим что-то вроде ленча.

Допила чай, налила еще стакан, чтобы взять с собой. Направившись к двери, медленно и печально покачала головой:

— Знаешь, по-моему, в основном виновата я. Бедный маленький Джимми. В чем дело, мам? Что сломалось, мам? Она поедет, мам? И я влепила ему плюху. Слишком сильно, не думая. Выместила на нем злобу. — Ее улыбка была сухой, а глаза влажными. — Не пойму, что в последнее время со мной происходит. Ох, как я ненавижу эту чертову машину! Эту проклятую вонючую машину! Как я ее ненавижу!

Глава 2

Сидя в ожидании под дующим в полную силу кондиционером и прихлебывая чай, я думал о маленьком сонном царстве под названием Детройт, которое, как всегда, на пятнадцать лет отстает от остальной Америки.

Джанин раскусила его. Люди ненавидят свои машины. Папочка уже не гордится новым автомобилем, подкатывая к дому; семейство не выскакивает навстречу, вопя от восторга; соседи не сбегаются полюбоваться. Все машины одинаковые. Для опознания собственной приходится цеплять к ветровому стеклу яркую побрякушку. Можно давать им названия в честь хищников, примитивных эмоций, астрономических объектов — в сущности, это одна большая сверкающая сточная труба, воронка, жадно всасывающая деньги — страховка, налоги, техосмотр, пошлины, покрышки, ремонт. Тебе выпадает возможность сидеть среди рева гудков, в бессильной ярости колотя по рулю кулаками, пока через милю твой рейс отправляется из аэропорта. Имеешь верный шанс быстро умереть, а еще верней — агонизировать несколько месяцев из-за разорванной плоти, раздавленных кишок, переломанных костей. Приводишь машину к любезному дилеру, а обслуживающий персонал смотрит мимо, пока не поймаешь кого-нибудь за рукав. После чего он командует: приезжайте через неделю, считая со вторника. Предварительно позвоните. Из-за миллионов тонн загрязняющих веществ гибнут листья на деревьях, заболевает скот. Мы ненавидим свои автомобили — Детройт. Те, кому удается без них обойтись, обходятся с большой радостью. Если тем, кто не может, предоставляется альтернатива, они мигом хватаются за нее. Мы покупаем их неохотно, стараемся, чтобы они продержались подольше, и это уже не дружелюбные машины, а дорогостоящий, смертоносный металлолом, умудряющийся сверкать презрением к своим владельцам. Из-за автомобиля ты слишком сильно шлепаешь своего малыша, а потом стыдишься самого себя.

Недавно я развязал себе руки. Моя старушка «Мисс Агнес», «роллс»-пикап, была необычайно проворной, разгонялась с места до шестидесяти миль в час примерно за сорок секунд, а развив бурную и шумную деятельность, упорно не желала останавливаться. Таким образом мы с ней медленно приближались к дорожной катастрофе, от которой нас отделял все утончавшийся волосок. Я отправился покупать новую, совершал пробные поездки и обнаружил, что все они фантастически разгоняются, все мгновенно останавливаются, и все дьявольски мне опротивели.

Поэтому я пошел искать судно, которым можно было бы пользоваться, вместо машины. Оставил «Мисс Агнес» для проселочных дорог, «Флеш» — для открытого моря и стал совершать деловые поездки на «Муньеките», а если бы мне понадобился автомобиль, есть трудолюбивый мистер Херц, еще более услужливый мистер Эйвис и мистер Нэшнл[1], питающие надежду переехать друг друга насмерть. Желая купить и доставить из Лодердейла то, чего нельзя купить в Байя-Мар, я мог выйти за покупками на «Муньеките». Приятно плыть по реке через город и слышать в отдалении лязг крыльев столкнувшихся автомобилей, скрежет бамперов и сирену «скорой».

---

[1] «Х е р ц», «Э й в и с», «Н э ш н л» — крупнейшие фирмы по прокату автомобилей.

Мы с Джанин ели в кухонном баре мотеля сандвичи с сыром и ветчиной, а маленький Джимми при каждом своем появлении получал от матери пару легоньких нежных шлепков. Имена двух старших мальчиков я позабыл, и пришлось их улавливать в разговоре. Джонни и Джоуи. Джоуи большой парень. Шесть лет. Джонни четыре с половиной.

Сообразив, что нигде не видно Тайлера, негра, работавшего у них во время моих прошлых приездов, высокого, жилистого, веселого нестареющего мужчину темно-шафранного цвета, с лицом ученого и сверхъестественным даром диагностировать неполадки в морских двигателях, я спросил, не выдался ли у него выходной.

— О, Тайлер от нас ушел... должно быть, месяцев восемь назад. Таш очень расстроился. Знаешь, как хорошо при нем было! Впрочем, теперь... тоже неплохо. Наверно, мы все равно не смогли бы платить ему при нынешнем положении дел.

— Из-за дороги?

— И многого другого.

— Например?

— Думаю, если Ташу захочется, чтобы ты выслушал горестную историю, он лучше сам все расскажет. Скажу только одно, Тревис Макги. — Она прищурилась и стукнула кулачком по пластиковому столу. — Бежать отсюда мы не собираемся!

— Кто-то пытается вас заставить?

— Лучше поговори об этом с Ташем.

— Можешь раздобыть сиделку на нынешний вечер?

— Что?

— Нарядись пошикарней, пошатаемся втроем по Броуард-Бич, найдем выпивку и закуску, домой вернемся поздно и всю дорогу будем орать песни.

Ее узкое лицо озарилось:

— Вот это мне нравится!

И Таш, вернувшийся с двумя другими светлоголовыми отпрысками, выразил одобрение. Сиделка была под рукой. Джан объяснила, что они сдали одной супружеской паре плавучий дом за особую плату. Молодые ребята, лет по двадцати с небольшим. Живут в том плавучем доме, возле которого стоит старый желтый фургон. В другом, в дальнем конце, — пара пенсионеров. В данный момент сданы всего два.

ветер дул с запада. Лодка была в полнейшем порядке, а оглянувшись, я обмер от неожиданности при виде массивной фигуры Таша Бэннона.

— Мне не хватает шума старого горбатого моста при ветре с реки, — проговорил он. — Движение небольшое, а доски громыхали. К этим звукам привыкаешь и даже не слышишь, а когда они исчезают, скучаешь.

— Поставят новый?

— Не здесь, — вздохнул он. — В трех милях выше по реке. Для меня это очень чувствительно. Потеряю почти всех клиентов с той стороны. ТТА хочет забрать мост себе. Хочет официально закрыть к нему дорогу. Мы отправились на открытые слушания и наделали много шуму, но ТТА в этом округе получает все, чего пожелает.

— Таш, если тебе надо как-то помочь продержаться здесь, пока дела не наладятся...

— Забудь. Спасибо, но забудь. Это просто затянет крушение.

— Все пропадет?

— Наверно.

— Ты не можешь продать?

— Что продать? Нашу долю по закладной? Пойди спроси в банке, сколько она, по их мнению, составляет. — Он зевнул. — Черт, я всегда был довольно хорошим торговцем. Неплохо умею продавать товар. Беда в том, что терпеть не могу это дело. Спокойной ночи, Макги. И еще раз спасибо. Хороший был вечер. Это нам помогло. Это нам позарез было нужно.

Утром я уехал. Произошло это все в октябре, я по-прежнему думал о них и гадал, но ничего не предпринял и больше не заезжал. Теперь сожалею об этом. Сожалею о многом, чего в своей жизни не сделал, равно как о немалом количестве увлекательных сделанных дел, только сожаление о несделанном длится несколько дольше.

В последний раз я видел Таша Бэннона живым во время уик-энда перед Рождеством, в субботу ближе к вечеру. Произошло это по столь невероятной случайности, что испытываешь искушение назвать ее судьбоносной. Мой приятель Мик Косин ждал очень важного телефонного звонка из Мадрида, дав номер моего телефона на борту «Лопнувшего флеша». Дело затягивалось, и он попросил меня взять его машину, поехать в международный аэропорт Майами и встретить его подружку Барни Бейкер, стюардессу «Пан-Америкэн», которая должна была прибыть из Рио и остановиться в Майами. Разумно было послать меня, ибо только я знал ее в лицо.

За компанию я посадил с собой в прокатный автомобиль с откидным верхом Пусс Киллиан. Стоял холодный солнечный день, золотистое побережье в это время года пустовало, как никогда. Нервные человечки, держатели акций огромных пляжных отелей, сокрушались по поводу полученной в пятый раз под залог ссуды, а розничные торговцы лихорадочно благодарили судьбу за рождественскую лихорадку, которая, обуяв местных жителей, компенсировала падение спроса на кокаин. Пусс — высокая, статная рыжая женщина, мастерица заводить и прекращать игры, убежденная в полном безумии мира, и поэтому наилучшая компаньонка для тех, кто способен следить за отклонениями и крутыми поворотами в ее речах, а тех, кто не способен, она порядком раздражает.

Мы оставили автомобиль на стоянке, вошли в аэровокзал, осведомились насчет рейса, и дежурный сказал, что 955-й только что совершил посадку. После того как вывели и направили в нужную сторону пассажиров, вышла, цокая каблучками, Барни с группой своих коллег в форме с крупными, яркими бляхами и нашивками — конфетка-блондиночка с огромнейшими невинными голубыми глазами, которые стреляли налево-направо в поисках Мика и наткнулись на меня, шагнувшего ей навстречу. Сияя широкой улыбкой, она грациозно и опасливо познакомилась с Пусс. Я объяснил ей, что Мик ждет телефонного звонка от независимой телекомпании, желающей взять оператора, ибо их главный оператор переломал себе кости, разъезжая на велосипеде по мадридским дорогам. Барни Бейкер попросила пятнадцать минут, я сказал, что мы будем наверху в баре аэропорта, она сказала: «Хорошо» — и зацокала прочь, ловко и уверенно двигаясь в униформе.

В этот час в обширном голубом стеклянном зале, вознесенном высоко в воздух, коктейльный бизнес шел еще ни шатко ни валко, за тихой элегантной стойкой бара маячила знакомая физиономия бармена, который помнил мой любимый напиток и весьма этим гордился, так что мы уселись, заказали по стаканчику, с уважительным молчаливым вниманием следя за искусной работой. Два вместительных старомодных стакана поставлены бок о бок, на две трети заполнены мелким льдом. В каждый налита щедрая порция сухого шерри. Сперва на один, а потом на другой стакан лег фильтр, через который мастер изящным движением кисти выплеснул шерри, после чего залил лед доверху джином «Плимут», протер ободки стаканов лимонной коркой, капнул на коктейль сверху несколько плавучих бусинок цитрусового масла, выбросил корку, с легким поклоном подал нам напитки и, сияя улыбкой, объявил:

— Два «Макги».

— Спасибо, Гарольд, — поблагодарил я.

Возникли два новых клиента, бармен отошел; Пусс подняла свой стакан, чокнулась со мной.

— Мгновенный напиток, — изрекла она. — Мгновенная глупость, мгновенное принуждение, мгновенное согласие. Что касается меня, я просто на мгновение онемела от предвкушения удовольствия. Ну, за летающих перепелочек!

— За кого?

— За стюардесс! Что-то ты туго сегодня соображаешь, любовь моя. То и дело не врубаешься.

— Исключительно потому, что смотрю на тебя. При этом я плохо слышу.

И тут, случайно взглянув мимо нее, я увидел за столиком на двоих у стены Таша Бэннона. Сгорбив могучие плечи, он наклонялся к девушке с застывшим лицом, сидевшей напротив. У нее были длинные прямые каштановые волосы, надутые губки, бесстрастное личико. Казалось, она задумчиво и внимательно его слушает, прикусив очень пухлую нижнюю губу, прикрывая глаза и медленно покачивая головой, как бы твердя бесконечное «нет».

Совсем не тот случай, чтобы легким шагом приблизиться к старому другу, хлопнуть его по плечу и осведомиться, как поживает Джанин. Они вели личную беседу, до такой степени личную и напряженную, что их словно бы окружал почти очевидный колпак из тончайшего стекла.

— Знаешь их? — спросила Пусс.

— Только его.

— Я бы сказала, что он собирается бастовать. Теряет выдержку. Торговать нынче трудно, и девочки нервничают.

— Привет! — сказала Барни Бейкер, поставила саквояж на пол и взобралась на высокий стул справа от меня.

На ней была бледно-зеленая блузочка без рукавов с высоким воротом, короткая юбка, тоже зеленая, но потемнее, в проколотых ушах болтались маленькие золотые колечки. Она пожелала выпить бурбон. Пусс подалась вперед и проговорила через меня:

— Господи, что на свете может быть прекраснее, восхитительней и романтичнее перелетов из одного восхитительного и романтичного места в другое! Клянусь, вот это настоящая жизнь. Потрясающие пилоты, загадочные путешественники, разъезжающие по всему миру, и все такое. Наверно, вы понимаете, Барни, до чего мы, земные женщины, вам завидуем.

Барни всего на миг едва заметно прищурилась. Наклонившись, она, слегка задыхаясь, прощебетала:

— О да! Сбылись мои мечты, мисс Киллиан, — летать в прелестнейшие места на земле. — Она вздохнула, качнув хорошенькой головкой. — Только, по-моему, так... неестественно пользоваться самолетом, правда? Просто на моей метелочке не удается подняться выше верхушек деревьев. Вам везет больше?

— Думаю, вся разница в том, таскать с собой распроклятого кота или нет, — невозмутимо ответила Пусс. — А еще — надевать ли дурацкую шляпу и длинные юбки.

— Нелегко любоваться лунным светом, когда все время приходится бормотать жуткую ерунду, как по-вашему? — продолжала Барни.

Позади меня возник Таш:

— Трев, можно с тобой минутку поговорить?

Он повернулся и отошел, прежде чем я успел его представить.

Девочки не обратили на это внимания. Я извинился и пошел за Ташем. Барни Бейкер пересела на мой стул. Когда я выходил в коридор, а стеклянная дверь еще не закрылась, до меня долетел контральтовый, отрывистый и самый искренний смех Пусс, на фоне которого контрапунктом звучал серебристый, но все же земной смешок Барни. Поножовщина между женщинами может испортить веселье, поэтому было приятно удостовериться, что эта пара отлично поладит.

Я проследовал за Ташем мимо лифтов в пустой мужской туалет.

— Я подошел бы поздороваться, но ты был с подружкой.

— С подружкой! Кому нужны такие подружки! Она улетела. Слушай, у меня мало времени. Я оставил Джан одну с ребятишками на три дня и хочу вернуться. Год назад она объявила, что все складывается в ясную картину, и мы должны убраться, а я не поверил. Ладно. Теперь верю. Там заключаются деловые сделки. Земельные сделки. А мы торчим на дороге.

Он был таким же большим, но лицо как-то странно усохло. Крупные руки дрожали. Взгляд растерянный, как у очкариков, снявших очки.

Таш с усилием рассмеялся:

— Я думал, кому-то понадобилась моя пристань. Поэтому потратил деньги, которые не мог тратить, и нанял местного адвоката, посмотреть, чего он раскопает. Молодой парень. Стив Бессекер. По-моему, единственный адвокат в Саннидейле, который не испугался. Рассказал ему обо всем, что на меня навалилось, он согласился, что это не совпадение, и начал разнюхивать. Никому не нужна моя пристань, Трев. Им нужен единый кусок в четыреста восемьдесят акров. А мои десять акров прямо в центре всего этого необходимого им прибрежного участка.

— Кому «им»?

— С момента появления «Тек-Текса» на той стороне реки весь этот участок объявлен промышленной зоной. Кругом натыканы крупные объявления, абсолютно официальные и законные. Они собираются углубить реку и канал, чтобы по фарватеру могли проходить баржи. Сюда явно хочет пробраться какая-то крупная корпорация и выкладывает за землю круглые суммы.

— Кто скупает участки?

— Пятьдесят акров прямо позади меня принадлежат местному агенту по недвижимости Престону Ла Франсу. Бессекер выяснил, что Ла Франс заключил опцион[1] на двести акров к востоку от меня по двести долларов за акр. Их владелец — старик Ди Джей Карби, старожил. С другой стороны от меня, на западе, двести двадцать акров находятся в собственности некой «Саутвей лэндс инкорпорейтед». Бессекер выяснил, что это одно из предприятий Гэри Санто. Знаешь его?

— Слышал. Как любой другой в Южной Флориде.

---

[1] О п ц и о н — сделка с премией, уплата которой гарантирует право купли-продажи по оговоренной цене.

Несколько лет назад Санто был эффектным юным сообразительным ловкачом с налетом позолоты. Теперь он был не столь юным сообразительным ловкачом, который загадочным образом маячил за кулисами многих событий под прикрытием тайны и денег. В Майами это имя имело привкус пентхаусов, нефтепроводов, южноамериканских партнеров по играм, слияний и поглощений компаний, личных самолетов, широко рекламируемых пожертвований в пользу местных инициатив в области искусства и культуры.

— Не знаю, что именно связывает Санто с Престоном Ла Франсом, Трев. Может, Ла Франс просто действует как агент Санто. Может, это совместное предприятие. До Бессекера дошел слух, что полтора года назад по участку рыскали эксперты, выбиравшие для завода место, и рекомендовали хотевшей заполучить его крупной компании дойти аж до восьмисот тысяч! По тыще семьсот долларов за акр. Примерно в то время, когда я про это узнал, возник один старый приятель и объявил, что ему очень не хочется, но ничего не поделаешь, придется забрать у меня плавучие дома. Я еще оставался за них должен. По его словам, один из администраторов округа Шавана, мистер П. К. Хаззард по прозвищу Монах Хаззард, намекнул, что, забрав у меня суда, мой приятель получит предпочтение при установлении зонального тарифа. А когда я рассказал об этом Бессекеру, тот заметил, что Монах Хаззард — шурин Престона Ла Франса, а доказать ничего невозможно. Бессекер вел себя странно. Сказал, что наваливается куча дел, и он больше не обещает уделять мне время. По-моему, они его тоже достали. Ему ведь тут жить.

— Все мы люди, — изрек я.

Он уставился на рулон бумажных полотенец, встряхнул головой:

— Ты же знаешь мою манеру, Трев. Не люблю ходить вокруг да около. Лучше прямо вступить в схватку. Я пару раз видел Хаззарда на тех открытых слушаниях, где они поднесли мне пилюлю, например насчет сноса моста, но не разговаривал с ним. Ну, попробовал договориться о встрече, а он начал тянуть резину, и в конце концов я прихватил с собой Джан, мы уселись у его офиса, пока он нас, наконец, не заметил. Такой маленький, шея длинная, голова круглая, с большими выпученными глазами за толстыми стеклами очков. Морда как у обезьяны, голос скрипучий. Я сказал, что мы граждане, налогоплательщики, землевладельцы, он — официальное должностное лицо, нравственный и моральный долг обязывает его не позволять использовать государственную машину для того, чтобы я обанкротился, а его шурин заработал несколько баксов. Знаешь, что такое унижение, Трев?

— То и дело испытываю понемножку.

— Он весь надулся, забегал, заскрипел и давай читать лекцию. Народ едет с севера, думая, будто во Флориде легко прожить, тогда как это худшее место в мире. На меня ни разу не взглянул. Частично смотрел в окно, в основном пялился на ноги Джан. Сказал, что не дело местных властей спасать человека от его ошибок и неверных расчетов. Сказал, что величайшим благом для подавляющего большинства будет наилучшее использование земли, а как подумаешь о налоговой базе, о занятости и так далее, пристань, возможно, не самое лучшее. Сказал, что прощает сомнения в его честности, ибо попавший в беду человек говорит не подумав. Люди попросту не имеют понятия, какой нужен талант для ведения малого бизнеса. Может, в какой-то другой сфере деятельности мне больше повезет. Сказал, что не знает, интересуют ли Пресса Ла Франса мои десять акров. Возможно, он сделает предложение, если я с ним поговорю, но не стоит мне ждать слишком многого, потому что мое предприятие в плохом состоянии. Сказал, что попавшие в беду люди считают, будто весь мир против них ополчился, но, если определенные необходимые для землеустройства меры подорвали мой бизнес, это вовсе не означает целенаправленного злого умысла. Во Флориде ежегодно гибнут тысячи малых предприятий, и я вовсе не исключение. Мы ушли. Джан расплакалась, не дойдя до машины. Унижение и отчаяние.

— Ты столкнулся с могущественной структурой, Таш. Вряд ли сможешь их переиграть.

— А я думал, смогу. Повидался с Ла Франсом и все повторил. Он ответил мне то же самое, точно они сговорились и отрепетировали. Я спросил насчет предложения. Он сказал, что не заинтересован. Может быть, говорит, если позже все будет выставлено на продажу, он предложит стоимость конфискованного имущества, но остаток по закладной, по его мнению, вряд ли этого стоит. Чуть больше шестидесяти тысяч, вот как. А мы выплатили пятьдесят одну. Поэтому я разинул рот. Наклонился над его столом и объявил, что ему никогда не наложить лапу на мою собственность. Оставлю там Джан вести дела, сам вернусь к торговле и начну выкупать закладную с каждым сэкономленным центом. Тогда они поднажали пожестче.

— А именно?

— Сначала продлили контракт на дорожные работы еще на сто дней. Потом прислали инспекторов из окружного бюро, которые забраковали мою электропроводку, септические цистерны, колодец и отобрали лицензию на ведение дела. Как только лицензию отобрали, банк велел вернуть всю ссуду по закладной через тридцать дней, или меня лишат права выкупа заложенного имущества. Мол, это давным-давно надо было сделать. Мы какое-то время неплохо справлялись, Трев. Я не слишком размахивался. Оставь они меня в покое, мне хватило бы доходов расплатиться за ангар для хранения лодок и за расширение мотеля. Наш маленький бизнес должен был стать одним из лучших во всем районе. Я пытался еще раз встретиться с администратором Хаззардом, ждал, и дождался пары представителей шерифа, которые объявили, что я либо должен уехать, либо меня заберут за просрочку. Мы с Джан посоветовались и решили, что лучше всего изложить дело мистеру Гэри Санто. Он, скорее всего, такая крупная шишка, что даже не знает о происходящем, а если и знает, то, выслушав нас, велит им прекратить. Может, думали мы, Ла Франс просто чересчур старается услужить Санто и как можно дешевле отделаться. И я все написал на бумаге. Мы, наверно, раз десять переписали письмо, Джанин отпечатала на старенькой машинке в конторе мотеля, и оно ушло через специальную службу доставки с пометкой «лично».

— Ответ получили?

— Словесный. От той девицы, с которой я сидел. Ее зовут Мэри Смит. Я приехал и попытался добраться до Санто. Добрался только до неё. Она предложила встретиться здесь перед ее отлетом. Замороженная, как говядина в морозилке, старик. Да, мистер Санто прочел мое письмо лично. Да, у него существует неофициальная договоренность с мистером Ла Франсом. Но мистер Ла Франс не на службе у мистера Санто. Да, мистер Санто настоятельно требует, чтобы мистер Ла Франс представил обещанные результаты, поскольку вопрос о приобретении земли решен. Мистер Санто не считает себя персонально ответственным за вашу судьбу. У него не благотворительная организация. Я спросил, можно ли повидаться с ним лично. Нет. Извините, нет.

— И что теперь?

— Мы все потеряли. Все. Прошли добрые времена. Джанин сильно переживает. Потрачена куча денег, сил, времени, и в результате пусто. Лучше бы... надо бы нам с тобой раньше встретиться, Трев, пока еще не было слишком поздно. Может, ты изобрел бы какую-нибудь спасательную операцию. В твоем духе. Надавил бы на них, как они на меня надавили. — Он бросил на меня странный, озадаченный, задумчивый взгляд. — Понимаешь, я постоянно думаю, каким образом убил бы кого-нибудь. Хаззарда, Санто, Ла Франса — кого-нибудь. Кого угодно. У меня никогда в жизни не было таких мыслей. Я совсем не такой.

Таш сморщился, крутанулся и пнул большой металлический мусорный бак, предназначенный для использованных бумажных полотенец.

— А-а-а!.. Тьфу! — выкрикнул и выбежал вон.

Я забрал Пусс и Барни. Чуть позже половины седьмого мы вернулись на «Лопнувший флеш». Мик дождался звонка, договорился, заказал билет на понедельник на утренний рейс в Испанию через Нью-Йорк. И хотя настроение у меня несколько омрачилось, были песни и спорт, загар и музыка, пляж и сон, старые и новые шутки, девушки на палубе, новые пластинки в музыкальном автомате, губная помада, песок, мимолетные поцелуи, долгий многозначительный взгляд из-под загнутых ресниц.

То и дело являлся и исчезал Мейер с небольшими отрядами своей нерегулярной партизанской армии. Произошел небольшой перебор, когда к нам нагрянула постоянно кочующая компания с борта большого круизного судна Тигра из Алабамы.

С виду все как всегда — абсолютно свободно, настолько, что даже не знаешь, кто чей гость и знакомый, — тем не менее существует некий протокол. Есть совершенно реальный внутрикомпанейский неписаный перечень того, что следует и чего не следует делать, следует и не следует произносить. А если ты не способен войти в игру плюс инстинктивно понять необходимые правила, тогда опусти жалюзи, задерни шторы, оказывай холодный прием. Но иногда, как в случае с одним воскресным гостем, люди до того тупы, что требуются более доходчивые меры.

Его звали Бастер, Бадди, Санни — что-то в этом роде. Здоровенный громогласный жизнерадостный парень лет тридцати, конторского типа, чрезмерно самоуверенный; он отправился в деловую поездку подальше от дома и рыскал в поисках девок, убежденный в своем двойном мужском превосходстве над любым праздно шатающимся по пляжу субъектом, готовый слегка покрутиться и пообжиматься, чтобы потом дома было что рассказать другим оболтусам и утаить от старушки Пегги, оставленной с детьми.

Итак, он появился на залитой солнцем палубе, растянулся рядом с Барни и объявил, что она не уступит ни одной пышке на всем белом свете, а если позволит слегка растереть маслом для загара симпатичную спинку и симпатичный животик, он будет счастливейшим торговцем бумагой на всем юго-востоке.

Она села, хмуро глядя на тупую, развеселую, ухмыляющуюся физиономию, а когда Мик встал было, чтобы выбросить Бастера-Бадди-Санни за борт, выразительным жестом остановила его взмахом руки и объявила:

— Музыка, умолкни!

Пусс подошла к динамикам и выключила звук.

В наступившей тишине Барни с жестокой четкостью проговорила:

— Пусс, Мэрили! Идите сюда, дорогие мои. Посмотрите-ка на него.

Они подошли, уселись рядом на пляжный матрас и принялись разглядывать Бастера-Бадди-Санни.

— Он из тех типов, про которых я вам рассказывала, — пояснила Барни. — Из тех обаяшек, что превращают жизнь стюардесс в чистый ад.

— Лучше не оскорбляй меня, чистюля, — усмехнулся он.

— Ясно, — мрачно заключила Пусс. — Все очевидно. Жирное пузо, громкий голос, мутные похабные маленькие глазки.

— Вы что, шутите, девочки? — спросил он с несколько полинявшей усмешкой.

Мэрили склонила голову набок и промычала, тряхнув головой:

— М-м-м, на дежурстве к такому не посмеешь повернуться спиной. Сразу начнет хватать за задницу.

— Думаю, у них есть безумная мечта, — продолжала Барни. — Они только и ждут, что ты рухнешь, сраженная обаянием такого количества мяса. Помчишься с таким неотразимым типом в отель или в мотель и прыгнешь прямо в койку. Можете себе представить?

Пусс слегка поежилась:

— Господи, дорогие мои, вы лучше представьте себе, будто мы девушки по вызову и *обязаны* спать с таким обормотом!

— Б-р-р! — передернув плечиками, высказалась Мэрили.

Бастер-Бадди-Санни встал, и три красотки ласково посмотрели на него снизу вверх.

— Кофе, чай, молоко? — спросила Барни.

— Ах ты, вшивая сучка! — буркнул он.

Пусс расхохоталась:

— Видали? Точь-в-точь как ты говорила, дорогая. Типичная реакция. Смотрите, какая у него морда красная. Так-так, погодите-ка, дайте сообразить. Он облысеет через пять лет.

— Через четыре, — твердо поправила Мэрили.

— Ему уже нужны очки, но он их не носит, — заметила Барни.

— У него будет жуткое пузо, — добавила Пусс.

— В сорок пять свалится замертво от обширного инфаркта.

— А когда свалится, обожжется сигарой и обольется бурбоном.

— И несколько огорчит бедную женщину, которая вышла за него замуж.

Барни покачала головой:

— Ни одна девушка, хоть сколько-нибудь поработавшая стюардессой, никогда за такого не выйдет. Посмотрите на его рот! Жутко подумать, что нечто подобное придется поцеловать, да еще изображать удовольствие!

— Вы поглядите на его грязные ногти!

В следующий момент Бастер-Бадди-Санни испарился. Он удалялся скорым шагом и не размахивал руками.

— Девочки, вам надо прополоскать джином рты, — предложил Мик. — Кучу гадостей наговорили человеку.

— Небольшая дружеская кастрация никому еще не повредила, — усмехнулась Мэрили.

— Кроме того, — сказала Пусс, — мы не коснулись по-на-стоящему грязной привычки. Дай ему хоть полшанса, знаете, что мог бы натворить этот мерзкий ублюдок?

Мэрили с пошловатой ухмылкой придвинулась к Пусс и что-то прошептала.

— Поздравляю, милочка, — кивнула Пусс. — Кажется, ты живешь полной жизнью. Но я имею в виду нечто гораздо худшее.

— А именно? — полюбопытствовала Барни.

— Если бы ты когда-нибудь по глупости подпустила его чуть дальше первой отметки, этот жалкий трус, глядя прямо в глаза, икнул бы и, смахивая на побитую собаку, вымолвил дрожащим голосом: «Милая, я тебя люблю».

— Точно! Точно! — воскликнула Мэрили. — Дальше некуда. Именно тот тип! Настоящий подонок, пробу негде ставить!

Мейер очнулся от долгих мрачно-сосредоточенных размышлений, сгорбился, как волосатый Будда, протянул длинную обезьянью руку, взял ферзевого слона и переставил на идиотское на первый взгляд место — рядом с моей центральной пешкой. Маленькая кругленькая леди, сопровождавшая его на этой неделе, просияла, захлопала в ладоши и разразилась длинным комментарием по-немецки.

— Она говорит, что теперь тебе конец, — перевел Мейер.

— Никогда! — заявил я и принялся анализировать, анализировать, анализировать. Наконец дал щелчок своему королю, сшиб беднягу и спросил: — Хочет кто-нибудь прошвырнуться по пляжу?

Но прежде чем мы с Пусс ушли, я еще раз попробовал дозвониться Ташу Бэннону на лодочную станцию. И снова не получил ответа. Ощутил раздражение, огорчение и, пожалуй, первый легкий укол тревоги.

Глава 3

В понедельник утром я проснулся в половине седьмого, думая про Таша и его проблемы. Не проснись я с этой мыслью, мог бы заснуть снова. Но, увы, сон ко мне больше не пришел. Даже в огромной, изготовленной на заказ кровати, оставленной на борту «Флеша», когда я его выиграл в Палм-Бич, Пусс Киллиан оттеснила меня к самому краю. Она свернулась в клубочек спиной ко мне, и я всю ночь чувствовал у своего бедра тепло округлой попки. Она спала, медленно и глубоко вдыхая и звучно выдыхая воздух.

Я сдался, встал, принял душ, вернулся, стараясь как можно тише натянуть белую спортивную рубашку и слаксы цвета хаки. Но, просовывая руку в рукав при слабом свете, сшиб с полки стаканчик с заготовленной на ночь выпивкой, он упал и разбился.

Пусс перевернулась, медленно приподнялась, негодующе глянула на меня и опять провалилась в сон, угнездившись на другом боку. Спутанная прядь рыжих волос, упавшая на щеку и губы, трепетала при каждом дыхании.

Я услышал, как кто-то украдкой шебаршит на камбузе, и обнаружил Барни Бейкер в желтом платье длиной до бедер, которая, забрав волосы под косынку, колдовала над яичницей. Заметив меня, высоко вздернула брови и прошептала:

— И ты? У тебя-то какая причина? Не отвечай. Вопрос риторический. Разговаривать по утрам преступно. Я нашла вот эту симпатичную икру, вот эти симпатичные яйца и, судя по запаху, деревенский сыр «Херкимер». Если хочешь, чтобы я удвоила порцию, просто кивни.

Я кивнул. Налил нам обоим сока. Она разбавила его водой. Я засыпал колумбийский кофе мелкого помола в бумажный фильтр «Бенц» и сунул его в кофеварку. Барни внимательно наблюдала за мной, пока я пробовал яичное изобретение. Светлые бровки приподнялись в знак вопроса. В ответ я сомкнул в кружок большой и указательный пальцы. Она принялась было наводить порядок, но я велел отложить это дело на потом, принес кофе в белом фарфоровом кувшине с крышкой, а Барни подала чашки.

Утро было почти холодное. Я вытащил для Барни из переднего шкафчика одеяло — прикрыть голые коленки, а сам накинул старую серую шерстяную кофту без ворота, которую берегу семьсот лет. Ее уже можно отнести к тому классу пожертвований, от которых отказываются даже миссионеры.

— Полагаю, вполне можно было бы поупражняться на барабане и на трубе, ничуть не потревожив нашу парочку, — заметил я.

— Мику надо подольше поспать. Мы должны выехать не позже десяти, чтобы успеть на рейс. А в Испании его нагрузят работой по горло. Съемки вышли из графика.

— А тебе когда на работу?

— Во вторник к полудню.

— Тогда возвращайся.

— Спасибо, но вряд ли. Пожалуй, верну машину, забьюсь куда-нибудь и попробую поразмышлять. У тебя чертовски хороший кофе, Трев. А как твой совет, не хуже? Скажем, при безнадежной любви?

— Лучше всех. Только моим советам никто никогда не следовал.

— Ну, вот тебе гипотетический случай о двух одиночках — во-первых, о маленькой глупышке, которая служит стюардессой в авиакомпании и которой чересчур скоро стукнет двадцать семь. Она очень уж любит быть в гуще событий, но уже задается вопросом, не делаются ли события чересчур похожими? Во-вторых, имеется совершенно особенный и талантливый парень, киношник, полный скептик в свои тридцать два года, который боится унылого брака больше, чем пули в лоб, и настолько зациклился на работе, что практически не в состоянии вспомнить, как зовут стюардессу. Вместе они бывают раз пять в году, каждый раз дней по пять, и всегда все хорошо — лучше не придумаешь. Неимоверно удачно, хоть они и твердят себе и друг другу, что теперь все может кончиться в любую минуту. И вот в прошлый раз оператор выражает желание жениться на девушке из авиакомпании, а она говорит: «Нет, черт возьми!», хорошенько думает и соглашается: «Ладно». Однако он, оскорбленный ее предыдущим отказом, говорит: «Нет, черт возьми!» Могут ли два таких козлика обрести счастье, Макги?

— Ты выйдешь замуж, когда не останется больше никакой возможности, крошка Барни. Вы поженитесь, потому что обречены друг на друга.

— В самом деле?

— Не обмирай. Не хочу погубить твой роман. Он либо станет необратимым, либо нет. Не зависнет на данной стадии. Либо разрастется, либо усохнет, и в любом случае правильно сделает. Не торопи события.

После долгого молчания она заключила:

— Все равно кофе у тебя хороший. — И пожала плечами. — Сменим тему. Твоя Пусс Киллиан... Она мне нравится, Трев. Очень нравится. Но какая забавная вещь: сначала кажется, будто она тебе все о себе рассказывает, а потом соображаешь, что на самом деле ничего не сказала. Кстати, что она собой представляет?

— Не знаю. Не смотри на меня так. Я знаком с ней четыре месяца. Каждые две недели она на пару дней исчезает. Можно было бы чуточку покопаться. Но это ее дело. Пусть расскажет, когда пожелает и если пожелает. Знаю, что она из Сиэтла, не гоняется за деньгами, от роду ей двадцать четыре или двадцать пять лет, незадолго до появления здесь рассталась с мужем. Я познакомился с ней на пляже исключительно потому, что она наступила на морского ежа, метала громы и молнии, приказала мне подойти и немедленно что-нибудь сделать. Знаю, что энергии у нее хватит на трех портовых грузчиков, что она может за один присест съесть трехфунтовый бифштекс, хорошо поглощает спиртное, способна подойти и плюнуть тигру в самый нос, если сочтет его умирающим от безделья. И знаю, что время от времени она намертво умолкает, желая лишь одного — чтобы все притворились, будто ее здесь нет.

— Она очень нежно на тебя смотрит, Тревис. Когда ты на нее не глядишь.

— Ах ты, интриганка!

Я попробовал еще раз и не дождался ответа от Таша. Попросил междугороднюю телефонистку проверить установленный там телефон и получил сообщение, что он в полном порядке. В девять с небольшим решил осведомиться, желает ли Пусс попрощаться лично или перепоручит это мне, вошел и тихонько присел на край постели. Она дышала чаще, слегка хныкала, рука во сне дергалась. Я осторожно отвел с лица рыжие волосы и увидел слезинки, сползающие по щеке из-под сомкнутых век. Положил руку на обнаженное плечо и легонько потормошил.

— Эй! Все не так уж и плохо, дружок?

Она широко открыла невидящие глаза, засопела, пробормотала детским голоском:

— Да они все время говорят... — Встряхнулась, как рыжий сеттер, сфокусировала взгляд на мне, опять засопела, улыбнулась и промолвила: — Спасибо, приятель. Меня чуть не зарезали на перевале. Который час?

— Четверть десятого.

— М-м-м... Если я верно читаю твои мысли, Макги, они меня восхищают. Очень хорошо. Оставайся на месте, а я первым делом почищу зубы.

— Мик с Барни уезжают через полчаса. Я подумал, не хочешь ли ты проститься.

Она зевнула длинно, как львица.

— Конечно хочу. Если бы ты, здоровенный, костистый и загорелый кретин, имел в голове хоть каплю здравого смысла, то заглянул бы сюда не в четверть десятого, а без четверти девять. Поспешность полезна при ловле блох, но никоим образом в том, что я тебе предлагаю. Так что поставь свой будильничек на час сиесты.

— В час сиесты мы будем в округе Шавана, нанесем визит моим старым друзьям, у которых возникли проблемы.

— Правда? — Она села, прикрыв грудь простыней. — Ну-у... Тогда быстро свари леди кофе, пока она принимает душ. И заведи будильник.

— ...В таком месте, — говорил Мик, — время несется так, что рехнуться можно. Пока соберешься посмотреть на камыши, на цветовую гамму, уже проехал мимо дня три-четыре назад.

Из огромной душевой, сквозь плеск, который могло бы производить небольшое стадо моржей, мы трое слышали полнозвучное пение Пусс:

— ...Держа под мышкой голову, держа под мышкой голову, она входила в башню... в полночный час!..

— И тут я оглядываюсь, — говорила между тем Барни Бейкер, — а милый старикашечка наваливается на рычаг выходной двери, воображая, будто идет в туалет, тогда как мы летим на высоте двадцать восемь тысяч футов над бассейном Амазонки. Я кидаюсь к нему со всех ног и ласково препровождаю в нужное ему место. Потом он выходит, глазеет на дверь, на рычаг, широко раскрывает глаза и падает замертво. Пассажиры мне помогли усадить его на место, я сую ему нюхательную соль, объясняю устройство дверей, закрытых под давлением настолько плотно, что их и десять мужчин не откроют. А он все трясет головой и бормочет: «О Боже милостивый!»

Пусс появилась точно вовремя в просторном белом шерстяном платье, с мокрыми рыжими волосами, неся полчашки кофе — остатки сваренной мной во время ее пребывания в душе порции. Она заключила крошку Барни в широкие белые шерстяные объятия, стиснула, чмокнула в щеку и назвала куколкой. Мы вышли в кормовую дверь, помахали им, посмотрели, как они сели в машину и уехали.

— Милые ребята, — сказала Пусс. — Для такого старого пляжного оболтуса с дурным вкусом ты знаешь кучу милых ребят. Меня, например. Я настолько мила, что оставила прямо возле постели наш кофе и свои сигареты. — Она подошла к телефону и отключила его. Нахмурилась у проигрывателя, задумчиво выбирая пластинки, засучив при этом рукава, так что я видел ее выбор: гитарист Джордж Ван Эпс и квартет «Модерн джаз» в Карнеги-Холл. Взял у нее обе пластинки, поставил в автомат, отрегулировал звук на ее любимую громкость.

— Пошли, милый? — с деланным жеманством произнесла она, и сразу за дверью капитанской каюты мне пришлось перешагивать через упавшее на пол белое шерстяное платье.

День становился жарким. «Муньекита» бежала красиво, с глубоким басовым гудением, свидетельствующим о немалом запасе сил. Мы бросили якорь в Форт-Уэрте, подальше от канала, съели по толстому куску ростбифа и сандвичи с сырым луком, распив при этом на двоих бутылку охлажденного сухого красного вина. Я коротко сообщил Пусс про Таша, про наше долгое знакомство, про его рассказ о своих бедах.

— Никто вообще не отвечает по телефону?

— Никто.

— Странно.

— Чертовски странно, Пусс. Дело в том, что он бесхитростный парень. А попал в эпицентр очень хитрой мошеннической операции, связанной с большими деньгами. Старина Таш может попробовать пробить себе дорогу и навлечет на себя вдвое больше бед.

По пути вверх по Шавана-Ривер до нас донеслась слабая кислая вонь. Глаза заслезились. Обогнув последнюю излучину, я был потрясен полным запустением. Все веселые белые плавучие дома исчезли. Все ячейки в ангаре для лодок стояли пустыми, кроме одной. С расстояния в сто футов за оставшуюся лодку можно было дать долларов пятьдесят — подвесной мотор и все прочее. Пришвартованные суда тоже исчезли, кроме ялика, полного воды, которая не дошла до бортов лишь на несколько дюймов, и старого неповоротливого круизного судна, затонувшего на мелководье. Грузоподъемника не было.

Я пришвартовался, мы сошли на берег. Поблизости от городов все старые американские шоссе бегут мимо рухнувших предприятий. Конец мечте. Памятки разбитой семейной жизни можно держать в паре картонных коробок на полке в гараже. Сломанные судьбы можно аккуратно упрятать в могилы, в тюрьмы, в психушки. Но погибшие мелкие предприятия остаются на месте, безобразные, загнивающие, с торчащими из сорняков сделанными в последней конвульсивной попытке выцветшими и изорванными отчаянными объявлениями о продаже. Каждое предприятие было связано с грандиозной мечтой — эффектное открытие, в последний раз стерты пылинки, последние приготовления, можно распахивать двери. «Мы сделаем крупное дело, милая. По-настоящему крупное». Потом мало-помалу приходят сомнения, недоумение, смертельная безнадежность. «Так мы собирались сделать по-настоящему крупное дело? Ха!»

Кругом стояла тишина. Река несла едкие воды. Шуршали под бризом сухие листья. Поскрипывала вывеска.

Исчезли даже два бензонасоса. Я пошел к складу. Инструментов не оказалось. Мы задавали друг другу вопросы тихими похоронными голосами. На здании пристани красовался новенький сверкающий засов и висячий замок вместе с отпечатанным уведомлением департамента окружного шерифа. Еще одно висело на столе офиса мотеля. Никаких записок, сообщающих, как связаться с Бэнноном, я нигде не нашел.

— Что теперь? — спросила Пусс.

— Соседей тут нет, спросить не у кого. Думаю, можно пойти вверх по реке, пока на что-нибудь не наткнемся.

Она огляделась вокруг и поежилась.

— Прямо мурашки по коже бегают.

Только мы подошли к причалу, послышался шум приближавшегося автомобиля. Повернули назад и увидели прыгавший по перекопанной дороге фургон телефонной компании. Я замахал руками, указывая путь вниз, машина свернула, остановилась, телефонист вылез, разглядывая нас, пока мы подходили. Приземистый крепкий мужчина в очках в серебряной оправе, на вид лет пятидесяти.

— Мне бы хотелось найти мистера Бэннона, — сказал я.

— Зачем?

Был в этом очень прямом, очень резком вопросе некий насторожживший меня оттенок. Порывшись в старом мешке с избитыми трюками, я выбрал один с этикеткой «искренняя сердечность».

— Да понимаете ли, в чем дело. Как-то, не помню уж, сколько недель назад, пришлось мне чинить трюмный насос. Я заехал сюда, Бэннон снял его и на время поставил свой, рассчитывая починить мой, если сможет, или продать собственный, если не сможет, но я вернулся не так скоро, как думал. А теперь он, похоже, закрыл дело или куда-нибудь перебрался.

— Можно и так сказать. Да. Вполне. Дайте-ка я сперва отключу телефон, все проверю, а потом, может быть, расскажу, что стряслось.

Он ловко надел сумку с инструментами, нацепил кошки и пошел к телефонному столбу. Отсоединил входные контакты, подсоединил к проводу отводную трубку, набрал номер. Мы слышали его голос, но не разбирали слов. Он быстро спустился с несколько отчужденным видом, снял свои причиндалы и бросил в фургон.

— Да, сэр, — начал телефонист, — приехали бы вы сюда вчера утром, наверняка здорово бы разволновались. Увидали бы тут Бэннона. Я сам себе обещал посмотреть, где они его нашли. Может, хотите пойти взглянуть, мистер? Может, леди нас где-нибудь обождет?

Но Пусс увязалась за нами. Он прошел назад, огляделся, буркнул что-то и направился к массивному ржавому треножнику из тяжелых труб высотой футов пятнадцать. Там стояла такая же ржавая, как и трубы, ручная лебедка с рукояткой и с проволочным тросом, тянувшимся от барабана через блок на верхушке треноги. Футах в пяти над землей на туго натяну-

.том тросе висел большой тяжелый старый морской дизель, превратившийся просто в массивный кусок железа.

Телефонист присел на корточки, покачал головой и сказал:

— Просто жуть, что человек над собой сотворил. Вы только посмотрите! Тут внизу на моторе еще остались волосы и такая вот каша.

Я принял пятно на плотной жирной грязи просто за масляное. Пусс поспешно засеменила в сторону шагов на пятнадцать, остановилась, согнулась, и ее вырвало. Потом она выпрямилась, отвернулась и села спиной к нам на козлы для распиливания дров.

— Фредди рассказывает, что этот Бэннон сделал... Фредди — один из уполномоченных шерифа Банни Баргуна... Фредди как раз и нашел его в воскресенье утром. Должно быть, этот Бэннон вздернул груз как можно выше, потом прицепил кусок проволоки к храповику вон с той стороны барабана, лег на спину прямо под эту штуковину и дернул за проволоку. Она так и была у него на руке намотана. Говорят, его в жуткую кашу размазало. — Он поднялся, отряхнул руки. — Ну, одно можно сказать: быстро и наверняка. По-моему, бедному парню было не на что жить.

— Разорился?

— Может, я чего не так понял. Знаете, люди болтают, и у каждого все выходит по-разному. Я слыхал, он уехал, чтобы побыстрей раздобыть денег, спасти свой бизнес. Поэтому, когда сюда явились в пятницу со всеми судебными бумагами о лишении имущества, о банкротстве и прочее, тут была только его хозяйка с самым маленьким. Она просила обождать, пока Бэннон вернется, да они заранее позаботились обо всех надлежащих законных шагах, так что выбора попросту не было. Обождали часок, дали ей собрать вещи, помогли погрузиться в машину. Говорят, она плакала, но держалась. Плакала вообще без единого звука. Захватила из школы двух других парнишек, оставила Бэннону у шерифа чемодан и записку и просто уехала. Видно, у нее были накоплены на дорогу какие-то деньги, потому что, рассказывают, вчера, после доставки тела Бэннона в похоронное бюро Инглдайна, шериф Баргун, желая узнать, как с ней можно связаться, чтобы сообщить ей про мужа, распечатал записку, а там только сказано, мол, она поживет пока у какой-то подружки, и указано одно имя, а фамилию знал, наверно, один только Бэннон, никто больше не знает.

Он снова отряхнул руки и пошел к своему фургону.

— Он казался сообразительным и симпатичным парнем, — сказал я, медленно двигаясь следом. — Вроде бы не из тех, кто легко ломается. Хотя никогда не угадаешь. То выпивка, то наркотики, то женщины...

Он пристально посмотрел на меня из фургона:

— Не тот случай. Этого парня загнали. Встал у них на дороге, его и загнали. Только вы этого от меня не слыхали, мистер.

— Не слыхал, дружище.

Он поехал назад к ухабистой дороге, я пошел к сидевшей на козлах Пусс. Она подняла на меня глаза, слегка нахмурилась и сказала:

— У меня сердце кровью обливается, когда я гляжу, как ты тут шатаешься в шоке, Макги. Для тебя это по-настоящему сильный удар. Твой любимый старый друг отправился в просторную гавань на небесах. Тяжким путем. А ты явился забрать свой трюмный насос! Господи помилуй, Тревис!

Я присел на корточки, взглянул на нее снизу вверх.

— Кто ничего не выигрывает, тому терять нечего, детка, — сказал я.

— Кто ты такой? — спросила она.

Я поднялся, взял ее за плечи, поднял с козел, обнял. Может быть, улыбался. Не знаю. Казалось, мои слова звучат откуда-то со стороны, словно я стоял в нескольких футах позади самого себя. Нес какую-то чепуху насчет необходимости разнюхивать подобные вещи, насчет умения как можно быстрее вызывать людей на откровенность, раскалывать, потому что иначе упустишь одну крошечную деталь, которую обязательно надо знать, чтобы из-за своей беспечности не присоединиться к длинной-длинной череде мертвецов.

— Да, — слышал я собственный голос, — Таш покончил с собой, но не с помощью этого чертова дизеля. Он убил себя, сам того не зная, каким-то оброненным словом, каким-то поступком. Может быть, плохо слушал или поздно понял. Я очень внимательно слушал. Я понял. А когда приписал этот счет и подвел итог, хочу высмотреть симпатичную серую шкуру, детка. Блекло-серую, маслянистую, адски виновную, из которой выглядывают и шныряют по сторонам чьи-то глазки в поисках выхода. Но все двери, черт побери, будут наглухо заколочены.

Я закончил и понял, что она смотрит вниз, в сторону, увидел мокрые щеки, услышал короткие, похожие на икоту, рыдания, бесконечно звучащие слова:

— Прошу тебя, прошу тебя...

Я отпустил ее, повернулся на каблуках и ушел. Прошагал чуть-чуть вверх по дороге, прислонился к стволу австралийской сосны, несколько раз полностью выдохнул из легких воздух. На меня налетела сойка. Где-то поблизости в болоте сидели три птенца. По дороге медленно поднималась Пусс, подошла, с быстрой виноватой улыбкой ткнулась мне в грудь лицом и прошептала:

— Прости.

— За что?

— Не знаю, — вздохнула она. — Я спрашивала, кто ты такой. Пожалуй, я это вроде как выяснила.

— Что бы это ни было, я не стану показывать, Пусс. Еще десять минут, и я опять надолго стану очаровательным Тревом.

Она немного отодвинулась, взглянула на меня:

— Просто улыбнись глазами, милый, как очаровательный старый Макги, чтобы исчез... тот, другой, взгляд.

— Неужели такой нехороший?

— Можно залить в бутылку и травить ядовитых змей.

— Сейчас лучше?

— Конечно, — кивнула она. Глаза у нее были вишнево-коричневые, при хорошем свете под деревом я видел зеленый ореол вокруг зрачка. — Он был особенный?

— Был.

— Но разве не может... сдаться даже особенный парень?

— Может, только если бы Таш когда-нибудь сдался, то не таким образом.

Возвращаясь к мертвой пристани, обняв ее за талию, я объяснял:

— Назовем это вражеской территорией. Он мертв. Для некоторых людей это решает некоторые проблемы. Им хочется как можно быстрей обо всем позабыть и не хочется ничего ни о чем знать.

Я принес с катера старый помятый фотоаппарат «Ретина С-3» и кассету с пленкой «Плюс-Х». Взялся за рукоятку лебедки, поднял груз как можно выше к верхушке треноги. Вытащил из имевшегося на борту ящика с инструментами проволоку и клещи, прикрутил проволоку к стопору храповика. Работая, делал снимки. Дернул за проволоку, и огромный груз полетел вниз, грохнувшись в засохшую грязь с такой силой, что я ощутил удар пятками, барабан затрещал, трос заскрежетал в заржавевшем шкиве. Я поднял дизель, оставив на прежней высоте.

Пусс следила, милосердно не задавая вопросов.

Споласкивать руки в реке я не стал, обождал, когда выйдем подальше в залив.

Потом перевел катер на самый медленный ход, семьсот оборотов в минуту, направил его вниз по каналу, взобрался на обшивку носа, прислонился спиной к ветровому щиту.

Один способ: бурей ворваться в Саннидейл, грозя скандалом, расследованием и общей встряской.

Или: придумать какую-нибудь легенду, способную кое-кому развязать языки. Посмотреть, кого можно провести. Посмотреть, кто на кого ополчится.

Или: быстро, тихо прихватить одного Престона Ла Франса, привести в симпатичное тихое место и выпотрошить.

Или: представим, что некий таинственный покупатель приобрел собственность Бэннона. Тогда ребятам не удастся соединить два участка. И возможно, поэтому они выйдут из леса.

Последнее выглядело неплохо, если удастся обстряпать.

Но сначала и первым делом — бедная, несчастная Джанин. Если не удастся добраться к ней с дурными вестями раньше шерифа, в крайнем случае доберусь чуть позже.

Я спрыгнул, встал к штурвалу, пошел на большой скорости в Броуард-Бич, пришвартовался у городской пристани, оставил Пусс у стойки в аптеке, влетел в телефонную будку и сделал по кредитной карточке личный звонок в Саннидейл Банни Баргуну. Огорошил его взбудораженным тоном репортера рекламной коммерческой телекомпании, сообщил, будто им интересуется программа новостей Си-би-эс, признавая поистине превосходным служителем закона, а кстати, удалось ли установить местонахождение миссис Бэннон с тремя детьми, необычайно волнующая история, может быть, мы дадим небольшой сюжет.

— Ну, конечно, — сказал он. — Прямо перед Рождеством, и все такое. Угу. Местонахождение? Ну, пока не точно, но мы делаем все возможное и необходимое, истинная правда. Связались с ее родней в Милуоки, они все расстроены до того, что представить себе невозможно, но не слышали от нее ни единого слова, не знают никого из ее подружек по имени Конни. Ну, по-моему, если это пойдет по национальному телевидению, она сразу объявится. Меня зовут шериф Хедли Баргун, Бар-гун. Трижды избирался шерифом округа Шавана...

— Вы не могли бы прочесть мне записку, которую она оставила мужу?

— Мою фамилию правильно записали?

— Записал, шериф.

— Записка вроде бы личная, но не вижу ничего плохого, если вы ее услышите. Любой скажет, это сделано ради розыска бедной женщины. Сейчас посмотрю... Вот она. Значит, так: «Дорогой Таш, прости. Последнее событие — просто горький конец. Почему-то мне очень стыдно. Мальчики очень расстроены и растеряны. Мне пришлось выдержать все в одиночку, ведь тебя нет. Я потратила последнюю каплю сил и храбрости. Не сердись на меня. Я смертельно устала. Немного поживу у Конни. Оставляю у шерифа эту записку и чемодан с вещами, которые тебе могут понадобиться. Когда узнаешь подробности и все выяснится, позвони мне, пожалуйста. Сюда не приезжай, может быть, я еще не буду готова к встрече с тобой. Мне надо подумать, а потом мы как следует поговорим о том, что будет с тобой и со мной. Не беспокойся обо мне и о мальчиках. С нами все в порядке. Все было просто безобразно. Эти люди, наверно, старались держаться вежливо и ни в чем не виноваты, но это было ужасно. *Джан*».

— Высоко ценю вашу помощь, шериф. Будем поддерживать с вами контакт. Да, сэр, мы пристально следим за развитием событий.

Я вернулся к стойке бара в аптеке. Пусс сидела на табурете, попивая колу, чуть прищурив глаза, с опасной улыбочкой на устах. Через два табурета от нее расположился плотный усатый мужчина в вульгарной рубашке, он отчаянно краснел, пытался удержать дрожащей рукой чашку кофе и проливал его в блюдце.

— Милый! — обернувшись ко мне, воскликнула Пусс звонким голосом, проникающим во все поры, восполняя нехватку железа в крови. — Этот милый толстячок предложил показать мне пейзажи. Как вас зовут, милый толстячок?

Он швырнул две монетки на стойку, пробормотал:

— Господи! — и вылетел из прохладного бара на полуденное солнце.

Она мрачно взглянула на дверь:

— Должно быть, забыл перевернуть цыпленка. Ты обратил внимание на прогрессирующую никчемность американских мужчин, Тревис? Присутствующие, разумеется, исключаются.

Допила сладкий напиток, шумно втянула колотый лед, щеки раздулись; встала в льняных небесно-голубых шортах и баскской рубашке, тряхнула головой, откидывая волосы назад, благосклонно мне улыбнулась и тихо добавила:

— А я считаюсь.

— То есть?

— С тех пор как мы вышли из реки, я себя чувствую громоздким грузом, который ты пытаешься таскать с собой, оглядываясь в поисках автоматической камеры хранения. Я никогда не знала Таша. Никогда не встречала Джанин. Но у меня очень острый нюх, милый, я не боюсь и хочу участвовать.

— Я подумаю.

— Хорошенько подумай.

Глава 4

В тот момент мне следовало хорошенько подумать, как побыстрей выйти на Конни. Родители Джанин ее не знали. Мог знать кто-нибудь близкий Бэннонам. Надо было покопаться в обрывках старых воспоминаний и сложить кое-что воедино. Я пытался думать на ходу. Пусс спокойно и терпеливо трусила за мной.

Подвернулся маленький темный зал для коктейлей, темный столик в углу. Коктейли подавала единственная официантка. Незначительный необнаженный процент ее тела был немилосердно затянут и зашнурован, образуя обязательную для «зайчишки»[1]

---

[1] «З а й ч и ш к и» — девушки в шапочках с заячьими ушками и в купальниках с заячьим хвостиком, которые обслуживали посетителей «Плейбой-клубов», созданных издателем и основателем журнала «Плейбой» Хью Марстоном Хефнером.

тонкую талию, груди торчали немыслимо высоко, каждая в отдельности, явственно вырисовывались все ложбинки сзади и спереди. Хорошенькая утомленная кислая мордашка, апатичные движения. Когда она уходила от столика, приняв заказ, Пусс схватила меня за руку и, глядя ей вслед, объявила:

— В город пришел Санта-Клаус.

Все приукрашивались к Рождеству. В тот самом месте, где у достигших брачного возраста легионов империи Хефнера торчали пушистые белые заячьи хвостики, была прицеплена сверкающая пластмассовая ветка омелы. Пусс зашлась от восторга перед этим идеальным комментарием к коммерциализации Рождества, потом начала икать, но быстро исцелилась с помощью нескольких больших глотков темного пива.

Я рылся в памяти, восстанавливая двухмесячной давности выпивку в баре у Таша, когда мы проигрывали, что с кем стало. И в конце концов вспомнил Кипа Шредера, куотербэка, который семь лет провел в университетской команде Нью-Джерси, пять в команде колледжа, удостоился пары упоминаний по общенациональному телевидению, а теперь живет скрепленный проволокой, пластырями и штифтами. Его погубили грандиозные достижения в сфере питания. Он обладал сложением пожарного гидранта, и с каждым годом линия[1], за которую ему приходилось заглядывать, становилась все выше и шире. Где же он, черт возьми? На свадьбе Таша и Джан он со своей женой, имя которой я не мог вспомнить, были почетными шаферами. Мне требовался футбольный фанат, из тех чокнутых, что знают всю статистику и судьбу каждого.

Я попытал счастья с лысым барменом, прервав его тихую беседу с украшенной омелой девчушкой. Он нахмурился, сморщив чуть ли не весь череп до самой макушки.

— Думаю, может быть, Берни Кон. Он делает спортивные репортажи на телевидении. Наверно, сейчас самое время поймать его на студии. Джейни, найди джентльмену номер и подключи сюда телефон.

В поисках телефонной розетки для маленького розового аппарата с подсвеченным диском ей пришлось включить фонарик.

---

[1] Л и н и я — в американском футболе ряд игроков с мячом или находящихся на расстоянии фута от мяча перед началом игры.

Она начала было диктовать мне номер, потом пожала плечами, набрала сама и передала трубку.

Я попал на коммутатор, потом на Берни, который с раздраженным нетерпением повторял: «Да-да-да...» — пока я не изложил вопрос, после чего он заговорил более приемлемым тоном.

— Дайте подумать. Шредер... Шредер. Я промашек не даю, приятель, можешь на кон поставить. На протяжении всей карьеры храню все услышанное. Вот, порядок. Два года назад Кип был спортивным руководителем школы Оук-Вэлли, а это, минуточку... Натли, штат Нью-Джерси. Годится?

— Весьма признателен.

— Выиграл я твою ставку, приятель? Вырази признательность, наказав всем друзьям и знакомым смотреть шоу Берни Кона в шесть пятнадцать на каждой неделе по нашему телевидению. Ладно?

На мой зов не спеша подошла Джейни, я заказал еще две порции и спросил, можно ли позвонить по кредитке по телефону. Вернувшись с пивом, она сообщила:

— Хозяин сказал, можно, если я постою рядом, пока вы звоните. Понимаете, ему накладно оплачивать счет за каждый междугородный звонок.

Пусс протянула ногу, подцепила стул у соседнего столика, подтащила и предложила:

— Укладывай свою омелу, милочка.

Впервые улыбнувшись, официантка села.

— Ноги болят, точно зубы, ей-богу. Работаю официанткой три года, никогда никаких проблем, а с этим костюмом хозяин велит носить высокие каблуки, и вот через три месяца на мне нету живого места.

Я дозвонился до справочной, попросил отыскать телефон, зарегистрированный в Натли на имя Кипа Шредера. Такового не оказалось. Был К.Д. Шредер. Решив попробовать, я попал на миссис Шредер, оказавшуюся женой Кипа, Элис. Кипа не было дома.

Я напомнил, что мы с ней однажды встречались, и она вежливо сделала вид, будто отлично помнит. Обрадовавшись оживленным ответам, я объяснил, что пытаюсь найти очень близкую подругу Джан Бэннон по имени Конни.

— Конни, Конни... Не подождете минуточку, я возьму список рождественских поздравлений? Он уже составлен, но мы еще не взялись за дело.

Вернувшись, она объявила:

— По-моему, вам нужна Конни Альварес. Еще недавно это были Том и Конни, но он умер. Думаю, Конни — одна из школьных учительниц Джан. Вот и адрес у меня записан: «То-Ко Гроувс». «То» с большой буквы, «Ко» с большой буквы, через дефис. Второе шоссе, Фростпруф, Флорида. Фростпруф! Вы бы видели, какой тут сегодня снег с дождем! Проехать сюда — смертельный номер.

Я поблагодарил, попросил передать Кипу наилучшие пожелания, осведомился, как у него дела. У него выдались два удачных сезона подряд, доложила она, так что он счастлив, как устрица. И осведомилась со своей стороны, как Таш и Джан. Что я мог сказать? Сказал, что при нашей последней встрече все было отлично, и не соврал. Она попросила передать Джанин, если я скоро их снова увижу, что должна написать ей письмо и непременно напишет сразу после праздников.

Мне не хотелось делать следующий звонок оттуда, в присутствии утомленной Джейни. Поэтому я расплатился с ней, добавив щедрые чаевые, чтобы пролить немножко бальзама на больные ноги.

Возвращаясь к городской пристани, к аптеке, я кратко осведомил по дороге Пусс:

— Ей не пришлось сильно тратиться на поездку. По-моему, меньше двухсот миль.

Предупреждая возможность, что трубку случайно возьмет Джан, я решил заказать из аптечного автомата личный разговор с миссис Альварес. Услышал услужливый ответ телефонистки, попросил ее пригласить абонента. Прошло, как минимум, две минуты, прежде чем запыхавшийся голос ответил:

— Да?

— Джан у вас?

— Я... извините, меня это не интересует, спасибо.

— Слушайте, миссис Альварес, это не Таш.

— Тогда, может быть, объясните подробнее, мистер Уильямс?

— Намек понял: она вас слышит. А теперь слушайте очень внимательно. Прошу вас, не позволяйте Джан отвечать ни на какие телефонные звонки, следите, чтоб ей не попались газеты, чтобы она не слушала радио, не смотрела телевизор.

— Наверно, на это должны быть причины?

— Меня зовут Тревис Макги. Я попробую к вам добраться сегодня вечером. И возможно, полезно вам запастись каким-нибудь чертовски хорошим транквилизатором. Я старый друг Таша. Не стал бы говорить, если бы заподозрил у вас куриные мозги, Конни. Кажется, вы человек серьезный. Таш мертв. Принял страшную смерть.

— В таком случае, мистер Уильямс, я, возможно, соглашусь выслушать. Не приедете ли вы сюда нынче вечером? Места много. Сможем устроить вас и как следует обсудить дело. Я кое-что знаю о вашем предложении. Имею в виду исходную информацию. Буду вас ждать. Кстати, мы в восьми милях к северо-востоку от Фростпруфа. Поезжайте от города к северу по магистрали 27 и поверните направо на местное шоссе 630. Мы примерно в пяти милях от поворота по левую руку. Как стемнеет, включу освещение на воротах.

А потом, по дороге пешком к городской пристани, возник основательный спор с Пусс Киллиан.

В конце концов Пусс сказала:

— Ты, старичок, упускаешь одну составляющую. Ты говоришь, она стойкая. Грандиозно. Способна справиться. Может, она из тех, кто способен справиться со всей механикой ситуации. Истинный администратор. Но возможно, она не способна привлечь к себе людей. Может быть, у нее руки чешутся вцепиться в кого-нибудь, встряхнуть и потискать. Язык у меня точно ржавое шило, я колю в самое больное место, но на ощупь тепленькая, как щенок, и такая же чуткая. Послания души передаются через контакт с плотью, Макги. Не словами, слова — лишь условный код, они все затуманивают, ибо для любых двух людей любое слово имеет разное значение. Я отлично знакома со старым скелетом с косой и с могильным дыханием. И не хочу отправляться обратно в чертов Лодердейл, сидеть в прогулочной лоханке, оснащенной для секса, и ломать пальцы, треща косточками. Считай меня целебной припаркой. Чудодейственным снадобьем. Деталью своей экипировки. Если леди-администратор обладает такими же качествами, я не вступлю в конкуренцию. Не стану путаться под ногами, будь я проклята. Но это женское дело, один ум хорошо, а два лучше, а Джан будет в десять раз хуже, потому что она удрала в убежище и окажется виноватой.

Поэтому я составил перечень необходимых вещей и послал ее в торговый центр, сверкающий вдали огнями. Зашел в контору на пристани узнать название и расположение места, где можно поднять «Муньекиту» на берег, перетащить и поставить в ангар. Служащий позвонил, справился, сообщил, что свободная стоянка найдется. Я подвел лодку и снял с нее все, что не хотел оставлять на борту. Судно, которое можно сдать на хранение, точно чемодан весом 4300 фунтов, необычайно удобно для тех, кто никогда не ведает, чем придется заняться завтра.

Проследил, как мою «Куколку» подцепляют под корпус и бережно ставят в ячейку ангара, а вскоре за мной приехал взятый напрокат седан, тащивший на буксире маленькую трехколесную коляску, которой предстояло доставить агента обратно в контору проката. Завершив все бюрократические формальности по поводу катера и автомобиля, я запер вещи в багажнике темно-бордовой двухдверной машины и вернулся в пещерный бар для коктейлей за десять минут до появления Пусс с новенькой шляпной картонкой, имитирующей кожу красного аллигатора, синей матерчатой сумкой на молнии с рекламой никому не ведомой авиакомпании, двумя большими пакетами и просторной хозяйственной сумкой, набитой свертками поменьше.

К половине шестого мы показывали хорошее время на местном шоссе 710, тянувшемся меловой линией к городку Окичоби. Пусс, сидя на заднем сиденье, с большим удовольствием разворачивала пакеты, восхищалась своим хорошим вкусом и укладывала вещи в огромную шляпную картонку. Наконец, она перебралась через спинку на боковое сиденье, плюхнулась, пристегнула ремень, закурила и объявила:

— А теперь насчет нескольких мелочишек на борту «Лопнувшего флеша», дружок. Почему, например, звучит легкий диньдон, когда кто-то ступает на палубу? Зачем, например, все опутано проводами звуковой системы, причем не ради приятной музыки, а для записи и прослушивания? Как насчет крошечного отделения на носу, набитого оружием? Некоторые любопытнейшие участки на тебе самом намекают, что у тебя должна быть славная коллекция «Пурпурных сердец»[1], если ты заработал их на какой-то войне. Почему ты повсюду шатаешься как бы спросонья, спотыкаясь о друзей-приятелей, медленно, грубо и неуклюже, а в субботу вечером был в десяти футах от Мэрили, которая наступила на верхней палубе на кубик льда и чуть не рухнула с трапа вниз головой, а ты каким-то фантастическим образом взлетел, подцепил ее за талию, поймав прямо в воздухе? Хочешь еще? Как насчет мгновенного и столь полного преображения в тупого туриста ради телефониста в старомодных очках? Мне даже почудилось, будто я тебя не знаю! Как насчет мошеннического вранья, когда ты меня почти убедил в своем уходе от дел на покой? Почему Мейер, из которого я попробовала выкачать сведения о тебе, удрал, продемонстрировав невероятную скорость и прыть? Как насчет мрачного профессионального эпизода с фотоаппаратом, лебедкой, проволокой и всем прочим, который ты разыгрывал с такой сосредоточенностью, что я могла бы ходить вокруг на руках, зажав в зубах розу, и не удостоиться от тебя даже взгляда? Как насчет моего слабого неотступного подозрения, что ты едешь в Фростпруф не ради утешения этой самой Джанин, а ради получения от нее информации? Говоришь, вражеская территория? Может, весь мир для тебя вражеская территория, Макги. Но почему-то все это укладывается в одну гнусную воображаемую картину, когда с воем летит стая официальных машин, откуда выскакивают ребята в синем, и огромный мегафон рявкает: стоять на месте, а не то пустим слезоточивый газ.

— Ты действительно тепленькая, как щенок. Тепленькая и чуткая.

— Может быть, мне присуща одна эксцентричная особенность. Понимаешь ли, светский порок. Нечто вроде реакции на опасность или что-нибудь в этом роде. Начну спать с кем-нибудь, и у меня пробуждается жуткое любопытство на его счет.

— Ну и что? Может быть, у меня точно та же проблема. Но я не задаю вопросов. И не пытаюсь разузнать то, что, наверно, могу разузнать без большого труда.

Она долго молчала. Я взглянул на нее. Закусила губу, сложив на коленях руки. А потом сказала:

---

[1] «П у р п у р н о е с е р д ц е» — воинская медаль за ранение, полученное в бою.

— Откровенность за откровенность. Когда придет время тебе рассказать, я тебе расскажу. Не устно — письменно, чтобы все было точно и правильно. Не утверждаю, будто это перевернет землю или что-то вроде. Но сейчас, по весьма основательным, на мой взгляд, причинам, придержу это при себе. Откровенность за откровенность. Если у тебя тоже есть основательные причины, ладно, больше не буду спрашивать.

И тогда я сказал, что действительно отошел от дел, но порой подбираю крошки, когда могу себе это позволить.

— Наше общество хитрое, сложное, индифферентное, Пусс. Здесь полно лазеек. И куча умных зверей, умеющих шмыгать в лазейки и залезать в карманы ничего не подозревающим людям Если все тщательно провернуть, у обчищенного нет никакой возможности вернуть себе что-нибудь. Существуют тысячи абсолютно законных действий, которые оказываются аморальными или безнравственными. У служителей закона нет оснований для вмешательства. Юристы не способны помочь. Голубок обронил свой бумажник в реку, полную крокодилов. Он точно знает, куда тот упал, но может только стоять на топком берегу и ломать руки. Я — специалист по спасению. И неплохо знаком с крокодилами. Поэтому заключаю с голубком сделку, ныряю, вытаскиваю бумажник, делюсь с ним пополам. Когда знаешь, что шанс на возврат нулевой, получить половину весьма соблазнительно. Если и не выйдет, теряю лишь я.

— Или становишься лакомым блюдом для крокодилов, дружок.

— До сих пор был несъедобным. Сейчас мой клиент — Джанин Бэннон. Она этого еще не знает. Им должен был стать Таш. Классический случай легального шантажа. Я не понимаю убийства. Им это не требовалось. Одно знаю: этим делом я должен заняться сам. Незнакомцы — самые лучшие клиенты. Тогда можно свободно вести игру и хранить хладнокровие. Тут я слишком задет за живое, слишком зол, чересчур уязвлен в самое сердце. Грязное, бессмысленное дело. Поэтому я должен им заняться.

Она ненадолго задумалась.

— Меня еще одно интересует, милый. Как ты отыскиваешь... новых клиентов?

Я рассказал, как отыскал последнего, тщательно прочесывая местные заметки в толстом воскресном номере одной из газет

Майами. Среди показавшихся мне интересными и отмеченных сообщений было объявление клуба филателистов с извинениями за принятое в последнюю минуту мистером таким-то, широко известным ресторатором с очень длинной и сложной греческой фамилией, решение снять с экспозиции и не выставлять свою полную, чрезвычайно ценную коллекцию греческих почтовых марок, и в их числе знаменитую «Пыльную Розу» 1857 года, оцененную в 1954 году на аукционе в Нью-Йорке в 21 000 долларов.

Я позвонил в Общество филателистов, и его представитель сказал, что пожилой джентльмен ни на кого не сердится, с большим удовольствием демонстрировал свою коллекцию, радовался ее успеху и, хотя сообщал о своем решении взволнованным и огорченным тоном, не объяснил причин отказа.

Я предпринял дальнейшее расследование, выясняя, какая компания застраховала коллекцию. Агент вручил мне свою карточку, обмолвившись, что никогда в жизни не встречал пожилого джентльмена. Воспользовавшись его карточкой и его именем, я представился пожилому джентльмену и заявил, что мы хотели бы заново оценить коллекцию. Он заупрямился. Коллекция лежит в банковском сейфе. Он очень занят. Как-нибудь в другой раз. Тогда я сказал, что у нас есть основания заподозрить пропажу части коллекции.

И он раскололся. Он размещал коллекцию в стеклянной витрине, готовясь к выставке. Ему пришлось уйти из дома на прием к врачу. Когда он вернулся, двадцать две марки, в том числе «Пыльная Роза», исчезли.

Поскольку он был патриархом большого, тесно сплоченного семейства, страшно чувствительного к скандалам, то после смерти супруги вторично женился два года назад на особе, которая в целом производила такое же красочное и объемное впечатление, что и покойная Джейн Мэнсфилд[1], то есть на весьма бойкой девице, способной облапошить двух таких стариков. Он был убежден, что это она свистнула его драгоценные марки, но боялся заявить в полицию или сообщить страховой компании. Тогда я отправился следом за леди, направлявшейся средь бела дня на свидание с мальчиком из пляжного отеля, который с помощью

---

[1] М э н с ф и л д Джейн (1933—1967) — американская киноактриса, прославившаяся пародиями на Мэрилин Монро.

шантажа заставил ее украсть марки и который после хорошей встряски и уведомления, что пожилой джентльмен приказал бросить парочку ее последних приятелей во Флоридский пролив, прикрутив проволокой к частям старого грузовика, вернул одиннадцать марок, включая жемчужину коллекции. Потом он, брызгая слюной во все стороны, с готовностью принялся объяснять, как и куда пристроил остальные одиннадцать. Я помог ему собрать вещи, посадил в автобус, помахал на прощанье и провел с крупной блондинкой милую беседу о том, с каким огромным трудом еле уговорил двух крутых греков, друзей ее мужа, от намерения поручить местным талантам вывести раскаленной проволокой небольшое предупреждение на двух самых заметных частях ее тела. Мой приятель коп выудил у перекупщиков краденого остальные марки, и я заверил старика, что жена его вообще ни при чем, так что можно ей полностью доверять. Он запрыгал, захлопал в ладоши, запел, мы отправились в банк, где он выдал мне тридцать тысяч наличными — точно отмеренную половину стоимости возвращенных марок, — присовокупив записку с гарантией на пожизненное бесплатное питание в лучших греческих ресторанах четырех штатов. На все дело ушло пять дней, и я немедленно снова вышел в отставку, которую существенно скрасила возникшая где-то через три недели некая Пусс Киллиан.

— Тормози, — приказала она.

Я нашел место, где можно было остановиться, на травке между двухполосным шоссе и каналом. Она отстегнула ремень безопасности, экспансивно рванулась, крепко меня обняла, крепко поцеловала, весело сверкая глазами в сгущавшихся сумерках.

Потом пристегнула ремень и сказала:

— Поехали.

Я поехал.

— Очень мило, независимо от причины.

— Просто день очень длинный, а отчасти за то возвращение на яхте, за кофе. И за то, что ты жутко, чертовски зол, потому что теперь уже редко встречается настоящая злость. И за то, что оценил омелу. А главное — за то, что ты такой, какой есть, совершаешь безумные вещи и один раз позволил мне быть... Санчо Пансой.

— Только будь, ради Бога, не Санчо, а Санчей!

— Естественно.

Глава 5

Въездные ворота были очень широкими, очень высокими, свет прожектора сверкал на чистой белой краске вывески «То-Ко Гроувс инкорпорейтед», свисающей на цепях с верха арки.

Было четверть десятого. Мы останавливались в Окичоби и наспех перекусили свежими окунями, зажаренными в кукурузной муке на свином сале. Я свернул на усыпанную гравием подъездную дорогу, и свет фар выхватил выступившую из тьмы фигуру, которая остановила меня небрежным взмахом руки. Фермерская шляпа, выцветшая синяя рабочая куртка из грубого хлопка, джинсы. Подойдя к дверце машины, фигура произнесла:

— Мистер Макги? Я — Конни Альварес.

Я вылез, оставив дверцу открытой, пожал ей руку, представил Пусс. Протягивая ей руку, Конни наклонилась, потом снова выпрямилась. В ярком свете я как следует ее разглядел. Сильная с виду женщина, плотная, плечи широкие, обветренное лицо без косметики, очень красивые темные глаза с длинными ресницами.

— Вы помогли бы им, если бы они попросили, Макги?

— Всем, чем бы мог.

— Я тоже. Гордость. Их поганая гордость с негнущейся шеей. Сколько хороших людей погубила гордыня! Она в доме, сидит наверху, думает, будто на нее крыша рухнула. Не знает, что не только крыша и труба, а само чертово небо рухнуло на нее, и настал тот гнусный момент, когда придется рассказать ей об этом. Что случилось?

— Он лежал на спине на земле, и около пятисот фунтов металлолома свалилось на него с высоты десять футов. Думаю, на голову и на грудь. Я не видел его, а может, и не узнал бы, если увидел.

— Господи Иисусе, вы не стесняетесь в выражениях!

— А вам этого хочется?

— По-моему, вы меня уже хорошо поняли, могли бы не спрашивать. Это пытаются выдать за несчастный случай?

— За самоубийство. Предположительно он пропустил проволоку в стопор храповика, лег и дернул. Когда вчера утром его обнаружили, проволока еще была прицеплена к стопору и намотана у него на руке.

Внезапно на моем запястье сомкнулись сильные загорелые пальцы.

— О Боже милостивый! Он получил записку, которую она ему оставила?

— Нет.

Я услышал глубокий вздох.

— Это могло его доконать. Только это могло толкнуть его на самоубийство. По-моему, я достаточно хорошо его знаю. Я знаю, как много значила Джан для несчастного здоровенного славного парня.

— Даже это его не толкнуло бы, Конни. По крайней мере, не на такой способ. Его убили. Но нам придется скушать легенду о самоубийстве. Нам всем. Мы должны вести себя так, словно верим.

— Зачем?

— Как вы думаете?

— Я думаю, ни к чему пользоваться любительским талантом, если можно нанять профессионалов.

— На этот счет можете не беспокоиться, миссис.

— Обсудим после того, как сообщим прискорбные известия. — Она снова резко нагнулась к машине: — Эй, девушка! Вы дрожите? Скулите, сопите и так далее?

— Позаботьтесь о себе, леди.

Конни выпрямилась, запрокинула голову, и послышался отрывистый невеселый смешок.

— Похоже, вы оба что надо. — Она сдвинула вперед мое сиденье, пробралась на заднее, шурша брошенной на пол оберточной бумагой. — Поехали, Макги. Свет на воротах выключается в доме.

Я не был готов ни к тому, что пришлось ехать полмили, ни к виду дома, огромного, длинного, низкого, с эффектными линиями крыши, напоминающими об отелях типа «Холидей», построенных Фрэнком Ллойдом Райтом[1]. Конни посоветовала оставить машину за углом.

— Я попрошу своих помощников позаботиться о машине и загнать ее в гараж. Вам одну спальню или две?

---

[1] Р а й т Фрэнк Ллойд (1869—1959) — выдающийся американский архитектор, один из проектов которого — «дом прерий», низкий, просторный, с высокой крышей; в этом стиле поблизости от магистральных дорог построены отели «Холидей».

— Две, пожалуйста, — попросила Пусс.

— Хорошо, что топочущее стадо угомонилось. Трое ребятишек Джан и двое моих. — Она взглянула на звезды, мы расправили плечи и пошли обрушивать на Джанин небо, навсегда менять ее мир и душу.

В половине второго ночи Пусс, зевая, медленно вышла в большую гостиную. Мы с Конни давно сидели в темных кожаных креслах перед толстым сосновым поленом, которое слабо потрескивало в огромном камине из белого ракушечника. Наговорились мы достаточно.

— По-моему, до позднего утра с ней все будет в порядке, — объявила Пусс.

— Мария на всякий случай посидит рядом.

— Она там, Конни. Если Джан проснется, Мария нас разбудит. Только вряд ли.

Пусс направилась к небольшому бару в углу, бросила в невысокий широкий стакан два кубика льда, плеснула бренди, подошла, пододвинула ближе ко мне скамеечку и села, прислонившись головой к моему колену. Зевнула еще раз и продолжала:

— Все старалась быть чертовски храброй. Не хотела разрядиться, никак не хотела, а потом все-таки поплакала. И это самое лучшее. Вы уже всех обзвонили, Конни?

— Дозвонилась шерифу, сказала, что она знает, что она спит, что я перезвоню утром, сообщу о ее дальнейших планах. Дозвонилась до ее родных, успокоила. Завтра она им сама позвонит. И надо сказать мальчикам.

— Джан велела не говорить, — предупредила Пусс. — Считает, что это ее дело. Она постоянно переспрашивает, откуда нам может быть точно известно, что он так и не получил ее записку.

Конни поболтала лед в своем стакане и со стуком поставила стакан на столик:

— Знаете, чего я забыть не могу? Не могу, никогда не забуду. Пять лет прошло, а я живо помню. Каждое произнесенное слово. Типичная склока. У нас с Томми таких были сотни. Вопли, проклятия, но по-настоящему это все не имело значения: мы оба твердо придерживались своего мнения. Не важно, из-за чего мы в то утро скандалили. Когда он хлопнул дверью, я рванулась, распахнула ее и крикнула вслед: «Не особенно торопись возвращаться!» Может быть, он не слышал меня. Он в то время уже завел джип. И больше не вернулся. Не заметил открытого сточного люка, свалился туда, прожил в больнице два дня и две ночи, не приходя в сознание, а потом умер. — Она поднялась с вымученной улыбкой. — Чувство вины. Вот с чем они вас оставляют. Завтра тоже будет долгий и трудный день, ребята. Спокойной ночи.

Я уже провалился в сон, когда кровать прогнулась под тяжестью тела Пусс. Она пробралась под простыню, под одеяло, прижалась ко мне, длинная, теплая, хрупкая, нежная. От ее плоти мою ладонь отделяла легкая, словно шепот, ткань.

— Просто обними меня, — шепнула она. — Ночь кажется слишком темной для одиночества.

Слова звучали неразборчиво, ритм дыхания очень скоро сменился, оно стало глубже, обнимавшие меня руки упали.

Через три дня, в четверг, вскоре после полудня мы вчетвером поехали в Саннидейл. Конни Альварес вела переднюю машину, черный, заляпанный грязью «понтиак» недавней модели с мощным мотором и откидным верхом. За ней сидела Джанин. На прямых отрезках дороги я изо всех сил старался не упускать их из виду. Пусс то и дело вполголоса упоминала «Дейтону» и «Себринг»[1].

— Все это кажется полным безумием, — сказала она. — Ты действительно думаешь, будто этот забавный с виду старичок судья знает, что делает?

— Этот забавный с виду старичок судья Руфус Веллингтон знает, что делает каждый. И каждое утро пристально оглядывается по сторонам. — Я в последний миг затормозил, успел повернуть взятую напрокат машину и устремился вперед за далекой точкой, предположительно «понтиаком». — Есть какие-нибудь вопросы по поводу твоей маленькой роли?

— Ха! Способна ли блистательная рыжая обитательница большого города вскружить голову юристу из молодых да раннему? Откроет ли Стив Бессекер, робкий консультант из сосновых ле-

---

[1] «Д е й т о н а-5 0 0» и «С е б р и н г» — международные автодромы для скоростных автогонок.

сов, подробности местного крючкотворства этой эффектной девице? Но у меня есть вопрос по этому поводу.

— Какой?

— Ты не слишком внимателен к деталям, Макги. Надо ли мне идти ради общей цели на все? Должна ли я в случае необходимости затащить этого мужлана в постель или тебя это совсем не волнует?

Я рискнул бросить на нее быстрый взгляд — встретил ответный, прищуренный, вопросительный, сексуально вызывающий. И осторожно заметил:

— Я всегда считал, что, если морковка болтается на слишком длинной веревке, осел ее сцапает и утратит стимул тащить груз.

— Аналогию отвергаю, а мысль одобряю, сэр.

Вызов должен быть брошен с обеих сторон, иначе какое же равенство полов. Поэтому я продолжал:

— С другой стороны, на мой взгляд, каждый лучше всех судит о собственных устремлениях и наилучшим образом оценивает соответствующие стимулы и реакции. По-моему, подобные ситуации варьируются.

— Пытаешься изобразить себя сукиным сыном?

— Полагаю, мы оба пытаемся.

Задумчиво помолчав, она сказала:

— Просто чтобы покончить с этим ко всем чертям, Макги, как тебе понравится мое сообщение, что морковку я постараюсь держать на максимально короткой веревке?

— Киллиан, должен признаться, занудность и старомодность позволяют мне с удовольствием играть роль собаки на твоем сене. Я предпочитаю некую исключительность чувств.

— Романтическую исключительность?

— Если так тебе больше нравится.

— Спасибо, так мне нравится больше. Да будет так. Теперь у меня есть желание защитить свою честь. Поэтому предположим, что и ты позаботишься о своей.

Встреча с мистером Уиттом Сандерсом, президентом Национальной банковской и трастовой компании Шаваны, была назначена на двенадцать. Я заметил на берегу пустой «понтиак», припарковался рядом и предоставил Пусс двигаться своей дорогой, пожелав ей удачи. Войдя в банк, увидел Конни и Джанин, сидевших в дальнем офисе со стеклянными стенами перед солидным мужчиной за солидным столом. Секретарша проводила меня, постучала в дверь и распахнула ее передо мной.

Сандерс встал, протянул руку через стол, одарил меня молодецким рукопожатием. У него были рыжеватые волосы, крупное, покрытое красноватым загаром, шелушащееся лицо, округлый животик, сеточка морщин от улыбок и морщины от воздействия ветра и солнца; руки красные, большие, как бейсбольные перчатки, а глаза точь-в-точь как две ягоды черники.

— Мистер Макги! — проревел он. — Очень приятно! Садитесь, устраивайтесь поудобней.

Так я и сделал, после чего он продолжал:

— Я только что заверил леди, что в этот трагический момент все мои симпатии на стороне миссис Бэннон. Можете быть абсолютно уверены, миссис Бэннон, банк сделает все возможное для ликвидации упомянутой собственности по максимальной цене. Определенные неудачные обстоятельства, сложившиеся в том районе, разумеется, затрудняют действия, но мы кое о чем договорились, и, по-моему, каждый признает это более чем справедливым. Фактически...

И тут вошел старичок судья Веллингтон в сдвинутой на затылок белой, как сметана, фермерской шляпе, из-под которой в разные стороны торчали пряди тоже белых волос, в запыленном темном костюме, от лацкана которого тянулась к нагрудному карману золотая цепочка часов. Портфель, его, вероятно, начал свой жизненный путь во время дебатов Линкольна с Дугласом[1]. Лицом он поразительно напоминал одного из диснеевских семи гномов, я не мог вспомнить, какого именно.

— Как жизнь, Уитт? — пробурчал он. — У тебя новые стенки? Чистюля.

— Руфус! Я слышал, вас вроде бы видели нынче в суде! *Очень* рад нашей встрече.

— Нет. Я пришел не затем, чтобы ты искалечил мне руку, Уитт. Мой артрит для разнообразия только что успокоился. Уймись и сядь.

---

[1] Публичные дебаты по вопросу об отмене рабства между кандидатами в сенат штата, будущим президентом США Авраамом Линкольном и Стивеном Дугласом, состоялись в октябре 1858 года.

Уитт Сандерс явно смутился:

— Руфус, если не возражаете, подождите снаружи, пока я не закончу с...

— С моим клиентом? Ну, даже такому шакалу, как ты, известно, что нельзя лишать клиента присутствия адвоката.

— Вы представляете миссис Бэннон?

— Почему бы и нет? Миссис Бэннон — близкая подруга присутствующей здесь миссис Конни Альварес, а миссис Конни — хозяйка и руководительница «То-Ко Гроувс» во Фростпруфе, расположенного у меня на задах. Ты, может, даже в этой глухомани слыхал, что ее сад насчитывает почти триста тысяч деревьев, саженцы апельсинов из Валенсии, и она за все время выдержала немало судебных баталий с Комиссией по цитрусовым, с Ассоциацией садоводов, с заводом по производству концентратов, где имеет пакет акций, обеспечивая меня на склоне лет постоянной работой.

Наблюдая за президентом банка, я видел, как солидный мужчина мало-помалу обращается в слух и даже изображает приветливость. Конни водила меня прогуляться по саду, и я понимал реакцию Уитта Сандерса. В первый год после смерти мужа Конни садами управляла по контракту команда менеджеров. Каждый дневной час Конни проводила с ними, каждый вечер училась и в конце года объявила, что хочет рискнуть и вести дело сама.

Проходя мимо трех огромных опрыскивателей, тяжело двигавшихся между геометрически правильными рядами деревьев, и поливальщиков, одетых как астронавты, я спросил, есть ли серьезные проблемы с вредителями. Конни расставила ноги пошире, возвела глаза к небесам и затянула:

— Уничтожаем червей-сверлильщиков, тлю, красный грибок, белокрылку, белый грибок, муху плодовую средиземноморскую, красного клещика, техасского клеща, червецов, листовую щитовку, ложнощитовку масличную, ложнощитовку мягкую, щитовку желтую померанцевую, восковую щитовку, снежную щитовку, апельсиновую щитовку, боремся с диктиоспорозом, с меланозом, с цитрусовыми гусеницами... без конца боремся, и, если не подует хороший бриз, у нас будет едва ли полшанса потрясти нынешний рынок чертовски замечательным урожаем, который по сегодняшним ценам обходится мне на один доллар шестьдесят центов за ящик дороже выручки. — Она пожала плечами, шаркая ногой по песку. — Я предвидела пере- производство и создала резерв. Эти цены утопят недоумков, производство сократится, уравновесится, и цена опять станет честной...

...В президентском офисе президент провещал:

— Прошу прощения, не понял, что вы *та самая* миссис Аль- варес.

— Та самая, и попросила судью помочь, если можно, моей подруге Джан Бэннон.

Джанин, одетая в траур, сидела молча, неподвижно, чернич- ные глазки Уитта Сандерса старательно обходили ее.

Сандерс сказал:

— Я, наверно, и в самом деле не понимаю, к чему вы кло- ните. Производственное имущество не является собственнос- тью, потому что фактически до момента смерти было проведено лишение права его выкупа со всеми полагающимися объявле- ниями и уведомлениями. Права собственности нет. Это первое стандартное условие при залоге, Руфус. Право собственности переходит к банку.

— Неужели? — сказал судья. — Забавно. Мне казалось, ког- да я от имени миссис Бэннон вручу тебе этот заверенный чек на десять тысяч долларов, который покроет сумму долга плюс проценты, плюс комиссионные и издержки, да еще останется чуточка, которую можно принять в счет следующего платежа, то право собственности по любому закону перейдет к ней.

— Но ведь льготные дни прошли! Сейчас это невозможно!

Судья Веллингтон вздохнул.

— Дерьмо собачье, — произнес он, после чего приподнялся, изысканно вежливым жестом снял фермерскую шляпу стоимо- стью в сотню долларов и отвесил Конни и Джанин поклон. — Прошу прощения, леди. — Швырнул шляпу на пол возле сту- ла, на котором сидел, и сказал: — Уитт, не припомню, чтобы тебя пускали когда-нибудь за барьер во флоридском суде, так что мне нету смысла цитировать подходящие и уместные судеб- ные постановления, позволяющие не лишать вдов и сирот пра- ва собственности, особенно если вдова представляет одну из сторон в закладной, при условии, что при ликвидации изъято- го имущества банк еще не передал это право третьей стороне.

— Но мы раньше приняли деньги от...

— От некоего Престона Ла Франса в сумме трех тысяч двухсот пятидесяти долларов, что составляет десять процентов от согласованной стоимости изъятого производственного имущества на Шавана-Ривер. Принятие этих денег не узаконивает передачу права другому собственнику, ибо вот заверенный чек на десять тысяч, Уитт, и на этом основании я требую расписки с проставленными датой и часом.

— Я не могу принять, пока не выясню...

— Ты его примешь, напишешь расписку, что принял и положил на условный депонент до решения твоих юристов, иначе мы с тобой так и будем ходить по кругу, парень. Вдобавок в данной ситуации миссис Бэннон, признав обязательства по закладной и оплатив ее по сей день, снова вносит на счет закладную в целости и сохранности, в первоначальном объеме, оплачивает на сумму, покрытую вот этим чеком, и, казалось бы, работник банка, думая о своих акционерах, а также о Государственной банковской комиссии, просто вцепится в возможность избежать убытков. Чего ты артачишься, Уитт?

Сандерс промокнул платком вспотевший лоб:

— Как вы верно заметили, Руфус, я не юрист. Я не знаю наших обязательств перед мистером Ла Франсом.

— Могу сказать: нет абсолютно никаких обязательств, но тебе будет спокойнее услыхать это от своих. Мы позволим тебе это сделать. Предположим, вернемся в два тридцать?

— Это... этого вполне достаточно. Миссис Бэннон, вы намерены сами вести бизнес?

— Она намерена подумать, — заявил судья Веллингтон. — Когда ее муж понял, что не может выплачивать страховку, ему хватило ума попросить компанию выдать премию наличными, а не переводить на счет, поэтому у нее есть немного денег и время для составления кое-каких планов. Мы тебя отпускаем, Уитт, иди работай.

Мы вышли из банка, прошли два квартала до старого отеля «Шавана-Ривер» и сели за угловой столик в старом обеденном зале с высокими потолками и темными стенными панелями. Джанин справа от меня, судья напротив. Конни, я и судья заказали выпивку. Джан вообще ничего не хотела. Ее узкое загорелое лицо средиземноморского юноши приобрело желтоватый оттенок, кожа лица и рук казалась бумажной.

Коснувшись ее руки, я спросил:

— Все в порядке?

Она коротко кивнула, мимолетно улыбнулась. Судья, видимо, погрузился в раздумья; наконец он сухо кашлянул и сказал:

— Похоже, Макги, вы знаете, что пытаетесь сделать для этой маленькой леди. Я достаточно хорошо знаю Конни и догадываюсь, что у нее имеется несколько безумных идей. Но в суде до меня дошли кое-какие намеки, кое-какие слухи, я способен сложить обрывки воедино, и сослужу своему клиенту плохую службу, если не дам совет, нужный или нет, судить не мне.

— Мне нужен ваш совет, судья Веллингтон, — сказала Джанин.

Он отхлебнул бурбона, облизнулся:

— Во всех этих маленьких округах есть так называемое теневое правительство. Эти ребята знают друг друга на протяжении поколений. Они собираются вместе обстряпать земельную сделку, а тут уже имеется маленькое, но преуспевающее предприятие, которое собирается расширяться. Это предприятие с помощью окружного начальства душат и прихлопывают, сбивая цену до подходящей. Для этого не нужны все пять администраторов округа. Хватит пары, трое остальных порой сами нуждаются в одолжении, так что никто не задает лишних вопросов. Ваше дело зависело от клиентов с хайвея, от клиентов с реки, от обслуживания местных жителей. Противная сторона имела право на время дорожных работ оставить шоссе открытым для движения, причем в неплохом состоянии, и заключить на него краткосрочный контракт. Улучшение состояния реки требует предписания о контроле над загрязнением. Они могут отрицать, что «Тек» действовал за компанию с ними, подав петицию о передаче ему моста. Когда вы не удрали с желаемой ими скоростью, на вас напустили инспекторов и прикрыли. Таким образом, миссис Бэннон, вас крепко прижали. Вот что я вам скажу. Я скажу вам: не связывайтесь с этими ребятами, ибо в долгосрочной перспективе вам не выиграть. Можно их поприжать точно так же. Я знаю, как этот народ рассуждает. Просто скажите: сто двадцать пять тысяч, плюс покупатель берет на себя закладную. Никакой торговли по мелочам. Никаких разговоров. Пускай сами делают предложения. Потом их начнет поджимать время, кто-нибудь занервничает, предложит сто тысяч, тогда хватайте, бегите и знайте, что сняли с их сделки хорошие сливки.

— Этого мало, — еле слышно проговорила она.

— Да ведь вы их ударите в самое больное место, детка. Чего вы хотите добиться? Господи Боже, вы никого не заставите устыдиться этой махинации, даже если они когда-нибудь согласятся не называть ее рядом неблагоприятных случайностей. Просто скажут: собаки во все времена собачатся, гибнет тьма предприятий.

— Они убили Таша.

До сих пор эту маленькую подробность от судьи скрывали. Он подался вперед, широко раскрыв стариковские глазки.

— Как убили? Ну, юная леди, я понимаю, почему вы в это верите, но эти ребята так не поступают. Ваш муж долго и тяжко трудился, все вылетело в трубу, а мужчина доходит порой до такой точки, когда...

— Вы не знали Таша Бэннона, — вмешалась Конни. — А я знала. А Тревис Макги знал его дольше, чем я и Джан. Мы не голосованием приняли это решение, Руфус. Мы не толкуем о вероятностях. Мы утверждаем: его убили.

Судья Веллингтон откинулся назад и так разволновался, что попытался хлебнуть из пустого стакана.

— Ну и ну! Значит, это какая-то дурацкая ошибка. Наверняка что-то другое вышло неладно. Господи помилуй, тогда надо прямо сейчас передать дело в руки государственного прокурора нашего юридического округа и... — Он вдруг замолчал и нахмурился, глядя на Конни. — Боже милостивый, видно, я состарился. Он передаст его помощнику государственного прокурора по округу Шавана, расследованием займется департамент шерифа округа Шавана, вскрытие проведет медицинский эксперт округа Шавана, все упомянутые субъекты сидят на выборных должностях в окружном управлении, со всех сторон начнут давить, чтобы прикрыть и забыть этот случай... Даже когда дойдет до большого жюри присяжных — если дойдет, — кому предъявлять обвинение? Я так состарился, что позабыл о фактах нашей жизни. Впал в детство. Считаю мир таким, каким он был в пору моей учебы в Стетсоновской юридической школе. — Он хмуро уставился в свой пустой стакан. — Может, привлечь кого-нибудь из офиса генерального прокурора, пусть покопается?

— Может быть, — сказал я. — Но возможно, сперва пустим в нору немножечко дыма, поглядим, кого мы оттуда выкурим.

Подумав, он кивнул:

— Теперь ясно, для чего вы задумали это. Не скажу, что на успех много шансов. Но что-нибудь безусловно зашевелится. — Он взглянул на Джан. — Миссис Бэннон, я знаю, вы пережили огромную, горестную и трагическую потерю. И, приступив к действиям, несомненно, почувствуете себя лучше. Но не сосредоточивайтесь целиком на одном этом деле. На расплате. На мести. Из-за этого человек иногда превращается в мрачного злыдня отныне и навеки.

— Мне плевать, в кого я превращусь, судья, — сказала она.

Он выдержал ее мрачный взгляд, открыл меню и предложил:

— Давайте-ка лучше закажем поесть.

В похоронное бюро Инглдайна я отправился один, прибыв туда без четверти два. Оно располагалось на боковой улице между ссудной кассой и автостоянкой и представляло собой уменьшенную копию Маунт-Вернона[1]. Я спросил мистера Инглдайна, и тихий, серьезный, елейный молодой человек сообщил, что мистер Инглдайн вышел на пенсию, а к моим услугам мистер Фэррис-младший, вместе с отцом владеющий и управляющий заведением, — чем могу вам помочь, сэр?

Мы прошагали на цыпочках в арочный дверной проем, где в бронзовом гробу покоился в розовом свете ламп бело-розово-восковой старец, а то, на чем покоился гроб, было скрыто цветами. На диванчике у другой стены зала сидели две старушки, держась за руки и бормоча что-то утешительное одна другой.

В небольшом кабинете мистер Фэррис-младший выдвинул ящик стола, вытащил папку, откуда достал свидетельство о смерти, подписанное окружным медицинским экспертом.

— Важнейшие биографические данные мы получили из местных архивов, сэр. Можете проверить, все ли точно.

Было точно указано: Брэнтли Б. Бэннон, возраст, ближайшие родственники. Доктор зарегистрировал смерть от несчастного случая. Я поинтересовался, что это значит, и мистер Фэррис-младший сказал, что при отсутствии предсмертной за-

---

[1] М а у н т - В е р н о н — национальный памятник-музей, родовое имение Джорджа Вашингтона, построенное в колониальном георгианском стиле.

писки, извещающей о самоубийстве, равно как и свидетелей, а также с учетом фактической возможности использования устройства с дизельным двигателем в рабочих целях было бы неправильно подозревать самоубийство.

— Не желаете ли... взглянуть на останки, сэр? Я бы не советовал. Тело весьма... сильно и безобразно изуродовано. Реконструировать черты лица нет никакой возможности. Вам, по-моему, разумнее убедить вдову не смотреть на покойного. Подобное впечатление... трудно забыть.

— Что вы предприняли?

— Потеря крови была очень большая. Мы как можно лучше выкачали троакаром оставшуюся, все прочие жидкости и так далее и, сгруппировав некоторые основные сосуды в области груди и шеи, сумели в определенной степени забальзамировать тело. Позвольте припомнить. Да, нам удалось провести положительную идентификацию, так что никого больше не придется затруднять. Одно время они продавали сандвичи и кофе на своей пристани, и окружной департамент здравоохранения потребовал медицинскую карту с фотографией и отпечатками пальцев. Департамент шерифа засвидетельствовал личность, сняв у покойного отпечатки.

— Вы отлично потрудились.

Он смущенно и радостно улыбнулся:

— Извините, но я не вполне понимаю... какова ваша роль, мистер Макги?

— Можно сказать, друг семьи. Вот нотариально заверенная доверенность, которая уполномочивает меня распоряжаться от имени вдовы.

Он взглянул на бумагу с едва заметной страдальческой гримасой:

— Думаю, здесь церемонии не будет?

— Нет. Распоряжений о перевозке можете ожидать в течение следующих нескольких дней.

Он проводил меня в демонстрационный зал. Крышки были подняты, обивка лоснилась, ручки сверкали. Стоимость от двухсот двадцати пяти долларов и выше. Я выбрал гроб за триста долларов, и мы вернулись в контору.

— Рекомендую, сэр, поручить нам забрать останки из хранилища, положить тело в гроб и запаять крышку.

— Поручаю вам, мистер Фэррис, оставить его на месте, в холодильнике, пока не получите распоряжений о транспортировке. Могут возникнуть вопросы насчет страховки от несчастного случая.

— О, понятно. Однако вам следует знать, что хранение стоит одиннадцать долларов тридцать три цента в день. С налогом, конечно.

— Конечно. Можно взглянуть на счет?

Он вытащил из папки счет, понес в соседнюю комнату. Я услышал, как кто-то медленно и неумело стучит на машинке. Вернувшись, он протянул счет мне. Добавлена стоимость гроба и еще два дня хранения. Общая сумма составила семьсот пятьдесят восемь долларов тридцать восемь центов.

— Мистер Макги, я убежден, вы поймете нашу позицию, если я замечу, что покойный, по нашим сведениям, был банкротом, и нам требуются некоторые гарантии...

Положенный мной перед ним заверенный чек на тысячу долларов сразу заткнул ему рот.

— Этот первый экземпляр предназначается для меня? — уточнил я. — Только черкните на нем расписку в получении тысячи долларов, мистер Фэррис, и, пока тело хранится здесь, вычитайте из кредитного остатка все дальнейшие издержки. Свой счет отправьте по почте миссис Бэннон, «То-Ко Гровс», второе шоссе, Фростпруф. Я вижу, у вас заготовлена фотокопия свидетельства о смерти, стало быть, можете передать мне оригинал? Спасибо.

Он проводил меня до входной двери, протянул бледную руку, улыбнулся бледной улыбкой:

— Прошу передать осиротевшим наши соболезнования.

Я долго смотрел на его руку, наконец, он отдернул ее и нервно вытер о полу пиджака.

— Слушайте, младший, — сказал я, — можете выразить свои искренние соболезнования в ощутимой форме.

— Боюсь, я не совсем понимаю.

— Прежде чем посылать ей чек с кредитным остатком, просто перепроверьте свой счет. Это молодая вдова с тремя детьми, которых надо растить. Вы накинули лишних, как минимум, двести пятьдесят долларов. По-моему, это был бы красивый жест.

Он порозовел:

— Наши расценки...

— Образцовые, приятель. Просто образцовые.

На улице я глубоко вдохнул воздух округа Шавана, но было в нем что-то промышленное, слабый привкус кислоты, от которого у меня запершило в горле.

Мы вступали в игру, пошевеливая их тупой палкой. Старый судья, хорошо зная закон и отлично рассчитав время, выхватил десять акров прямо из лап Ла Франса именно в тот момент, когда тот считал дело сделанным. Вскоре ему предстоит узнать, что в игру вступил незнакомец, скупая кусочки, подыскивая партнеров для сделки. Когда сомневаешься, вводи в их красивое аккуратное уравнение новую неизвестную величину и смотри, как они отзовутся.

Голодный считает всех прочих столь же голодными. Интриганы везде видят интригу.

Я шагал к банку в облаке промышленной вони.

Глава 6

В половине третьего мы опять собрались в кабинете президента банка. На столе перед Сандерсом лежало досье Бэннона, а по левую от него руку сидел банковский юрист мистер Ли с круглой благостной физиономией и стрижкой ежиком. Лет ему можно было дать сколько угодно в промежутке от тридцати до пятидесяти.

С явно натужной сердечностью Сандерс провозгласил:

— Что ж, миссис Бэннон, банк решил принять ваш платеж, признать счет по закладной текущим, в хорошем состоянии.

Судья Веллингтон зевнул:

— Можно подумать, у тебя был выбор, Уитт. Ладно. Моя клиентка выражает признательность. Благодарит тебя. — Он открыл старый портфель, полез туда, вытащил бумаги, подготовленные днем в среду в его юридической конторе, шлепнул их на стол перед Уиттом Сандерсом. — Раз уж мы тут все собрались, можешь также принять к сведению и вот это. Все готово к регистрации, только нам требуется одобрение банком передачи закладной от миссис Бэннон присутствующему здесь мистеру Макги.

Мистер Ли придвинулся поближе к президенту Сандерсу, который быстро перелистывал юридические документы, после чего изумленно уставился на судью Веллингтона:

— Но... отсюда следует, что она продает свою долю собственности за пятнадцать тысяч долларов, Руфус!

— Ты не назвал бы такую сделку чересчур выгодной? Остаток по закладной составлял шестьдесят тысяч, а ты собрался продать барахло целиком за тридцать две пятьсот, и если вообще оцениваешь недвижимость, то всего в двадцать семь пятьсот. Она же выплачивает по закладной десять тысяч, доведя остаток до пятидесяти, и продает за пятнадцать, в результате чего получает пять тысяч лишних вместо того, чтоб лишиться двадцати семи пятисот. Что ж, в данный момент эта леди на тридцать две тысячи пятьсот богаче, чем в ту минуту, когда сюда вошла. Может, тебя удивляет, что она так удачно управилась. У нее адвокат хороший, не забывай.

— Но мы не можем просто... утвердить передачу. У нас недостаточно информации. Мистер Макги, нам нужны сведения о вашей кредитоспособности, нам нужна балансовая ведомость, финансовый отчет... Это в высшей степени не соответствует принятому порядку. Я несу ответственность перед...

— Акционерами, — подсказал старый судья. — Уитт, ты чересчур быстро пролистал бумаги. Попробуй помедленнее.

Он послушался. И вдруг замер. Потом вытаращил глаза на Конни:

— Вы будете гарантом по ипотечному обязательству, миссис Альварес?

— Там же написано.

— Если ты еще нервничаешь, Уитт, — добавил судья, — садись в свой «даймлер-бенц», поезжай поглядеть «То-Ко Гроувс».

— О нет. Я ничего подобного не имею в виду. Просто... Судья вздохнул:

— Может, хватит болтать? Не пора ли покончить с бюрократической дребеденью, зарегистрировать все и отправиться по домам?

— Извините меня всего на одну минутку, — попросил Сандерс и увел с собой мистера Ли из кабинета в тихий уголок длинного узкого холла, застеленного ковром. Они консультировались секунд сорок. Я надеялся, что точно знаю о чем. В поисках подтверждения посмотрел на судью, тот в ответ медленно подмигнул и почти незаметно кивнул.

Мистер Ли вернулся вместе с Сандерсом, который, видно, поручил ему изложить вопрос на осторожном юридическом жаргоне.

— Миссис Бэннон, — начал он, — окончательно или нет в данный момент вы продаете свою долю мистеру Макги, банк считает себя морально обязанным уведомить вас, что сегодня в два часа с небольшим с присутствующим здесь мистером Сандерсом связался местный юрист, осведомляясь, совершена ли продажа изъятой собственности. Получив от мистера Сандерса отрицательный ответ, упомянутый юрист заявил, что представляет сторону, которую обязался не называть, но которая поручила ему выяснить у банка, достаточно ли для ее приобретения, если она еще не продана, твердого предложения восьмидесяти тысяч долларов.

Тут вмешался Сандерс, на миг вызвав у Ли раздражение.

— Это не твердое предложение, — объяснил он Джанин. — Но не думаю, чтобы юный... местный юрист вел пустые расспросы. Видите ли, ваше соглашение с мистером Макги не твердое. Если бы он пожелал отказаться, для вас это было б гораздо выгоднее. Вы вернете свои десять тысяч, плюс излишек сверх шестидесяти тысяч по закладной, то есть еще двадцать тысяч.

Судья научил Джан, как ей следует реагировать, если Пусс успешно обработает юного юриста Стива Бессекера.

— А если за этой таинственной стороной стоит тот же мистер Престон Ла Франс, которому вы собирались продать? — спросила Джанин.

— По-моему, вряд ли Пресс...

— Разве вы не сказали мистеру Ла Франсу, что он мою собственность не получит?

— М-м-м... сказал, — огорченно признал Сандерс.

— Разве не мог он пойти окольным путем, сделав более крупное предложение через юриста, если ему так уж сильно хочется?

— Есть такая возможность. Весьма отдаленная.

— Неужели вы не понимаете? — серьезно, нахмурившись и подавшись вперед, допытывалась она. — Мистер Ла Франс владеет участком земли, расположенным прямо за нашим. Он все время охотился за нашей собственностью. Составил план, затеял интригу, чтобы заставить нас бросить дело, мистер Сандерс, и купить наш участок, поэтому он отвечает за то, в чем винят... моего мужа...

Она высморкалась в платок, и Сандерс, который дошел до предела и чувствовал себя крайне неловко, пробормотал:

— Ну-ну, успокойтесь, миссис Бэннон. Когда дела идут плохо, нам всем хочется отыскать конкретное обстоятельство или конкретного человека, на которых можно было бы возложить вину.... Я уверен, что Престон Ла Франс не стал бы...

— Вся вина оказалась возложенной на моего мужа, для меня этого достаточно, — взволнованно заявила она. — Нет, я не соглашусь ни на какую заочную сделку, даже если бы мне предложили... вдвое больше. Втрое! Я скорей все продам мистеру Макги за одиннадцать центов, чем увижу доставшимся тому типу!

Уитт Сандерс повозился с лежавшими перед ним документами и взглянул на Руфуса Веллингтона.

— Руфус, как вы отлично знаете, я нарушил бы правила, как-либо прокомментировав... финансовые возможности любого имеющего с нами дело. Могу предположить лишь... слабую возможность, что этот юрист представляет Престона Ла Франса. Но это не очень-то вероятно, черт побери.

— Как я понял из этих твоих слов, Уитт, в городе хорошо известно, что этот самый Ла Франс фактически не наскребет восемьдесят тысяч?

— Я этого не говорил.

— Нынче утром в суде, Уитт, я беседовал с секретарем округа, общался с твоим финансовым инспектором, и у меня создалось впечатление, что в последнее время дела в земельном бизнесе в округе Шавана несколько замедлились. Если этот Ла Франс ушел по уши в земельные сделки, у парня, должно быть, зудит в одном месте, он, наверно, жонглирует семейным фарфором, ходит по натянутой проволоке, и пчела его жалит прямо в... Прошу прощения, леди, на этом остановимся. Может быть, принимая все во внимание, баланс у него с виду приличный, и несколько бумажек ты от него получил, но больше не поступает ни единого цента и ты чуть-чуть нервничаешь. — Судья неожиданно рассмеялся, хлопнув себя по ляжкам. — Господи помилуй, Уитт, вот почему ты скулишь, как побитый пес, не имея возможности продать конфискованное имущество этому Ла Франсу. Он наверняка проворачивает какую-то сделку, после которой останется чистеньким и на свободе. Он чересчур глубоко подцепил тебя на крючок, парень?

— Слушайте, Руфус, — взмолился Сандерс, — я ничего вам не говорил и не собираюсь.

— Словами не говорил, — подтвердил судья. — Только мы с тобой вместе играем в покер, Уитт, и я всегда без большого труда читаю твои мысли.

Итак, была совершена вся бюрократическая дребедень, необходимые документы зарегистрированы в суде. Я пошел вместе с судьей к его черному «империалу» с кондиционером, и он остановился вне пределов слышимости шофера, который вылез и открыл перед ним дверцу.

— Сынок, Богом клянусь, мы сунули в осиное гнездо кочергу и как следует пошуровали. Кое-кто просидит полночи, пытаясь найти во всем этом смысл и не ведая, что тут нет никакого смысла, — по их понятиям. Смотри, постарайся держаться подальше от ос.

— Постараюсь, судья.

— Скажи той рыжей здоровенной бесстыднице, что она молодец. Вот с такой женщиной мужчине хочется пройти долгий жизненный путь. Где ты с ней встречаешься?

— Не здесь, — сказал я. — Она вернулась в Броуард-Бич. Сказала, попросит Бессекера ее туда подбросить, а если не сможет, сама как-нибудь доберется.

Он прищурился в позднем свете дневного солнца:

— Похожую девчонку я так хорошо помню, точно это было вчера, сынок. А было это в 1926 году. Если она живет еще где-то на белом свете, ей уже за шестьдесят. Трудно поверить. Знаешь что? Я стихи писал этой девчонке. Первый, последний и единственный раз в своей жизни. Дай мне знать, как пойдут у тебя дела со старой болотной крысой Ди Джеем Карби, ладно? И скажи одну вещь, Макги. Ты стараешься злость сорвать или выкачать из всего этого немножко наличных для вдовы с ее ребятишками?

— В первую очередь деньги, судья.

Он взглянул на свои часы и ухмыльнулся:

— Конни так ездит, что они, должно быть, уже на полпути к Фростпруфу.

У меня ушло много времени на поиски кого-либо, способного дать хоть какие-нибудь четкие указания, как найти дом Карби. У него не было телефона. Была в Саннидейле почтовая ячейка «до востребования». Как правило, он заходил забрать почту не чаще одного раза в неделю.

В конце концов мне пришлось детально познакомиться с нескончаемой стройкой рядом с моей новой собственностью. Во Флориде полным-полно нескончаемо долго строящихся дорог, которые ломают хребты, опустошают карманы и разбивают сердца придорожных бизнесменов. Простые, неумелые, ребячливые мексиканцы каким-то образом умудряются за шесть месяцев провести изыскания, спроектировать и довести до конца восьмидесятимильное многополосное скоростное шоссе, проложив его через горы и жуткие пропасти. Но крупным дорожным подрядчикам во Флориде требуется полтора года, чтобы провести пятнадцать миль двухполосной дороги по абсолютно ровной земле.

Разница заключается в американском ноу-хау. А оно, в свою очередь, заключается в налоговых проблемах и способах их решения. По закону государственный дорожный департамент обязан отдавать предпочтение дешевым предложениям. Поэтому «Доукс констракшн» извещает, что контракт на полгода обойдется штату в десять миллионов, на год — в девять, а на полтора — в восемь. Потом одновременно берется за три-четыре крупных проекта, получает в аренду от смежной корпорации оборудование и тайком перебрасывает с одной площадки на другую, выколачивая из него максимальную прибыль. При этом единственными признаками лихорадочной деятельности служат два-три человека возле бетономешалок, сперва смахивающие на чучела. Получше присмотревшись, замечаешь движения, совершаемые со скоростью минутной стрелки часов.

Разумеется, если в штате появится какая-то нетерпеливая суетливая фирма, начнет заключать стоящие контракты и быстро их выполнять, налоговые инспекторы забеспокоятся. Некоторым хватает ума попробовать, и отлично организованному клубу подрядчиков остается поспешно по очереди предложить ряд дешевых контрактов, чтобы довести непрошеного гостя до смерти. Когда ему придется убраться, не найдя работы, все возвращается на приятные старые круги своя, и по чудесному совладению обстоятельств большие ребята получают вполне их устраивающий объем работ.

Примерно при позапрошлом губернаторе, когда слишком много дорожных работ не отвечали спецификации, кто-то стукнул, и разразился большой скандал вокруг инженеров государственного дорожного департамента и инспекторов, получавших от некоторых членов упомянутого клуба конверты с наличными. Подрядчиков на какое-то время отстранили от заключения контрактов, а инженеров с инспекторами уволили. Но дело, как обычно, заглохло, компаниям вернули право заключать контракты на предстоящие работы, государственные служащие вернулись на свои места, а губернатор объяснил, что нельзя слишком строго судить людей за «минутную слабость», хотя было абсолютно ясно, что они с весьма давних пор переживают минуты слабости каждую пятницу ближе к вечеру.

Проектная реконструкция шоссе 80Д в округе Шавана представляла собой тот же случай в несколько меньшем масштабе. Хотя рабочий день не закончился, единственным попавшимся мне на глаза свидетельством дорожных работ был один бульдозер и один скрепер, стоявшие без присмотра в стороне от перекопанной дороги. Я остановился у своего собственного погибшего предприятия, оборвал официальные объявления о лишении права выкупа заложенного имущества и решил не портить новенькие висячие замки, сбивая их железякой. Ближе к дальнему концу шоссе 80Д нашел песчаную дорожку, о которой мне говорили. Она вилась через кусты к берегу залива, и, выехав в конце на открытое место, я увидел традиционную для старой Флориды лачугу из кипарисовых и сосновых бревен, стоявшую на высоких сваях. Заглянув под нее, можно было увидеть воду залива и маленький покосившийся причал с привязанным яликом.

Слышался скрежет собачьих когтей по проволочной ограде загона, гортанное напряженное «а-р-р-р, а-р-р-р» местной породы гончих. Я стоял у машины, разглядывая собак, и вдруг прямо у меня за спиной чей-то голос сказал:

— Доброго вам вечера.

Я резко вздрогнул, оглянулся, заметив по искре в выцветших стариковских глазах, что он доволен произведенным эффектом.

В ту пору, когда его еще не согнул и не искорежил возраст, он был приблизительно моего роста. Впалые щеки покрывала длинная серая щетина, а голова была лысой, за исключением тонзуры с редким белым пушком. Рваные, в пятнах, штаны цвета хаки, подпоясанные тонкой пеньковой веревкой, старая рабочая рубашка из серой саржи, широкие босые ступни. Впечатление было такое, будто стоишь рядом с медвежьей клеткой, если не считать примешавшегося к густому запаху легкого аромата керосина.

Я махнул в сторону собачьего загона:

— Красные гончие?

— Есть у них примесь красных. В это время года я собак не продаю. Всего одна сука щенная, да и то удрала от меня в самый неподходящий момент, так что Бог знает, кого принесет.

— Мистер Карби, я пришел не ради собак, а по делу.

— Зря потратили время. Я не покупаю ничего, кроме продуктов в городе, все остальное заказываю по «Сирсу»[1].

— Я ничем не торгую.

— Все так говорят, и я предлагаю присесть, а в конце концов выясняется, что все-таки торгуют.

— На сей раз ничего подобного.

— Тогда присаживайтесь на веранде.

— Спасибо. Меня зовут Макги.

Мы взобрались по крутым ступенькам, уселись — Карби в кресле-качалке, я на старом кухонном стуле с несколькими поколениями краски разных оттенков, — и я сказал:

— Просто я купил у вдовы Бэннона его собственность на реке.

— Неужели? Я ее видел один раз, а его два. Слыхал, он покончил с собой утром в прошлое воскресенье, когда понял, что все потерял. Хороший был парень. Как-то я дрейфовал по заливу, а утром он с негром Тайлером пришел мне на помощь. Сильный туман, чересчур глубоко, шестом не оттолкнешься, а мотор мертвей фараона Тутанхамона. Тот самый Тайлер разбирался в моторах, будто сам их изобрел. Там сломалась пружинка на маленьком рычажке для подачи горючего, и этот Тайлер закрепил ее кусочком резинки, все хорошо заработало. А тот самый Бэннон ничего с меня не взял. По-соседски. Наверно, было это незадолго

---

[1] «С и р с» — один из крупнейших и наиболее популярных каталогов торговли по почте.

до ухода Тайлера. Слышно, Тайлер работает в городе с мотоциклами. Везде, где найдутся моторы, для него будет работа. Знал Бэннон или не знал, только Тайлер ушел от него потому, что ни один умный негр вроде Тайлера не останется там, где белые затевают склоку. Если вы собираетесь заниматься бизнесом, мистер Макги, лучше первым же делом верните Тайлера, то есть если, конечно, вы со всеми в ладах.

— Я не собираюсь заниматься бизнесом, мистер Карби. Купил ради вложения капитала.

— Сдадите кому-то в аренду?

— Нет. Пускай просто стоит.

Я дал ему время переварить это, и в конце концов он сказал:

— Извините, но нету особого смысла покупать ради стоимости одного участка. Постройки стоят дороже земли.

— Это зависит от того, кому хочется получить землю.

— И очень ли сильно хочется, — кивнул он.

— Мистер Карби, я интересовался в суде землевладельцами. Вам принадлежит участок в двести акров, который начинается от моей восточной границы.

— Может быть.

— Никогда не подумывали продать?

— Я то и дело продаю понемногу землю. Осталось, наверно, семьсот—восемьсот акров, разбросанных на востоке округа. Кроме этой вот сотни, где стоит дом, все, по-моему, можно продать за хорошую цену. Хотите сделать предложение? Тогда лучше называйте настоящую цену и сразу, так как я не торгуюсь. Мне дают цену, я говорю «да» или «нет», вот и все.

— Настоящую цену? Лучше скажу, мистер Карби, что рискнул бы скупить и другие кусочки, рискнул бы, пока еще имею хороший шанс на перепродажу... на перепродажу двух объединенных участков. Сразу скажу, если дело выгорит, получу неплохую прибыль, если нет, у меня будет связана часть спекулятивного капитала, пока не отыщется какой-то способ его высвободить. Настоящая цена при немедленной продаже, — разумеется, если собственность чистая, — пятьсот за акр.

Он качнулся вперед, шлепнул босой ногой по дощатому полу и вытаращил на меня глаза.

— Сотня тыщ?

— Минус ваша доля затрат на оформление продажи.

Он встал, оперся на перила, сплюнул. Я знал, какая сумятица творится у него в голове. Он хотел все разведать и посмотреть, на хорошую ли цену заключил с Престоном Ла Франсом опцион на двести акров. Двести долларов за акр казались хорошей ценой, пока я не назвал свою. Я признал, что Таш правильно все разузнал, и до апреля предложение Ла Франса было хорошим. Карби не смел рассказать мне об этом, боясь, как бы я не заключил сделку с Ла Франсом. А с другой стороны, опасался сказать, что земля не продается, — если возможность приобретения откроется где-то в другом месте, он не получит и двухсот долларов за акр.

Непростая проблема, и я гадал, как он ее решит. Наконец старик вернулся, сел в заскрипевшее кресло и мирно начал:

— Вот что я вам скажу. Мне надо подумать. И надо поговорить с человеком, который мне сообщает государственные расценки, когда я что-то продаю, следит за моими налогами и так далее. Давайте посмотрим. Сегодня четверг, двадцать третье, значит, через две недели будет... четвертое января. К этому времени у меня будет больше необходимых сведений. Нельзя сразу кидаться на такие деньги. Надо успокоиться, какое-то время подумать.

— Ясно. Но при следующей нашей встрече вы должны сказать «да» или «нет».

— И еще одно. Вы сказали, готовы рискнуть. Что, если я тоже немного рискну, мистер Макги?

— А именно?

— По вашим словам, если дело не выгорит, у вас будут связаны сто тысяч долларов, и уйдет много времени, чтобы сбыть эту землю по такой цене. Но если все выйдет по вашим расчетам, получится неплохая прибыль. Может, двойная?

— А может, и нет.

— Давайте рассчитывать на двойную. По тыще долларов за акр — всего двести тыщ. Так что, может, мы с вами составим между собой бумагу, контракт, где будет сказано вот что. Вы даете мне на руки пять тыщ наличными, скажем... пятнадцатого апреля... и получаете право купить мою землю по четыреста за акр, ежели захотите купить, а я пожелаю продать. Если дело выгорит и потом вы за два-три года ее перепродадите, то согласны мне выплатить разницу между ценой при покупке и выручкой. Если получите тыщу, наверняка вам очистится прибыль в три сотни за акр, и никаких шансов, что деньги зависнут. Конечно, если пятнадцатого апреля я пожелаю продать, а вы раздумаете покупать, ваши пять тыщ останутся у меня. Но если вы захотите купить, а я откажусь продавать, получите их обратно.

Он смотрел на меня благосклонно и ласково, страстно желая выглядеть абсолютно сговорчивым и справедливым. Выше по побережью в укромных местах располагались свитые в особняках гнездышки международных банкиров, к югу — финансируемые мафией обманчивые курортные отели. Старик точь-в-точь смахивал на игрока, который сделал ставку на двух открытых королей, имея пару троек и еще проходную тройку и прекрасно помня, что видел двух других королей в чужих руках, причем один из них — проходной — неизбежно откроется, когда рука шевельнется.

— Мистер Карби, — заключил я, — по-моему, мы прекрасно поладим. Можете даже продать мне безраздельную половину доли по двести за акр, и мы будем считать предприятие совместным.

— Приятно иметь с вами дело, мистер.

На мой взгляд, старый мистер Ди Джей Карби отлично умел плавать в коварных и бурных водах, и я вдруг почувствовал уважение к хитрости Престона Ла Франса. Однако, как только старику удастся его поймать для короткой беседы, его положению не позавидуешь. Возле собачьего загона стоял старый дряхлый фургон «интернэшнл харвестер», и казалось вполне вероятным, что Ди Джей отправится в Саннидейл нынче вечером или завтра ранним утром.

Когда я приехал в город Броуард-Бич, было уже совсем темно. Магазины работали — завтра Сочельник. Дюжие девицы из Армии спасения в маркитантских колпаках позвякивали котелками с немногочисленной мелочью, на пальмовых стволах и подсвеченных шестах красовались пухлые Санта-Клаусы из пенопласта, подвешенные повыше, чтобы дети не оборвали пено-

---

[1] Истинно верные (*лат.*).

пластовые ноги. Откуда-то, должно быть, из церкви в южной части города, повалили Adeste Fideles[1] с электронным перезвоном колоколов, вызывающим зубную боль и заглушающим розничные записи сезонной музыки повеселее. Проехав через весь город, я выехал на пляж, поставил машину на стоянке у того места, где назначил встречу, — у дорогого, сияющего, неправдоподобного мотеля «Дьюн-Эвей», при котором было заведеньице под названием «Аннекс», где еда и выпивка стоили заплаченных денег, даже в мертвый сезон, где симпатичные девочки при желании могли рассчитывать, что их подцепят, причем персонал с острым нюхом следил, чтоб все было прилично и гладко, тогда как при нежелании те же самые профессионалы охлаждали случайных Лотарио[1] быстро, тихо и навсегда.

Заглянув из дверей в зал, я увидел Пусс в одиночестве на банкетке у дальней стены. Подходя к ней, почуял, что внимательный официант уже двинулся пересекающимся курсом, однако одновременно со мной заметил ее быстрый приветственный взгляд и просиявшее лицо, поэтому отодвинул столик, позволяя мне сесть рядом с ней, и удалился, приняв наш заказ.

— Ты разминулся с нашим другом на десять минут, — сообщила она. — Он очень мил, но не мой тип. Тонкокостный, смуглый, немножко скованный. Старается попадать в такт, но смеется либо чуть-чуть рано, либо чуть-чуть поздно, и как бы управляет машиной, а не просто рулит. Дай припомнить. Ему тридцать один год, на Линде он женат пять лет, у них двое детей, она фантастически играет в гольф, ее отцу принадлежит в Саннидейле агентство «Бьюик», и его беспокоит ее склонность к выпивке. Ради меня он все время шевелил бровями, может быть, репетировал перед зеркалом, а когда я садилась поближе, у него руки становились липкими. Ему не хватило духу наброситься на меня прямо средь бела дня. Ему требовалось поощрение, чтобы он мог заверить себя, что не сам это начал, он ведь просто мужчина, правда? Жутко нервничал насчет производимого им впечатления, постоянно молол какую-то право-радикальную белиберду про заговоры, банкротство Америки и китайские бомбы, было просто невыносимо слушать это-

---

[1] Л о т а р и о — бездушный соблазнитель из пьесы английского драматурга Никласа Роу (1674—1718) «Кающаяся красавица».

го зануду с вытаращенными глазами, вставляя «ох, ах, подумать только». У него куча гражданских дел, он берется за все, считая себя бесстрашным адвокатом, защитником справедливости и чистоты. Как говорит наш дорогой судья, дерьмо собачье. Он старался помочь Ташу Бэннону, а потом, когда сильней запахло жареным, бросил. Знаешь, как он это мне объяснил? Просто прелесть!

Она помолчала, когда официант принес напитки, а потом вновь принялась изображать Стива Бессекера:

— Пока нам приходится действовать в капиталистической системе, Пусс, — только не забывайте, что до сих пор в мире ничего лучшего не придумано, — необходимо мириться с деловым риском и с тем, что одни выигрывают, а другие проигрывают. Я не отрицаю, на Бэннона было оказано определенное давление, но он все это так воспринял, точно против него некий заговор, начал ныть, прекратил борьбу. Тогда я потерял к нему уважение и умыл руки.

— Да, — согласился я, — просто прелесть. Очень мило.

— Я никогда не видела твоего друга Таша, Тревис. Но не думаю, чтоб он когда-нибудь ныл.

— Он понятия не имел, как это делается. Поздравляю. Ты отлично обработала нашего друга. Были проблемы?

— Никаких! Пододвигала стул ближе, ближе, говорила очень тихо, таинственно, широко таращила глаза, касалась его руки кончиками пальцев. Объявила ему, что работаю на Гэри Санто, что мы навели о нем справки и сам мистер Санто пришел к выводу о возможности поручить ему определенные частные деликатные переговоры, касающиеся одной деловой операции мистера Санто в этом районе, и питать уверенность, что он не разгласит имя клиента. Все это до того секретно, предупредила я, что, если ему хватит ума попытаться поговорить с мистером Санто лично или по телефону, он сам себя погубит. Но если дела пойдут хорошо, может надеяться на ежегодное получение пятизначной суммы. Знаешь, когда он начал переваривать это, глаза у него заблестели, как глазированные, а челюсть отвисла. Я чуть не расхохоталась. Потом он, как миленький, обратился в банк с предложением восьмидесяти тысяч долларов, а при следующей нашей встрече, жутко расстроенный, сообщил, что миссис Бэннон восстановлена в праве собственности, после чего продала ее какому-то таинственному незнакомцу по имени Макги из Форт-Лодердейла. Я уж думала, он заплачет. Мистер Санто, заверила я, безусловно сочтет, что он сделал все возможное. Дальнейшие указания, сказала я, он получит от меня по телефону или при личном свидании. Поинтересовалась, согласен ли он время от времени со мной встречаться в случае необходимости. В Майами, а может быть, даже в Гаване или в Нью-Йорке. Все расходы, естественно, будут оплачены.

— Кто тебе посоветовал?

— Сама сообразила. Идея показалась хорошей. Я хочу сказать, в результате он больше раздумывал обо мне, а не о том, что для такого человека, как Санто, это довольно странный способ делать дела. Я была не права?

— Нет. Мне нравится. А финальный удар? Не забыла?

— Нет, только нанесла его как бы совсем между прочим, и только когда он пришел сюда выпить со мной. Просто сказала, будто знакома со стилем мышления мистера Санто, который непременно поинтересуется, не связывает ли что-либо мистера Престона Ла Франса с мистером Макги, нет ли меж ними каких-нибудь деловых связей, и если он сможет выяснить это до моего звонка, то произведет на мистера Санто хорошее впечатление.

— Как он отреагировал?

— В общем никак. Пообещал постараться и выяснить. — Она пожала плечами. — Милый, он в самом деле обыкновенный, простой, тривиальный человечек. Впервые в жизни на него чуть повеяло чем-то важным, значительным, в своем роде шикарным. Он едва в силах вынести это. Пожалуйста, покорми меня. Я сижу здесь в страданиях и в тревоге, не спуская глаз с двери, откуда выходят официанты со стейками.

Она ела с изящной методичностью дикого зверя, время от времени издавая тихие удовлетворенные звуки. Я объявил, что в награду за выполнение особого шпионского задания и за убедительное вранье закажу самые изысканные из имеющихся в «Дьюн-Эвей» апартаментов.

— А утром вернемся на лодке? — спросила она. — Не сочтешь ли ты слишком вульгарной, милый, просьбу об особом одолжении? Столько всего произошло и я так перегружена информацией и впечатлениями, что могу думать лишь про гигантскую, фантастическую, великолепную кровать на борту «Флеша», где будет неимоверно приятно проснуться утром перед Рождеством, и хочу оказаться в той кровати быстрей, чем способна доставить меня твоя славная лодочка. Это возможно?

— Беги к машине, рыжая.

Я едва миновал первый светофор, а она уже заснула, проспала весь обратный путь, с ворчанием пробудилась от моего толчка, чтобы дойти от машины до яхты.

Я оставил ее на причале, сам поднялся на борт и, прежде чем открыть дверь, взглянул на маленькие лампочки за отодвигающейся панелью во внешней переборке каюты. Убедившись, что лампочки не горят, нажал на выключатель под лампочкой, отключив маленький радар, который в мое отсутствие следил за корпусом «Флеша» ниже палубы. Любой посягнувший на «Флеш» человек своим весом и движениями замкнул бы цепь, отчего загорелись бы две потайные лампочки — или одна, если другая перегорела. При желании прибор можно было переоборудовать так, что зажглись бы прожекторы, взвыла сирена или даже получила по телефону вызов полиция. Но мне не требовалось, чтобы сигнализация отпугнула незваных гостей. Просто хотелось знать, не появлялись ли визитеры, а потом принять необходимые для приветствия меры, если они еще не ушли.

Я поманил Пусс на борт, она поднялась, зевая и спотыкаясь. Мы вместе приняли душ, потом нежно, легко и лениво в течение четверти часа занимались любовью, хоть она и мурлыкала, что, наверно, не сможет, не стоит особо трудиться, милый, это не так уж и важно, а потом мурлыкнула, что, если леди еще не поздно передумать, сэр, причем было уже почти слишком поздно, я не в силах был дольше ждать, но вот она приподнялась, догнала меня, испустила длинный вздох и упала, все так же мурлыча. Поймав меня на самом краю сна, осторожно открыла пальцами мой левый глаз и сказала:

— Ты еще тут? Слушай, леди благодарит тебя за насыщенность всех этих дней и ночей. Спасибо, что взял меня не просто в поездку с собой, Макги. Спасибо, что помог затолкать в небольшую корзинку три бушеля жизни. Слышишь?

— Не стоит благодарности, леди.

Глава 7

Рождественским утром явился Мейер с громоздким чаном гоголь-моголя и с тремя помятыми оловянными кружками. С северо-запада на нас накатил хороший дождь с ветром, от которого «Флеш» раскачивался, стонал и вздрагивал. Я поставил рождественские песнопения, ибо доверять радиопрограммам в такой день нельзя. Мы с Мейером уселись за шахматы, Пусс Киллиан в желтом махровом комбинезоне уселась писать письма. Кому — она никогда не рассказывала, а я никогда не спрашивал.

Мейер выиграл партию пешечной атакой, тяжеловесным массированным наступлением, которое всегда до того меня раздражало, что я начинал совершать глупости, например, жертвовал в его пользу, просто чтобы освободилось местечко, на которое можно было бы опереться локтем.

Когда мы доиграли, подошла Пусс, сунула свое письмо в карман и спросила:

— Не следует ли позвонить Джан, пожелать счастливого Рождества? Я все гадаю, что хуже — звонить или не звонить?

— На этот счет есть один закон Мейера. Процитируй, Мейер. Он одарил ее сияющей улыбкой.

— Охотно. При всех эмоциональных конфликтах, милая девушка, следует делать то, что кажется труднее всего сделать. Так что, по-моему, надо звонить.

— Большое спасибо. Тревис, ты позвонишь? Будь добр. А потом передашь трубку мне, ладно?

И я позвонил. Тон у Конни был чересчур сердечным. Я догадывался, что в «Гроувс» этот день не особенно удачный. Джанин старалась соответствовать всем дружеским и праздничным требованиям, но ее голос был мертвым. Я знал, она не сломается под тяжестью навалившегося на нее ужаса. Высказав все, что мог придумать, большей частью тупые, постыдные банальности, я передал трубку Пусс. Она, сев на стол, долго тихо беседовала с Джанин. Потом сообщила о желании Конни поговорить со мной еще раз. По словам Конни, Джанин ушла к себе в комнату, так что она имеет возможность говорить свободно. Спросила, когда заберут тело. Я ответил, что отдал распоряжения, за ним придут и заберут завтра. Отсрочка связана с праздниками. И спросил в свою очередь:

— Были какие-нибудь контакты с солнечным Саннидейлом, Конни?

— Никаких. Пока никаких.

Я положил трубку, повернулся, увидел, как Пусс почти бегом выскочила из каюты, услышал громкое хриплое рыдание, взглянул на Мейера, который пожал плечами и объяснил:

— Потекли слезы, потом она зашмыгала, а потом убежала.

Я наполнил кружки и познакомил его с современным состоянием моих финансовых дел в округе Шавана.

Он, взвесив все, заключил:

— Весьма неопределенно. Дело может обернуться как угодно.

— Это общая идея. Чтобы остаться в белых одеждах, я должен законно продать свою законную собственность, представляющую собой пристань и мотель. По-моему, тут я вчистую обыграю Ла Франса. Если он предлагает тридцать две пятьсот, соглашаюсь на сорок и передаю ему закладную. Ему придется на это пойти, потому что единственный способ завладеть участком, который можно предложить Санто, это объединить его собственные пятьдесят акров, десять моих, плюс премиальный опцион со стариком Карби на двести. Этот Ла Франс просто жадный и вороватый подонок. Он пытался как можно ловчее самостоятельно обстряпать сделку, прищучив Таша и задешево получив десять акров. Полагаю, он так и остался жадным и вороватым подонком, и, по-моему, предложив ему маленький лишний куш, всучив под столом наличные, я и сам получу наличные, предположительно от его шурина из окружного управления... — я пошел посмотреть в записной книжке имя, — П.К. Хаззарда. По прозвищу Монах. Он — я имею в виду Престона Ла Франса — будет сильно шустрить, поэтому мы с тобой разработаем маленькую вариацию с ляпнувшей на голову голубиной какашкой.

Большие кустистые брови полезли на неандертальский лоб Мейера.

— Мы?

— Мейер, по-моему, из тебя выйдет весьма симпатичный эксперт по размещению промышленных предприятий, некто, уполномоченный давать твердые рекомендации милой, крупной и жирной богатой компании.

— Это точная наука, мой дорогой друг, — объявил он. — Мы учитываем все факторы — обеспеченность рабочей силой, местные школы, места отдыха и развлечений, расходы на транспортировку, затраты на строительство, расстояние от основных рынков — и, записав все это в виде формулы перед программированием компьютера, можем прийти к ценному заключению, каким образом... Тревис, что там насчет голубиной какашки?

— В отличие от того, что первым приходит на ум, Мейер, в данном случае она ляпнется прямо на голову голубку.

— Яснее не скажешь. И еще одна вещь. Не ступаешь ли ты на скользкую почву с похищением тела?

— С похищением тела? Я? Мейер! Абсолютно законное похоронное бюро в Майами собирается забрать тело в лицензированном гробу, привезти его назад в Майами и отправить оттуда по воздуху в Милуоки.

— А руководит этим бюро человек, очень сильно тебе обязанный, гроб совершит остановку в отлично оборудованной и оснащенной патологической лаборатории по окончании рабочего дня, где еще одна парочка твоих странных друзей намеревается установить, нет ли какой-то другой причины смерти, кроме падения на Таша дизельного мотора.

— Мейер, я тебя умоляю! Просто нормальное любопытство. Джан дала разрешение. Против этого есть какой-нибудь закон?

— Как насчет сокрытия улик?

— Если ты беспокоишься об уликах, которых у нас пока нет, то не обязан мне помогать в играх с Ла Франсом.

— Кто из нас беспокоится?

— Я. Немножко.

Мы сидели молча. Музыка доиграла и выключилась. Я раздумывал, не пойти ли слегка приласкать Пусс, излечив ее рождественскую хандру. Под веткой омелы прошлое слишком сильно наваливается на тебя. Печалишься из-за всякой ерунды.

— Мейер!

— К твоим услугам.

— После продажи пристани Ла Франсу Джан получит чистыми тридцать тысяч. Если выгорит дело с голубиной какашкой, может получить сверх того пятьдесят, а то и все сто. Ее потерю не окупишь деньгами, но будет очень приятно отхватить для нее настоящий, хороший, большой кусок. Если мне удастся выяснить, что Гэри Санто было известно о случившемся с Бэнноном, что он знал и плевал на это, заставляя Ла Франса скупать прилегающие участки, чтобы приобрести их для перепродажи, будет радостно и у него отхватить горбушку.

— Да подожди ты минутку! Голубиная какашка ляпнет на голову не кому-нибудь. Этот тип действует с очень широким размахом, друг мой. Его юристы и счетоводы перепроверяют каждый шаг.

— Я подумываю о неком законном деле. Нечто в твоем стиле. Например, о вложении капитала туда, где он сгинет, причем ты будешь об этом знать, а Санто нет. А потом, может, найдется какой-нибудь способ перекачать эти деньги в карман Джанин? Черт возьми, Санто азартный игрок. При всей своей осторожности все равно азартный игрок. Что-нибудь вроде котирующихся биржевых акций, наподобие тех, которые вздували на фондовой бирже, как ты мне однажды рассказывал.

— А почему Санто будет слушать Мейера?

— Потому что сперва ты засветишься. Покопаешься в своих картах, совершишь несколько выездов на участок, осмотришься и придешь к очень волнующим выводам о перспективах развития. И по-моему, чтобы все это ему скормить, я смогу воспользоваться нефтепроводом, если чуть-чуть его подготовлю. Нефтепровод носит имя Мэри Смит. Прямые блестящие темные волосы, маленькая, ладненькая, с виду сердитая и голодная.

— А если великому Гэри Санто ничего не известно о твоем друге Бэнноне?

— Я знаю, что Таш пытался увидеться с ним и не пробился дальше девицы-привратницы. Он не причислял Санто к тем, кому хочется переехать колесами маленького человека. Думал, Санто нажал на Ла Франса, а Ла Франс принялся нажимать на разных людей, среди которых случайно оказался Таш. Если Санто знал и позволил, чтобы на Таша рухнула крыша ради понадобившегося ему вшивого клочка земли, мне бы хотелось ужалить его в самое больное место. Можешь ты в таком случае что-нибудь сделать?

Мейер встал, прошелся туда-сюда, щуря яркие голубые глазки, волосатый, сосредоточенный, как обезьяна, остановился и сказал:

— Не знаю, Макги. Просто не знаю. Проблема распадается на две взаимосвязанные части. Во-первых, я должен узнать о какой-то гиблой ситуации, вроде той, в которую попал «Уэстек», пока еще не потонул. Эти типы нарушили свои прежние обязательства держать акции на высоком уровне, чтобы иметь возможность поглощать более мелкие компании на выгодных условиях. Потом один деятель выбросил на Американскую фондовую биржу на восемь миллионов акций, не сумел явиться с деньгами, чтобы их выкупить, и торги были приостановлены. Так вот, если бы я почуял нечто подобное, сулящее катастрофу, если бы мог потом подобрать нескольких законно победивших игроков, чтобы ему показалось...

— Считай, что ты кое-кого подобрал, Мейер.

Он на секунду опешил, потом улыбнулся широкой мейеровской улыбкой, в результате чего одна из безобразнейших в Западном полушарии физиономий превратилась, как выразилась однажды смышленая девчонка из нерегулярной армии Мейера, «в прекрасное доказательство, что у человеческой расы когда-нибудь как-нибудь все образуется».

— Официальное, отпечатанное, датированное подтверждение покупки акций на официальном бланке авторитетной брокерской конторы! Оглянемся назад! Идеально! Один-два дня в Нью-Йорке, и я вернусь с доказательством своей собственной гениальности в связи с приобретением...

— С данной мне рекомендацией приобрести...

— Да. Понятно. Я рекомендовал тебе покупать высоко взлетевшие акции именно в тот момент, когда они падали, и в любом случае мне не придется оглядываться больше чем на год назад. «Галтон», «Экстра», «Лиско дейта», «Тексас галф салфер», «Голдфилд Мохаук дейта». Фантастическое представление! Слушай, я не хочу, чтобы все было слишком уж хорошо. Подозрительно, если любая покупка успешная. Скажем, ты купил «Галтон» не по пятьдесят долларов за акцию, а по шестьдесят пять.

— Сколько они сейчас тянут?

— Поднимались почти до ста десяти, раздробились на два к одному[1], а когда я в последний раз проверял, были долларов по шестьдесят. — Он сел и снова опустошил оловянную кружку. — Тревис, какое ты хочешь иметь состояние? Я могу

---

[1] Д р о б л е н и е   а к ц и й — выпуск новых ценных бумаг меньшим номиналом взамен старых.

попросить одного старого доброго друга, который с радостью поможет, и обеспечу тебе ежемесячные отчеты о маржинальных счетах[1], отражающие степень инвестиций в ценные бумаги, дебет и прочее.

— Скажем, начал я год назад с сотней тысяч.

— Прими мои поздравления! Теперь у тебя четверть миллиона.

— Успех не испортил меня, ты заметил, Мейер?

— Я заметил только твои преступные инстинкты, дорогой Тревис, опрометчивость с ферзем, которая позволяет мне обставлять тебя в шахматы, и твою полную поглощенность в данный момент делом Таша. Ты в него чересчур глубоко погрузился. Будь осторожен. Не хочу тебя потерять. Какие-нибудь ужасающие субъекты могут явиться на слип Ф-18. Непьющие, те, кто бродят вокруг и приказывают: «Умолкни!»

В салон вплыла Пусс Киллиан, имевшая весьма бледный вид. Лицо распухло, глаза покраснели. Она чихнула, высморкалась в салфетку «Клинекс» и попросила:

— Пожалуйста, процитируй еще разок тот закон Мейера. Только точно.

— При всех эмоциональных конфликтах следует делать то, что кажется труднее всего сделать.

— Боюсь, Мейер, слова твои справедливы. Все мы ищем оправданий, чтобы не делать трудные вещи. Вроде извинений, визита к умирающему, общения с занудами...

— Немедленно прекрати заниматься мазохизмом, милая девушка, — приказал Мейер.

— Я всегда так и делаю. Может быть, слишком поспешно. Господи! Я себя чувствую так, будто меня в лепешку размяли и засушили в плохой книге, как старый цветок. Сделайте что-нибудь, джентльмены!

И мы сделали. Разошлись с Мейером в разные стороны, отправившись на охоту за головами. Ему было назначено пять голов — три женщины и двое мужчин. Мне — две пары. Это старое развлечение. Люди могут быть друзьями, знакомыми или совсем незнакомыми. После веселья мы их оцениваем по де-

---

[1] **М а р ж и н а л ь н ы й   с ч е т** — счет клиента у брокера, по которому ценные бумаги можно покупать в кредит.

сятибалльной шкале, руководствуясь следующим критерием: согласился бы ты пробыть с ними месяц на маленьком судне. Мы припасли неплохую рождественскую корзинку, желая хорошо провести время. Отдали все швартовы, которые удерживали «Флеш» на месте, и, имея восемнадцать святочных душ на борту, вышли на широкие просторы Бискейнского залива под проясняющимися небесами, держась как можно ближе к пляжу, простояли всю ночь в хорошем укромном местечке близ Саутвест-Пойнт, выпивали, спорили, почти не спали, гуляли по пляжу, храбрые души отважно кидались в декабрьскую воду, покрываясь гусиной кожей. На следующий день мы поплыли обратно домой, на базу.

Иногда это вовсе не помогает, но на сей раз сработало. Несколько умных мыслей и смелых суждений, яростные перебранки, смех до слез, игры, состязания, признания и обвинения, слезы, широкие улыбки. Но никакой пьянки до умопомрачения, никакого битья посуды, никаких выбитых зубов. Мы направлялись домой усталые и довольные, почти все подружившиеся. Мейер называл это групповой водной терапией. Она оживила Пусс Киллиан.

К концу дня во вторник мы оценивали наших последних приятелей, и, когда разошлись во мнениях, Пусс, выступавшая в роли арбитра, спросила:

— Еще кому-нибудь кажется, будто эта пирушка тянулась, как минимум, неделю?

— Когда этого не кажется, — изрек Мейер, — пирушки не приносят пользы.

Это могло бы стать очередным законом Мейера, но чересчур смахивало на афоризм и поэтому не имело особого смысла.

Глава 8

В среду 27 декабря, перед тем как мне, Пусс и Джанин предстояло сесть в самолет из Майами до Милуоки, где на следующий день были назначены похороны Таша, я улучил возможность побеседовать в лаборатории с доктором Майком Гардина. Оставил дам в автомобиле, предупредил, что отлучусь ненадолго, попросил не уходить далеко от машины.

Майк — худой, энергичный, пружинистый, полностью сосредоточенный на выяснении, отчего умирают люди, специалист почти во всех известных областях патологии — привел меня в маленький кабинет, закрыл дверь, вынул из запертого ящика папку.

— Первое впечатление, Трев, — повреждения слишком обширные. Слишком обширные для предполагаемого способа, представленного на твоих отпечатанных нами снимках. Настолько обширные, что реальные поиски местонахождения любого конкретного повреждения тканей или костей, наверняка причиненного не падением груза, попросту бесполезны. Точно сказать можно только одно: верный шанс, что ему предварительно не прострелили голову, и весьма мало шансов, что ему нанесли какой-то удар сзади. Ну, тебе нужна причина смерти с разумной медицинской точностью, но, как я понял из телефонного разговора с тобой, желательно по возможности исключить самоубийство.

— Если тебе это не удалось...

— Это другой вопрос. Смотри сюда. — Он разложил на столе три фотографии размерами 8×10 и начал указывать кончиком желтого карандаша. — Вот крупный план центральной части одного твоего снимка, Трев, где груз высоко поднят и сфотографирован снизу. Видишь эти ржавые восьмигранные гайки ближе к задней части дизеля? Внимательно взгляни вот на эту. Кто-то явно пытался сбить ее зубилом, на треть сбил, потом бросил. А на этом снимке крупный план грудной области трупа. Обрати внимание на три кружка, обведенные жирным карандашом и помеченные *A, B, C.* Третий снимок — фактически, триптих, увеличенные фрагменты *A, B* и *C.* В точке *A* наблюдается четкий отпечаток или вмятина от этой поврежденной гайки. В точке *B* точно такой отпечаток, однако он находится приблизительно в четырех дюймах от точки *A,* в латеральном направлении сквозь раздавленную грудину, справа налево. Отпечаток *C,* как ты видишь на снимке всей грудной области, расположен еще на дюйм с четвертью или на полтора дюйма дальше от отпечатка *B* и идет справа налево. Поскольку здесь груз обрушился или предположительно обрушился на уже поврежденную область, у нас нет столь явного идентичного совпадения. Впрочем, если желаешь, покажу тридцатипятимиллиметровые цветные слайды, на которые мы отсняли точки *A, B* и *C*, и, по-моему, ты согласишься с возможностью вполне логичного предположения о взаимосвязи повреждения в точке *C* с той же самой деформированной гайкой.

— На простом грубом английском, — заключил я, — по-твоему, дизель точно упал на него дважды, и предположительно упал, поднялся, опять упал, снова поднялся и упал в третий раз?

— Да, — сказал Майк. — Это не вяжется с самоубийством.

Давно и далеко я видел Таша Бэннона, растиравшего эту самую могучую грудь под душем в длинной душевой, где пахло старыми носками, мылом и дезинфицирующими средствами, и распевавшего во все горло: «...Видишь, как горько я плачу у сте-е-енки, не разрешай моряку лапать тебя за коле-е-енки...»

— Не надо слайдов, Майк. Можно получить копии этих снимков?

— Я их уже для тебя приготовил. Поменьше, пять на семь. Годится?

— Отлично. А как насчет Большого жюри? Будешь нервничать, если мы не возбудим дело?

— А что ты можешь сделать? Кто-то попросту неуклюже действовал. Его нашли раздавленным под этой штукой, подняли, проволока соскользнула, дизель снова упал, его снова подняли и закрепили. Он явно был мертв, так к чему поднимать шум вокруг неисправной лебедки? Третьего раза мы доказать не можем, хотя я в нем уверен. Ты меня понимаешь, Трев. В зале суда любой неофит-защитник очертит такую область логичных сомнений, что через нее свободно пройдет колонна грузовиков.

— А если когда-нибудь придет время предъявить доказательства?

— Их предъявим я и Гарри Бейдер. Во время работы шла видеозапись, патологоанатом писал протокол. Время, место, точная идентификация тела, в досье лежат заключения, подписанные всей нашей троицей. Просто на всякий случай. Если и когда ты еще что-нибудь раздобудешь.

— Ты хороший парень, Гардина.

— Все всякого сомнения, безусловно. Не пропадай, старина.

Все, что я мог или хотел сказать Джанин, сводилось к окончательному исчезновению последней туманной возможности самоубийства. Я сказал это ей по дороге в аэропорт. Она не проронила ни слова. Мои руки лежали на руле, как стрелки на циферблате часов, показывающих без десяти два. Она дотянулась длинными пальцами до часовой стрелки. В Милуоки, когда мы в церкви склонили в молитве головы, я взглянул на правое запястье и увидел четыре темно-синих полумесяца там, где глубоко вонзились ее ногти.

По мнению ее родителей, она должна была привезти на церемонию трех своих маленьких сыновей. Также по их мнению, Таша должны были привезти скорее и похоронить раньше. Далее, Джанин должна вернуться с мальчиками домой и там остаться. Модный синий костюм — неподходящая для вдовы одежда. По их мнению, странно везти с собой этого Макги и эту Киллиан, когда есть множество старых друзей, которые были бы — или должны были быть — гораздо ближе в столь трудное время. Они уже не отрицали, что знают Конни Альварес. Вспомнили о ее присутствии на свадьбе Джанин, но дали понять, что она их шокировала как довольно грубая и эксцентричная личность, совсем не похожая на леди, примеру которой должна следовать их дочь. Они откровенно продемонстрировали, что считают для себя оскорблением немедленное возвращение бедняжки Джанин во Флориду с этими... никому не известными типами.

На обратном пути мы втроем сидели в самолете бок о бок. Джанин посередине. Поворачивая голову от Пусс ко мне и обратно, она проговорила:

— Извините. Они просто... они...

Пусс обняла ее:

— Милая, если ты их обвинишь, то почувствуешь себя предательницей. У всех есть родные, и родным не хочется нас отпускать или позволять идти своей дорогой. Они тебя любят. Ведь это хорошо, правда?

— Я все думаю, не надо ли было привезти мальчиков?

— Спросишь об этом каждого, когда им исполнится двадцать один, дорогая. Выяснишь, нет ли у них ощущения, будто их чего-то лишили.

Так они и сидели, держась за руки. Потом Джан уснула, Пусс, сонно мне подмигнув, тоже отключилась. Я смотрел в иллюминатор на серое декабрьское небо, на огромные, надвигающиеся на нас тучи. Таш умер, слишком много других людей умерло, и я со знобящим удовлетворением утешался одной аналогией смерти, которую помнил долгие годы. Она ничего не объясняет и не оправдывает. Просто напоминает мне, как обстоят дела.

Представьте себе очень быстрый и бурный поток, реку, несущуюся меж скалистыми стенами. Прямо посередине реки тянется узкая полоска песка и гравия, почти скрытая под водой. С момента рождения ты стоишь на этой узкой полузатопленной полосе вместе со всеми прочими. Родившиеся раньше тебя, старшие, стоят выше по течению. Те, кто помоложе, крепко держатся на полоске пониже. Вся эта длинная полоса медленно движется вниз по реке времени, размывается спереди, намывается сзади.

Твое время, время всех твоих современников, одноклассников, любимых и недругов — включено в ненадежную полосу, где ты стоишь. Сначала на ней просто толкучка. Видно, как толпа редеет вверх от тебя по течению. Старших смывает, тела, словно бревна, быстро исчезают в потоке. Видно, как ниже в плотной группе молодых кто-то начинает барахтаться, лишается точки опоры и тоже смывается. Возле тебя всегда есть свободное место, но быстрые воды все время становятся глубже, чувствуешь, как подается под ногами песок и гравий, уносимый рекой. Кто-то в поисках более безопасного места может толкнуть тебя, ты потеряешь равновесие и исчезнешь. Кто-то, давно стоявший позади, испускает отчаянный крик, силишься схватить его за руку, пальцы соскальзывают, и он исчезает. В горном ущелье слышится рокот воды, скрежет движущегося под ногами песка и гравия, одинокие крики стоявших рядом и выше, которых уносит потоком. Некоторые старики, стоя в хорошем месте, крепко держась на ногах, хорошо зная поток и освоив искусство балансирования, держатся долго. Какой-нибудь Черчилль с толстой, криво торчащей в зубах сигарой, мрачно дивится собственной стойкости и в конце концов проникается равнодушием к яростным водам реки. Далеко снизу доносятся слабые изумленные крики тех, кто так и не укоренился, так и не утвердился, так и не понял смысла потока.

Таш исчез, наша часть полосы опустела, самолет мчался в ночь, оставляя закат позади; рядом со мной, держась за руки, спали две женщины, опустив на высокие скулы ресницы, с душераздирающим спокойствием, с детской беззащитностью, с невыразимой ранимостью.

К субботе, предпоследнему дню в году, я начал злиться и беспокоиться. Леска удочки, которую я держал в руках, была слишком слабо натянута. Я ловко вогнал крючок в нижнюю губу Престона Ла Франса, чтобы неизбежно выбросить его на корабельную палубу. Он должен был шлепнуться на палубу «Флеша», трепыхаясь и тяжело раздувая жабры. В самых разных эпизодах его жизни неожиданно выскочило имя Макги. Макги в офисе банка вместе с вдовой. Макги в похоронном бюро Инглдайна распоряжается насчет тела. Макги у старой хижины проворачивает сделку со стариком Ди Джеем Карби. Макги — новый владелец необходимой Ла Франсу собственности.

Но леска вяло лежала на воде, не дергалась даже слегка и не натягивалась. Рано утром в субботу мы с Пусс поехали в Броуард-Бич, сдали взятую напрокат машину и спустились вниз по фарватеру на «Муньеките». Я обернулся быстро, надеясь обнаружить Ла Франса по возвращении на «Лопнувшем флеше». Ничего подобного. Пусс, замкнутая, отчужденная, ничуть не улучшила мне настроение, сообщив, что в понедельник утром ненадолго уедет. На несколько дней. Ни намека куда и зачем. И будь я проклят, если спросил. Собирая вещи, она что-то мурлыкала про себя. Я счел это незаслуженным оскорблением. С чего ей так веселиться?

И почему Мейер не звонит из Нью-Йорка? Может быть, слишком занят, развлекаясь со старыми биржевыми приятелями.

В десять минут пятого провисшая леска дрогнула. Я осторожно проверил ее натяжение. Она по-прежнему пронзала губу. Сунув Пусс в капитанскую каюту, я пригласил Престона Ла Франса в салон. Он вошел нерешительно, с ухмылкой. Противный, безобразный, скользкий. Похож, пожалуй, на молодого Синклера Льюиса, если не врут старые фотографии. На пятьдесят процентов деревенщина, на пятьдесят — артист-жулик.

Чуб, лицо длинное, вялое, щеки впалые. Нервный кашель. Руки пахаря. Вызывающий спортивный пиджак с неправильно застегнутыми пуговицами. Напускная скромность, прикрывающая самоуверенность. Пока он с неопределенным выражением на физиономии оглядывал салон, у меня возникло ощущение, что он видит все, мало-мальски касающееся его личных целей и устремлений, и способен оценить обстановку с точностью плюс-минус три процента.

Большая рука была теплой, сухой, крайне вялой.

— Мистер Макги, мы, похоже, нацелились вроде как бы в одном направлении по одному небольшому вопросу, и вот что я думаю... думаю, может, пора посмотреть, сможем ли есть из одной тарелки или выльем обед на помойку.

— По-моему, это зависит от того, насколько мы проголодались, мистер Ла Франс. Садитесь. Хотите выпить?

— Меня в основном называют Пресс. Сокращенно от Престон. Сердечно благодарю. Если найдется такая вещь, как стакан молока, это было бы прекрасно. У меня нашли язву, и я от нее избавился, но велели прихлебывать молоко вместо виски, чтобы не нажить другую. Думаю, вы выкладываете за молоко примерно наполовину больше, чем я, мистер Макги.

— В основном меня называют Трев. Сокращенно от Тревис. Разумеется, мы запасаемся молоком, — чем еще, черт возьми, поливать кукурузные хлопья?

— Совершенно верно!

Я принес ему стакан молока, а себе пива. Он уселся на длинный желтый диван.

Я поставил стул спинкой к гостю, чуть-чуть слишком близко, оседлал его, сложил руки на спинке, уткнулся в них подбородком, изображая вежливое ожидание и благоволение. Лицо мое оказалось в двух футах от собеседника и на шесть дюймов выше, а прямо за мной находился иллюминатор, откуда лился ярчайший свет. Подобная близость — тактическое орудие. Нам не нравится вторжение в закуток, где мы рассчитываем на уединение и приватность. Площадь этого закутка варьируется в зависимости от нужд и потребностей момента. Спускаясь в пять часов в переполненном лифте, мы терпим неизбежное соприкосновение боками с другим конторским служащим. А когда находимся наедине с этим служащим, принадлежащим к мужскому полу и не проявляющим явной склонности к извращениям, это считалось бы наглым и оскорбительным вызовом. Толкаться в переполненном аэропорту допустимо, на широком пустом тротуаре — нет. Один из способов вторжения в закуток — сосредоточенный взгляд, который несет разную информацию соответственно полу, общественному положению, расе, возрасту, окружающей обстановке.

Всегда хочется стоять чуть-чуть в стороне, сохранять крошечную, но измеримую долю дистанции, сколь бы грубыми ни были наши культурные механизмы неизбежного совокупления. Единственным исключением остается момент, когда секс хорош во всех измерениях, когда в самом теснейшем слиянии знаешь о существовании последней преграды, когда обособленность измеряется лишь толщиной мембраны, которую прорываешь в стремлении преодолеть даже это препятствие.

В просторном салоне на борту «Флеша» я расположился на хорошем, разумном расстоянии. Когда научишься угадывать, какой дистанции от тебя ожидают, малой или большой, этим можно пользоваться в тактических целях, следя за реакцией, за стремлением отшатнуться, за страдальчески окаменевшим лицом, неловкими движениями. Превышая желаемое расстояние, смотри, как к тебе тянутся, приближаются, с легким волнением гадают, чем не угодили. Это некий язык без слов, способ общения, который побуждает вернуться к примитивным инстинктам стадного порядка, к сигналам скотного двора — ты подошел слишком близко, я поставлю тебя на надлежащее место.

Пресс Ла Франс попивал свое молоко, глядя в стакан. Потом бросил взгляд в сторону, наклонился, поставил выпитый до половины стакан на столик. Вскинул гибкую ногу, коснувшись пяткой края дивана, сплел на колене длинные пальцы, чуть откинулся назад. Между нами оказалось колено, через которое он мог смотреть на меня, таким образом субъективно увеличив разделявшее нас расстояние.

— Закладная на пятьдесят, плюс пятнадцать наличными, получается шестьдесят пять тысяч, — сказал он. — Вдвое больше оценки любого лицензированного оценщика.

— Точно так же оценивал Бэннон. Тот, у кого горит дом, и тот, кто умирает от жажды, по-разному оценивают стакан воды.

— Трудно оценивать всякие «если», Трев. Сложи вместе три-четыре «если», и получится такой длинный ряд мизерных шансов, что чересчур высоко подняться не удастся.

— Некоторые люди, Пресс, немножко колеблются между жадностью и практичностью. Иногда они слишком практичны, и тогда испытывают желание покупать за наименьшее количество долларов, а продавать за наибольшее и в конце концов оказываются совершенно непрактичными. В конце концов делают именно то, с чего считали глупым начать.

Шишковатая физиономия слегка порозовела, рот напрягся, потом, когда физиономия снова побледнела, расслабился.

— Кое-кто мог сделать предложение окольным путём, через третью сторону, причем честное предложение, с учетом всего, а кто-то оказался слишком тупоголовым и не стал слушать.

— Честное предложение?

— Мы не говорим о пристани, Макги. И не говорим о мотеле. Вы это знаете, и я это знаю. Мы толкуем о десяти акрах.

— О десяти акрах, лежащих в основе сделки, о лакомом кусочке, вроде монетки в именинном пироге.

— Итак, я предлагаю за те десять акров по три двести пятьдесят за акр.

— Что даст вам шестьдесят акров, если вы их получите. Во сколько вам обошлись пятьдесят за участком Бэннона?

— В круглую сумму.

— В одну тысячу долларов в пятьдесят первом году, согласно налоговым маркам на документе, зарегистрированном в суде округа Шавана, то есть по двадцать долларов за акр. Может быть, в пятьдесят первом году это были хорошие деньги. Займемся немножечко арифметикой, Пресс. Заплатив мне сорок тысяч за чистую собственность Бэннона целиком и приняв на себя закладную, вы затратите на шестьдесят акров девяносто одну тысячу или около тысячи пятисот за акр. При перепродаже это дает вам прибыль пятьсот на акр, или тридцать тысяч, а поскольку вы человек разумный и поскольку вы связаны обязательствами, то поступите умно и согласитесь.

На несколько долгих секунд он полностью замер. По-моему, даже дышать перестал. Опустил колено, вывернулся, встал, наклонился ко мне:

— Видно, мозгов у тебя — как у сборщика хлопка, приятель! Это составило бы при перепродаже две тысячи за акр! Мы с моим покупателем сошлись на девяти сотнях. Я не могу заплатить сорок тысяч и принять на себя пятьдесят по закладной! В результате я потеряю шестьсот на каждом акре. Откуда взялись эти дурацкие две тысячи?

— Да ладно вам, Пресс! Вы хорошо нагрели руки и при девяти сотнях за акр! Облапошили старого Ди Джея Карби. Заплатили по двести за акр, то есть сорок тысяч, и перепродали Гэри Санто по девятьсот, получив сто восемьдесят. Вычтем отсюда потерянные на этих шестидесяти акрах тридцать шесть тысяч, и вы остаетесь довольным, с наживой, богаче на сто сорок четыре тысячи.

Он схватил стакан, допил молоко, смахнул с подбородка каплю тыльной стороной руки:

— Ди Джей сказал, что ничего не рассказывал вам о той сделке. Поэтому, Богом клянусь, вы о ней знали, придя предлагать ему пятьсот за акр. Самым жутким образом ошарашили старика.

— Может быть, я пытался ошарашить вас, Пресс.

Он уселся в дальнем конце желтого дивана, тряхнул головой, как раздосадованный охотничий пес:

— Чего вам вообще надо, Макги?

— Денег. Точно так же, как вам, Пресс.

— Вы знали, что я сюда должен явиться. Наследили, везде напортачили. Но вы сделали это не для того только, чтобы выудить у меня сорок тысяч за то, что обошлось вам в пятнадцать.

— Если подумать, не такая уж прибыль. Сколько, по-вашему, мне у вас следует выудить? Шестьдесят? Сотню?

— Дальше! — рявкнул он.

— Много вы предложить не можете. Ведь у вас затруднения, правда? Чересчур размахнулись?

— Обо *мне* можете не беспокоиться!

— А я беспокоюсь! И скажу, что готов для вас сделать, Ла Франс. Плачу пятьдесят тысяч долларов наличными за ваши пятьдесят акров и за опцион на участок Карби. Таким образом вы полностью выходите из этого дела с неплохой прибылью.

Он замер.

— Нет, черт возьми! Тогда вы получаете все двести шестьдесят акров, которые хочет купить Санто.

— Но я их ему не продам. Цена не годится.

— Их нельзя сбыть, Макги, если одновременно не будет продан участок Санто! «Кэлитрон» должен заполучить все четыреста восемьдесят акров. Остальное вы знаете, так и это должны знать.

— Знаю, что корпорация «Кэлитрон» готова дать Санто по семь тысяч за акр. — Приятно было услышать название покупающей корпорации.

Престон Ла Франс помрачнел, призадумался:

— Он ни разу не обмолвился, на сколько рассчитывает. Но тут ничего не поделаешь, черт побери. Проклятье, Санто может просто бросить там свою землю на десять лет. Он не станет потеть над такими делами.

— Я и сам придерживаюсь подобной политики, Пресс, разумеется в более мелком масштабе.

Он опешил, потом встревожился:

— Ну, вы же не станете портить все дело, навсегда засев на тех десяти акрах, правда? Господи Иисусе, да ведь «Кэлитрон» просто пойдет в другое место, если тут ничего не выйдет! С чем мы тогда останемся?

— Возможно, у меня найдется покупатель, которому такой простор не потребуется. Я забочусь о вашем здоровье, Пресс. Пятьдесят тысяч — и никаких больше хлопот. Ваша язва будет чувствовать себя прекрасно. Сможете оплатить несколько банковских векселей, осчастливить Уитта Сандерса.

У него окостенела челюсть.

— Я тоже могу упереться рогом, мистер. Сяду на своих пятидесяти, а вы сидите на своих десяти.

— Приблизительно то же самое вы сказали, когда пришли. Научимся ли мы есть из одной тарелки или выльем обед на помойку. Только знаете, в чем разница, Пресс? Я не голоден, а вы проголодались.

Он принялся трещать костяшками пальцев на обеих руках, методично, по очереди:

— А вы, Трев, что-то сказали про жадного и в то же время практичного, который оказывается в дураках. Так или иначе, я работал над этим делом года полтора. Правда, ситуация такова, что я должен обстряпать крупную сделку. Не такую крупную по деньгам, как в понятиях Санто, но для меня крупную. Я с вами сравняюсь. Я в любом случае должен получить сверху шестизначную сумму, иначе по нынешним временам укачусь, черт возьми, туда, откуда начинал в сорок шестом после демобилизации, а мне этого вовсе не хочется. Я был на дюйм от свободы, а вы выскакиваете невесть откуда и портите мне все дело. Ладно, умно придумано, вы неплохо соображаете. Так вот, в данный момент я думаю, это ваша задача — найти способ договориться и есть из одной тарелки каждый по собственной необходимости. У меня остается хороший опцион со стариком Карби, даже если он собирается меня отфутболить после встречи с вами. И у меня остаются пятьдесят акров за вашим участком.

— Пока вы со мной равняетесь, может быть, разъясните один занимающий меня вопрос. Вернемся немного назад. Почему вы, обнаружив, что Бэннон не продаст и не сдвинется с места, и не располагая деньгами, необходимыми для достойного предложения, не изложили проблему Гэри Санто? Учитывая его ставку, он мог выплатить Бэннону по двадцать центов на каждые пять, вложенные последним в свой бизнес, и купить ему новый участок.

— Я рассказывал Санто! У меня была точно такая же мысль. Целый месяц потратил, чтобы поговорить с ним с глазу на глаз, а потом пришлось отлавливать его в Атланте на открытии отеля, в который он вложил деньги и где оставил себе пентхаус. Просидел там за выпивкой, ждал не меньше часа, наконец, он освободился, мы пошли в какую-то спальню, и я ему рассказал, что у этого Бэннона симпатичная маленькая семья, они изо всех сил работают и неплохо справляются, и если он может им сделать хорошее предложение, на которое я не способен, то мы полностью будем готовы действовать. А он говорит, не утруждайте меня подробностями, Ла Франс. Если, мол, ему придется улаживать мои проблемы, почему он мне должен отваливать кусок пирога. Говорит, либо первого мая заплатит за чистую собственность на двести шестьдесят акров к востоку от его владений сразу двести тридцать четыре тысячи, либо мне лучше позабыть обо всем деле. А как раз этого я и не мог, Макги, — позабыть обо всем деле.

— И вы их придушили. Сбили цену до той, которую могли себе позволить. У вас не было другого выбора.

— У меня не было другого выбора на всем белом свете, кроме как придушить самого себя. Клянусь, если б на том участке работал мой родной брат, все было бы точно так же. Но позвольте сказать, я никогда не думал, что Бэннон пойдет на самоубийство. Это никогда, ни на миг не приходило мне в голову. В воскресенье мы поздно завтракали на кухне, мне позвонили по телефону, сказали, что он сотворил, и, как только я положил трубку да поразмыслил, побежал прямо в ванную. Весь завтрак ушел в унитаз. Клянусь, я заболел. Почти целый день пролежал в постели. Сьюзи хотела позвонить доктору, да я ей говорю, наверно, чего-нибудь съел в субботу вечером в отеле на обеде в честь старого Бена Линдера, вышедшего в отставку юриста, похожего на старое крошечное серое привидение, до того его сожрал рак. — Он вздохнул. — Знаете, когда вы появились невесть откуда и перехватили у меня эти самые десять акров, это вроде как наказание мне за то, что сотворил над собой Бэннон. Вроде предупреждения, что у меня ничего хорошего больше не получится, а ведь какое-то время все шло удачно.

— Может быть, Бэннон не покончил с собой.

Его поникшая голова вздернулась.

— К чему вы это клоните? Что за игру затеваете?

— Просто думаю. Думаю, ведь вполне хорошо известно, кто и зачем нажимал на Бэннона. Может быть, кто-то хотел заслужить признательность — вашу и Монаха Хаззарда. Может, на Бэннона навалились попросту в доказательство своего истинного усердия и стремления помочь, да несколько перестарались. И если Бэннон при этом нечаянно умер, нашелся отличный способ обставить все так, чтобы никто никогда в жизни не обнаружил тяжелых побоев.

Он принялся грызть большой палец.

— Сьюзи заметила, что, если он все равно собирался размозжить себе голову этой штукой, вполне мог бы лечь лицом вниз, чтоб не видеть, как она падает... — Он выпрямился и покачал головой. — Нет. В округе нет никого, кто расправился бы с человеком подобным способом. Я никого такого не знаю. И Монах не знает.

Я взглянул на часы:

— Вот что вам надо сделать, Пресс. Я буду в городе в четверг, четвертого. Привезу с собой кое-кого. Может быть, он расскажет вам кое-что интересное. Но единственная возможность с ним поговорить — приготовить сорок тысяч наличными или заверенный чек. У меня будет акт передачи, заявление о ликвидации и так далее. Покажете мне деньги и сможете поговорить с человеком, которого я привезу. Потом решите, желаете ли купить участок Бэннона. Ибо это для вас единственный шанс что-нибудь съесть.

Он поднялся:

— Или?

— Или я просто дождусь, когда вы уедете, дождусь, когда «Кэлитрон» отменит сделку, потом сам заключу сделку с Карби, который, безусловно, не собирается возобновлять опцион с вами, а потом посмотрю, не обойдется ли мой покупатель без вашей земли и без земли Санто. Полагаю, двухсот десяти акров может оказаться вполне достаточно.

— Вы не блефуете?

— Докажите, что можете поставить на игровой стол сорок тысяч, и мы мельком покажем вам проходную карту. Поверьте, это ваш единственный и последний шанс.

С пристани он оглянулся на кормовую палубу, где стоял я, покачал головой и сказал:

— Будь я проклят, Макги, но почти что легче иметь дело с этим сукиным сыном Санто. По крайней мере, лучше понимаешь, что за чертовщина творится.

Я вернулся и крикнул Пусс, чтоб она выходила. Поднял сиденье желтого дивана, вытащил из гнездышка маленький «Сони-800». Ушло две трети пятидюймовой катушки полумиллиметровой пленки. Я отключил микрофон, подсоединил электрический шнур ради экономии батареек, перемотал к началу, растянулся на диване. Пусс уселась на полу скрестив ноги, и мы начали слушать. Я лишь один раз немножко отмотал назад, еще раз прокрутил рассказ о беседе с Санто в Атланте, а оттуда пустил все подряд до конца.

В конце Пусс поднялась, выключила магнитофон, плюхнулась на свободное местечко на краешке дивана:

— Это и есть наш злодей, милый? Этот жалкий, трусливый, испуганный, скрытный человечек? Он просто бьется, барахтается и пытается удержать над водой свою глупую голову. Поэтому у него все время болит желудок и мучает рвота.

— Санто больше тебя устраивает в роли злодея?

— Может быть, равнодушие и есть величайший грех, милый. Санто меня устраивает, пока не появится кто-нибудь новенький. Завтра канун Нового года, Макги.

— Вот именно. Это в самом деле.

— Как ты отнесся бы к предложению не собирать толпу?

— Я уж подумывал, не попытаться ли доказать, что толпу составляют двое.

— По-моему, двое, как следует пораскинув мозгами, могут повеселиться так, что чертям станет жарко, как в старые добрые времена.

— Старое знакомство не забывается.

— Новое знакомство не забывается. Что сталось с людьми, которые начинали с дорогих марок шампанского и испарились, как это самое шампанское?

— Они редко помнят собственные имена.

— Давай попробуем.

Весь последний день года медленно лил серый дождь. Мы заперли «Флеш» на все замки, отключили телефон, игнорировали позывные завсегдатаев, кочующих с судна на судно. Здесь был наш личный мир, а она населила его толпой девушек. Она никогда еще не источала так долго такую поразительную, сумасшедшую энергию. На все это время она выбралась из раковины, в которой сидела последние несколько дней. Мы достигли вершины, и выпитое вино перенесло нас в какое-то нереальное место, не пьяных и не трезвых, не здравомыслящих и не безумных, где забавное становилось втрое забавнее, игры оказывались неистощимыми, слезы лились и от смеха, и от печали, любой вкус обострялся, любой запах усиливался, чувствительность каждого нерва неизмеримо возрастала. Может быть, в это место попадают полуживые, которые претерпели падения, тяжкие испытания, травмы, но ощущают истинную реальность, полностью сознают, что подобное чудо нельзя растолочь в порошок и носить с собой в кармане. Она была целой толпой девушек, наполнивших собой плавучий дом, день, долгий вечер.

Кому-то из этих девушек было всего десять, кому-то пятнадцать, а кому-то десять тысяч лет. И мне, как Алисе в Стране чудес, приходилось бежать вдвое быстрей, чтобы оставаться на одном месте. С Но-о-овым годом, любовь моя...

В понедельник я проснулся с ощущением необходимости встать и стукнуться головой об стенку, чтобы заработало сердце. На часах у кровати было семь минут двенадцатого. Никакого похмелья. Лишь тяжелая свинцовая удовлетворенность от полной отдачи сил, существенно подорвавшей их общий запас. Я потащился в просторную душевую, намылился и стоял под шумно хлеставшей водой с закрытыми глазами, покачиваясь, словно спящая под дождем лошадь. Наконец, из чувства долга и желания проявить характер, подставил под игольчатый душ голову и пустил холодную воду. Подпрыгивая и задыхаясь, я сурово раздумывал о неточности всех свадебных шуток насчет задернутых оконных штор. Долгое праздничное уединение с сильной, крепкой, полной жизненных сил, требовательной и изобретательной девчонкой оставляет впечатление, вполне сравнимое с переправкой по озеру пары тонн кирпичей, их доставкой на тачке за десять поездок на вершину горы, после чего ты скатился обратно в озеро и утонул.

С грустной, полной воспоминаний улыбкой я потянулся за зубной щеткой и увидел, что щетки Пусс исчезли. Ладно. Значит, она собралась пораньше. Продолжая чистить зубы, я свободной рукой открыл другой шкафчик. Он был пуст. Впервые за все эти месяцы она забрала все свои вещи.

Я сполоснул рот, сплюнул, завернулся в большое влажное полотенце и пошел на поиски. Разумеется, на борту не осталось никаких ее признаков. Она ушла. Приклеила кусочком скотча к кофейнику записку, написанную размашистым почерком красной шариковой ручкой.

«И вот, милый мой грязнуля, пришел конец всему хорошему. Конец цветенью... чего-то там такого. Ты — лучшее, что могло со мной случиться. Я не Киллиан, и не из Сиэтла, так что не трать попусту время и деньги. Не из-за какого-то твоего слова или поступка. Твои слова и дела — идеальное воспоминание. Просто я не слишком постоянна. Всегда хочу уйти, оставаясь на высоте. Думай об этой девушке с нежностью. Потому что она любила тебя, любит, будет любить отныне и навеки. Клянусь. (Попрощайся за меня со всеми добрыми людьми.)»

Вместо подписи нацарапан кружочек с двумя маленькими миндалинами вместо глаз и большим полукругом вместо улыбки. Из каждого глаза капали по три слезинки.

Но черт побери, я пока *не готов* к этому.

Эта фраза крутилась у меня в голове. Я повторил ее и вдруг сообразил. Сел, неожиданно полностью разгадав и проклиная самого себя.

Разумеется, крошка Пусс. Мы просто не успели дойти до поворотной точки, когда Макги положил бы всему конец на *своих* условиях. Что не позволило бы тебе уйти, оставаясь на высоте. Ключевое слово — «пока». Стало быть, пострадала всего лишь гордыня, жалкий ты сукин сын.

Я вполне мог обойтись и без этого саморазоблачения. Я себя чувствовал очень мелким и скучным животным, вялым, понуро сидящим в своей надоевшей пустой норе, где остались маленькие небрежные отметки зубов и когтей умной и нежной самки, теперь навсегда ушедшей. Кто кем воспользовался, малыш Трев? И дал ли ты когда-нибудь кому-нибудь что-нибудь стоящее?

Я стиснул зубы так, что они заскрипели, а в ушах зазвенело. К чему столько шума из-за очередной случайно подвернувшейся девки? В городе их полным-полно. Пойди свистни другой. Будь веселым любвеобильным мальчиком, радуйся исчезновению рыжей до того, как она превратилась бы в бремя, принялась принуждать тебя к чему-то вечному и законному, отягощенному ребятишками.

Мне больше нравился прошлогодний Макги.

Глава 9

Мейер вернулся на второй день нового года, во вторник, явился в десять утра в нью-йоркском наряде, забросив только чемодан на свое судно, — так ему не терпелось продемонстрировать плоды собственных усилий.

Они представляли собой две тонкие пачки бланков брокерской конторы, сколотых скрепками. Он сел напротив меня в кабинке камбуза и объявил:

— В этой пачке ежемесячные выписки с маржинальных счетов.

Тонкие, не совсем белые бланки были заполнены бледно-синим печатным текстом. Название фирмы казалось лишь смутно знакомым: «Шаттс, Гейлор, Стис и компания». Уолл-стрит 44, Нью-Йорк 10004. Основана в 1902 году.

— А в этой подтверждения купли-продажи. Цены верные на момент продажи. Разумеется, ежемесячные выписки со счетов соответствуют сим подтверждениям. Выписки за одиннадцать месяцев, включая прошлый. Я во многие вставил покупку на такую-то и такую-то сумму и продажу, когда они подскочили всего на несколько пунктов. Бумаги еще поднялись, а потом упали камнем. Организовал тебе две небольшие потери, краткосрочные, на той же самой основе. В целом ты за одиннадцать месяцев превратил сотню тысяч почти в двести девяносто, так что в данный момент, согласно итогу, можешь продать на двести тысяч, заплатить двадцатипятипроцентный налог на долгосрочную прибыль и положить в карман сто пятьдесят, по-прежнему владея ценными бумагами почти на сумму первоначальных вложений.

— А что, если кто-то проверит?

— Номер твоего счета... обожди, где-то тут... ноль три девять семь один один ноль, все в законном порядке. Кто-то открыл его одиннадцать месяцев назад, а потом аннулировал. Небольшая, консервативная, уважаемая контора. Могу тебе сказать, они не стали бы этого делать ни для одного другого человека в мире. Мне пришлось дать немало торжественных клятв, половину которых я уже забыл. Если кто-нибудь спросит клерка по сделкам с маржинальными счетами[1], он ответит, что все законно. Если кто-то попробует копнуть дальше, выйдет либо на Эммета Стиса, либо на Уитсета Гейлора, которые подтвердят.

— А как я с ними расплачивался?

— Всегда чеками банка «Нова Скотия» в Нассау.

---

[1] В данном случае имеются в виду операции, связанные с игрой на разнице в курсе ценных бумаг.

Прекрасно. Даже Гэри Санто никоим образом не удастся получить информацию в банке «Нова Скотия». Это система, которую называют Цюрих-Уэст.

Я пролистал бланки. Мне удавалось покупать вовремя. Я преуспевал.

— Что с тобой стряслось? — спросил Мейер.

— У меня все отлично. Просто замечательно.

— То-то ты бодрый, как панихида. Где Пусс?

— Улетучилась навсегда.

— Ах, вот что!

— Что?

— А то, что, по-моему, ты не выставил бы ее. Значит, это ее собственное решение. А она не из тех, кто говорит «навсегда», а потом вдруг возьмет и вернется. Раз она улетучилась, то улетучилась. Тогда я на твоем месте выглядел бы ничуть не лучше, если не хуже. Будь я на твоем месте и кто-нибудь вроде нее улетучился бы навсегда, я чертовски затосковал бы и призадумался, может, она всегда была бы под рукой, если бы я все устроил немножко иначе.

— Ну, хватит об этом.

Он вышел из кабинки.

— Когда тебе понадобится цивилизованное общество, я обитаю вон там, на судне «Джон Мейнард Кейнс». Тысяча четыреста сорок в год по особой годовой расценке, минус дисконт при оплате за год вперед. Спросить Мейера.

— Ладно, ладно. Бумаги идеальные. Ты там дьявольски поработал. Ты умный, ловкий, верный, старательный, обладаешь даром убеждения. Независимо ни от какой Пусс, дело движется. Появлялся Ла Франс. Я прокручу тебе пленку. Это интересно. Он обронил название компании: «Кэлитрон». Говорит тебе что-нибудь?

— Знаю только название. Зарегистрирована на Нью-йоркской фондовой бирже. Наращивает эмиссию, доходя до тридцатикратных доходов. Положение неустойчивое. Я проверю. Крути пленку, и я уйду, оставлю тебя сидеть, ломать руки и слегка постанывать.

— Рад, что могу рассчитывать на твое сочувствие, Мейер.

— Какое сочувствие тебе нужно? Это ведь было мелкое мероприятие, правда? Кочующий по морям пострел завел интрижку. Пострел на крючок не попался, она сделала ему ручкой, что проиграно? Не отвечай! Ты считаешь себя проигравшим. Включай запись, пока я не разрыдался.

Я включил. Растянулся на желтом диване. Закрыл глаза. Если б я их достаточно быстро открыл, быстро повернул голову, то увидел бы Пусс, сидящую на полу скрестив ноги, хмуро слушающую Престона Ла Франса.

Запись кончилась, и я выключил магнитофон. Мейер вздохнул.

— По-моему, — заключил он, — у него найдутся сорок тысяч долларов. Даже зная, что слушаю белиберду, я способен тебе слегка верить. Лучше получить сорок тысяч, чем палкой в глаз.

— Ты кое-что упустил. Выяснил, в какую компанию Гэри Санто должен вкладывать деньги?

Первые пять фраз полностью сбили меня с толку. Я его остановил, велел начать сначала и объяснять, как младенцу. Он вздохнул, призадумался.

— Попробую. Компания выпускает на рынок столько-то акций. Некто, купив десять тысяч акций «Дженерал моторс», может поднять их на одну восьмую пункта — на двенадцать с половиной центов за акцию, — просто благодаря влиянию спроса на акции, активно обращающиеся на рынке. Но если он отдаст приказ на десять тысяч акций «Коротыш инкорпорейтед», такой спрос может взвинтить их выше крыши. Они могут вырасти на четыре-пять долларов за акцию. Следишь за мыслью?

— Пока да.

— Каждая газета каждый день сообщает тебе, опуская в конце два нуля, сколько каждых котирующихся на рынке акций было куплено и сколько продано. Люди следят за этим зорче сов. Они делятся на два сорта. Один хочет получить доход от прироста капитала в результате роста рыночной стоимости активов — покупает акции по двадцать долларов за штуку, держит их полгода и один день, продает по сорок, платит Дяде Сэму двадцать пять процентов налога на прибыль, то есть пять долларов, и кладет в карман пятнадцать сверх потраченных. Другой сорт — спекулянты — сидят в брокерских конторах и следят за бегущей строкой. Покупают пакет по двадцать за акцию, через неделю продают по двадцать пять, до которых они упали с двадцати шести, опять покупают по двадцать семь, продают по тридцать, опять покупают по двадцать восемь, продают по тридцать пять и так далее. Они платят прямой подоходный налог с чистой прибыли. Гэри Санто принадлежит к первому типу, ему нужен доход от прироста капитала, ибо все его доходы уже облагаются налогом по максимальной ставке.

— Я еще понимаю, профессор.

— Великолепно! Теперь, когда маленькую компанию ожидает нечто приятное, число проданных и купленных акций с каждым днем растет. Обращение активизируется. Стоимость повышается. Поэтому акции привлекают внимание. Поэтому все больше людей хотят вступить в игру и сорвать куш. Спрос растет еще больше и взвинчивает цену еще выше. В любом виде торговли, Тревис, никто не сможет купить, если кто-нибудь не захочет продать. Чем больше народу хочет зацепиться, тем меньше акций в свободном обращении, тем выше они поднимаются, потому что цена должна дойти до той точки, когда кто-нибудь скажет: ладно, хватит мне этих акций, дай-ка я их продам. Отдам брокеру приказ о продаже на два доллара за акцию выше нынешней котировки. Это и есть большой снежный ком, который начинает катиться с горы. Ясно?

— Еще одно. Что помешает Санто тоже сделать большие деньги?

— Ничего, если он вовремя выйдет из игры. Но посмотри на бумаги, которыми я тебя снабдил. Все отлично ценилось во время покупки. Цены акций росли, потому что компания делала деньги, причем вроде бы сделала больше денег, чем раньше, судя по следующему отчету о доходах. Так вот, у найденных мною акций Санто увидит столь же блестящее будущее, как у тех, на которых ты сколотил капитал. Все они до сих пор высоко держатся. Так с чего ему дергаться? Ну, скажу тебе, он задергался бы, если б знал, что за жуткие, вшивые акции я отыскал.

— Чьи они?

— Одного дерьма собачьего под названием «Флетчер индастрис». Я, наверно, прочитал двести балансовых отчетов и отчетов о результатах деятельности. Начал с двухсот, просеивал и просеивал, охотясь за тем, что снаружи выглядит прекрасно, а внутри одна гниль. Эти акции могут выиграть конкурс на зва-

110

ние наихудших. Выпуск малый. Демонстрируется ежегодный рост продаж и прибыли. Симпатичная валовая прибыль, симпатичный чистый капитал, громкие заявления в годовых финансовых отчетах насчет блестящего будущего и так далее.

— Так что ж в них плохого?

— Этого я даже не возьмусь объяснить. Слушай, у каждого аналитика есть приблизительно восемь абсолютно этичных и законных вариантов расчета прибыли на акцию. Соответственно, с каждым вариантом прибыль становится выше или ниже. Найдутся старые консервативные компании, которые используют эти восемь вариантов, чтобы показать наименьшую прибыль на акцию. Большинство компаний используют один способ так, другой этак, так что в целом они друг друга уравновешивают. А эта маленькая шарашка «Флетчер» хватается за каждый шанс, чтобы прибыль казалась больше. Я пересчитал их цифры. В данный момент акции продаются по пятнадцать за штуку. В сообщении о доходах за последние двенадцать месяцев сказано, мол, на каждой акции они сделали девяносто шесть центов, это сильно побольше, чем семьдесят семь центов в прошлом году. Воспользуйся самым консервативным методом, и знаешь что будет? В прошлом году — гнусные одиннадцать центов, а в этом на четыре меньше. Весь бумажный капитал разлетается в пух и прах. Чистая прибыль — нонсенс. Даже движение денежной наличности сократилось.

— Бумажный капитал? Движение денежной наличности?

— Забудь. Тебе это знать не обязательно. Тебе надо знать лишь одно — каким бы осторожным ни был Санто, опубликованные сведения показывают рост объема продаж, рост стоимости акций, масса опрометчивых прыгает в вагон и толкает его еще дальше. По их мнению, большой рост доходов продолжится. Возможно слияние, возможен выпуск нового продукта. Как с теми акциями, которые ты предположительно покупал. Но у этих нету солидной основы. Взлетят, как копеечные шутихи, а когда начнут падать, могут докатиться и до настоящей цены в два доллара за весь пакет.

— Стало быть, мы уговорим его на покупку, Мейер, акции будут лезть вверх и вверх, он заработает на бумажках кучу прибыли, а когда они пойдут вниз, продаст и останется при доходах.

— Когда все начнут продавать, стараясь остаться хоть с какой-то прибылью, кто их купит? Покупателей не найдется, торги приостановят, начнут расследование крупной спекуляции, и торги вновь откроются только в тюремной камере. Санто потеряет почти весь, если не весь куш.

— А как Джанин получит деньги, о которых ты говорил?

— Мы введем ее в игру с сорока тысячами от Ла Франса, прикупив три тысячи акций. Пока дело движется, я воспользуюсь растущей рыночной стоимостью и куплю для нее еще. Буду следить орлиным взором, а потом осторожненько начну от них избавляться, уложив ее в симпатичную прочную колыбельку, которую случайно нашел, подыскивая эту мразь «Флетчера». Там она будет иметь стопроцентную прибыль в год вместе с хорошими дивидендами.

— Сколько ты можешь ей обеспечить, если все пойдет как надо?

— Если? Я не ослышался, ты сказал «если»? Твое дело — заставить Санто вцепиться в этот кусок зубами, а я сделаю остальное. К концу года... ну, скажем, первоначальная ставка плюс четверть миллиона.

— Да ладно тебе, Мейер!

— О, это лишь до уплаты налогов по краткосрочной прибыли с «Флетчера». Видишь ли, именно это привяжет к нему Санто. Он понадеется получить прибыль за полгода. Скажем, налогов она заплатит от пятидесяти до шестидесяти тысяч.

— Мейер, ты меня убиваешь.

— Постарайся, чтобы никто другой тебя не убил, иначе тут будет сплошная тоска.

Впервые с того момента, как я понял, что Пусс никогда не вернется, меня охватила слабая нерешительная дрожь волнения и предвкушения.

Мейер нахмурился и сказал:

— Ты собирался послезавтра встречаться с Ла Франсом? У нас хватит времени на необходимую подготовку?

— Я просто заставлю его попотеть, Мейер. В четверг вечером позвоню и скажу, что нам придется изменить планы. Не звони нам. Мы сами тебе позвоним. И я получу вполне надежное свидетельство, приготовил ли он сорок тысяч.

— Знаешь, теперь ты больше похож на самого себя, Тревис.

— Сочувствие всегда помогает.
— Это долг дружбы. Что ты сделаешь первым делом?
— Разыщу ту маленькую нефтепроводную трубу.

После долгого совещания с Мейером в среду утром насчет стратегии, тактики и документов, которые ему надо иметь при себе, я отправился в Майами. Офисы «Санто энтерпрайзис» располагались в невыразительном шестиэтажном конторском здании на 26-й Норт-Ист-Террас за полквартала к востоку от Бискейна. Приемная находилась на шестом этаже. Широкий коридор со стеклянной дверью в конце, за ней обшитое панелями помещение с толстым синим ковром, на возвышении изящный светлый конторский стол, за которым с любезным, восторженно-вопросительным видом сидела стройная принцесса с обесцвеченными добела волосами, сияющими в эффектно направленном на нее с потолка свете плафона, принцесса, которая осведомилась на первоклассном, красивом и четком английском, чем она может помочь.

Услышав, что я хочу встретиться с мистером Санто, она изобразила легкое удивление:

— Весьма с'жалею, сэр, но его нет в гоуде. В'зможно, кто-то еще п'может уешить ваш вопуос?

— Сомневаюсь.

— Вы могли бы изуожить суть деуа мне, сэр?

— Пожалуй, нет.

— В таком с'учае, собственно, ничего нельзя сдеуать, сэр. Мистеу Санто встуечается исключительно по пуедвауительной договоуенности и опуеделенно не одобуит, если его сек'етарь назначит вст'ечу... фактически, вслепую. Вам понятна пуоблема, не пуавда ли?

— Почему бы тогда мне не поговорить с его секретарем?

— Но видите ли, сэр, я доужна знать суть вашего деуа, что-бы уешить, с каким именно сек'етаем вам следует говоить.

— Есть какой-нибудь суперличный, частный, доверенный?

— О да, конечно. Но, сэр, с ней можно увидеться только по пуедвауительной договоуенности. А чтобы назначить встуечу, я должна...

— Знать суть моего дела.

— Совеушенно веуно.

— Мисс, у нас обоих проблемы.

— Собственно, я не сказауа бы «у обоих», сэр.

— Если вы мне немножечко не поможете, то при встрече — а я обязательно встречусь с Санто, — он наверняка удивится, почему мое появление так задержалось, и я непременно ему расскажу, что просто не мог прорваться мимо английской девчушки с белыми в свете ламп волосами.

— Но, сэр! У меня...

— Приказ.

— Вот именно!

— Разве я похож на мошенника? Разве я похож на коммивояжера? Разве я похож на назойливого просителя? Милая девушка, должен же быть у вас хоть какой-то инстинкт и умение разбираться в людях?

— Сэр, если это пуодлится немного дольше, можно будет употуебить слово «назойливый». Господи! Вы, навеуное, летчик? Насчет дела... с валютой?

— Я не летчик. Впрочем, дело, возможно, отчасти связано с валютой. Я как раз кое-что вспомнил. Кто-то где-то сказал, будто для ознакомления Санто с каким-нибудь предложением надо пройти через Мэри Смит. Это персона или кодовое название?

— Мэри Смит — пеусона, сэр.

— Суперличный, частный, доверенный секретарь?

— М'жет быть, лучше пуосто сказать личный сек'етарь.

— Только, пожалуйста, не говорите, будто с ней можно встретиться только по предварительной договоренности.

Она секунду изучала меня, склонив головку, со слегка насмешливым выражением, забавляясь в душе — может быть, очень сильно. Оценить меня было не легче, чем кусок говядины с неразборчивым штампом Службы сельскохозяйственного маркетинга США.

— Не назовете ли свое имя, сэр?

— Макги, Т. Макги.

— Это в высшей степени необычно. Шанс весьма невелик.

— Сообщите ей, что я показываю карточные фокусы, что меня полностью так и не приручили, что моя физиономия покрыта глубокими шрамами от полученных в прежние годы рубленых ударов.

— В любом с'учае, вы забавный, — заключила она.

— Вполне! — подтвердил я.

— Пуисядьте, п'жалуйста. Я выясню, что она скажет, мистеу Макги.

Я осторожно сел в кресло, которое смахивало на синюю кухонную раковину со скошенным передним краем, водруженную на белый пьедестал; впрочем, оно оказалось удобнее, чем можно было предположить. Всегда чувствую себя в помещениях без окон как в ловушке. Тебя заманили, парень, и сейчас выскочат сразу из всех дверей. Я развернул новенький экземпляр «Форчун», и на меня глянул седоватый тип с прозорливым и дружелюбным прищуром, рекламирующий добросердечную, расположенную по соседству электрическую компанию. По-моему, я его видел у кого-то по телевизору, когда он, захлебываясь в экстазе, убеждал страдающую аденоидами домохозяйку в достоинствах пива.

Англичаночка лопотала что-то в непомерно большой микрофон личного телефона, через какое-то время положила трубку и с явным облегчением и легким удивлением объявила:

— Че'ез несколько минут она выйдет, сэр.

Распашная, цвета слоновой кости дверь приемной слева от секретарши открылась, малютка мисс Мэри Смит вошла и зашагала ко мне, не удостоив секретаршу взглядом. Я отложил «Форчун», встал. Она остановилась, не дойдя четырех шагов, и взглянула мне прямо в лицо снизу вверх. Эта в любом случае не из тех, кто помогает в офисе. Это та самая девушка, которую я видел с Ташем Бэнноном в верхнем баре международного аэропорта. С густыми прямыми темно-каштановыми волосами, ниспадающими блестящим потоком. В прошлый раз, глядя через весь зал, я неправильно оценил выражение ее лица. Это была не досада, не раздражение, это было полное, почти безжизненное равнодушие, абсолютно негативная реакция, своего рода вызов: «Докажи, что с тобой можно иметь дело, приятель». Глаза неправдоподобные, благодаря дорогим изумрудным контактным линзам, тем более неправдоподобные, что сильный макияж увеличивал их размеры. А они и без того были большими. Кожа напоминала новенький безупречно гладкий пластик фирмы «Дюпон». Маленький ротик вовсе не был сердито надутым. Подобное выражение попросту неизбежно при таких пухлых губках, верхней и нижней. Их искусно покрывала розоватая изморозь. Белая блузка, синяя юбка — униформа сиделок в больницах и в офисах.

Она смотрела на меня снизу вверх, застыв, как восковой манекен в универмаге, вопросительно приподняв одну бровь на два миллиметра.

— У ваших бровей, — изрек я, — точно тот же оттенок, что и у волосатых гусениц. Детские воспоминания. Мы искали их осенью и смотрели, куда они ползут, на север или на юг. Считалось, будто это предсказывает, какая нас ожидает зима.

— Это подтверждает мнение Элизабет о вас как о довольно забавном субъекте. Здесь деловой офис.

— А я просто случайно ворвался с улицы, чтобы побеспокоить таких занятых деловых людей.

Она сделала шаг назад, полуотвернувшись:

— В таком случае, это все.

— Я хочу встретиться с Санто. Что мне надо сказать? Волшебное слово?

— Попробуйте произнести «до свидания».

— Господи, до чего глупая и надутая спесью сучка!

— Это тоже не поможет, мистер Макги. Единственное, что помогло бы, — изложение вашего дела. Если бы мистер Санто не нанимал на работу людей, способных распознавать клоунов, все его время уходило бы на клоунов... на чудаков и неудачливых проходимцев. Хотите получить от него деньги на летающую тарелку? — Она приложила к подбородочку пальчик и наклонила головку. — Нет, судя по виду, вы проводите много времени на воде и под солнцем. Морячок? Тогда дело наверняка связано с чепухой насчет карты острова сокровищ. Или с испанскими галеонами, мистер Макги? Принесли несколько подлинных старинных золотых монет, только что отчеканенных в Новом Свете? Доложу вам, у нас ежемесячно появляются в среднем человек десять таких, как вы. Так что либо говорите мне, либо никогда и никому больше. Ясно?

— Хорошо. Я скажу. Ровно столько, чтобы вы открыли мне дверь для встречи с Санто.

— Может быть, будем его называть мистер Санто?

— Но я не намерен стоять здесь и вести разговор, как последний гость на вечеринке с коктейлями. Хочу сесть за стол, а вы можете сесть с другой стороны и выслушать все, что я вам пожелаю сказать.

— Или все, что я пожелаю услышать. — Обернувшись к секретарше, она предупредила: — Я буду в конференц-зале «Д», Элизабет.

— Благодарю вас, мисс Смит, — смиренно ответила англичаночка.

Я толкнул стеклянную дверь перед маленькой мисс Мэри Смит и последовал за ней вниз по коридору. Она шагала деловой походкой, по всей видимости, сознательно стараясь не допускать никакого покачивания и свободных движений крепкого задика, что удавалось ей только отчасти.

Конференц-зал «Д» представлял собой загородку десять на двенадцать. Однако противоположная двери стена была сплошь стеклянная, с видом на расположенную через Бискейнский залив невероятную архитектурно-кондитерскую мешанину Майами-Бич. Солнце поблескивало и сверкало в потоках машин между Джулиа-Таттл-Козвей чуть к северу и жилыми кварталами рядом с Венириэн-Козвей чуть к югу. Зал был серый, с шестью серыми креслами вокруг красного стола переговоров. У одной стены стоял неглубокий застекленный серый стеллаж, где на красном фоне была выставлена весьма разношерстная коллекция белых пластмассовых шестеренок, зубцов, стержней и втулок разных размеров, похожих на произведения Луизы Невельсон[1].

Я вполне логично предполагал, что Элизабет, как обычно, включила в конференц-зале «Д» систему прослушивания, пока мы шагали по коридору. Выглянув в стеклянную дверь, секретарша могла проверить, в какую комнату мы вошли.

Я вызубрил с Мейером соответствующую терминологию. Мэри Смит села напротив, преисполнившись скептицизма.

— Я биржевой делец, Мэри Смит, но отнюдь не жучок. Моя специальность — максимализация сферы доходов от прироста капитала. Получаю достаточно из некоторых других источников, так что федеральная служба не классифицирует меня как

---

[1] Н е в е л ь с о н Луиза (1900—1988) — американка русского происхождения, скульптор и график, автор рельефов, которые представляют собой открытые коробки во всю величину стены, заполненные абстрактными композициями из дерева.

профессионала и не причисляет все это к прямому доходу. Это выше вашего разумения?

— Ни в коей мере! Фактически, вы почти израсходовали свое время, мистер Макги.

— Я не собираюсь сбывать Санто горящие акции. Не хочу привлекать его к каким-либо операциям синдиката. Мне не требуется никаких действий с его стороны, даже осведомленности о деталях, пока он не войдет в дело. Речь идет не о пяти и не о десяти центах. Это ценные бумаги, зарегистрированные на бирже. Ну, я обычно участвую в чем-то вроде неформального синдиката. Каждый сам за себя, но мы одновременно делаем одинаковые шаги. Дела у нас идут так успешно, что какое-то количество уплывает на сторону. Я сейчас откопал одни бумаги, и было бы чертовски здорово не потерять преимущество из-за чрезмерных утечек. Может, мне удалось бы занять позицию по этим акциям, а потом устроить демонстрацию интереса со стороны какого-нибудь агрессивного фонда. Но они работают в открытую и покупают слишком большие блоки.

Я вопросительно посмотрел на нее.

— Я слушаю, — сказала она. — Ваше время еще не истекло.

— Так вот, я там и сям слышал, будто Санто влезает в неплохие на первый взгляд дела. И по-моему, ему хватит ума не влезать слишком далеко, потому что, если действовать чересчур круто и чересчур быстро, все в один миг взлетит вверх по лестнице, и я лишусь шанса использовать покупательную способность маржинального счета для поддержания двойного роста. Ему придется действовать через несколько счетов и приготовиться продавать небольшие пакеты, гася инерцию, если акции начнут расти слишком быстро.

— Вы что-то сказали насчет пяти и десяти центов.

— Все зависит от того, далеко ли Санто пожелает зайти. Если решится, для соответствующего нажима понадобится миллион. Я сказал бы, он может затратить от одного миллиона максимум до четырех. Выше четырех нарушится равновесие, а в долгосрочной перспективе дело привлечет слишком много внимания. Если честно, я буду стоять на подхвате, подгонять, тормозить, используя его покупательское давление для подъема, в надежде, что ему удастся держать подъем под контролем. Я мог бы собрать синдикатные деньги, поскольку дела там у нас хороши, но уж больно опасны утечки. Будь у меня миллион, я бы сюда не пришел. Скажем, он может рассчитывать на триста процентов долгосрочной прибыли, если не угробит все дело. Подобные вещи случаются раз в три-пять лет, когда совмещаются все факторы, как детали в хороших часах.

— Мистер Санто не имеет обыкновения что-либо портить.

— Я думаю так же. Когда гонка кончится, мне не придется валять дурака с синдикатом и с Санто. Я смогу создать собственный рынок.

— Допущенных на биржу акций?

— Одной компании в районе потенциального динамичного роста.

Я впервые увидел намек на улыбку на пухлых губах маленькой девочки.

— Разумеется, абсолютно бессмысленно спрашивать ее название. Но можно ли попросить у вас... банковские документы?

— Дурацкий вопрос. Если ему захочется покопаться и проверить меня — на здоровье. Может, найдет червячка в яблочке. Интерес для него представляют лишь прошлые данные. — Я вытащил из внутреннего кармана пиджака конверт, вынул бланки брокерской конторы и швырнул ей. — Взгляните, если сумеете прочитать и разобраться, а потом можете пересказать Санто на словах.

Сперва она пролистала один за другим ежемесячные выписки о маржинальных сделках. Просмотрев около половины, она вдруг окинула меня зеленым взглядом, как бы совершая переоценку. На последнем, декабрьском, бланке я проставил карандашом напротив стоимости каждой акции ее стоимость на вторичном рынке. Она сравнила цифры с данными в подтверждениях купли-продажи, — не все, лишь несколько на выбор:

— Можно мне взять это на несколько дней?

— Нет.

— Можно сделать ксерокс? Это займет всего несколько минут.

Я заколебался:

— При одном условии, причем очень важном. Их увидели вы и увидит Санто, никто больше.

— Это ему решать.

— Тогда передайте великому человеку мою покорную просьбу, милочка.

— Обязательно нужен подобный сарказм?

— А с чего мне смиренно благоговеть перед личностью Гэри Санто? Его имя случайно оказалось первым в списке из трех возможных. Кто бы ни был на его месте, он выставит ряд условий, давая и мне выставить ряд своих. Я не с просьбой пришел, дорогая моя.

— Это вы ясно дали понять. Я сейчас вернусь.

— Если вы когда-нибудь снисходите до ручной работы в этой лавочке, думаю, лучше сами сделайте ксерокс.

— Обязательно, дорогой мой. А вы сейчас набрали немало очков. Береженого Бог бережет. У нас это высоко ценят.

Не прошло и десяти минут, как она вернулась. Садиться уже не стала. Я сунул бланки в конверт, а конверт в карман:

— Вот они, мисс, распахнутые сундуки с золотыми монетами, рассыпанными на белом песчаном дне, рядом с рифом Проворного Толкача.

— Довольно неуклюжая шутка, вам не кажется? С меня хватит пустой болтовни. Не имею понятия, привлечет ли это мистера Санто. Я говорю об идее. Если да, он должен будет узнать, о каких акциях идет речь, и пожелает проверить.

— Надеюсь, без лишнего шума.

— Конечно.

— Когда я с ним встречусь?

— Как мне с вами связаться?

— Я буду в разъездах. Допустим, позвоню завтра днем.

Она покачала головой:

— В пятницу. Скажем, в четыре. Назовете мое имя и добавочный номер, иначе вас не соединят. Шестьдесят шесть.

— А чем именно вы занимаетесь тут, Мэри Смит?

— Можно назвать меня буферной зоной.

— Я прошел через вас?

— Мы оба узнаем об этом в пятницу.

Глава 10

В четверг вечером я позвонил в Саннидейл домой Престону Ла Франсу, ведя запись, чтобы потом изучить ее вместе с Мейером.

— Макги? Трев? Я целый день гадал...

— Слишком многое произошло, Пресс. Должен сказать, дела обернулись немножечко лучше, чем я надеялся. Может быть, у меня для вас будут хорошие новости, когда сумею к вам добраться.

— Уж поверьте, мне очень нужны хорошие новости. Когда приедете?

— Сообщу. Приготовили деньги, о которых мы говорили?

— Дайте выяснить одну вещь. Все-таки мне надо знать, что происходит, прежде чем ринуться очертя голову и купить всю эту чертовщину в три-четыре раза дороже ее стоимости, согласны? То есть могу я принять решение на основании нашего разговора?

— Естественно. Но поймите, что я в данном случае за такой прибылью не гонюсь.

— Это я сам отлично сообразил. Ладно. Я собрал деньги, на всякий случай, вдруг захочу согласиться.

— Обязательно захотите. У меня все бумаги составлены, захвачу их с собой. Меня только одно немножечко беспокоит, Пресс.

Тон его стал напряженным.

— Что? В чем дело?

— У вас были в последнее время контакты с Санто?

— Нет. Повода не было. А что?

— Думаю, хорошо бы вам убедиться, что он никогда не услышит о каких-либо сделках между вами и мной.

— Не понял, о чем вы...

— Вам известно, что некто перекрыл ваше предложение в тот самый день, когда миссис Бэннон вернула себе право собственности, а я ее перекупил?

— Конечно, я слышал и чертовски удивился. Предложение сделали через Стива Бессекера, а он не хочет сказать, чье оно.

— По моим весьма надежным свидетельствам, Бессекер представлял Гэри Санто.

— Что? Черт возьми! Стив?

— Санто послал какую-то женщину, явно для передачи распоряжений. Высокая, рыжая.

— Ей-богу, кто-то подшучивал над Стивом, будто видел его в Броуард-Бич с высокой и симпатичной рыжей женщиной накануне Рождества.

— Наверно, именно в тот день, когда я купил собственность Бэннона. И меня осенило: судя по всему, Санто захочет выяснить, не существует ли у нас с вами настоящей или отсроченной договоренности, и он мог попросить Бессекера разузнать.

Я услышал его дыхание, потом тихое восклицание:

— Чтоб мне провалиться! Стив на следующий день меня спрашивал, знаком ли я с вами и не выступаете ли вы вместо меня, потому что, по словам Уитта Сандерса, мне эта дамочка Бэннон ни за что не продаст, сколько бы я ни дал. Что творится, Макги?

— Боюсь, он пронюхал о сделке, которую я стараюсь провернуть, и его это слегка задело. По-моему, Бессекер извещает его о каждом вашем шаге. Что ж, придется нам разворачиваться чуточку побыстрее, чем я планировал. Санто услышит, что вы купили у меня участок Бэннона, как только покупка будет зарегистрирована. До тех пор держите язык за зубами, ибо мне не хочется оставлять вас в конечном счете без доли и в его, и в моей сделке.

— Слушайте, я на такой риск пойти не могу...

— Сидите тихо, Пресс. Кончаем разговор. Ждите, надейтесь.

Он было снова заговорил, но я положил трубку.

Приблизительно через час прокрутил запись Мейеру. Он прослушал и покачал головой:

— В чем смысл, Тревис? Зачем ты забиваешь этому тупице мозги такой китайской головоломкой?

— Ради варианта с голубиной какашкой, друг мой. Внезапно весь мир стал гораздо коварнее, чем он когда-либо предполагал, и поэтому он придет в более подходящее состояние, застынет по стойке «смирно» и начнет демонстрировать ловкость рук. Сбитые с толку люди меньше склонны к скептицизму. Я собирался использовать Бессекера иначе, но тут мне должна была помогать Пусс, а ее как бы больше не существует, так что я в любом случае частично спас ситуацию.

— Одно меня беспокоит, — продолжал Мейер. — Там ты червяком влезаешь в одно дело, непосредственно с Санто. А тут суешь палец в другой кусок пирога, который тоже связан с Санто, но не так прямо. Тут ты Тревис Макги, адрес такой-то. Там, в «Санто энтерпрайзис», ты снова Тревис Макги, адрес такой-то. А вдруг Санто или один из его людей случайно обнаружат тебя и там и тут? Это немедленно насторожит такого человека, как Санто. Он может разузнать о твоей дружбе с Бэнноном и учует мышку.

— Ну и что?

— Может быть, лучше я займусь инвестициями?

— Тогда пропадет все удовольствие. Возможно, тогда ему не удастся связать все воедино. Мне необходима возможность смотреть ему в глаза, хохотать над его шутками, выпивать вместе с ним, а потом ужалить в самое больное место. Может, тогда он поймет, почему все произошло. Если выпадет шанс, я ему объясню. Всю оставшуюся жизнь ему будет становиться дурно при упоминании имени Бэннона.

— А если у него есть люди, которые постараются, чтоб тебе стало дурно во всех прочих отношениях?

— Иногда это им почти удается.

— А вдруг на сей раз удастся?

— Вечно ты беспокоишься. Это хорошо. Если ты перестанешь, забеспокоюсь я.

Он вздохнул:

— Ладно. Посмотри на мою впечатляющую экипировку специалиста, эксперта. Мейер — крупный промышленник.

Он раздобыл кадры аэрофотосъемки района Шавана-Ривер и кальки, размеченные согласно нашему плану. Обзавелся данными об исследованиях воды и почвы, обеспеченности рабочей силой. Запасся визитными карточками, дорогими, с гравировкой, которые превращали его в Дж. Людвига Мейера, доктора философии, исполнительного вице-президента компании по организации производства «Баркер, Эпштейн энд Уилкс инкорпорейтед», Управление инженерной службы.

— Давай от души помолимся, — предложил он, — чтобы ни одна визитка никогда не попала обратно в эту очень солидную и хорошую фирму.

— Может быть, это оказало бы терапевтическое воздействие — расшевелило бы их. Дай взглянуть на деловую переписку.

Шапка письма меня потрясла. Она выглядела абсолютно подлинной. Бланк принадлежал гигантской корпорации, ставшей в нынешние времена электронной фантастики притчей во языцех. Я вытаращил глаза, а Мейер, просияв, объяснил:

— Чуточку повезло. Потрясающе, правда? Заметь, из офиса президента корпорации. Фамилия настоящая, честно. Заметь, помечено «конфиденциально». Обрати внимание на весьма впечатляюще отпечатанный текст. Смотри, внизу инициалы секретаря. Подпись не очень хорошая. Я ее скопировал из экземпляра их годового отчета. Сверху письма подготовительные. Главное — примерно четвертое по порядку. Вот оно. Ты ведь именно это имел в виду?

Президент обращался к нему «мой дорогой Людвиг». В первом абзаце подтверждалось получение отчетов и рекомендаций, а дальше говорилось следующее:

«Я склоняюсь к согласию с Вашей оценкой конкурентных намерений и возможной опасности для нашего положения в данной конкретной сфере производства, которую представлял бы филиал, открытый «Кэлитроном» в столь тесной близости к «Тек-Текс Аппликейшн инкорпорейтед». Хотя наш филиал, проектирование которого находится на заключительной стадии, меньше, логично предположить благоприятное влияние близкого соседства с ТТА на удельную валовую прибыль в аналогичном процентном отношении.

Учитывая необходимость в быстрых действиях и положительные отзывы наших сотрудников, Вы наделяетесь полномочиями для заключения твердого соглашения от имени Корпорации на приобретение, как минимум, 200 акров или максимум 260, либо в районе *A*, либо в районе *B*. К сему прилагается отдельное письмо, удостоверяющее данные полномочия. Ввиду заинтересованности других в упомянутых промышленных землях, Вы вправе предложить до 2000$ за акр или максимум от 400 000$ до 520 000$, по Вашему усмотрению».

— Очень мило, — сказал я.
— Как я должен себя вести? Как действовать?
— Солидно, уверенно, хитро и осторожно, чтоб тебя не поймали. Грандиозные письма, Мейер. Берясь за подобные вещи, ты с каждым разом проявляешь все больше и больше таланта.
— И все больше и больше боюсь. Разве это не сговор с целью вымогательства?

— Лучше назвать ограблением. Давай я тебе расскажу, как все это должно сработать.

Он опустил лицо в ладони и буркнул:

— Просто жду не дождусь.

А после моих объяснений довольно долго не мог улыбнуться.

В пятницу в четыре я позвонил Мэри Смит, и она сказала:

— Мистер Макги, вы не могли бы выпить с мистером Санто сегодня вечером в отеле «Султана» в Майами-Бич?

— Постараюсь соответствовать.

— Тогда зал «Аут-Айленд», в семь. Просто попросите проводить вас к столику мистера Санто.

Я прибыл к арочному подъезду в семь с несколькими минутами. Лакей с физиономией румынского оборотня вынырнул из тени и окинул меня взглядом полным презрения, словно центральное актерское бюро прислало неподходящий типаж в неподходящем костюме. День был холодный, поэтому я надел пиджак из ирландского твида, на котором после пяти или даже, кажется, шести лет носки там и сям виднелись темные грубые нитки основы.

— К столику мистера Санто, пожалуйста.

— Ваше имя?

— Макги!

Он прямо засветился от радости. Щелкнул пальцами, и подбежавший мелкой рысцой, несколько раз поклонившись, повел меня сквозь лабиринты кабинок и алькова в дальний уголок к полукруглой банкетке, рассчитанной на шестерых, и к такому же полукруглому столику. Отодвинул стол, с поклоном помог мне пробраться, вернул стол на место, поклонился, спросил, чего я желаю выпить.

В десять минут восьмого опять прибежал и опять отодвинул столик перед явившейся компанией Санто. Гэри Санто, Мэри Смит, полковник Бернс, миссис фон Кредер. Я примерился к Санто, пока мы обменивались рукопожатиями. Не столь высокий, как на фотографиях, но плечи и грудь те самые, на которые без конца напирает паблисити. Пятьдесят лет потрепали его, но он вступил с ними в борьбу и одержал победу таким же способом, каким ее одерживают более непосредственные представители шоу-бизнеса: массаж лица, роскошный парик, в меру тронутый сединой, трудолюбивые занятия в домашнем спортзале, сеансы общего массажа, щедрые инъекции гормонов и витаминов, чертовски хороший дантист. Он явился во всей мужской красе, с белоснежными зубами, борцовским рукопожатием, манерой с прищуром смотреть собеседнику прямо в глаза, словно вы оба немножечко потешаетесь над всем остальным миром.

Сказал звучным юношеским баритоном, что я, конечно, знаком с Мэри Смит, и представил меня Хэлде фон Кредер, которая отличалась изящной белой шеей не виданной мною длины, маленькой дерзкой головкой, до чрезвычайности стройной фигурой, каскадом изумрудов и такой ошеломляющей парой грудей, что казалось, будто для сохранения равновесия она вынуждена немного откидываться назад.

— Отшень бриятно, — с немецким акцентом проговорила она и почему-то икнула.

Полковник Дад Бернс выглядел орлом... облезлым, навсегда осевшим на земле и страдающим циррозом. Гэри Санто усадил гостей, устроившись посередине. Слева от него оказалась Мэри Смит, потом я, справа в том же порядке Хэлда и Бернс.

Мэри Смит отважно балансировала на той грани, за которой стильность становится комичной. Глаза были сильнее накрашены, на губах больше инея. Серый свитер с массой сложного шитья, каемок и швов на шесть дюймов не доходил до колен. Из-под свитера на два дюйма выглядывала синяя твидовая юбка. Ниже юбки прозрачные голубые чулки, точно в тон туфлям с квадратными каблуками и высокими твердыми язычками. На голове широкополая шляпа из какой-то жесткой, как яичная скорлупа, соломки грубого плетения, весьма смахивающая на те, что носят новильеро[1]. Шляпа слегка набок сидела на блестящей темно-каштановой массе волос, под подбородком завязан белый шнурок, синий шерстяной болтался возле скулы. Рукава свитера длиной три четверти. Перчатки и сумочка соответствовали яичной скорлупе шляпы. Сняв перчатки, она про-

---

[1] Н о в и л ь е р о — помощники, изображающие на тренировках быка, нападая на матадора с тачкой, к которой спереди прикреплены рога.

демонстрировала ногти, покрытые толстым слоем перламутрового молочно-белого лака.

Сидела она абсолютно прямо, как умный послушный ребенок, с широко открытыми глазами и аккуратным ротиком; она улыбнулаясь мне и сообщила Санто, что выпьет, как обычно, виски «Дикий Индюк» с водой, но безо льда. Пила поданный ей напиток частыми маленькими глотками, по три-четыре капли.

После нескольких общепринятых в компании шуток и непонятных мне замечаний Санто, наконец, перегнулся ко мне через Мэри Смит, повернувшись спиной к немке:

— Наш маленький медвежонок Пух поставил вам хорошую оценку, Макги.

— Медвежонок Пух-Смит? — уточнил я.

— Это конторская шутка, — объяснила Мэри. — У меня есть интуиция. Он спрашивает, например, что я думаю о таком-то, и я говорю: «Пух!» А о таком-то? Я, предположим, снова говорю: «Пух!» Но насчет третьего или пятого я могу сказать «О'кей», и все понятно.

— Да, у нее есть чутье на людей. Вопросы, Макги. Если я на это пойду, если войду во вкус, много ли вам надо знать?

— День, когда вы начнете, и сколько всего намерены впрыснуть.

— Вы уже заняли позицию?

— Примерно такую же, как дикобраз, занимающийся любовью: нигде даже близко не подошел к желаемому. Их пускают узким потоком, а я играл на понижение.

— Пожелаете знать о моих приказах?

— Нет. За этим проследит мой человек.

— Один момент надо согласовать, а именно: как нам из этого выйти.

— Так же осторожно, как вошли.

— И последнее: название.

— Прямо здесь?

— Те двое других не услышат, а Мэри, как никто другой, умеет держать язык за зубами. Обо всем.

— «Флетчер индастрис», Американская фондовая биржа.

— Не желаете кратко меня просветить?

— Зачем делать двойную работу? Если ваши люди не способны увидеть достоинства этих акций, поищите себе других людей.

127

— А у вас язык без костей, Макги.

— Не слишком ли вы привыкли к полнейшей покорности со всех сторон, Санто?

— Ну, хватит! — вмешалась Мэри Смит. — Замолчите. Вы оба правы. Только не слишком ли задираетесь и хитрите, собравшись помогать друг другу?

Санто, запрокинув голову, рассмеялся мальчишеским смехом:

— Самая главная ее задача — во все внести смысл. Значит, в среду... это будет...

— Десятое, — подсказала Мэри Смит.

— ...позвоните ей, она скажет «да» или «нет» и назовет примерную цифру.

— Позвоню, — пообещал я.

Он улыбнулся ей:

— По-моему, мне понравился твой новый приятель, Мэри. Думаю, он может нас привести к новой победе. — Достал бумажник, вытащил несколько купюр, быстро сунул ей в сумочку. — Это лишь аванс к твоей премии. Пригласи его на эти деньги куда-нибудь, где кормят бифштексами.

Она взглянула на часы:

— Да, а вам пора двигаться, Гэри. Бен будет на месте с вашим багажом. Поцелуйте за меня Бонни Би.

Он сделал еле заметный жест, и отовсюду сбежались люди, отодвигая столик, подавая ему счет на подпись, с поклонами провожая всю троицу к выходу и на улицу.

Мы ехали вверх по берегу в маленьком красном автомобиле Мэри в одно из тех местечек, которые она называла «своими», в маленький бар, где было темно, как в кармане. Сели друг против друга за узким, очень низеньким столиком, к которому пришлось наклониться в интимной позе: Мэри демонстративно закатала рукава и приготовилась приступить к делу.

Ждала сигнала, а его все не было. Отложила в сторону причудливую шляпу. встряхнула блестящими волосами. На лицо длинной диагональю от наружного уголка глаза до губ легла полоска света. Чуть пригубила из бокала, слизнула с нижней губы каплю кончиком языка, проговорила протяжным полушепотом:

— Хочешь знать, Тревис? Хочешь услышать безумное сообщение?

— Доставленное со специальным курьером? Конечно, Мэри Смит.

Глаза опечалились, широко-широко открылись. Приоткрылись губы. Она протянула обе руки к моей, медленно подтянула ее к себе, перевернула, раскрыла, коснулась запястья ногтями правой руки, провела вниз, по ладони, разжав мои слабо сжатые пальцы, придержала их, внезапно склонилась, прижалась к ладони влажными губами, очень быстро подняла голову и уставилась на меня с робким и в то же время притворно-испуганным выражением.

— И все? — спросил я.

Она перевернула мою кисть ладонью вниз, сжала ее в кулак, взяла обеими руками, подняла, поставив локти на стол, уткнулась подбородком в костяшки моих пальцев, закрыла глаза.

— Фу, — шепнула она. — Прямо с места в карьер, с первой минуты. Фу. Мне это *никогда* не нравилось.

— Всему свое время, — заметил я.

— Вот именно, мистер Тревис Макги. — Чуть наклонила мою руку под более удобным углом и прошлась по костяшкам теплыми губками, чуть покусывая каждую, целуя впадинки между ними, при каждом поцелуе просовывая язык между пальцами.

— Когда должно произойти неизбежное, поступает такой сигнал, правда? Старый и глубоко сокровенный, ждущий своей особой минуты. Особой, бурной, безумной и нескончаемой. Ты это тоже знаешь. Правда? Правда?

Она пряталась где-то там, за назойливыми глазами, с каким-то тихим любопытством прислушиваясь к своему возбужденному дыханию. Свысока наблюдала за своей работой, несомненно оценивая напряженность сосков в лифчике, расслабленность бедер и живота. Она принадлежала к новой породе помощников манипуляторов. Гэри Санто, крупный манипулятор, обязательно должен был обзавестись кем-то, знающим свое дело вдоль и поперек. Может быть, он держал в своей свите пару, тройку, десяток подобных, заручившись их верностью не только при помощи денег, но и внушая чувство причастности к оперативной команде, где они выполняют особые функции.

Секс с особенно опытной и соблазнительной женщиной, способной заверить, что ты самый лакомый кусочек после обжаренного риса, — великолепное орудие манипулятора. Ослепленный мужчина неосторожен, сбит с толку, поражен громом. В таком состоянии он приносит манипулятору максимум выгоды и минимум хлопот. Покорно впишется в обстановку, лишь бы оставаться рядом с новым возлюбленным светиком. Выложит ей все сведения, все надежды, а она, лихорадочно вдохновленная духом коллективизма и собственными достижениями, сводит его с ума и швыряет туда, где нашла, после того как манипулятор выкачает полезную информацию до последней капли. Но пока продолжается обработка, он работает вместе с командой, реально в нее не входя, зная об осведомленности команды о причине такого сотрудничества, зная о снисходительном презрении команды к нему, но полностью поглощен сладострастной собачьей пробежкой за сукой и готов сносить легкое унижение, лишь бы по-прежнему получать то, что с каждым очередным получением становится нужным не меньше, а больше.

На эту роль требуется женщина необычайно самоуверенная, декоративная, с напористой искренней сексуальностью, которая понимает, что служба манипулятору в данном качестве составляет часть стоимости билета на лучшие рейсы в лучшие места, а если хочешь быть скромницей, привередливой или цыпленком, можешь плюхнуться снова на жесткий стул, вернуться к старому пылесосу, к болтовне в женском туалете о возможностях продвижения. Путешествовать вместе с командой могут только особенные девчонки, так вливайся в их число и радуйся особым поручениям. Между забавами парни болтают, неси собранные крошки Гэри, он сложит их в кучку.

Манипуляторы — дерзкие игроки, собирающие вместе маленькие корпорации, сколачивая большие; талантливые комбинаторы, хватающиеся сразу за полдюжины особо выгодных шансов, после чего получают доход выше, чем от телесериала; шоумены, кричащие о колоссальных налоговых платежах богачей и борющиеся с Федеральной налоговой службой за их сокращение или дешевый компромисс; изобретательные финансисты, которые превращают бандитские фонды в законные предприятия; плаксивые дети, которые рыдают по добрым старым постройкам и сооружают новенькие сверкающие коробки ради обратной аренды, списания налогов, фокусов с налоговыми прикрытиями; вздувают рыночную стоимость акций и продают, потом играют на понижение и опять покупают.

Они носятся по стране, по всему миру маленькими компаниями, члены которых всегда и везде смеются — в местах отдыха, в аэропортах, в обеденных залах для деловых людей, в потаенных барах, в роскошных казино. В подобных компаниях непременно присутствует Мэри Смит с танцующими глазками, вызывающая, аккуратная, неимоверно стильная, ненасытная, своя в доску, способная, благодаря контрацептивным таблеткам, охотно вступать в игру с тем, в кого ткнет указующий палец манипулятора; новый ночной Пятница женского пола.

Несколько лет назад этой новой породы не было, но, кажется, человеческая культура обладает непревзойденной способностью сотворять существа, удовлетворяя чью-либо потребность. Поэтому мораль, применимая к ситуации, плюс доходные манипуляции поставили на поток этот веселый полк, словно он все время ждал где-то рядом. Бессмысленно рассуждать о нравственности и безнравственности, проводить аналогии с проституцией, произносить звонкие фразы библейского осуждения. Мэри Смит даже не сконфузится, лишь удивится.

В диагонали света она оперлась подбородком на мой кулак, удерживая его между своих локтей обеими пухлыми теплыми руками, глаза стали огромными, потом голова наклонилась, повернулась в одну, в другую сторону, медленно щекоча тыльную сторону моей кисти то одной прядью густых душистых волос, то другой.

Я вспомнил старый скучный анекдот о молодом человеке, который приехал в незнакомый город, записав телефон девушки по вызову за сто долларов. Позвонил, пригласил в роскошные апартаменты, где она приготовила изысканный обед, процитировала французских поэтов, помузицировала на рояле, профессионально спела, упомянув, что владеет шестью языками, имеет степень магистра психологии, сама придумала, скроила и сшила прелестно сидящее на ней платье. Когда, наконец, пошли в постель, он не мог не спросить: «Объясни мне, пожалуйста, как такая девушка могла заняться подобным делом?» Она взглянула на него, вздохнула и молвила: «Просто, наверно, чуть-чуть повезло».

Испустив глубокий прерывистый вздох, Мэри Смит объявила:

— Милый, бифштекс, причем не размороженный, а не замороженный вообще, лежит в холодильнике в моей квартире, которая располагается, помоги мне Господь, в кон-до-ми-ниу-ме — это слово всегда звучит для меня как ругательство, — а квартира в двенадцати с половиной минутах езды плюс-минус десять секунд, а бифштекс, дорогой, обождет нас до трех часов утра или до завтрашнего полудня, — я ведь не собираюсь хранить его до утра понедельника, — а двенадцать с половиной минут до квартиры будут самыми долгими в моей жизни двенадцатью с половиной минутами.

Было искушение поддаться на все это жульничество. Но животным мужского пола в самые неожиданные моменты свойственно поразительное упрямство. Почему же вы не взошли на Эверест, сэр Хиллари?[1] Потому, что он стоял передо мной, приятель. Вдобавок я мысленно видел ее в другом баре, при дневном свете, когда она, прикусив эту самую мясистую нижнюю губку, полуприкрыв глаза, слушала Таша и медленно поворачивала головой из стороны в сторону, отказывая столь же решительно, как со стуком захлопнутая дверь и щелчок повернувшегося ключа.

Она была бы исключительной в каждой детали, от мочек ушей до очаровательных пальчиков ног, до ямочек над ягодицами. Была бы ослепительной, безупречной, захватывающей и предельно искусной, звонила бы во все колокола, красиво предложила себя, заставила бы меня попробовать, угодив моему самолюбию, задыхаясь в восторге и уверяя, будто никогда не испытывала ничего более фантастического и долговечного; она точно знает, с этим отныне ничто не сравнится, а в следующий раз будет еще лучше, просто вынести невозможно, она сойдет с ума; и как только у нас все так здорово получилось, правда, милый, действительно было, как вообще в первый раз.

Было искушение несколько раз промчаться по трассе на этом «феррари» для настоящих мужчин, просто ради доказательства

---

[1] Х и л л а р и Эдмунд (р. 1919) — новозеландский альпинист, первым взошедший в 1953 году на Эверест вместе с Норэем Тенцингом.

самому себе, что не поддался ни на великолепную технику, ни на приз в скоростных гонках.

Но гоночная машина стоит перед тобой и жужжит — как уйти в сторону, не возбудив некоторые нехорошие подозрения насчет всего дела? Отходить надо очень искусно, на ее условиях, мгновенно выставив абсолютно понятный для нее предлог.

Я как раз вовремя натянул лосины со шпорами для выхода на ринг, как раз в тот момент, когда она, прищурив глаза, заметила:

— Я смотрю, ты без особого энтузиазма относишься к девочкам, старичок.

— Проблемы, проблемы, проблемы, — изрек я. — Пожалуй, отложим бифштекс на потом.

Она выпустила мою руку:

— Какие проблемы?

— Один тупой, как свинья, тип сидит в номере отеля, смотрит на телефон и с каждой минутой все больше и больше бесится. Я стараюсь кое от чего избавиться ради наличных, чтобы выжать максимум из нашего маленького драгоценного шанса. А он прилетел из Чикаго как раз потому, что случайно оценивает кое-что тысяч на двадцать дороже любого другого на свете, по причинам, о которых я в данный момент не стану распространяться. Я сказал, что из-за некоего предстоящего события наша встреча откладывается, и пообещал быть к восьми. Сейчас четверть девятого, а этот тип сомневается даже в своем нутре, в самой важной основе, и ради подтверждения своего о себе мнения может прождать с минуту, разозлиться на собственную физиономию и отрезать нос... Может, уже отрезал и едет в аэропорт. Мне хотелось побыть с тобой, забыть о нем ненадолго, но, похоже, не очень-то получается.

Она чуть-чуть выпрямилась, встряхнулась, как миниатюрный пудель, только что вытащенный из миниатюрной ванны, слегка взбила волосы, одернула затейливый свитер:

— Милый, ты полный идиот! Почему не сказал сразу? Думал, я не пойму? Я уже совсем взрослая и так далее.

— Скажем, я получал удовольствие. Принимал сигналы медвежонка Пуха по фамилии Смит.

Она протянула руку, потрепала меня по плечу, интимно подмигнув с кривоватой легкой улыбкой:

— Давай так. Двадцать кусков не ждут. Беги звони. Телефон в конце коридора, что идет к уборной.

Я пошел к телефону, зажег спичку, набрал какой попало номер, спросил у женщины с насморком, нельзя ли поговорить с мистером Бэнноном. Сообщив, что я ошибся, она повесила трубку. Я какое-то время поговорил в пустую трубку с Ташем, сообщил последние новости, сделал несколько замечаний насчет погоды. Ему нечего было ответить.

Вернувшись к столику, доложил своему цыпленочку, что мой приятель жутко злится. По-настоящему жутко, но пока еще готов к переговорам.

— Милый, если ты его бросил из-за меня, я, естественно, дьявольски постаралась бы на целых двадцать кусков, но ни одна женщина в мире столько не стоит. Матч вполне можно отложить.

— Люблю практичных женщин.

— Забросить тебя к нему в отель?

— Спасибо, предпочитаю забрать у «Султаны» свою машину, если ты меня туда подкинешь.

— Можно мне подождать тебя, можно?

— Думаю, лучше жди у себя, я еще не совсем сговорился насчет цены с этим придурком.

Она взяла с колен свою сумочку, открыла, покопалась, вытащила маленький фонарик, вручила мне. Я подсвечивал, пока она вынимала маленькую позолоченную записную книжку с застежкой, вытаскивала из золотой петельки золотой карандашик.

— Я как раз сообразила, что просто умираю с голоду, милый, поэтому, скажем, приеду домой не раньше десяти. Вот телефон, его нет в справочнике. А вот адрес: Индиан-Крик-Драйв, восточная сторона, в северном направлении. Ищи дом клубничного цвета с белыми навесами, белыми тентами и белыми балконами. Сначала позвони, милый, хочу порадоваться, предвкушая твой приезд.

Маленький красный автомобиль снова вела она. Подрулила к парковке у «Султаны», выключила фары, чтобы нас не заметили дежурившие снаружи ребята и не свистнули ее ко входу, отцепила тесемки, положила шляпу на заднее сиденье, обхватила пальчиками меня за шею и запечатлела столь ис-

кусный поцелуй, что я шагал к взятому напрокат автомоби-
лю с ослабевшими дрожащими коленками, после того как она
унеслась прочь.

Без двадцати двенадцать на борту «Флеша», вымыв тарелку из-под яичницы с луком, я вытащил листок, вырванный
из записной книжки. Листок цвета устрицы, тонкий, жесткий,
с перфорацией слева. В нижнем правом углу напечатано самым простым шрифтом золотыми буквами: «С любовью *Мэри
Смит*».

Я набрал номер.

Через пять гудков ответил глухой шелковистый голос:

— М-м-м?

— Т. Макги, мэм.

Услышал сонный зевок.

— Который час, милый?

— Почти без пятнадцати — время Золушки.

— М-м-м. Я видела интереснейший сон про тебя. А на мне
интереснейший желтый ночной наряд, купленный в Токио.
Я немножечко полежала в большой горячей ванне и поэтому
интересно пахну, сандаловым деревом, засушенными розовы-
ми лепестками и, еще чем-то. Довольно пряный аромат, на-
водит меня на мысли о Мексике. Ты не меньше меня любишь
Мексику? Скоро приедешь, милый?

— Хороший вопрос.

— Твой тон мне не очень-то нравится.

— Мне тоже.

— Ты так опечален. У тебя проблемы?

— Сплошная тоска. Мы только что заказали поесть и сейчас
ждем третью сторону, а к рассвету, по-моему, будем за сотню
миль отсюда осматривать собственность, о которой идет речь,
в Тамайами-Трейл, совсем рядом с Нейплс.

— Фу-у!

— Я бы выбрал словечко покрепче.

Она тяжело вздохнула и сказала:

— Ну, ложись спать, девочка. Помни обо мне, ладно?

— Отдохни хорошенько. Завтра я позвоню тебе ровно в полдень, и мы опять оттолкнемся от старых стартовых колодок.

— От старых тормозных башмаков. Заметано. Мы их сбросим. В любом случае, пока у тебя еще остается слабое представление о том, чего ты лишился, милый, закрути сделку покруче. Ты заслуживаешь вознаграждения, Бог свидетель.

Закончив разговор, я набил трубку, поднялся наверх, растянулся на влажном от росы матрасе для загара, чувствуя легкий бриз, глядя на холодные звезды.

Где же члены жюри? — думал я. Они уже безусловно должны были сделать выбор. Поднимутся на борт, прозвучат торжественные речи, я зардеюсь, расшаркаюсь, отмахнусь: «Да ведь все это ерунда, ребята!» Ежегодный Национальный приз за чистоту, силу характера и несравненную сексуальную выдержку перед лицом чрезвычайного искушения. Ей-богу, любой американский парень, живущий в век Хеффнера, ухватился бы за возможность трахнуть эту тыковку в соответствии с идеальной формулой игры: максимум удовольствия при минимальной ответственности. С такой чудной фигуркой, Чарли. С таким шиком, Чарли, ну, ты понимаешь, что я имею в виду. В самом деле готовая на все девчонка, и она в самом деле вешалась мне на шею. Ты, старина Чарли, никогда и не видел такую шикарную и готовую сбросить классный прикид и нырнуть в койку. Я скажу тебе, что я сделал, старик. Я ушел. Как тебе это понравится?

Вместе с ежегодной Национальной премией я заслужил красивую медаль. С соответствующей символикой. Щит с брошенным заячьим хвостиком, пустой постелью, затянутой паутиной задницей и с латинской надписью «Non futchus»[1].

Симпатичный седой розовый старый джентльмен пришпилит медаль прямо к голой груди, как рекомендует Джо Хеллер[2], а скрипка будет наигрывать: «Дружба, только дружба...»

Церемониальный поцелуй в незапятнанную крепкую мужскую щеку и...

Порыв ветра поднял ворот рубашки, взъерошил матерчатую обивку на поручнях верхней палубы. Прикосновение к шее воротника было прикосновением пряди рыжих волос Пусс, хлопанье ткани — ее резким смешком, и меня без предупрежде-

---

[1] Несовершение полового акта (*лат*).
[2] Х е л л е р Джозеф (р. 1923) — автор сатирических произведений, полных черного юмора, в том числе романа об абсурдности военной машины «Уловка-22», название которого стало нарицательным.

ния пронзила такая тоска по ней, что живот словно проткнули длинными ножами, а в глазах защипало.

Никогда ничего не делаешь без причины, никогда не воздерживаешься от поступка без причины. Иногда просто проходит больше времени, прежде чем причина вынырнет из глубины и всплывет на поверхность прямо перед глазами.

Я выбил трубку, пошел вниз. Значит, это не был добродетельный отказ или надменное высокомерное неодобрение. Это был моногамный инстинкт, основанный на древней мудрости сердца. Пусс всю себя сделала щедрым даром, не просто отдавая тело и насыщая физическое желание. Искусные эротические таланты Мэри Смит не имеют значения, ощущения не заменят личность, которую она предложить не могла, не хотела, а может быть, если бы и захотела, то не смогла.

Я точно знал, как все было бы с Мэри Смит, потому что потерял Пусс слишком недавно и слишком трагично. Потайные достоинства Мэри Смит попросту говорили бы мне, что формы не те, и размеры не те, и фактура не та, и горло издает не те звуки, она не так обнимает, берет не тот темп, не то, не то... Поэтому все обернулось бы с ней обманутыми воспоминаниями и досадой, а закончилось раздражением от прикосновения к ней, страшной злостью от близости с ней.

Пусс была слишком недавно.

Улегшись в постель, погрузившись в вспоминания, я наткнулся на тот же старый парадокс: если Пусс полностью отдавала себя, открывая все девичьи ящички души и сердца, как она могла уйти? Почему она ушла?

Что-то знобящее шевельнулось в сознании и улетучилось, нераспознанное, как и прежде.

На протяжении всех этих месяцев один ящичек оставался запертым.

Но хотя бы теперь прекратились пустые фантазии о садике удовольствий в желтом наряде из Токио.

Значит, Трев, в отличие от полигамной Мэри, моногамен.

Пока. Не выйдет ничего хорошего, пока рыжая не забудется. Она будет тянуть меня назад. А когда придет время новых ожиданий и подвернется шанс, не стоит рисковать, тратя его на Мэри Смит, которая превратит это в нечто вроде трудовой терапии.

Глава 11

В субботу до полудня мне пришлось пятнадцать минут рыться в хранилищах, прежде чем отыскалось приспособление под названием «Электронное алиби Макги». Две севшие батарейки пришлось заменить новыми и проверить. Некогда это был дверной звонок, но я вытащил язычок колокольчика, поставив вместо него железку с нужным тембром и резонансом.

Установил и завел свой любимый прибор, водрузил на стол, чтобы слушать, прижав к уху трубку, держа микрофон на предварительно определенном и выверенном расстоянии. Она ответила всего через два гудка, но этого было достаточно для выяснения продолжительности звонков и интервалов меж ними.

— Милый? — сказала она: как раз стукнул обещанный полдень.

Я, нажав кнопку, включил прибор, который продолжает назойливо гудеть при снятой трубке.

Между двумя первыми фальшивыми гудками донесся ее голос:

— ...черт... — В следующей паузе: — Вот дерьмо... — Раздался стук, она заколотила по рычажку. — ...кин сын...

Я сымитировал восемь гудков, чтобы всего было десять, как учат в справочниках, и отключился.

Бедный парень звонит точно вовремя, весь взмыленный, а ее нету дома. Прекрасно. Он думает, вдруг у нее часы отстают, или выскочила за газетой, за хлебом, еще за чем-нибудь. Через пять минут новая попытка опять — ответ — яростные, огорченные, беспомощные гудки — и на сей раз отчаянный вопль:

— А, будь ты проклят ко всем чертям!

Потеряв шанс, парень звонит в офис. Я позвонил сразу, пока она об этом не догадалась, и приглушенный голос сказал:

— Три один два один.

— Будьте добры, Мэри Смит. Добавочный шестьдесят шесть.

— Мисс Смит сегодня нет, сэр.

— А... Если она позвонит, передайте, пожалуйста, что с ней пытался связаться мистер Макги. Я позвоню ей домой в три часа.

— Не дадите ли номер, по которому можно вас отыскать, сэр?

— Нет, я здесь долго не задержусь. Спасибо.

Итак, она знает, что номер у меня записан правильно, ибо я ей уже звонил. Звонок своего телефона я выключил, но сам мог пользоваться аппаратом. Попробовал в половине первого. Она сняла трубку после второго гудка. В час было занято, на что и я надеялся. Это хорошо. Через несколько минут дозвонился. Она схватила трубку после первого гудка.

— Алло?

Ту-у-у-у! Отчаянный вопль. Грохот брошенной трубки.

Время от времени песик Снупи[1] усмехается виновато и злобно. Мне это не удалось.

Мы с Мейером обсуждали в салоне последние детали, и я вдруг сообразил, что уже ровно три. Некогда было готовить его к «Электронному алиби». Прежде чем Мэри бросила трубку, я услышал сдавленное рыдание. Вернулся в кресло под пристальным взглядом Мейера.

— Иногда ты меня беспокоишь, Тревис. В связи с ходом твоей мысли.

— Меня это часто угнетало. — Я снова встал. — Мы готовы, черт побери. Я намерен поехать и встретиться с Джанин и с Конни. Переночую там и вернусь в Саннидейл в понедельник рано утром. Ты отправишься около полудня, снимешь в каком-нибудь мотеле комнату и пойдешь обедать в отель, о котором я тебе говорил. Я явлюсь с нашим голубком. Думаю, в определенный момент, часов в пять-шесть, возникнет мисс Мэри Смит и постучит в дверь. Кажется, я хорошо ее описал. Старайся на нее не смотреть, перебей, объяви, что, по-твоему, я на прогулочном судне Тигра из Алабамы, и покажи дорогу.

— Утешительный приз?

— Для кого?

Он сдался, вздохнул и ушел.

Я позвонил в «То-Ко Гроувс», и Конни вполне убедительно радостно вскрикнула при сообщении о моем приезде. Я все позакрывал, включил сигнализацию, уложил вещи в машину. Потом пошел к постоянной компании на борту плавучего дома Тигра.

Даже с закрытого судна неслись громкие афро-кубинские ритмы. Когда я открыл дверь большой главной каюты, звуковая волна едва не отбросила меня назад. Гремела огромная си-

---

[1] С н у п и — добрый мечтательный пес, персонаж комиксов.

стема «Ампекс», а завсегдатаи располагались вокруг по периметру, ибо Жужелица нашла себе новую конкурентку. Жужелица — гибкая смуглая плотная девка двадцати с чем-то лет, могучая помесь ирландки, цыганки и индианки чероки в мохнатом розовом бикини — кружилась, как дервиш. Стриженые черные волосы разлетались, невозможно было разглядеть лицо и глаза, тело раскачивалось и извивалось в такт ударам, ритм которых подчеркивал Стайлс, барабаня ладонями по старым потертым барабанам бонго. Конкурентка принадлежала к числу пляжных зайчишек-переростков, здоровенных юных блондинок лет девятнадцати с прямыми волосами, до того друг на друга похожих, что им следовало бы проставлять номера на боку, точно партии только что выпущенных автомобилей. На полу возле босых ног Тигра тремя кучками лежали деньги. Крупная зайчишка начала отставать, запуталась, выбилась из ритма, потом вновь подхватила. Рот открылся, бедра в полосатом, как зебра, бикини работали по принципу храповика. Тигр сидел со стаканом в руке в полном оцепенении, раскачиваясь на стуле, улыбаясь про себя. Хулиганка Оделл одарила меня широкой улыбкой. Я указал на свои часы и приподнял одну бровь. Она сверилась со своими часами, семь раз показала десять пальцев и еще четыре. На семьдесят четвертой минуте состязания Жужелица выглядела абсолютно свежей, если не считать пота, от которого ее тело казалось намазанным маслом. Хотя конкурентки привыкли отплясывать целыми днями, они не учитывали дополнительных требований афро-кубинского темпа. Одна из них прославилась, продержавшись более двух часов, прежде чем рухнуть на палубу, тогда как Жужелица даже не приблизилась к пределам своих возможностей.

Я поманил Хулиганку пальцем. Она кивнула, вышла следом за мной, закрыв дверь, чтобы шум не мешал.

Мы сели на широкий транец, и Хулиганка заметила:

— Она продержится не больше пяти минут, если продержится. Я как раз хотела уйти. Все ждут, когда она свалится, а эта девчонка упрямая, не отступится, пока не упадет. Просто не люблю смотреть, как они валятся замертво.

— Окажешь услугу?

— Смотря какую. Может быть, окажу, Макги.

— Я уеду на пару дней. Меня придет искать очень-очень симпатичная штучка. Я велел направить ее сюда. Ее зовут Мэри Смит.

— Шутишь!

— Скажи ей, будто я был тут с компанией, но ушел и, по-твоему, обещал вернуться, так что стоит обождать. Кстати, Герой где-то поблизости?

Меня перебил вопль компании. Дверь распахнулась, кто-то выключил музыку. С визгом «Йя-х-ха-а, йя-х-ха-а» выскочила Жужелица, взлетая в воздух на каждом третьем прыжке. В открытую дверь я увидел, как зайчишка лежит лицом вниз на полу и пытается встать, а зрители спешат помочь. Жужелица огромным скачком спрыгнула на причал, открутила пожарный кран, подняла шланг, подставила под струю макушку. Вода полилась по лицу, по улыбающимся губам, намочила темные волосы, потом она на несколько секунд поднесла шланг к верхнему краю лифчика, сунула за пояс эластичных трусиков, улыбаясь в экстазе, медленно облила спину, все мускулистое тело.

— Хочет еще кто-нибудь? — прокричала она. — Пусть любая новая голубка идет и несет свой кусок хлеба на палубу! Старушка Жужелица всегда готова.

— Я еще увижу, как она рухнет, — мрачно посулила Хулиганка. — Надеюсь, что пару раз грохнется хорошенько. Так что там насчет Героя? Что ты спрашивал про Героя?

— Он где-нибудь тут поблизости?

— Кто его остановит? Ты же знаешь Героя. Каждый час мелькает, посматривает, нет ли чего-нибудь новенького, чего он еще не видал. Это цель всей его жизни. Хочешь нацелить Героя на эту Мэри Смит? В чем дело? Ты ее ненавидишь?

— Скажем так, они друг друга стоят. Как только он начнет ее охмурять, подойдешь к ней и скажешь, мол, только что слышала, я вернулся в дурном настроении, одна девочка пожелала развеселить меня, и мы вместе ушли. Наверно, поэтому ждать не имеет смысла.

— Может, попросту врезать ей по башке и помочь Герою уволочь ее в логово?

— Вполне возможно, она врежет ему по башке и уволочет к себе.

— Ох. Так она из этих. В любом случае, Герой определенно красивый парень, обаяния у него определенно хватит на целую школу, где учат хорошим манерам, и он определенно устроил жуткой куче леди-туристок незабываемые каникулы. Я как-то уже говорила, что могла бы по-настоящему клюнуть на этого парня, не будь он таким насквозь испорченным.

— Хочешь сказать, могла бы, если б не знала, что он собой представляет.

— Вот именно. Когда бы ты ни пришел, Трев, с тобой всегда весело. Я сведу эту счастливую парочку и навсегда скину ее с твоих плеч.

Уходя, я прошел по пирсу мимо Жужелицы, насухо вытиравшейся полотенцем.

— Эй, Макги, — окликнула она с широкой насмешливой белозубой улыбкой. — Слушай, ты никогда ко мне не цепляешься с тех пор, как мы тут причалили. Почему это?

Я взглянул на нее, темную, гуттаперчевую, полную вызывающей жизненной силы.

— Обещаю, Жужелица, как только у меня возникнет предсмертное желание, я на тебя посмотрю.

— Трусишка!

— Истинная правда.

— Ох. Бедный парень. Я тебя не уморю. Только чуточку покалечу, а?

— По-моему, главная твоя беда — скромность. Самоуверенности маловато. Выходи в свет, общайся с людьми.

Отойдя уж совсем далеко, я еще слышал, как Жужелица давится от смеха.

Я показал хорошее время и добрался до «Гроувс» через час после наступления темноты. Мы выпили у камина с толстым сосновым поленом, хорошо пообедали, хорошо поговорили. Джанин встала, подошла ко мне, поколебалась, потом наклонилась, коснулась губами моей щеки и ушла спать.

Конни поинтересовалась моим мнением о виде и о поведении Джан.

— Апатичная. Похудела. Кости проступили на лице.

— Плохо ест, плохо спит. Начнет читать, вязать, а в конце концов уставится куда-то в пустое пространство. Я слышу, как она бродит по дому среди ночи. Не может оправиться по-настоящему. Не знаю, как ей помочь. Она чертовски славная девочка, Трев, а превратилась в какое-то привидение.

— Хорошо бы вам подержать ее с детьми у себя.

— Не будьте идиотом! Я ей предложила остаться тут навсегда, и говорила серьезно. У нее трое хороших мальчишек. Пятеро детей поднимают в доме очень приятный шум. Здесь слишком долго было чересчур тихо.

Спросила о моей рыжей, почему я ее не привез. Я ответил, что мы разбежались, и Конни вдруг разъярилась, сообщив, что считала меня поумнее. Пришлось добавить, что идея была не моя, и мне даже не выпало шанса уговорить ее передумать. Тогда она попросту удивилась и заключила, что все это вообще не имеет смысла.

В воскресенье мы втроем проехали пятьдесят миль в «понтиаке» Конни с обычной для нее гоночной скоростью в юридическую контору Руфуса Веллингтона. Он пригласил свою старую секретаршу, которая только что закончила перепечатывать договор и прочие документы, связанные с моей продажей собственности Бэннона Престону Ла Франсу. Мейер принес мне заверенную свидетелями доверенность, которую я захватил с собой на подпись Джанин и которая уполномочивала его от ее имени продавать и покупать ценные бумаги по маржинальному счету, открытому им для нее в брокерской фирме в Лодердейле.

Руфус взглянул на меня и сказал:

— Вы уверены, что Ла Франс заплатит сорок тысяч за долю, которой даже не существует? Сделайте одолжение, молодой человек, не рассказывайте, какие методы убеждения вы к нему применили. Вряд ли мне было бы приятно об этом услышать. Не хочу также знать, кто такой Мейер, спасибо. Любой человек за судебным барьером — представитель закона.

— Если я столкнусь с трудностями при утверждении банком передачи закладной Ла Франсу, поможете?

— Могу позвонить Уитту Сандерсу, кое о чем напомнить, после чего он одобрит ее передачу рыжей курице-наседке. Но не хочу этим пользоваться без крайней необходимости, как не воспользовался при появлении Конни с запиской от вас. Предчувствую, что Ла Франс будет с трудом оплачивать закладную?

— Если вы не хотите выслушивать мои объяснения, зачем задаете наводящие вопросы и ждете от меня ответов?

— Затем, что, по-моему, ты мне вряд ли ответишь, сынок. Однако у меня тут пара клиентов — вы, Конни, и вы, миссис Джанин, — и я успокоюсь, наверняка убедившись, что на присутствующих здесь леди не обрушится ни одно последствие какой-нибудь чересчур заковыристой хитрости, которыми вы обрабатываете тех ребят в Саннидейле.

— Успокойтесь, судья.

Он откинулся в кресле, глядя мимо нас, в туманные глубины памяти.

— Когда я был простым диким юношей — сейчас кажется, это было совсем в другом мире по сравнению с нынешним, — очутился однажды в Мексике, на конном ранчо близ Виктории. Приходилось доказывать, что ты настоящий мужчина. Испытание называлось paseo de muerte[1]. Может быть, я неправильно выговариваю, но звучит похоже. Просто скачешь во весь опор, очертя голову, среди скал на полуобъезженных лошадях, а желающий испытать тебя подъезжает с одной стороны, ухмыляется, ты ухмыляешься ему в ответ, потом вы вынимаете ноги из стремян и меняетесь лошадьми, рискуя промахнуться или слишком поторопиться. Но как только продемонстрируешь свою готовность на это в любой момент, тебя оставляют в покое, ибо они, равно как и ты, не горят желанием продолжать. Каждому дураку ясно, с каждой следующей попыткой желания остается все меньше. — Он покачал головой, улыбнулся. — Время тянулось долго, денег было мало, и как-то мне ни с того ни с сего пришла в голову мысль изучать закон. К чему это я говорю? Был ведь повод... А! Помни, Тревис Макги, игры с деньгами — неприрученная лошадь, а месть за убийство — еще одна неприрученная лошадь, и, пробуя проскакать на обеих, рискуешь упасть между ними, головой под подкованное копыто. Бэннон был твоим другом и другом Конни, он был вашим мужем, Джанин, отцом ваших детей. Когда игры с деньгами осложняются, возможно убийство. Не

---

[1] Тропинка смерти (исп.).

считайте его черным грязным злодейством, это скорее прискорбное и порочное дело какого-то заблудшего остолопа, причем он вовсе этого не хотел, а теперь просыпается по ночам, вспоминает и обливается потом с бешено бьющимся сердцем. Что ж, друзья, вы отказались от искреннего предложения отправиться ко мне домой, выпить домашнего виски, съесть хорошую отбивную и весело поболтать, поэтому извините за совет быть поосторожнее и отправляйтесь в дорогу.

В конце дня я позвонил Прессу Ла Франсу, договорился с ним встретиться завтра утром в Саннидейле. Разговаривал он осторожно, нервно и, как мне показалось, довольно уклончиво. Заверил, что сорок тысяч по-прежнему ждут, ему не терпится все услышать, но я испытал беспокойное ощущение какой-то перемены.

Я вышел, уселся под тентом, чувствуя, что совсем выдохся. Наконец, признал себя виноватым перед Мэри Смит. Можно назвать это искусным защитным маневром. Гэри Санто натравил ее на меня. Возможно, паролем служило слово «бифштекс». Он меня оценил и увидел возможность выкачать с ее помощью дополнительную полезную информацию. Поэтому я заморочил ей голову и натравил на нее Героя.

Впрочем, в конце концов, она свое дело знала. Невинности, легковерности и ранимости в ней нисколько не больше, чем в английских девчушках, блиставших в деле Профьюмо[1]. Она вполне могла раскусить Героя секунд за сорок и дать ему от ворот поворот, ибо тут безусловно не может идти речь ни о какой служебной обязанности.

Однако хотелось бы не так крепко помнить об одном небольшом замечании насчет Героя. Выглядел он как весьма воспитанный, медлительный и любезный киноактер, звезда сотен вестернов, обладал шармом, вызывавшим у женщины восхищение, желание защитить, приголубить, пока он не заманивал ее к себе в берлогу, не отправлялся к ней или в любое ближайшее гнездышко, которое ему удавалось на время выклянчить или снять. А уж там без устали устраивал такую вакханалию, что вполне заслужи-

---

[1] Д е л о П р о ф ь ю м о — политический скандал, разразившийся в 1963 году в Великобритании в связи с уличением военного министра Дж. Профьюмо в связях с проститутками и обмане палаты общин.

вал помещения в разнообразные исправительные заведения. Он курсировал по увеселительным местам и выхватывал из веселых компаний жертву искусно, легко, с маниакальной целеустремленностью. Засевшее у меня в памяти замечание было сделано утомленным мужчиной, который в один жаркий воскресный день поднялся на борт судна Мейера и посетовал:

— Так давно знаю Героя, что мне, клянусь Богом, должно было хватить ума не позволять ему приводить вчера вечером на мой кеч женщину. Но Майра с детьми навещает родню, передняя каюта пустует, я немножечко обанкротился и сказал: ладно. Привел он, ни много ни мало, какую-то молодую школьную учительницу, которую подцепил прямо на корабле «Янки Клиппер» в большой компании педагогов, устроивших вечеринку перед пятидневным круизом на острова Эверглейдс. Судно отправилось нынче утром, только она, клянусь Богом, в круиз не поехала. Такая смешливая, все хихикает, смахивает на мышку, старается обойтись без очков, а фигура и правда хорошая, особенно спереди. Он предложил показать ей построенный на Багамах кеч, поскольку она отправляется на Багамы. Я оставил их на борту часов в девять или в десять, вернулся в полночь или чуть позже, надеясь, что они уйдут. Клянусь Богом, друзья, мне смертельно хотелось спать. Вроде бы все успокоилось, только я задремал, как опять началось. Рев, визг, грохот, как будто совсем рядом, а время от времени кажется, точно кто-то выколачивает ковры хлопушкой. Когда-нибудь Герой доведет кого-нибудь до сердечного приступа, и его пассия просто не выдержит. Вчера вечером мне бы следовало быть поумнее. Не возражаете, Мейер, если я спущусь вниз и немножко посплю?

Впрочем, может быть, думал я, Герой вообще не заходил к Тигру. Может быть, Мэри вообще не приезжала и не пыталась меня отыскать, а если приезжала, может быть, Мейер не встретился с ней. Или маленькая Хулиганка решила, что Мэри заслуживает лучшей доли.

От дома медленно шла Джанин в белых джинсах, глубоко засунув руки в карманы взятого взаймы серого кардигана. Меня не заметила, я окликнул ее, она свернула и подошла.

— Хорошо поспала?

— Я мало сплю. — Присела на цементный блок, дотянулась до хворостинки, принялась заостренным концом чертить на земле линии. Взглянула на меня, наклонив голову и щурясь на яркое небо, и сказала: — Трев, я все думаю об одной вещи. Она постоянно меня беспокоит. Пытаюсь представить, что могло произойти, но, кажется, не получается ничего разумного. Это довольно странно.

— Что именно?

— Как Таш оказался там? Машина была у меня. Он собирался приехать в Саннидейл на автобусе и позвонить, чтобы я за ним заехала. Может, кто-то его подвез?

— Я об этом никогда не думал.

— Тогда тот, кто подвез, может сказать, во сколько он туда добрался. В котором часу... его нашли?

— Помощник шерифа нашел его приблизительно в девять. По оценке медицинского эксперта, с момента смерти к этому времени прошло от часа до четырех.

— Значит, между половиной шестого и половиной девятого. В это время кто-то... его убил. Но он был очень сильный, Трев. Ты же знаешь, какой он был сильный. Он так просто не лег бы, позволив кому-то... Его уже мертвым туда положили. Может, тот, кто подвез, видел кого-то поблизости.

— Мы дойдем до этого, Джан. Поверь, сделаем все возможное, чтоб выяснить. Но сначала нам надо проделать спасательную операцию для тебя.

Она скривила губы, опустила глаза, нарисовала символ доллара. Протянув ногу, медленно стерла.

— Деньги... Знаешь, они дьявольски много значат. Надо все больше и больше, из-за этого начинаешь набрасываться друг на друга, страшно боясь потерять все, с чего мы начинали. А теперь они не имеют никакого значения. Совсем никакого.

— С тремя детьми, которых надо растить? Обувь, дантисты, школы, подарки...

— Ох, наверно, мне следует думать об этом. Только сейчас я еще... в пустоте. Ты уверен, что все устроишь, и в конце концов я получу чистыми тридцать тысяч, даже, кажется, абсолютно уверен в возможности добыть гораздо больше из какой-то ерунды с акциями, в которой я вообще ничего не понимаю. Я должна выражать благодарность, радость, удовлетворение и так далее.

— Только не передо мной. И не перед Мейером.

— Все для меня что-то делают. Но ведь я убежала. И все это знают. Я гадкая. Я себя ненавижу. Трев, я привыкла себя любить.

Я слез с настила, взял ее за руку, поднял.

— Пойдем, прогуляемся.

По дороге прочитал мрачную проповедь о том, что несоответствие требованиям к себе — основное условие человеческого существования. Она слушала, но не знаю, поверила ли. Я сам изо всех сил старался поверить собственной жестокой легенде, потому что все время думал о больших-пребольших изумрудных глазах, о нежном провокационном покусывании впадинок между костяшками пальцев моей глупой правой руки.

Глава 12

В понедельник я в девять утра приехал в Саннидейл, поставил машину на банковской стоянке и пошел к отелю «Шавана-Ривер», где договорился встретиться с Ла Франсом в кофейном баре.

Когда я вошел в вестибюль, с обеих сторон с неторопливым профессионализмом двинулись двое мужчин в зеленой форме из саржи, заняв позицию между мной и двойной стеклянной дверью. Один из них, лет шестидесяти, ростом со скамеечку для ног, встал передо мной, расставив ноги, и сказал:

— Ну-ка, повежливей и потише. Просто положи обе руки на голову. Ладно-ладно, ты важная шишка. Фредди!

Другой подошел сзади, обшарил меня, похлопав по всем соответствующим местам и карманам. Я узнал голос шерифа, с которым разговаривал по телефону. На нем была сбитая на затылок шляпа, приличествующая бизнесмену, из-под нее торчали прямые седые волосы на манер Уилла Роджерса[1]. Под распахнутым пиджаком виднелась портупея с совсем крошечным пистолетом, крошечным, как игрушка, но, конечно, ни в коем случае не игрушечным.

Документы, бумажник, ключи были переданы шерифу Банни Баргуну. Я по голосу представлял его пузатым, со свиным

---

[1] Р о д ж е р с Уилл (1879—1935) — писатель-юморист, артист цирка, эстрады, кино, начинавший карьеру ковбоем.

рылом. Он открыл бумажник, перебрал отделения, остановился на водительских правах и начал их изучать.

— Тебя зовут Тревис Макги? Можешь опустить руки, парень.

— Зовут меня именно так.

— Ну, пойдем ко мне в офис, немножко поговорим.

— Можно спросить, в чем дело?

— Должен предупредить, что вы не обязаны отвечать на любые вопросы, мои или кого-либо из моих сотрудников, в отсутствие любого адвоката по вашему выбору, имеете право потребовать от суда выделить адвоката, который в данном случае будет представлять ваши интересы, и что все вами сказанное в ходе дознания, независимо от присутствия упомянутого законного представителя, может считаться свидетельством против вас.

Он выпалил это одним духом, как судебный секретарь, приводящий к присяге свидетеля.

— В чем меня обвиняют?

— Пока ни в чем, парень. Тебя ведут на дознание в связи с совершенным в округе преступлением.

— Если меня ведут, шериф, значит, я арестован, не так ли?

— Разве ты не идешь охотно и добровольно, как порядочный гражданин, обязанный помогать представителям закона, находящимся при исполнении служебного долга?

— Ну, конечно, шериф! Охотно и добровольно, причем не в зарешеченной задней части седана окружной полиции, а с ключами, с бумажником и документами в карманах. Иначе это арест. В таком случае мой личный адвокат — судья Руфус Веллингтон, так что лучше бы вам ему звякнуть и вызвать сюда.

— Ты в газете про него читал, парень?

— Можете, не беспокоя судью, спросить Уитта Сандерса, действительно ли он представляет мои интересы.

Я искал в его взгляде признаки нерешительности и нашел. Он явно не предвидел какой-либо моей связи с местными силовыми структурами. Подозвал двух помощников и, не сводя с меня глаз, пробормотал что-то на ухо полисмену помоложе. Тот ушел. Баргун предложил мне пройти и присесть на диван в вестибюле. Через пять минут полисмен вернулся, шериф шагнул ему навстречу, тихо поговорил, потом направился ко мне, вернул имущество. И под утренним солнцем мы двинулись к зданию администрации округа Шавана в сопровождении державшегося в десяти шагах позади помощника, вошли в боковой подъезд с табличкой «Шериф округа».

Пока шериф вел меня в кабинет, я чувствовал на редкость живой интерес конторского персонала и клерка в приемной. Жалюзи были почти закрыты. Он включил верхний свет и лампу на столе. Посадил меня на простой стул с прямой спинкой лицом к столу, футах в шести, заглянул в свой блокнот, отодвинул его, опустился в большое черное кресло. Вошел тучный мужчина в форме, вздохнул и уселся на стул у стены:

— Вилли все принесет, шериф.

Баргун кивнул. Воцарилось молчание. Я посмотрел на висевшие на стене в рамках приветственные адреса, фотографии Баргуна вместе с разными примечательными политическими деятелями, бывшими и настоящими. Некоторые ящики архивных шкафов были частично открыты. Содержимое выглядело неаккуратно, какие-то документы торчали из папок.

— Договорился с Гарри? — спросил Баргун мужчину, сидевшего у стены.

— Он просит больше семи тысяч. А крыша должна была прослужить двадцать лет. Я и говорю Кэти: на семь тысяч можно накупить кучу букетов и расставить там, где течет.

— Гарри неплохо работает.

— Лучше бы я обратился к нему, когда строился.

Баргун взглянул на меня:

— Решили насчет адвоката, мистер?

— Полагаю, шериф, было бы легче принять решение, будь у меня больше сведений о том, что, как вы считаете, я натворил. Может быть, нам удастся все выяснить, никого больше не беспокоя.

— Может быть. А может, и нет.

— Когда и где совершено преступление, о котором идет речь? Возможно, от этого я смогу оттолкнуться.

— Совершено оно, мистер, утром семнадцатого декабря, на пристани на Шавана-Ривер, примерно в одиннадцати милях к востоку отсюда.

— В воскресное утро?

— Точно так.

— Попытаетесь превратить это в громкое дело, шериф?

— Убийство первой степени.

Я без труда вспомнил то утро. Пусс, Барни Бейкер, Мик Косин, Мейер, Мэрили, собственно, гораздо больше народу, чем нам требовалось и хотелось видеть на борту, десятки способов оживить их воспоминания об этом дне.

— Еще только один вопрос — и я смогу дать ответ. Считаюсь ли я причастным каким-либо образом или вы хотите сказать, что я был там в то время?

— Там, в то время, и совершили насильственные действия, повлекшие за собой смерть некоего Брэнтли Б. Бэннона.

— Тогда, думаю, я не нуждаюсь в юристе для прояснения положения дел.

Похоже, шериф опешил и раздраженно буркнул:

— Том, куда к чертям подевался этот проклятый Вилли?

— Я здесь, шериф, здесь, — откликнулся худой молодой человек, вошедший с магнитофоном. Он поставил его на край стола, опустился на колени, воткнул в розетку. — Шериф, просто нажмите...

— Знаю, знаю! Возвращайся к работе и закрой дверь. — Когда дверь закрылась, Баргун объявил: — Мы брали показания с судебным репортером, одновременно записывали, да все не было времени перепечатать. Вы должны это слышать, потому что у нас сейчас новый чертов закон о полной осведомленности, а защита в любом случае получит заверенную копию после перепечатки, и государственный прокурор сказал, все в порядке, я правильно поступаю. Послушаете, потом ответите на вопросы и сделаете заявление, потом мы вас задержим, а дело будет передано на особое заседание Большого жюри присяжных для вынесения обвинения, так что как следует приготовьтесь.

Он нажал на клавишу, откинулся в кресле, закрыл глаза, переплел пальцы. Из магнитофона неслось сильное шипение, но вопросы и ответы были слышны вполне отчетливо.

Я узнал ровный, безжизненный призрачный голосок маленькой девочки еще до того, как она назвала свое имя, — миссис Роджер Денн, Арлин Денн, проживающая с супругом в коттеджах Бэньян, в коттедже номер 12, с десятого декабря; двадцать два года; ведет самостоятельную трудовую деятельность, равно как и ее муж, изготавливая и продавая в сувенирные магазины произведения искусства. До этого времени они жили на борту пришвартованного у лодочной станции

Бэннона плавучего дома, который снимали у Бэннона; прожили там восемь месяцев.

«— При каких обстоятельствах вы переехали?

— Ну, пришли и забрали плавучий дом. Явились его хозяева и увели, не знаю куда. Это было... в начале декабря. Точно не помню, какого числа.

— Дальше?

— Мы перенесли свои вещи в два номера мотеля на время, пока что-нибудь не найдем, так как мистер Бэннон сказал, что он, кажется, все потеряет. Поехали смотреть, нашли место в Бэньяне, и десятого переехали. Ездили туда-сюда в фургоне, перевозили вещи».

Слушая сквозь шипение записанный голос, я ее ясно видел — бледную, вялую, сдобную, с грязными светлыми волосами, с открытым ртом, с бессмысленными голубыми глазами.

«— При каких обстоятельствах вы в последний раз были в мотеле Бэннона?

— У нас серебряная проволока пропала. Мы ею пользуемся для изготовления ювелирных изделий. В субботу... это было... шестнадцатого... везде искали, а она просто исчезла. Мы знали, что там все уже конфисковано, но у нас еще оставался ключ от одного номера — Роджер в последнюю поездку забыл отдать. Я все думала, может быть, вышло так: куча вещей была свалена на кроватях, проволока как-то выскользнула, зацепилась за спинку. Ведь в последний приезд я везде ползала и смотрела, не осталось ли что-нибудь на полу. Роджер твердил, забудь, трудно попасть в опечатанное властями место, может, и замки сменили. А проволока стоит двадцать долларов, в катушке осталось долларов на семнадцать. Не такие хорошие у нас дела, чтобы просто выбросить семнадцать долларов. Ну, мы вроде как поскандалили на этот счет, я сказала, поеду, а он как хочет. Ну и выехала на рассвете на следующий день, в воскресенье. Подъехала медленно, проверила, нет ли кого, никого не заметила, поднялась вверх по дороге, поставила фургон в какой-то чащобе, где раньше была открытая дорога. Загнала его задом, знаете, вроде как спрятала, и пошла с ключом, в полной уверенности, что вокруг никого нет. Попробовала — ключ подошел, вошла, начала искать проволоку.

— Что случилось потом?

— По-моему, минут десять—пятнадцать искала. Потом... точно не знаю во сколько... может, где-нибудь между семью и половиной восьмого, слышу подъехавшую машину. Пригнулась, чтоб никто, заглянув, не увидел меня. Одно окно было открыто на три-четыре дюйма. Слышу, приехал автомобиль, остановился. Хлопнула дверца, донеслись мужские голоса.

— Вы слышали разговор?

— Нет, сэр. Возле машины говорили громко, а потом все тише, когда они пошли к пристани. Слов не слышала, только мне показалось, они жутко друг на друга злились, чуть не кричали. По-моему, одно слово было «Джан». Так зовут миссис Бэннон. Джанин. Точно сказать не могу.

— Дальше?

— Я не знала, что делать. Боялась выйти. Попробовала выглянуть в окно, посмотреть, куда они пошли, нельзя ли незаметно выскочить.

— Вы видели машину?

— Нет, сэр. Но точно услышала бы, если б она завелась.

— Что потом?

— Кто-то очень громко закричал, далеко где-то, и я поняла, они по-настоящему злятся. Показалось, будто это мистер Бэннон. Потом стало тихо. Я выглянула в заднее окно, которое выходит на пристань, увидела мужчину, который тащил по земле мистера Бэннона. Подхватил мистера Бэннона под колени, тянул вперед, сильно дергал и дергал. Я упала на колени, одним глазом подглядывала в уголок окна. Он тащил его прямо к той старой лебедке, потом начал переворачивать и заталкивать под мотор. Мистер Бэннон не шевелился, точно был без сознания или мертвый. Мужчина поднялся, посмотрел на него, огляделся вокруг. Я пригнулась, а когда набралась смелости снова взглянуть, он опять шел к лебедке от пристани, нес что-то маленькое, вроде проволоки, и еще что-то. Смотрю — встал на колени, что-то сделал с мистером Бэнноном — не разглядела что — и еще что-то сделал с лебедкой. Потом стал крутить ручку, и груз очень медленно пошел вверх. Я слышала скрип. Потом встал поближе, нагнулся, еще что-то сделал, и... мотор упал на мистера Бэннона. Когда падал, раздался треск, а проволока хлестнула о штанги и зазвенела.

— А потом?

— Он приподнял мотор, поближе посмотрел на мистера Бэннона, поднял до конца и опять уронил. А когда снова поднял, мистер Бэннон казался... каким-то плоским. Он не стал поднимать мотор до конца. Сбросил прямо оттуда, оставил, что-то поднял с земли, потом вроде бы передумал и бросил, потом опять подобрал, вытер об какую-то тряпку и опять бросил. Потом почти побежал. А потом я услышала, как одна дверца хлопнула и завелась машина. Сидела, пока он не уехал.

— Куда он поехал?

— Обратно той же дорогой, к Саннидейлу.

— Вы рассмотрели этого мужчину?

— Да, сэр, рассмотрела.

— Вы когда-нибудь раньше его видели?

— Да, сэр.

— Вы узнали бы его, если бы снова увидели?

— Да, сэр.

— Вы знаете его имя?

— Да, сэр.

— Как его зовут?

— Его зовут мистер Макги.

— При каких обстоятельствах вы впервые увидели мистера Макги?

— До этого я его видела всего два раза, оба раза в один и тот же день. Это было в октябре. Точно не знаю, какого числа. Они были друзьями, он приехал к ним в гости в красивой лодке. Повез их в тот вечер обедать в Броуард-Бич, а я сидела с маленькими мальчиками. Видела его, когда пришла, а потом снова, когда они вернулись.

— Они держались дружелюбно, Макги и супруги Бэннон?

— Да... вроде бы.

— Почему вы колеблетесь?

— Мне показалось, что он приезжал повидать миссис Бэннон.

— Почему показалось?

— Ну, по правде сказать, я в тот день видела его три раза. Было очень жарко. Мистер Бэннон и мистер Макги чинили машину мистера Бэннона. Потом мистер Бэннон поехал забрать из школы мальчиков. Я увидела, как миссис Бэннон понесла в номер мотеля кувшин чаю со льдом. Я хотела попросить ее привезти кое-что мне из города, чтобы сэкономить поездку. Мне это для работы понадобилось, и я пошла за ней, думая, что она сейчас выйдет. Она все не выходила, и я вроде как заглянула в окошко. Я тогда не знала, как его зовут, только потом узнала. Только увидела, как мистер Макги и миссис Бэннон лежали на кровати и целовались.

— Вы заметили в тот октябрьский день еще что-нибудь, показавшееся странным или необычным?

— Нет, сэр. Больше ничего, сэр.

— Что вы делали после отъезда Макги?

— Ну, думаю, лучше немножечко обожду, вдруг он что-то забыл и вернется. Еще раз поискала проволоку и нашла. Ушла, проверила, закрылась ли дверь, а потом бежала всю дорогу к нашей машине. Когда села в фургон, выбросила в кусты ключ от номера.

— Зачем вы это сделали?

— Наверно, очень уж испугалась. Не хотела, чтоб кто-то узнал, что я была в мотеле.

— Я покажу вам ключ от номера мотеля. Это тот самый ключ, который вы выбросили?

— По-моему, да. Да, сэр. Он самый.

— Вы рассказали все это мужу?

— Нет, сэр. Я ему ничего не рассказывала.

— Почему?

— Потому что он мне не велел туда ездить, и, хоть я нашла серебряную проволоку, все равно он был прав. Лучше бы мне не ездить туда в то воскресное утро.

— Можете объяснить, почему вы в конце концов решили дать показания, миссис Денн?

— Я думала, мистера Макги поймают. А его не поймали. Я все переживала и переживала по этому поводу и как-то ночью рассказала мужу, а он велел пойти и увидеться с вами. Я упрашивала не заставлять меня, а он сказал, я должна. Поэтому я здесь».

Шериф Баргун выключил запись.

— Это еще не все, но дальше практически то же самое. Больше ничего нового. Это живой очевидец, свидетель, которому нечего ни выигрывать, ни терять, парень. Мы возили ее на место, и она показала окно, откуда действительно все хорошо видно.

Он снова разжаловал меня в «парня», убежденный своим свидетелем.

— Думаю, она видела почти именно то, что рассказывает, шериф.

— Хочешь сменить решение насчет адвоката?

— Мотив, возможность, орудие и свидетель. Вам не кажется, будто все чересчур хорошо совпадает?

— Порой кое-кому чертовски не везет.

— До чего справедливо. Только мне интересно, кому именно.

— Может, немножечко разъяснишь?

— Хорошо. Вот на что рассчитывал невезучий, кем бы он ни был. Он рассчитывал на вероятность или возможность моего появления в то время в том месте и на отсутствие у меня возможности доказать обратное.

— Тут нужны очень хорошие доказательства.

— Я могу доказать, что в девять утра в то воскресенье был на борту своей яхты под названием «Лопнувший флеш», где живу постоянно. Слип Ф-18, Байя-Мар, Форт-Лодердейл. На оставшейся части пленки имеется подтверждение ее догадок о времени моего отъезда после предположительно совершенного преступления?

— Приблизительно восемь тридцать, плюс-минус пятнадцать минут, — сказал он. — Только давайте выясним, как вы это докажете и почему так хорошо помните.

— Потому что на следующее утро приехал к Бэннону и узнал о его смерти. Узнал, что он прошлым утром умер. Почему-то запоминаешь, что делал в то время, когда умер твой друг.

— И что же вы делали?

— Вращался в обществе, шериф Баргун. Был гостеприимным хозяином прямо на глазах у всех и каждого. Полагаю, могу вам назвать имена, как минимум, двадцати человек, которые меня видели и беседовали со мной в то утро между девятью и десятью. Есть среди них абсолютно ненадежные. Я не подбираю гостей по социальному положению или кредитоспособности и не прошу вас, равно как любого другого, им верить, даже если они присягнут на каждой имеющейся в округе Шавана Библии. Но есть и полдюжины вполне заслуживающих доверия. Можете записать имена, адреса, выбрать пару из списка и расспросить их по телефону прямо сейчас, каким угодно способом. Применяйте любые уловки, расставьте любые ловушки, какие вздумается.

— Что значат ваши слова, «она видела почти именно то, что рассказывает», мистер?

— Она видела все, кроме меня. Видела, как кто-то это сделал, таким образом опровергая вашу теорию насчет выигрышей и потерь.

— О чем это вы?

— Кто-то ее очень здорово подготовил, шериф. Я даже был готов согласиться, что она искренне приняла за меня того, кого видела. Однако, пассаж с холодным чаем — небольшой перебор.

— Этого не было?

— Я изжарился и вспотел, помогая Ташу чинить рессору его машины. Принял душ в номере мотеля, который они мне предоставили. Как раз заканчивал одеваться, когда Джан принесла кувшин с чаем и два стакана. Мы говорили об их проблемах. Возможно, толстушка девушка даже заглядывала в окно. Но никакой постели и никаких поцелуев. Ничего подобного между нами не было. Даже мысли подобной не возникало с обеих сторон. Вышло так, что я в данный момент владею участком и предприятием Бэннона. Я купил его у Джан Бэннон, шериф. Зачем это мне понадобилось бы, черт возьми?

— Это вы его купили?

— Я приехал сегодня сюда, чтобы продать его Прессу Ла Франсу.

Баргун сильно призадумался:

— Ему, безусловно, чересчур сильно этого хочется. Пытается собрать участки для перепродажи. У него есть там клочок, Том?

— Пятьдесят акров прямо позади.

Баргун кивнул.

— Может быть, сможет толкнуть, если получит прибрежный кусок.

Том почесал белоснежную, стриженную ежиком шевелюру, кашлянул и заметил:

— Банни, я бы не назвал жену Бэннона женщиной такого сорта. Нам ведь пришлось явиться туда, выгонять ее с ребятишками, все кругом опечатывать. Я терпеть не могу это дело. Стараемся облегчить его, сколько можем, да только нету никакого надежного способа его облегчить. Она была страшно расстроена, можешь поверить.

Шериф спросил и записал имена моих свидетелей.

Я еще кое-что вспомнил. Почему меня ждали в отеле? Нет ли тут какой-нибудь связи с уклончивостью Ла Франса во время нашего телефонного разговора?

— Кто вам сказал, что я буду в отеле, шериф?

— Вроде бы Фредди дознался, а, Том? — уточнил Баргун, получил кивок Тома и продолжал: — Ведь, по вашим словам, вы приехали повидаться с Ла Франсом. Вот вам и объяснение. Фредди Хаззард — племянник Ла Франса, старший сын его сестры. Самый молодой мой помощник, мистер. Да вы его в отеле видели, такой долговязый.

— Сын одного из администраторов округа?

— Точно, парнишка Монаха. Только я его не поэтому взял. Фредди закончил службу в военной полиции с хорошими рекомендациями и здесь зарабатывает свое жалованье.

— Кажется, говорили, что тело нашел некий Фредди?

— Точно. Во время обычного патрульного обхода, в девять тридцать. Понимаете, жена Бэннона оставила мне для него записку, а я не знал, каким образом Бэннон вернется к себе, в лодке или еще на чем-нибудь. Он, по ее словам, собирался приехать в пятницу или в субботу, так что я велел ребятам посматривать. — Шериф пристально посмотрел на меня. — Вы на что-то намекаете?

— Не знаю, шериф. Но обязательно выясню. Ведь у вас тоже есть подозрения, только даже себе признаваться не хочется, очень уж славное, чистое, простое дельце.

Он хлопнул ладонью по крышке стола:

— Если это не вы, а какой-то другой чертов дурак, зачем сваливать дело на вас? Ясно ведь, что у вас может случайно найтись оправдание. Почему не дали описание, по которому мы никогда никого не нашли бы?

— Допустим, некто услыхал из вторых рук о моей теории, согласно которой кто-то слишком постарался, обрабатывая Таша Бэннона, убил его, а потом сбросил груз, заметая следы, намотал проволоку ему на руку, имитируя самоубийство?

— Если бы вы доказали, мистер, что когда-нибудь говорили об этом кому-то, это было бы полезней записанных мною фамилий.

— Я рассказывал одному субъекту о следующей возможности: кому-то сильно захотелось оказать услугу ему и Монаху Хаззарду, заставив Бэннона поскорее убраться. Потому что субъект, которому я об этом рассказывал, очень старался заполучить его землю.

— Ла Франс? — почти прошептал Баргун. — Том, как по-твоему, не надо ли ему явиться для небольшой беседы?

— Разрешите мне высказать предположение, шериф, — попросил я.

— Хотите сказать, у вас есть еще способ усложнить дело?

— Не следует ли признать самым слабым местом толстушку? Она лжет и знает, кто заставил ее лгать. Не стоит ли вызвать ее для положительной идентификации?

— Вы когда-нибудь занимались такими делами?

— Только косвенно.

— У вас были приводы, мистер?

— Четыре ареста. Ни одного обвинения, шериф. До суда никогда ни одно дело не доходило.

— Ну а за что ж вас тогда арестовывали?

— Физическое насилие, оказавшееся самозащитой. Проникновение со взломом, на которое, как выяснилось, я имел разрешение хозяина дома. Сговор, однако истец решил снять обвинение. Пиратство в открытом море — дело прекращено за отсутствием доказательств.

— Я смотрю, вы не топчетесь по одной проторенной дорожке. Том, пошли кого-нибудь за этой Арлин Денн.

Том вышел, и я спросил у шерифа:

— Когда она сделала заявление?

— В субботу... начиная примерно с одиннадцати утра.

— Вы пытались найти меня в Лодердейле?

— Конечно.

— И помощник шерифа Хаззард вчера ближе к вечеру выяснил, что я нынче утром должен появиться в отеле?

— Он узнал поздно вечером, позвонил мне домой.

— У него были какие-нибудь возражения против избранного вами способа моего задержания?

— Ну... сказал, может, лучше поставить его где-нибудь — скажем, на крыше заправки, — с карабином, для верной гарантии... Вдруг вы что-то почуете и решите вообще не ходить в отель... — Он встряхнул головой. — Фредди хороший мальчик. Не может он сделать того, на что вы пытаетесь мне намекнуть.

— Я ни на что вам не намекаю.

Том привел ее через двадцать минут. Она резко остановилась в дверях, бросила на меня один-единственный взгляд стеклянно-голубых глаз и отвела его. Поверх мешковатых джинсов на ней болталась мужская рубашка, вся в пятнах, под которой явно ничего больше не было.

— Пересядьте рядом с Томом, пусть она сядет на ваш стул, — обратился ко мне шериф. Она села, уставилась на Баргуна с апатичной до тупости физиономией.

— Что ж, Арли, — начал Баргун, — мы славно позавчера побеседовали, ты очень нам помогла, мы это ценим. Ну, не нервничай. Ты должна сделать еще кое-что. Знаешь вон того мужчину, сидящего рядом с Томом?

— ...Да, сэр.

— Как его зовут, Арли?

— Это тот, о котором я вам говорила. Мистер Макги.

— Ну-ка, оглянись, посмотри на него, убедись и, если убедишься, что этот самый человек сбросил мотор на мистера Бэннона, покажи на него пальцем и скажи: «Это тот самый мужчина».

Она повернулась, взглянула на стену примерно в футе над моей головой, ткнула в меня пальцем и проговорила:

— Это тот самый мужчина.

— Ты его хорошо рассмотрела утром семнадцатого декабря? Никак не можешь ошибиться?

— Нет, сэр.

— Ну, не надо нервничать. Ты отлично справляешься. У нас есть другая маленькая проблема, и ты можешь помочь. Оказалось, что мистер Макги в то самое утро, в то самое время, когда ты, по твоим словам, его видела, был в Форт-Лодердейле, на корабле с очень важными людьми. Федеральный судья, сенатор штата, знаменитый хирург — все они говорят, что в то самое время он был именно там. Ну, Арли, как нам, скажи на милость, со всем этим быть?

Она не сводила с него глаз, разинув рот.

— Арли, если все эти важные люди врут и одна ты говоришь правду, помоги тебе Бог!

— Что видела, то видела.

— Кто велел тебе врать, Арли?

— Я рассказала, что видела.

— Ну-ка, Арли, припомни, что я уже говорил: у тебя есть право на адвоката и так далее.

— Ну и что?

— Повторю еще раз, девочка. Ты не обязана отвечать ни на какие вопросы. По-моему, мне тебя следует задержать и посадить под арест.

Она пожала пухлыми плечами:

— Делайте, что хотите.

Маленький Баргун взглянул на Тома и опять посмотрел на толстушку:

— Девушка, ты, должно быть, не понимаешь, на какие неприятности нарываешься. Пойми, я знаю, что ты врешь.

Том в ответ на сигнал пришел на помощь:

— Банни, ради Господа Бога, зачем ты миндальничаешь с этой глупой жирной шлюхой? Давай я отведу ее в тюрьму и передам мисс Мэри. Просидит там денька три-четыре, пускай мисс Мэри порадуется, обучая ее хорошим манерам. Доставят обратно, будет как шелковая.

Арлин Денн оглянулась на Тома. Прикусила губу, сглотнула, опять уставилась на Баргуна, и тот заключил:

— Ну, раз так, значит, так, Том. Только ведь дело не ограничится полутора месяцами или пятью днями в окружной женской тюрьме. Закон штата Флорида говорит, что ложное свидетельство в важном деле или сокрытие свидетельств в важном деле заслуживают максимального наказания в виде пожизненного заключения.

Она окостенела настолько, насколько позволяло ее пухлое сложение, выпрямилась и сказала:

— Вы, должно быть, шутите, шериф.

— Ты умеешь читать, девушка?

— Конечно умею!

Он вытащил из ящика стола пухлый том, лизнул палец, нашел нужную страницу, протянул ей:

— Второй абзац снизу. Краткое описание противозаконных действий. Это изучают все новые полицейские и сдают экзамен.

Она прочла, вернула книгу, взглянула на меня. Бессмысленная тупость исчезла. Я понял — это маска, которую она носила в окружающем ее мире.

— Не говорю, будто я изменю показания, шериф, но допустим, что сделаю это. Что тогда со мной будет?

— А новые показания будут чистой правдой, Арли?

— Скажем так.

— Ты вообще что-нибудь видела?

— Допустим, видела не мистера Макги, а кого-то другого. Допустим, когда заглянула в окно, мистер Макги с миссис Бэннон просто разговаривали.

— Как думаешь, Том? — осведомился Баргун.

— По-моему, ей придется месяц заниматься стиркой у мисс Мэри.

— Возможно. А может, и нет. Я бы сказал, в зависимости от того, зачем она выдумала свое вранье.

— Вы меня все равно посадите больше чем на месяц? — уточнила Арли.

— Только если окажется, что ты опять врешь. Мы намерены всесторонне проверить новые показания, девушка.

— Ладно, тогда вот как было на самом деле...

Шериф велел ей минуточку обождать. Попросил Вилли по интеркому принести новую пленку, известил, что Денн меняет показания, так что не надо перепечатывать старые. Послышался стон Вилли. Он явился с новой пленкой, вытащил из магнитофона старую, перемотал на запись.

— В основном то же самое, что я уже говорила, — начала Арлин. — Изменю только некоторые детали. Я имею в виду, ведь не стоит опять вести весь допрос целиком, правда?

— Тогда сохрани пленку, Вилли, — приказал Банни Баргун, — и закрой за собой дверь. — Он включил магнитофон, назвал время, место и личность свидетеля. — Итак, мисс Денн, вы заявили о своем желании внести частичные изменения в предыдущее заявление.

— Только два... нет, три.

— Первое?

— Я не слышала, чтобы кто-то сказал что-то похожее на «Джан». Те двое мужчин сильно злились друг на друга, но я не слышала ничего похожего на это слово.

— Второе?

— Ну... я видела не мистера Макги. Мужчина, которого я видела, сделал все, о чем я говорила в прежних показаниях. Только это был помощник шерифа Фредди Хаззард.

— Ох ты, черт побери! — не выдержал Том.

— Тише, — шикнул Банни. — А третье?

— Когда я в октябре заглянула в окно, они просто разговаривали. Пили чай. Вот и все.

— Ну-ка, минуточку обожди, девушка. Том, пойди скажи Уоксру с Энглертом, пусть возьмут Фредди, приведут сюда, и... Проклятье, скажи, чтоб забрали у него оружие, отвели в комнату для допросов и держали до моего прихода. Когда он заступает на службу, Том?

— По-моему, сегодня с восьми до восьми. Да ведь ты знаешь Фредди.

— Шериф, — сказала девушка после ухода Тома, — вы меня не обманываете, правда? Насчет наказания за рассказ о том, чего не было?

— Никогда в жизни я не был правдивее, миссис Денн.

— Зачем вы меня подставили? — спросил я.

Она окинула меня пустым голубым абсолютно равнодушным взглядом:

— Для меня все нормальные на одно лицо.

Вернулся расстроенный Том:

— Черт возьми, Банни, когда ты сообщал Вилли об изменении девушкой показаний, Фредди оказался там, просматривал список разыскиваемых. Сразу ушел и исчез. В форме, в машине номер три. Терри пытается с ним связаться по рации, да он не отвечает. Сообщить всем постам?

Баргун прикрыл глаза, барабаня по столу пальцами:

— Нет. Если он убежал, есть восемьдесят пять окольных путей, чтобы выбраться из округа, и ему все известны. Посмотрим, что он сделает.

Он устало протянул руку, опять включил запись.

— Кто заставил вас лгать насчет увиденного в то воскресное утро, Арли?

— Помощник шерифа Хаззард.

— Как он принудил вас к этому?

— Обещал не привлекать за хранение и еще за другое, за что, по его словам, мог привлечь.

— За хранение? Вы имеете в виду наркотики?

— Это вы их так называете, полицейские. А у нас была только кислота[1] и травка. На вас выпивка гораздо хуже действует.

— Арли, вы с мужем наркоманы?

— Что это значит? Мы вступили в одну группу в Джэксонвилле. Время от времени ездим туда. Порой тут воспаряем, но это дело групповое. Да вам не понять, шериф. Это все между нами. Мы нормальных не привлекаем, почему нас не оставят в покое?

— Почему помощник шерифа Хаззард выбрал в свидетели вас?

— Просто случайно. В прошлый четверг вечером кто-то из Бэньяна пожаловался. Это, наверно, где-то должно быть зарегистрировано у вас. Я даже не знала имени Хаззарда. Но приехал именно он. Днем из Джэкса в старом грузовике прибыли пятеро ребят, среди них три девчонки, из тамошней группы «цветочков»[2]. Они получили с побережья новые ампулы кислоты, после которой никогда не бывает худо, и отключаешься всего на час. У нас была почти унция мексиканской марихуаны, и мы просто начали воспарять в коттедже, передавая по кругу, и все. Вечером, не знаю во сколько. Может быть, музыка слишком громко играла. Индийская пластинка. Из Восточной Индии, там мелодия все повторяется и повторяется. А может, из-за стробоскопов[3]. У нас был один, да они привезли два, каждый настроили на разную частоту, чтобы ритм постоянно менялся. Ну, наверно, вы понимаете, что было, когда ворвался Хаззард. Мы расстелили на полу матрасы и одеяла, а одну девчушку, совсем маленькую, я всю разрисовала изображениями глаз.

— Изображениями чего? — переспросил шериф.

— Глаз, — нетерпеливо повторила она. — Глаз с ресницами. Разных цветов. А на одной паре, на парне с девчонкой, было

---

[1] Имеется в виду ЛСД — диэтиламид лизергиновой кислоты.

[2] «Ц в е т а м и» называли себя хиппи; другое название этого движения «Власть Цветов».

[3] С т р о б о с к о п — прибор с импульсным источником света и регулируемой частотой вспышек.

только чуть-чуть колокольчиков и погремушек. Делаешь что захочешь. Кому от этого вред? Время цветения, что-то вроде любви, наше личное дело. Ну, он ворвался при этом мигающем свете, под эту музыку, мы, наверно, даже не слышали. Ворвался с пистолетом, в своей дьявольской черной кожаной куртке, всех перепугал. С такой высоты за секунду не спустишься. Ну, видит свет, давай громко командовать, а никто его не послушался и внимания не обратил. Тут он начал вопить и кидаться на всех. Малышка хотела настроить его, принять как гостя, стала бросать в него цветы, а он и на нее набросился. Из нас семерых он избил четверых, которые выше всех воспарили, исколотил до полусмерти, и плейер разбил, расколошматил ко всем чертям, а троих остальных усадил спиной к голому холодному пружинному матрасу. Мы не испугались и не рассердились, ничего подобного. Только жалели, что от нормального никак понимания не добиться. Ему надо только бить людей да ломать вещи. Разбил все три стробоскопа и выкинул. А они дорогие, и трудно найти такой, чтобы очень долго работал, не перегревался и не перегорал. Я так воспарила, что все про него поняла. Он вещи ломает и бьет людей по головам из-за ненависти к себе. Я ведь видела, как он раздавливал мистера Бэннона тяжелым мотором, знала, что из-за этого он себя ненавидит. Он собрал всю травку, три маленьких пузырька с порошком кислоты, все валявшиеся цветные полароидные снимки. Их раньше сделал один парень, чтобы отвезти назад в Джэкс, в группу, ради той разрисованной глазами девчонки, которая ему очень нравилась.

— Господи Иисусе, Боже всемилостивый, — хрипло охнул шериф.

— Хотел вызвать подмогу по радио, всех забрать, посадить, а мне было его просто жалко, в нем ведь совсем нет любви, я и сказала, что он ненавидит себя из-за мистера Бэннона. Он посмотрел на меня, схватил простыню, завернул меня в нее и утащил с собой ночью. Сунул в свою машину, и я все рассказала — все, что видела. Говорю, ему надо сменить ненависть на любовь, а мы можем указать ему путь. Чувствую, начинаю спускаться с высот, начинаю думать о куче жутких неприятностей, а ведь мне сейчас никак нельзя в тюрьму. Потому что мы с Роджером должны выполнить много заказов. Он все допытывался, кому я сказала об этом, и, хоть я приходила в себя, мне хватило ума намекнуть, что, мол, может, сказала, а может, и нет. Тогда он объявил, что будет собирать свидетельства, подумает, что ему делать, мы должны поостыть, так что он со мной завтра встретится.

Ну, и утром ребята уехали в грузовике, а я первым делом выложила все Роджеру. Это было в пятницу. Днем приехал Хаззард, велел Роджеру уйти, а мне сказал, что отправил улики в надежное место, у него на руках фотографии, они доказывают, будто мы с Роджером совращаем малолетних, ведем развратный и аморальный образ жизни. Потом все допрашивал и допрашивал об увиденном в то воскресенье. Потом спросил, знаю ли я друга Бэннона по фамилии Макги. Я ему рассказала про тот единственный день, он заставил все очень подробно припомнить. Начал расхаживать взад-вперед, а потом говорит, что мне надо пойти сделать заявление, и объяснил какое. Я спрашиваю: зачем это делать? Ведь если он нас оставит в покое, я про него никогда никому не скажу. А он говорит, если я не послушаюсь, он навсегда нас обоих засадит, в любом случае доказательств против обоих хватит на пять—десять лет. А я говорю, пусть попробует, я тогда расскажу все, что видела. А он говорит, все поймут, что я просто хочу помешать ему исполнять свой долг, и никто не поверит, никто никогда ни поверит ни единому слову обколовшейся наркоманки, а от тех снимков даже ежа стошнит. Говорит, если сделаю свое дело, то после вынесения обвинения мистеру Макги он мне все вернет. Потом разрешил поговорить с Роджером наедине, мы какое-то время думали, может быть, просто смыться, где-нибудь влиться в колонию, но этот путь мы уже пробовали и лучше решили стать прикидными.

— Какими-какими? — спросил шериф.

— Время от времени сливаться с группой и честно зарабатывать себе на хлеб. Если мы убежим, погубим созданное дело, а оно в среднем может приносить, наверно, сто пятьдесят в неделю, да и вдруг Хаззард как-нибудь все равно нас достанет. — Она запустила пальцы обеих рук в длинные светлые грязные волосы, откинула их назад и продолжала: — Ну и думаем, ладно, только мы ведь не знали, что за это мое заявление меня еще хуже накажут, чем за его улики, не знали, что мистер Макги оправдается, он ведь сказал, может, мистер Макги вообще не ответит ни на какие вопросы. Так что ж теперь с нами будет?

— Что с тобой будет? — переспросил шериф. — Клянусь Богом, девушка, я даже не знаю, что с тобой сейчас творится.

Я взглянул на часы. Было ровно одиннадцать. Шериф сказал Арли, что взял бы ее вместе с мужем под охрану на добровольной основе, и она согласилась. Я знал, что дело против Фредди Хаззарда будет отчасти основываться на показаниях Пресса Ла Франса о его разговорах с племянником, связанных с моим замечанием о возможной причине убийства Таша. Но если бы я напомнил об этом Баргуну, он нарушил бы все мое расписание, которое и без того уж нарушилось на два часа. Поэтому вслух я высказал предположение, что Таш мог приехать автобусом рано утром в воскресенье, а разъезжавший поблизости Хаззард мог подсадить его возле автобусной остановки и привезти домой. Арли увели в женское отделение. Том, старший помощник шерифа, заметил, что подтверждение со стороны кого-либо, кто видел Хаззарда вместе с Бэнноном в городе в воскресенье, сильно подкрепит дело.

— Сильней его побега? — буркнул Баргун. — Он был хорошим парнем. Работал усерднее двух других. Иногда слишком усердно, как с теми блаженными. Но когда принимаешь округ, где в сосновых лесах творятся жестокие дела, начинаешь немножечко бить по головам, чтобы уравновесить положение дел. Он жил открыто и честно. Наверняка испытал потрясение, приехав расследовать жалобу и наткнувшись на вышеописанную картину. Как будто заглянул в бак с мясными отбросами. Что в последнее время творится с людьми, мистер Макги?

Я удостоился предельного повышения до «мистера Макги».

— Идет массовое движение против битья по головам, шериф.

— Ну и шутки у вас!

— Против любого битья по головам — коммерческого, культурного, религиозного. Они хотят сказать, что люди должны любить людей. Этот лозунг никогда не пользовался особой популярностью. Только начни его повторять с излишней настойчивостью, и тебя приколотят гвоздями к кресту на вершине горы.

Он вперил в меня негодующий взгляд:

— Вы из их числа?

— Я признаю существование проблемы. И все. Хиппи решают ее, останавливая самолет и вылезая. Но решения нет, шериф. Я не ищу решений. Для этого необходимы групповые усилия.

А для любого группового усилия на штрафной линии обязательно должны находиться больше двух человек. Поэтому я просто стою за штрафной линией и, когда арбитр чего-нибудь не замечает, порой вступаю в игру на пару минут.

— Тут сегодня творится такое, — мрачно заключил он, — что мне начинает казаться, будто вчера во сне я наполовину разучился понимать по-английски.

— Можно мне пойти заняться своими делами?

Он взглянул на Тома, получил в ответ сигнал и сказал:

— Будьте в пределах досягаемости, мистер Макги.

Глава 13

Я увидел Престона Ла Франса, который сидел в одиночестве, обхватив руками голову, за своим столом в маленьком офисе по торговле недвижимостью на Сентрал-стрит. Услышав, что открылась дверь, поднял глаза, заготовив услужливую улыбку, выражающую готовность с радостью показать вам чудесный участок, но улыбка на полпути застыла. Он испуганно подскочил, бормоча:

— Макги! Вы... один? А ведь я видел вас... ведь вас...

— Извините, что не успел в назначенный час в кофейню, Пресс. Пришлось ответить на несколько глупых вопросов, которые пожелал задать шериф.

— Банни... вас отпустил?

— Да что с вами? Вы этим огорчены?

— Нет! Черт возьми, нет! Садитесь! Садитесь, Трев! Сигару? Вот в это кресло. Здесь удобнее.

Я уселся.

— А у вас была та же дикая мысль, что у Баргуна? Думали, я убил Бэннона?

— Но Фредди видел, объявилась свидетельница, вас хотели забрать в Лодердейле, а он собирался поехать и вас привезти.

— Это была бы волнующая поездка.

— Что случилось? Что там со свидетельницей?

— Баргун убедился, что она лжет, и я ни при чем.

— Фредди сказал, будто все совпадает.

— И правда.

— Что? Что вы хотите сказать?

— Вы немножко забеспокоились, Пресс, услыхав от меня, будто кто-то, возможно, старался помочь вам с Монахом Хаззардом лишить Бэннона его собственности, и, наверно, перестарался. Заметили, что на такое никто не способен, но немножко замешкались. Потому что подумали о племяннике Фредди, любителе бить по головам. Поэтому вернулись, задали ему несколько косвенных вопросов, а он вас убедил в полной своей невиновности, а потом вы ему объяснили, кто внушил вам такую нелепую мысль. Но, увы, свидетельницу доставили, она изменила свои показания, и шериф меня отпустил.

— Тогда, думаю, можно... поговорить о делах?

— Разумеется, Пресс. Я для этого и пришел. Кстати, свидетельница опознала в убийце Фредди. Он случайно об этом услышал и убежал. Как раз сейчас за ним начинают охоту. Так что вы правильно думаете.

— Я собрал деньги, но сперва должен... Что вы сказали? Фредди? Да бросьте!

— Он сбежал, Пресс. Удрал. Проверьте. Позвоните Баргуну.

Он потянулся к аппарату, заколебался, потом поднял трубку, провел указательным пальцем по отпечатанному телефонному списку под стеклом на столе, набрал номер, спросил Баргуна.

— Ладно, тогда дайте мне Тома Уиндхорна. Спасибо... Том? Это Пресс. Скажи, Фредди действительно вляпался в какую-то... А? Шутишь? Слушай, не может же он в самом деле... А... Ясно. Угу. Боже, какой кошмар. Кто-нибудь уже связался с Монахом? Ох, я совсем забыл... Нет, Том, даже не знаю, какой они дорогой поехали. Монах сказал, что не будет спешить, полюбуется видами. Сис с ума сойдет. Том, скажи, все абсолютно уверены... Ладно. Потом загляну. — Он бросил трубку, ошеломленно встряхнул головой. — Просто не могу поверить. Такой хороший, чистый мальчик.

— Боюсь, вы слишком заняты другими мыслями. Не время говорить о делах. Но можно завершить другую сделку. А обо всем прочем давайте забудем. Идет?

— Но я... ведь мне нужно...

— Просто держите свои пятьдесят акров и воспользуйтесь сорока тысячами для покупки земли Карби. Судя по перспективам района, за пару лет получите неплохую прибыль. Только держитесь крепко.

Он слабо улыбнулся, стараясь говорить убедительно:

— Слушайте, Трев. Поверьте, я способен думать о вашем предложении. Я хочу сказать, это жуткая трагедия для семьи и так далее, но если я упущу шанс, это никому не поможет.

— Может быть, вам в любом случае не понравится, — возразил я. — Дайте клочок бумаги и карандаш. Покажу, что получится.

И произвел на листке небольшие расчеты.

«*Карби* 200 акров по 2000 долларов = 400 000 долларов
Ла Франс 50 акров по 2000 = 100 000
Макги 10 акров по 2000 = 20 000
_____
Общая покупная стоимость 520 000 долларов

Стоимость для Ла Франса:
Макги 10 акров 90 000 долларов
Карби 200 акров 40 000
_____
Итого 130 000

Всего для дележа 390 000 долларов

Ла Франсу 265 000 долларов 135 000
Макги (+ 40 000 от Ла Франса) 95 000
Икс 60 000
_____
Итого 290 000».

— Что за Икс? И откуда взялись ваши девяносто пять тысяч? Я не понимаю.

— Мистер Икс — тот, с кем мы встретимся за обедом в отеле. Видите ли, я ему не совсем доверяю. Но у него полномочия на покупку — у одного-единственного владельца двухсот шестидесяти акров по две тысячи за акр. И поскольку он дает предельно допустимую цену, то хочет получить под столом премию в виде наличных. Сложность в том, что он хочет получить их сейчас. А я не считаю необходимым на это идти, пока у нас не будет всей этой земли целиком. Если что-то сорвется, мы попросту ничего не докажем, правда?

— Да, но...

— Слушайте, можете вы дать мне сорок тысяч наличными, а не чеком?

— Наверно... Конечно. Только...

— Тогда нам, возможно, удастся выкрутиться и не остаться в конце концов на бобах, Пресс.

— Но вам-то за что причитаются девяносто пять тысяч?

— За то, что все куски будут сложены вместе. За пять тысяч вы продадите мне двадцатипятипроцентную долю в опционе.

— Черта с два! Я могу продать землю Карби...

— Забудьте об этом. Забудьте о «Кэлитроне». Поймете почему, когда увидите бумаги Икса. Не заключив сделку с нами, Икс заключит ее с Гэри Санто, а мы останемся ни с чем. Так или иначе, чего вы скулите, Ла Франс? Вы возвращаете весь свой куш, все сто тридцать кусков, плюс сто тридцать пять сверху. Это всего на пятнадцать тысяч меньше четверти миллиона.

Мы пообедали в отеле с Мейером. Он был великолепен. Сообщил нам, где остановился. Я пошел с Ла Франсом в банк, получил подписанные и заверенные бумаги о нашей земельной сделке, а он сорок тысяч наличными. Я привез его в мотель, где поджидал Мейер, и, прежде чем войти, открыл запертый на ключ багажник, вытащил из дальнего темного уголка пакетик с деньгами. Это был весь мой военный фонд, который я не любил таскать с собой, испытывая при этом тревожное чувство. Мейер предъявил остальные письма, показал кальки. Он был в меру надменным, в меру уклончивым. Ла Франс попался на приманку. Я читал это по его физиономии, по вспотевшим рукам, которые оставляли на бумагах влажные отпечатки.

— Итак, если можно уладить последние детали, джентльмены...

— Доктор Мейер, — перебил я, — мы получаем... То есть мистер Ла Франс получает чек на пятьсот двадцать тысяч или решительное подтверждение совершения сделки от высшего руководства, после чего вы получите деньги, о которых мы договорились.

Он уставился на меня с крайним и убедительным неодобрением:

— А если не получу, возбужу против вас уголовное дело, мистер Макги? Где? В суде по мелким искам? Вы видели письма. Видели подтверждение моих полномочий. Все будет одобрено, поверьте мне.

— А в последнюю минуту ваше начальство передумает. Как нам тогда заставить вас вернуть деньги, доктор?

— Никаких письменных подтверждений, поймите. Я даю вам свое слово.

— Но не принимаете нашего?

— Тогда забудем обо всем, джентльмены. Все кончено. Поведу переговоры в другом месте.

— Может быть, есть решение, способное удовлетворить обе стороны. Безопасное для всех нас.

— А именно?

Я вытащил два пакета с деньгами, бросил на кофейный столик:

— Семьдесят пять тысяч долларов, доктор.

— И что?

— Давайте запечатаем их в конверт, передадим в руки местного юриста и соответственно его проинструктируем.

— Каким образом?

— Я разорву на три части десятидолларовую бумажку. Каждый возьмет себе по одной. Юрист будет уполномочен передать конверт тому, кто предъявит три части, или двоим, имеющим все три кусочка.

— Детские игры! — фыркнул Мейер. — Какая-то чепуха!

— Лишние пятнадцать, доктор, — премия за согласие на этот способ. Теперь не сочтете ли детские игры немножечко поумнее?

— Отчасти, — кивнул он. — Но вы можете сэкономить пятнадцать, отдав мне сейчас шестьдесят.

— Платим лишние пятнадцать в качестве страховки.

— Иногда глупо слишком осторожничать, — сдался он. — Вступаю в игру.

У достойного доктора в кейсе нашелся чистый плотный конверт, и он протянул его мне. Я вложил деньги, запечатал, вручил Ла Франсу, спрашивая:

— Кто из адвокатов...

— Пожалуй, — вмешался Мейер, — пока мы друг другу не доверяем, предпочитаю не доверять адвокату по вашему выбору, джентльмены. Мы обедали в старом и безусловно надежном отеле. Там берут на хранение ценные вещи и выписывают квитанции. Можно разорвать на три части квитанцию и попросить менеджера выдать конверт только по предъявлении целой, склеенной из трех частей. Устраивает?

— По-моему, годится, — одобрил я. — Пресс?

— Конечно.

И мы поехали в южную часть города в моем автомобиле. Пресс рядом со мной, Мейер сзади. Я поставил машину, Мейер на входе отстал, а мы с Прессом направились к стойке администратора. Девушка поздоровалась с Ла Франсом, назвав его по имени, а Пресс попросил позвать менеджера, тоже назвав его по имени. Тот вышел из своего кабинета.

— Чем могу служить, мистер Ла Франс?

— Гарри, тут что-то вроде пари. Можете положить конверт в сейф и выписать нам квитанцию? Мы разорвем ее на три части, а вы вернете конверт, только когда получите целую.

Гарри любезно на все согласился, унес конверт к себе и вернулся с квитанцией. Я заготовил бумажку в пять долларов, положил на стойку со словами:

— Это вам за труды.

— И он протянул мне клочок бумаги, промямлив, что это вовсе не обязательно, м-м-м...

— Смелей, Гарри, — посоветовал я, повернулся, шагая навстречу Мейеру, а Ла Франс поспешил за мной следом. Я разорвал бумажку на три неровных куска и церемонно положил по трети на каждую протянутую ладонь.

— Детские игры, — вздохнул Мейер. — Причем разорительные для вас, друзья мои.

Мы вышли, подошли к машине, остановились, и я предложил забросить доктора в мотель. Он сел на переднее сиденье. Я закрыл дверцу, оглянулся, протянул руку Престону Ла Франсу:

— Пресс, по-моему, мы действительно вошли в дело. Увидимся через несколько дней. Составьте соглашение насчет опциона Карби.

— Конечно, Трев. Обязательно составлю.

На его физиономии было страдальческое, серьезное и озабоченное выражение, как у надеющегося попасть в дом пса, которому не хочется мокнуть под дождем.

— Надеюсь, все ваши проблемы благополучно уладятся.

— Какие? А, кошмар с моим племянником.

— Мальчик наверняка проявил лишнее рвение. Знал, что вы вместе с его отцом использовали все законные возможности, чтобы заставить Бэннона бросить бизнес. Должно быть, попробовал обескуражить его другим способом.

— Возможно. И постарался замести следы. Я бы назвал это чем-то вроде несчастного случая. Фредди никого не хотел убивать. По-моему, когда его найдут, он точно расскажет о происшедшем, и его, может быть, согласятся не признавать виновным в убийстве. У Монаха полно рычагов в этой части штата. Трев... как вы думаете, скоро утвердят сделку?

— Дело нескольких дней. Не волнуйтесь по этому поводу.

Он пошел прочь. Я обошел вокруг автомобиля, сел и поехал.

— Голубиная какашка... таракашка, — пробормотал Мейер. — Ну, как я выглядел?

— Истинный профессионал. Великий прирожденный талант, доктор.

Я полез в нагрудный карман, вытащил целую зеленую квитанцию и передал ему. Он выудил из своего кармана маленькую катушку скотча, разорвал бумажку на три части, склеил их липкой лентой.

Я дважды повернул направо, остановившись на боковой улице позади отеля. Он вернул мне квитанцию и спросил:

— Так скоро?

— Почему бы и нет? Пока известно, что Гарри еще у себя в кабинете, а также известно, где находится старина Пресс. Обожди прямо здесь. Не уходи, профессионал.

Я свернул за угол, вошел в отель через боковую дверь, проследовал через старомодный вестибюль к стойке. Гарри был один, раскладывал по ячейкам почту.

Я протянул квитанцию и объявил:

— Выиграл!

— Быстро, сэр.

— Ваша правда!

И он вынес конверт.

— Гарри, — сказал я, — если хотите и дальше дружить с мистером Ла Франсом, лучше не напоминайте ему об этом небольшом фиаско. Он был так уверен в своей правоте, что ужасно рассердится.

— Понял, сэр.

Я вернулся к машине, отвез Мейера в мотель. Отдал ему сорок тысяч, вернул свой чрезвычайный запас в потайное место в багажнике автомобиля.

Было ровно три тридцать. Когда я снова вошел в номер мотеля, Мейер беседовал по телефону со своим брокером в Лодердейле. Положил трубку, посмотрел на записанные им цифры.

— Кажется, пришел ответ, Тревис. И вовсе не от Мэри Смит. «Флетчер индастрис» поднялись сегодня с одной и одной восьмой до шестнадцати и трех восьмых за пакет в девять тысяч четыреста акций. Таким образом, сегодня Джанин Бэннон заработала десять тысяч двести пятьдесят баксов.

— Сегодня?

— Ну, пока. Я хочу сказать, окончательный результат дня еще неизвестен, но будет весьма близок к этому. Индекс Доу стоит чуть выше пяти пунктов. Ты, кажется, удивлен. А, понятно. Сегодня утром перед отъездом я открыл для нее наличный маржинальный счет, не дожидаясь доверенности, которую ты забыл мне отдать. Положил достаточно для покупки тысячи акций и приобрел их за пятнадцать с четвертью.

Я отдал ему доверенность. Он сунул ее в кейс, вытащив из него всю поддельную корреспонденцию «моему дорогому Людвигу», и фальшивую документацию о размещении завода.

— Итак, — констатировал Мейер, — шанс оправдался. Теперь я избавлюсь от этих денег, положу остальное на ее счет для оплаты приказа, отданного мною сегодня утром перед открытием. Еще на две тысячи пятьсот акций. Счет в результате поднимется максимально. Потом мне придется сидеть и следить за бегущей строкой, день за днем, с десяти утра до половины четвертого. Носи мне сандвичи. — Он взмахнул поддельными письмами и документами. — Теперь, когда все это превращается в конфетти и смывается, может, сердце мое сбавит темп, как ты думаешь?

Он пошел с ними в ванную, а я позвонил по кредитной карточке в офис Санто и после короткого ожидания услышал голос Мэри Смит.

Для убедительности следовало говорить тоном отфутболенного мужчины.

— Это Макги, — молвил я. — Какое решение принял Санто?

— Ох, Трев. Я с таким нетерпением ждала звонка, дорогой.

— Не сомневаюсь. Так что он решил?

— Я сначала хочу сказать тебе кое-что, так как подозреваю, что ты бросишь трубку, если сначала получишь ответ на вопрос.

— Можно выдумать вескую причину, которая не позволит мне это сделать?

— Милый, причина очень веская — мой проклятый телефон. Я знала, что это ты, хватала трубку, а он все продолжал безобразно гудеть прямо в ухо. — Тон интимный, ласковый, убедительный.

— Неплохая попытка, детка.

— Но это правда! В самом деле! Почему ты уверен, что меня не было дома? Если тебе так уж хочется изображать из себя старого ворчливого медведя, позвони в телефонную компанию и спроси, действительно ли некая Мэри Смит устроила адский скандал днем в субботу. Мне из офиса передали твое сообщение, я оставила там свое на случай, если ты перезвонишь.

— По крайней мере, звучит неплохо, мисс Смит.

— Тревис, я понимаю, как ты, наверно, расстроен и зол.

— Почему из телефонной компании не приехали починить телефон?

— Они, собственно, поклялись, будто с ним все в порядке. Проверяли и проверяли, а когда я заставила их приехать еще раз, привезли инструменты и установили новый.

— Который тоже не работает. И не работал в субботу вечером.

— Я... меня не было.

— Ты сказала, уик-энд у тебя свободен. Почему же не сидела дома? А в четыре утра в воскресенье утром, детка?

— Я... мне сказали, у тебя другие планы, милый.

— Кто?

— Честно сказать, я поехала в Лодердейл, только чтобы тебя найти. Видела твою фантастическую яхту, милый. Какая, должно быть, на ней роскошная жизнь! Один человек мне сказал, может быть, ты в компании на другом корабле, я пошла, и какая-то очень странная девушка объяснила, что я тебя не застала, но ты можешь вернуться. И я стала ждать. Хочешь, выясни у тех людей. Многие, наверно, твои друзья. Очень... живая компания. Потом вернулась та странная девушка, говорит, ты ушел с другой девушкой и, должно быть, уже не вернешься. Так что... видишь, я правда старалась... — Убедительно возбужденный тон затухал постепенно, становясь монотонным, смертельно усталым.

— Даже в четыре утра тебя не было дома? Наверно, хорошо развлекалась.

— Не слишком. Но вполне... приятно. Я... позвонила одной старой подруге... и она пригласила меня к себе, и было очень поздно ехать обратно, и меня оставили ночевать, милый.

— Так когда ты явилась домой?

— По-моему... около десяти вчера вечером. Я провела у них весь день. А что, дорогой? Ведь у тебя было свидание, правда? Какой смысл мчаться домой, пыхтеть у телефона? Ты, в конце концов, мог логично предположить, будто я тебя продинамила, и сказать, ну и черт с ней, с Мэри Смит, и с ее вшивым бифштексом. Разве я не заработала никаких оправданий, отправившись в такую даль искать тебя?

— И все из-за испорченного телефона, — удивленно охнул я. — Наверно, нас злой рок преследует.

— Наверно, — согласилась она и явственно тяжко вздохнула.

— Тогда часов в девять жди гостя, милашка. Идет?

— Ой, нет, милый! Прости.

— Что теперь?

— Ну... По-моему, злой рок еще действует. Я... н-ну... у моих друзей стоит в доке суденышко. Они живут на канале, пригласили меня на катер, а я, неуклюжая идиотка, как-то споткнулась и рухнула с пристани головой вниз прямо на палубу. Честно, прямо совсем разбита. Выбралась, потому что ждала твоего звонка, приехала домой, приняла горячую ванну и легла в постель. А сегодня весь день ковыляю, как престарелая леди.

— Господи, милочка, ты, видно, сильно ушиблась. Что же ты ушибла?

Она издала усталый смешок:

— Спроси лучше, что я не ушибла. На катере куча всяких... ну, знаешь, приспособлений для ловли рыбы. Я как-то умудрилась упасть лицом, нынче утром разглядывала себя в зеркале с головы до пят, весь рот распух. Клянусь, не знаю, плакать или смеяться. Вся в ушибах и синяках. Не могу показаться тебе в таком виде. Просто страшилище.

— Мэри, такие падения бывают опасными.

— Знаю. По-моему, я растянула спину. От такого потрясения всех сил лишаешься. И все кости болят. — Она снова вздохнула. — Милый, дай время привести себя в порядок исключительно для тебя. Пожалуйста!

— Ну, конечно. Береги себя, детка. Жаль, что удача от нас отвернулась.

— Дружище Макги, мне в десять раз больше жаль. — В усталом протяжном тоне сквозила полнейшая убежденность. — Кстати, решение положительное.

— Хорошо. Сколько?

— Он сказал, в зависимости от того, как пойдет дело. Как минимум, полтора. Возможно, до трех или где-то посередине. Просил передать, будет действовать с разных счетов, разбросанных по всей стране. Спрашивал, не возражаешь ли ты, если количество будет несколько неопределенным.

— Я этого ждал. Если спекулянты чересчур разыграются, он не сможет как следует притормаживать.

— Милый позволь высказать пожелание, чтобы в следующий раз нам повезло больше.

— Конечно позволяю. Беги домой в постельку, детка.

Я положил трубку, заглянул в ванную в самое время, чтобы увидеть, как Мейер высыпает в унитаз последнюю порцию конфетти и спускает воду.

— Улики уничтожены, — объявил он с широкой улыбкой и громким вздохом.

— Санто лезет все выше.

— Пускай наслаждается восхождением на здоровье. Пускай пригласит за компанию кое-кого из приятелей.

Я отдал ему свою треть квитанции, которую он тщательно спрятал в кармашек бумажника.

— Ну, до завтра, — попрощался Мейер. — Приеду в Броуард-Бич, найду местечко под названием «Аннекс», в семь буду сидеть в баре в ожидании голубка. Правильно?

— Изображая из себя важного и ловкого мошенника. Правильно.

— Не желаешь спросить, что я организовал, когда приехал обедать? Тебя это не интересует?

— Теперь интересует. Теперь ясно, что это наверняка интересно.

— Представь такую сцену. Мистер Ла Франс спешит к администраторской стойке в отеле. У него склеенная из трех частей квитанция. Он запыхался. Так?

— Руки трясутся. Не может дождаться, когда Гарри вручит ему деньги, — добавил я.

— Гарри берет квитанцию, но возвращается не с большим коричневым конвертом, а с маленьким белым. Размером с поздравительную открытку. Я все это устроил, приехав обедать, чтобы получить квитанцию, которую ты подменил, разорвал на три части и одну всучил ему.

— Мейер, ты что, не знаешь, с кем разговариваешь? Это все мне известно.

— Заткнись. Дай насладиться. Тут он спрашивает у Гарри, где коричневый конверт? Где деньги? А Гарри отвечает, что другой приятель забрал их через десять минут после вручения. Да, мистер Ла Франс, у него были три части, склеенные. Он просил не напоминать о проигранном вами пари. Знаю, мистер Ла Франс, эта квитанция тоже разорвана на три части, только это квитанция не на деньги. Это квитанция вот на этот конверт.

— И тут, — подхватил я, — ошеломленный, разъяренный и потрясенный мистер Ла Франс падает в вестибюле в кресло и вскрывает белый конверт. Давай, Мейер! Что написано на открытке?

— Не спеши. На лицевой стороне напечатано: «Поздравления от коллег по работе». Открываешь ее, а внутри сказано: «Ты этого достоин больше любого другого».

— Весьма злая шутка, Мейер.

— А подпись! Это лучше всего.

— Что ты сделал? Подделал мою?

— Не совсем. Он видел твое судно. Он знает название. В открытке он обнаружит пять игральных карт, которые я вытащил из колоды, а остальные выбросил. Пятерка, шестерка, семерка и восьмерка червей. И трефовый король. Правильно? Лопнувший флеш?[1]

Я с восхищением посмотрел на него:

---

[1] Старшая комбинация в покере — флеш — состоит из пяти карт подряд одной масти. В данном случае пятая карта другая, поэтому флеш не вышел.

— Высший класс, Мейер. У тебя просто инстинкт на такие дела.

— На самом деле ничего особенного. Просто врожденный хороший вкус, творческое мышление, высокий интеллект. Вот это отличная подпись, когда надо кому-нибудь намекнуть, кто именно оказал ему добрую услугу.

Глава 14

В девять вечера из офиса шерифа Банни Баргуна пришло сообщение, что он может со мной повидаться.

Его старший помощник Том Уиндхорн, как раньше, сидел на том же стуле у стены. Было видно, что у обоих выдался очень тяжелый день.

— Как я понял из разговоров в приемной, его еще не взяли. Но напали хоть на какой-нибудь след, шериф?

— Результаты не сильно меня вдохновляют, мистер. И от бесконечных воплей каждой газеты, каждой теле- и радиостанции о помощнике шерифа округа Шавана, который оказался мерзавцем, радости никакой. И междугородные звонки Монаха Хаззарда, который уверяет, что я свихнулся ко всем чертям, тоже не помогают. Только когда я ему рассказал о машине номер три, он немножко притих.

— Где она? Я слышал, ее обнаружили.

— Обнаружили, прямо перед заходом солнца. Патрульный вертолет приметил ее в дальнем юго-западном уголке округа, в болоте. Ушла в трясину по крылья. Парни отправились посмотреть и позвонили мне. Там вдоль берега озера разбросаны небольшие усадьбы. Они проверяли дороги и услыхали, как в одном доме кто-то кричит. Чета пенсионеров, связанные, перепуганные, обезумевшие, как вспугнутые совы. Получается, Фредди подъехал и вежливо постучался, днем, в два часа с небольшим. Попросил разрешения войти. Объяснил, будто поступил сигнал насчет нарушения законов о рыбной ловле и охоте. Дал обоим по голове, связал, рты заткнул кляпами из посудного полотенца. Ребята говорят, старик крупный, высокий, так что его одежда как раз впору Фредди. Бросил там форму, надел лучший костюм старика, набил сумку другой одеждой и туалетными принадлежностями, прихватил деньги, какие были, долларов тридцать—сорок, и уехал в полицейской машине. Вернулся пешком, сел в их фургон «плимут» двухлетней давности. Извинился за свое поведение. Похоже, действительно чувствовал себя виноватым. Старик через какое-то время вытолкнул языком изо рта полотенце. Услыхал, как ребята едут по дороге, и начал орать. Мы разослали описание машины и одежды. Оттуда двадцать миль до междуштатной автострады. Если как следует поднажмет, может пересечь границу Джорджии, прежде чем мы подоспеем.

— Как только они успокоятся, — вставил Том, — может, не выдвинут обвинение, если мы им вернем барахло, возместим все порушенное и пропавшее да любезно поговорим.

— Кажется, можно реконструировать случай с Бэнноном, — добавил шериф. — Я бы сказал, Фредди заметил его голосующим на дороге, сообщил, что собственность конфискована, что жена от него ушла, может быть, предложил отвезти назад в город, а Бэннон попросту не поверил и захотел убедиться, так что Фредди повез его домой по его настоянию. Это согласуется с рассказом толстухи, что они грубо между собой разговаривали. Ну, я бы сказал, Бэннон потерял голову, попытался прорваться на свой участок. Это противозаконно, поэтому Фредди старался его образумить, да ведь Бэннон парень здоровенный, может, первый удар не свалил его с ног, может быть, он дал сдачи, и Фредди в возбуждении слишком сильно ударил. Может, череп ему разбил. Фредди знал, что мы с Томом будем шпынять его за чертовски быструю расправу с теми блаженными, и, наверно, совсем уж лишился рассудка. Да еще девушка видела, как он заметает следы, просто чистое невезенье.

— Если б меня нашли в Лодердейле, не он ли должен был за мной приехать и доставить сюда?

Шериф встревожился:

— Так и было задумано, мистер.

— Наверно, я должен был открыть дверцу и выскочить из машины, идущей на скорости около восьмидесяти миль. После прыжка на дорогу никто не заметил бы небольшой лишней шишки на голове.

— Ну, это нельзя утверждать с уверенностью.

— Интересно, зачем он вообще кому-то сказал, что слышал от своего дяди Пресса о моем появлении здесь в то утро?

181

— Затем, — объяснил Том Уиндхорн, — что спешил оказаться первым. Ему было известно, что каждую неделю по воскресеньям я утром играю в гольф в паре с Прессом Ла Франсом, а Пресс знал, что мы вас разыскиваем, а Фредди знал, что никакая причина на всем белом свете не помешает Прессу сообщить мне об этом. И самое смешное во всем этом то, что Пресс вчера на игру не явился. Позвонил, известил о плохом самочувствии. Поздно было искать замену, партнеры притащили какого-то старого дурака, который шляпой в землю не попадет.

— Бедному парню кругом не везло, — посочувствовал я. — Так и не выпало шанса меня убить.

— Он не убийца, — возразил шериф. — Просто немножко потерял голову.

— Хорошо, хоть я свою сохранил. Нашли вещи, которые он забрал из коттеджа?

Шериф кивнул:

— У него дома, под чистыми рубашками. Наркотики мы отправили на анализ. Никакого дела заводить нельзя, потому что без Фредди не доказать, чьи они.

Он выдвинул средний ящик стола, протянул мне конверт. Я взял, открыл, начал перебирать четкие яркие цветные фотографии. Они не производили грубого и циничного впечатления, в отличие от режиссированных снимков порнографических студий. Просто сбившиеся в кучу взрослые дети, почти все основательно недокормленные. Несмотря на блаженные, одурманенные улыбки, гримасы, намалеванные на нездоровой коже дикие и крикливые символы любви, вызывающие браслеты на руках и ногах, отшельнические колокольчики, была в этих детях какая-то странная грусть, превращающая цветение цветов в мрачную имитацию взрослых актов, лишенных для всех них какого-либо значения или цели. Застывшие в необычайной яркости вспышки стробоскопа навсегда высветили тоскливо грязные кости, отпечатки тяжелого и тупого труда, родинки, пятна на беспомощных острых ключицах. Это не было бунтом против механизации или обманутых чувств. Это было отрицанием самой жизни, всех эр и культур; не злобой, не яростью, а слабостью и пустотой. Была тут какая-то первобытность, тщетная попытка разогреть кровь, которая начала охлаждаться в ходе некой гигантской полной деградации, увлекающей всех нас назад в геологическом времени, в океан, где зародилась жизнь.

— Правда ведь, вид у этой Арли самый что ни на есть паршивый, ни один мужчина такой не пожелал бы, — прокомментировал Том.

— Незабываемо, — сказал я, кладя конверт на край стола. — Я все жду разрешения покинуть ваш район, шериф. Вот адрес, по которому меня можно найти. Я вернусь, если понадоблюсь. Но сейчас мне хотелось бы съездить в Фростпруф повидаться с Джан Бэннон.

— Вы уладили свои дела с Прессом?

— Да, спасибо.

— Ну... думаю, нечего вас тут задерживать. Спасибо за помощь, мистер Макги.

— Вам спасибо, шериф, за понимание и любезность.

Я предварительно позвонил, и Конни сообщила, что Джанин слышала новости, очень расстроена и озадачена. Я предупредил, что сумею добраться лишь сильно за полночь, а она сказала, что они меня не дождутся, слишком трудный и длинный был день. Я признался, что у меня выдался аналогичный день, но пока все идет очень гладко.

Приехал я в десять минут второго, свернул в арку, направившись под сияющими прожекторами к большому дому. Ночь была холодная, звезды казались далекими, маленькими, равнодушными.

Джан стояла в открытых дверях, поджидая меня. На миг приложилась щекой к моей щеке, быстро, мягко коснувшись губами.

— Ты, наверно, совсем без сил, Трев.

— А тебе не следовало дожидаться.

— Не могла заснуть.

Я вошел, опустился на мягкий, глубокий кожаный диван. В камине среди серебристого пепла горели два красно-янтарных огня.

— Конни велела налить тебе добрую дозу бурбона для расслабления.

Я признал эту мысль грандиозной. Джан скрылась из виду, послышалось звяканье кубиков льда, звук льющейся доброй дозы.

— Воды?

— Только лед, спасибо.

Она принесла бокал, положила на диван подушки, велела мне лечь с ногами, подвинула ближе низенькую скамеечку. Комнату освещала лишь лампа позади нее, просвечивая сквозь коротко стриженные черные волосы. Лицо оставалось в тени.

Я хлебнул крепкий напиток, рассказал о полицейском Хаззарде.

— Вот чему я никак не могу поверить, — сказала она. — Он и еще один, постарше, с забавной фамилией... не шериф...

— Уиндхорн?

— Да. Это они... приходили с висячими замками и уведомлениями. И он, такой молоденький, казался робким, милым, очень огорченным. Обвинять их не было никакого смысла. Они получили приказ.

— Он там раньше бывал?

— Бывал, несколько раз. Со всякими бумагами, когда проверяли наши лицензии на плавучие дома. Долговязый мальчишка с длинным лицом, красноватым, бугристым, но симпатичным. Только слишком официально отдавал нам распоряжения. Весь в коже, сплошной скрип и звон.

— Их реконструкция не годится, — сказал я. — Это не похоже на Таша.

— Знаю. Он никогда так не злился. В отличие от меня. Я слетаю с катушек и готова колотить все, что под руку подвернется. А он попросту становился очень-очень спокойным, печальным и медленно уходил прочь. Мне лучше... раз навсегда полностью убедиться, что он не покончил с собой, Трев. Но... смерть от руки этого безобидного с виду юноши кажется... жутко тривиальной.

— Почти все умирают тривиально и скучно, Джан.

— Только с Тащем не должно было это случиться. А каким образом, скажи на милость, Фредди заставил Арлин Денн так ужасно соврать? Я ее всегда считала миролюбивой и туповатой. Никакой злобы, коварства, чего-то подобного. Как, наверно, ей страшно было все это видеть. Я бы подумала, что она... никогда никому не откроется.

Потребовались некоторые объяснения, и в конце концов Джан в определенных пределах сумела понять, однако понимание смешивалось с отвращением.

— А ведь мы столько раз разрешали этой испорченной девушке сидеть с нашими мальчиками! Могла с собой что-нибудь принести... причинить им вред.

— Сомневаюсь.

— Что это за люди? Какого возраста?

— Я бы сказал, Роджер с Арли самые старшие. Другим на вид по девятнадцать—двадцать. А одной девочке пятнадцать или шестнадцать.

— Что они пытаются с собой сделать?

— Убежать от мира. Погрузиться в галлюцинации. Отключиться. Нырнуть в звуки, в цвета, в ощущения. Так или иначе присоединиться к вечности. Знаешь, я их не могу чересчур порицать. В каком-то смысле я сам беглец. Не плачу за проездные билеты, перепрыгиваю через турникет.

— Я, по-моему, тоже как-то отключилась. Навсегда.

— Ну, должен напомнить, что ты молодая женщина, тебе нет еще тридцати, почти вся жизнь впереди.

— Не надо. Пожалуйста.

— Когда-нибудь ты понадобишься какому-нибудь парню.

— Передай, пусть во мне не нуждается по-настоящему. В этом случае я убегаю. Как заяц. — Взяла у меня пустой бокал и спросила: — Еще?

— Нет. Этот сделал свое дело.

— Я слишком заболталась с тобой. Еще о многом хотела спросить. Но это подождет до утра.

Она поднялась, унесла бокал. Я решил, пока еще способен, лучше встать и дойти до постели. Закрыл на секунду глаза, открыл и увидел сияющий свет высоко поднявшегося солнца и среднего мальчика Джан, который держал блюдце в обеих руках и старался, высунув язык, не расплескать кофе.

— Все давным-давно встали, — укоризненно объявил он. — Мама велела принести вам вот это, сказала, чтоб я постоял, и тогда вас разбудит запах. Пахнет, по-моему, гнусно, погано. Никогда не буду пить эту дрянь. Ой, доброе утро.

Туфли с меня были сняты, ремень распущен, галстук развязан, воротничок расстегнут. Я был накрыт одеялом. Леди одарила меня бурбоном и нежной заботой. Я понадеялся, что пройдет целый год, прежде чем придется снова повязывать галстук. Сел, взял кофе.

— Вон вы сколько пролили, — заметил мальчишка. — А я нет.

— Нравится тебе здесь?

— Нормально. Сегодня учительское собрание, поэтому нам не надо ехать в автобусе. Чарли опять обещал покатать меня на тракторе. Это очень здорово. Я пошел.

И пошел — со всех ног.

В двадцать минут одиннадцатого я набрал номер прямого телефона Пресса Ла Франса. Хотелось дать ему побольше времени для некоторых размышлений. Когда уже собрался положить трубку, он ответил, запыхавшись:

— Кто? Трев? Где вы? Что стряслось?

— В Майами, дружище. Бегаю в поте лица. Возможно, у нас проблемы.

— Как? Боже, я думал, все уже...

— Пресс, я сделаю несколько междугородных звонков. Похоже, вполне может и провалиться. Несколько минут назад виделся с доктором Мейером, который заявил, что намерен дождаться возвращения из-за границы Санто и посмотреть, не лучше ли заключить сделку с ним, то есть более выгодную для Мейера. Я вас предупреждал, что он скользкий.

— Что же нам делать?

— Если мы поведем игру по тем правилам, которые он предложил сначала, Мейер стронется с места. Но это надо сделать сегодня. Он отправился в Броуард-Бич. Знаете там местечко под названием «Аннекс»?

— Да, но...

— Я должен поймать этот шанс, Пресс. Мне надо побыстрей разворачиваться. Я отдал ему свою треть квитанции. Он планировал прийти в бар «Аннекс» к семи сегодня вечером. Я сказал, что там вы с ним встретитесь и отдадите ему те проклятые шестьдесят тысяч наличными, получив от него две трети квитанции.

— Где ж мне взять столько денег до семи часов?

— Как только вернетесь в Саннидейл и войдете в отель, вы получите их обратно, правда?

— Да, но...

— Как-нибудь наскребите. Можно ведь из пятнадцати лишних заплатить кому-то солидный процент!

— Трев, а вдруг он возьмет шестьдесят, а потом нас надует и заключит сделку с Санто? Что мы можем сделать?

— Абсолютно ничего. Однако перестаньте топтаться на месте, как сумасшедший, и слушайте меня. Я рискую. Ясно? Я вложил деньги. Дайте неделю, и я раздобуду наличными три-четыре раза по шестьдесят, но никак не могу сделать это сегодня, черт побери. Если все рухнет, с чем вы останетесь?

— Может... найдется одна возможность.

— Ну, теперь начинаете соображать. Я вам перезвоню. Долго будете искать?

— Буду знать часа в... Перезвоните мне прямо сюда в два часа.

Со временем воровство отпечатывается на человеческой физиономии так четко, что начинает читаться. Бесконечная жадность, жестокие сделки и кражи наложили печать на Престона Ла Франса. Согласно старой пословице, рождаешься с лицом, данным Богом и родителями, а умираешь с тем, которое заслужил.

В два часа я вернулся в дом и позвонил, точно зная, каким должен быть ход его рассуждений. Достать шестьдесят тысяч наличными для выкупа квитанции на семьдесят пять тысяч наличными. Прибыль еще никому никогда не вредила. Маленькие городки Флориды кишмя кишат старичками, которых не интересуют лишние подробности о совершаемых сделках и которые предпочитают повсюду собирать скромные средства в денежной форме. Ла Франс должен знать пару таких зорких старых ястребов. Отловил одного, может быть, под гарантию своих пятидесяти акров и опциона Карби и одолжил на несколько часов шестьдесят тысяч наличными, заплатив старику тысячу или пятьсот долларов, а потом, рапортуя мне, поднял процент на максимальную высоту.

— Трев, — начал он, — с ужасом жду звонка, просто жутко не хочется кое о чем вам рассказывать.

— Не сумели достать деньги!

— Нет-нет, достал, они заперты тут у меня в офисе. Занял у парня, который держит на руках наличные. Проблема в том, что ему известно о моих трудностях. Может, я чересчур волновался. Так или иначе, он мне их дал. Но поставил единственное условие — отдать ему за это все пятнадцать тысяч. Мне пришлось согласиться. Клянусь Богом, Трев, когда тебя поджимает, все финансовые источники пересыхают. Больше просто не у кого одолжить.

— Довольно суровый переплет, Пресс.

— Вы же сказали, что дело срочное.

Идеальный пример философии мошенников всех сортов, крупных и мелких: честного человека не проведешь. Я выдал ему медаль за поведение. Медную.

— Когда я вернусь, — продолжал он, — этот тип будет торчать в вестибюле отеля с протянутой рукой и даже разворачивать их не станет, разве что пожелает пересчитать очень медленно и внимательно, а потом потащится домой в своем старом пикапе, улыбаясь, как жаба при лунном свете. Трев, это лучшее, что я мог сделать за такое короткое время, клянусь Богом, правда.

— Ну, ладно. Тащите их в «Аннекс», отдайте доктору Мейеру, да смотрите не потеряйте по дороге. А потом просто будем спокойно сидеть в ожидании чека от корпорации.

— Долго?

— Спросите доктора.

Я положил трубку, зная, что дело сделано. Секрет крупного мошенничества заключается в том, чтобы мало-помалу ввергать жертву во все более неприятное положение. В конце концов, обирая человека дочиста, толкаешь его на столь идиотский поступок, что ему никогда не понять, как он на него решился, почему не раскусил. Ла Франса ослепляет уверенность, что он не потеряет ни цента. А когда осознает обман, не сможет прибегнуть к помощи закона. Ведь придется тогда сообщить о взятке в шестьдесят тысяч долларов, которую он всучил человеку, выдавшему себя за представителя крупной корпорации. Придется сообщить об уплате сорока тысяч долларов за ничего не стоящую долю собственности на бездействующую пристань. Если это откроется, каждый член делового сообщества Саннидейла обхохочется над ним до колик. Поэтому у него нет ни единого шанса. Бедный Ла Франс. Точно в такое же положение он поставил Таша. Полностью раздавил. Начисто обобрал. Никакого снисхождения к Ташу. Никакого снисхождения к Ла Франсу.

Выйдя, я увидел Конни у сарая с оборудованием. Мы отошли и уселись на старую замшелую каменную скамью под огромным баньяновым деревом в боковом дворе.

Я сообщил ей, что рыбка проглотила крючок с наживкой и крючок сидит на редкость крепко. Очень жадная рыбка попалась.

Ее обветренное лицо сморщилось в насмешливом радостном удивлении.

— Может, до того жадная, что вашему другу, Трев, лучше быть поосторожнее, выходя из заведения.

— У него с собой конверт, адресованный самому себе. Прямо из «Аннекса» он пройдет в вестибюль отеля и бросит его в ящик. Марок более чем достаточно, конверт хорошо запечатан, деньги вложены в картонку, скреплены резинкой. Еще раз спасибо, Конни. Мне надо возвращаться.

— Приезжайте в любое время, слышите? Собираетесь сделать нашу девчонку богачкой?

— Скажем, обеспечить разумный комфорт, если все пойдет хорошо.

— Еще кого-нибудь одурачите на шестьдесят?

— Мейеру не понравился бы этот глагол.

— Ах, Макги, все эти гады, бедные и несчастные, еще здорово пожалеют, что у Таша оказался такой друг, как вы. Так или иначе, когда все немножечко утихомирится — если это когда-нибудь произойдет, — дайте мне знать. Думаю, хорошо бы вам позвонить Джан и выманить ее туда под каким-то предлогом, к примеру для подписания каких-нибудь бумаг. Я ее уговорю и оставлю детей здесь, а по приезде вы убедите ее ненадолго остаться. Ей необходимо сменить обстановку. Уехать от детей и подальше отсюда. Она должна долго лежать на солнце, гулять по пляжу, плавать, ловить рыбу, слушать музыку, быть рядом со счастливыми людьми. Идет?

— Идет, Конни. Скоро.

В восемь тридцать в тот вечер прозвеневший сигнал известил, что кто-то перешагнул через цепь на сходнях и поднимается на борт. Я выглянул, увидел Мейера и впустил его.

Ухмылка на его физиономии напоминала клавиатуру рояля. Он упал на желтый диван и попросил:

— Дай мне дело, похожее на тот смертельный труд, когда кто-то, чье имя я позабыл, что-то куда-то затаскивал, а оно снова сваливалось.

— Ты становишься сентиментальным.

— Ну и что?

— Были какие-нибудь проблемы?

— Никаких. Знаешь, мне редко доводилось видеть или касаться столь грязной, замызганной кучи денег. Я даже не знал, что стодолларовую бумажку можно когда-нибудь так замусолить. Похоже, они принадлежали истинному любителю.

— Ла Франс держался спокойно?

— Заикался, потел, глаза из орбит вылезали, разлил свою и мою выпивку. А во всех других отношениях — как огурчик. Сейчас он уже получил открытку. Сейчас он уже знает, как это вышло, понял, что ты подменил квитанции, отвернувшись от него и подходя ко мне. Сейчас уже знает, что ты забрал их через десять минут после передачи на хранение. Может быть, он сейчас через стойку врезает Гарри по зубам. Как жаль, что нельзя посмотреть, как он читает красивую открытку, которую я для него специально купил.

— Ты кое-что увидишь.

— Неужели устроишь?

— Телефон выключен. Он явится сюда утром. Можешь рассчитывать. Приходи пораньше. Немножко поиграем в шахматы.

— Мне надо быть в городе, следить за табло. Сегодня все шло почти чересчур хорошо. Объем продаж достигает пика. Очень близко к двум пунктам. Практически семь кусков для вдовы. Мой приятель на бирже тесно связан с одним парнем, занимающим пост у «Флетчера», и позвонит мне к брокерам, как только дело начнет скисать. Я отдал несколько приказов за счет тех шестидесяти тысяч. У нас останется пять дней до предъявления требования о дополнительном обеспечении в связи с падением курса. Не думаю, чтобы почта из Броуард-Бич шла сюда так долго. По крайней мере, не всегда.

— Мы могли бы немножечко поиграть на верхней палубе. Прогноз обещает тепло и ясно. Пригласим его на борт, чуть-чуть поболтаем. И он уйдет.

— Ну, могу и позвонить на биржу. Сейчас уже не так рискованно, как вначале. Кроме того, есть одна вариация с ферзевой пешкой, которой, по-моему, мне удастся тебя разбить. Знаешь, а ты не очень-то здорово выглядишь.

— Чересчур много думал.

Он допил свой бокал одним огромным глотком, передернулся, встал и добавил:

— Что ж, если выделишь мне ту койку, где меня осенило...

Глава 15

Мы поставили шахматный столик ближе к кормовому концу верхней палубы, откуда можно было поглядывать вниз на док, и в перерывах между ходами наблюдали за утренним уличным движением. Промелькнул Герой, поводя широкими плечами. Он совершал поутру охотничью прогулку, просто на случай, вдруг удастся вспугнуть какую-то добычу, даже в маловероятный ранний час. Один клок волос, как обычно, зачесан на лоб, серые брюки особого покроя обтягивают узкие бедра, широкий пояс туго обвивает неправдоподобную талию. Глядя вверх, он вымолвил сладким баритональным басом:

— Доброе утро, джентльмены. Прекрасный сегодня денек.

— Кого-нибудь подцепил? — подозрительно спросил Мейер.

— Не могу пожаловаться, джентльмены. Наилучший сезон.

Он на миг сделал стойку и ускорил прогулочный шаг. Оглядевшись, я заметил двух девушек с бледными северными лицами и ногами, направлявшихся в пляжных нарядах от пристани в сторону магазинов. В тот миг, как они скрылись из виду за пальмами, Герой был от них в десяти шагах и, должно быть, прокашливался, присматриваясь к левым безымянным пальцам девиц. Это был его оригинальный небольшой каприз, единственное соблюдаемое правило человеческого поведения. Он нередко с великим пафосом и убеждением декларировал:

— Брак я считаю священным и никогда в жизни сознательно не ухаживал и не прикасался к женщине, связанной святыми узами. Нет, сэр. Джентльмены так не поступают.

Чуть позже Мейер спустился вниз, позвонил брокеру, вернулся несколько обеспокоенный:

— При открытии подскочили на целый пункт, потом на рынок выбросили пару хороших кусков, сбили до одной восьмой ниже вчерашней стоимости при закрытии. Может, инсайдеры[1]

---

[1] Инсайдер — человек, в силу служебного положения располагающий конфиденциальной деловой информацией.

разгружаются. Если так, через неделю-другую глотки себе перережут из-за того, что могли получить.

В одиннадцать с несколькими минутами на пристань почти бегом выскочил Престон Ла Франс. Вид у него был помятый. Небритый. Разом замер на месте, уставившись на нас.

— Доктор Мей... — Он пустил петуха, прокашлялся и попробовал еще раз: — Доктор Мейер!

— Привет, Пресс! — поздоровался я. — Как дела, старина? Поднимайтесь на борт. Трап вон там, со стороны причала.

Он взобрался, явился, предстал перед нами. Мы изучали положение на шахматной доске.

— Доктор Мейер!

— Просто Мейер, — поправил тот. — Просто старина Мейер.

— Разве вы не работаете в...

— Работаю? Кто работает? Я экономист. Живу на маленьком круизном судне, которое в последнее время стало немножечко подгнивать. Если решу взяться за инструменты и поработать на нем, тогда буду работать.

— Значит... не было никакого... предложения насчет земли? Мы оба подняли на него глаза.

— Предложения? — переспросил я.

— Насчет земли? — переспросил Мейер.

— Ох, Господи Иисусе, да вы оба замешаны в мерзком рэкете. Пара гнусных мошенников. О Господи Иисусе!

— Потише, пожалуйста, — попросил Мейер. — Я стараюсь сообразить, зачем он двинул слона.

— Я вас обоих, ублюдков, в тюрьму засажу!

— Макги, — предложил Мейер, — давай закончим игру, когда станет потише. — Он встал и облокотился о поручни. В белом купальном костюме он, на мой взгляд, слегка смахивал на человека, переодевшегося на маскарад в танцующего медведя. Оставалось приделать медвежью голову. Он взглянул на Ла Франса: — В тюрьму? За что?

— Вы оба выудили у меня сто тысяч долларов! Даже больше! Предприятие Бэннона не стоит и половины закладной!

— Мистер Ла Франс, — сказал я, — в документах указано, что я заплатил законные пятнадцать тысяч за долю миссис Бэннон в лодочной станции Бэннона, а потом обернулся и продал вам эту самую долю за сорок тысяч. И по-моему, ваш банкир помнит, с какой жадностью вы старались наложить лапу на десять акров Бэннона у реки.

— Но... но... черт возьми, вы ведь сказали... — Он замолчал и глубоко вздохнул. — Слушайте. Забудем про сорок тысяч. Ладно. Вы меня надули. Но шестьдесят тысяч, которые я вчера вечером отдал вот этому человеку, совсем другое дело. Вы должны их вернуть.

— Вы отдали мне шестьдесят тысяч долларов? — от души изумился Мейер. — Слушайте, хватит торчать на солнце. Пойдите-ка отдохните.

Цвет лица у Ла Франса был нехороший. Он стоял, моргал, сжимая и разжимая костлявые кулаки, улыбался, должно быть считая свою улыбку заискивающей и дружелюбной.

— Ребята, вы меня здорово сделали. Чисто и идеально. Красиво обставили старика Пресса Ла Франса. И по-моему, не собираетесь отдавать потому только, что я сказал просто «пожалуйста», без сахарка. Да вы просто не поняли. Ведь я проверну опцион с Карби и получу тридцать тысяч. А теперь, вернув деньги, смогу рвануть и заключить сделку с Санто. Вот о чем можно со мной торговаться, ребята. Все законно напишем. Вы получите шестьдесят тысяч, которые у меня украли, и еще двадцать, чтобы подсластить пилюлю.

— Да будь у меня шестьдесят тысяч, — вставил Мейер, — разве стал бы я тут ошиваться? Катил бы уже в белом автомобиле с откидным верхом, с красивой женщиной в мехах и брильянтах.

— Что вы теряете? — продолжал Ла Франс. — Никоим образом ничего не теряете.

— Нет, спасибо, — отказался я. — В каком положении вы при этом останетесь, приятель?

Он утер рот тыльной стороной руки:

— Я просто не в состоянии остаться в таком положении. Все равно что заживо погребенный. На милю под землей, ребята. Я буду связан до конца своей жизни. У меня никогда, до конца дней, не будет ни единого цента, который я мог бы назвать своим собственным.

— Ну, теперь понимаете, что ощущают при этом, Пресс?

— При чем?

— Как себя чувствуют люди в таком положении? Например, Бэннон.

Он вытаращил на меня глаза:

— Вы жалеете Бэннона? Это честное дело. Он торчал на пути прогресса, оказался тупым, никак не мог сообразить, вот и все.

— Ему сильно помог бы шурин в окружной администрации.

— Вам-то какое до этого дело, скажите на милость, Макги? Господи, в мире полным-полно таких Бэннонов, их расшвыривают направо-налево, и поэтому мир продолжает вертеться. Я включил Монаха в несколько очень выгодных дел, и он мне был обязан.

— И вы с Монахом намекнули Фредди Хаззарду, что хорошо бы при случае посильнее нажать на Бэннона?

— Ну, мы никогда не имели в виду ничего подобного! — Он улыбнулся. — Вы ведь просто хотите меня чуть-чуть помурыжить, правда? Слушайте, ребята, это не изменит дела. Двадцать сверху шестидесяти — больше я ничего не могу предложить.

Он был такой слабой, жалкой, негодной мишенью. Все еще считал себя неплохим парнем. Я попробовал его слегка надоумить:

— Если бы вы, Ла Франс, могли предложить тысячу процентов прибыли в день, я не поставил бы даже карманную мелочь вот на этот стол, что стоит перед вами. Даже если бы я горел, не купил бы у вас воды. Я пришел обокрасть вас, Ла Франс. Если б вы больше всего на свете ценили собственную физиономию, я постоянно преображал бы ее понемножку. Если б вы больше всего на свете ценили красавицу жену, она в данный момент сидела бы здесь, внизу, в капитанской каюте, дожидаясь, когда вы уйдете, а я к ней приду. Ради выживания вы расталкивали других, дружище, теперь у вас переломаны плечи и локти.

— Какое вам-то до этого дело, черт побери?

— Убирайтесь с судна. Сойдите на берег. Таш Бэннон был одним из моих лучших в жизни друзей. Вас только деньги интересуют, поэтому я ударил вас именно в это место.

— Лучший... друг? — прошептал он.

И я увидел, как вылезло серое. Серое, как мокрый камень. Серая шкура трусливого. Серая шкура виновного. Серая шкура отчаявшегося. Он заворочал челюстями:

— Вы... загнали меня в западню, ладно. Пропало все, заработанное за целую жизнь. Вы меня погубили, Макги.

— Обождите минуточку, — сказал Мейер. — Может быть, у меня есть идея.

Ла Франс сделал стойку, как хороший охотничий пес на птицу:

— Да? Да? Какая?

Мейер благосклонно улыбнулся ему:

— Решение все время стоит перед нами. Очень простое! Может быть, вам покончить с собой?

Ла Франс выпучил на него глаза, пытаясь понять шутку, пытаясь даже улыбнуться. Улыбки не получилось. А вот Мейер по-прежнему улыбался. Но в маленьких ярких глазах Мейера не было ни искры юмора. И по-моему, мало найдется людей, способных долго видеть такую улыбку. Ла Франс безусловно не был на это способен. С той же мягкой убедительностью нежного любовника Мейер продолжал:

— Окажите себе услугу. Пойдите покончите с собой. Вы тогда не узнаете о своем крахе и не будете огорчаться. Вероятно, будет немного больно, но ведь только на долю секунды. Воспользуйтесь пистолетом или веревкой, спрыгните с какой-нибудь высоты. Давайте. Умрите немножко.

Наверно, бывает крысиная лихорадка, жуткая, смертоносная ярость слабого, за которым захлопнулась дверца ловушки. С бессмысленным воплем Ла Франс ринулся на Мейера, целясь в глаза неровными желтоватыми ногтями, стараясь попасть коленями в пах и в живот. В течение двух с половиной секунд длился вой, мелькали руки и ноги, потом я схватил его за горло, оттащил от Мейера, швырнул на поручни.

Одержимые назойливы, и он продолжал попытки. Я его утихомирил, сбросил с трапа, погнал дальше по пирсу.

Он простоял там минуты три. Грозил вернуться с пистолетом. Грозил прихватить с собой друзей. Грозил взорвать мою яхту. Грозил, что мы начнем петь сопрано, когда он наймет парней с дальних болот и они явятся темной ночью с ножами. Богом клялся, что мы еще здорово пожалеем, что вообще связались с Престоном Ла Франсом.

Глаза вылезли из орбит, голос охрип, слюна поблескивала на подбородке. Наконец он поддернул штаны и пошел прочь походкой человека, только что надевшего новые очки и не совсем уверенного в местонахождении земли под ногами. Мейеру без большого труда удавалось стоять прямо. Я принес йод, смазал оставленную ногтями царапину под его левым глазом. Он казался озабоченным, задумчивым, отчужденным. Я заверил, что от Ла Франса нечего ждать никаких неприятностей, и спросил, что его беспокоит.

Мейер нахмурился, ущипнул себя за переносицу:

— Меня? Слушай! Если на тротуаре сидит жук, я сверну и обойду его. Вспоминая о крючках, почти готов бросить рыбалку! Не могу понять. Я так жутко разозлился, Тревис! Прямо горло перехватило и затошнило. Он с собой не покончит. Не тот тип. Будет жить, и жить, и скулить. Но все это похоже на шаг, нарочно сделанный в сторону, чтобы раздавить жука, — не совсем, а слегка придавить, пусть немножко поползает, медленно, истекая слизью. Макги, друг мой, мне стыдно этой злости. Стыдно, что я на такое способен. Впервые впутавшись в твои... предприятия, я заверил себя — извини за признание, — что впутался только отчасти, на время. Макги совершает поступки, которые каким-то образом вредят Макги, портят его мнение о самом себе. Я разговаривал с Хулиганкой. История о хорошенькой маленькой женщине, которая просто случайно каким-то манером связалась с Героем, — некрасивая, и она что-то губит в тебе. А теперь и я в своих глазах стал чуть хуже. Может быть, ты занимаешься дурным делом, Тревис. Неужели живет в человеке ужасная злоба, которая только и выжидает достойного повода? Неужели она существует во мне, дожидаясь предлога? Тревис, друг мой, не подтверждает ли это, что половина злых дел в мире творится во имя чести?

Он нуждался в помощи, которой я не мог оказать. Мейера не погладишь по головке, не вручишь леденец на палочке. Он пошевелил камень и в моем личном саду, и я увидел, как ползучие многоногие существа юркнули в уютную тьму.

— Ты все еще не сообразил, зачем я двинул слона, — сказал я.

Он сел, полностью сосредоточился на доске, наконец слегка кивнул и переставил пешку на одну клетку вперед, испортив задуманную мной комбинацию. Снова ущипнул себя за переносицу, улыбнулся мне мейеровской улыбкой и молвил:

— Знаешь, наверно, я должен питать определенное отвращение к тому субъекту.

Через два дня, в пятницу, Мейер поднялся на борт «Флеша» в половине пятого, сразу после моего возвращения с пляжа. Незадолго до полудня массы арктического воздуха, беспошлинно поставляемые Канадой, начали менять погоду, да так быстро, что я подумал о беспокойстве, поднявшемся в «Гроувс». Все прогнозы сулили мороз. Резкий, пронзительный северо-восточный бриз прогнал с длинных пляжей практически всех, кроме крепких орешков янки и одного лодыря-мазохиста по имени Тревис Макги. Мне надо было избавиться от всех порожденных слишком долгой сидячей жизнью судорог души и тела. Плавая параллельно берегу в волнах прибоя на все мыслимые дистанции, дальность и скорость, приходилось трудиться как следует, чтобы попросту не замерзнуть, и я усердно старался — брассом, на спине, кролем, — пока несясь назад к «Флешу» не почувствовал, что почти все длинные мышцы напрочь вытянуты из контролируемых ими суставов.

Любой настойчивый кретин вроде Героя может усовершенствовать изометрию тела, накачать впечатляющую массу мышечной ткани, которая позволяет приподнять спереди любой седан, так что девушки скажут: «О!» Но когда требуется мышечная структура, позволяющая очень быстро перемещаться туда-сюда, увертываться от удара, перехватывать выброшенный кулак, перекатываться в падении через плечо и опять вставать на ноги, сохранив равновесие и готовность, лучше полностью выкладываться в ходе долгих активных и трудных периодов. Время вместе с усталостью должны были лишить меня скорости, может быть, уже начали, но не настолько, чтобы я это заметил, и не настолько, чтобы я усомнился в себе, — безусловно, сомнение в себе гораздо хуже замедленных рефлексов.

На борту у меня работало отопление. Мейер пил кофе и обрабатывал данные о своих капиталовложениях, пока я смывал соль под горячим душем, переодевался в бесценную древнюю мягкую потертую рубашку и серые штаны, надевал ботинки для лесорубов из бычьей кожи ручной выделки, разношенные до мягкости и податливости жены эскимоса. Под душем попытался погромче запеть, но припомнил другой день, другую душевую, когда ту же самую песню прервала одна леди по имени Пусс, вручив мне отлично приготовленный образец напитка, известного под названием «Макги». Так что песня скисла и умолкла, я оделся, сам смешал выпивку и понес в салон.

Мейер, подняв глаза от работы, заметил:

— Ты выглядишь абсурдно здоровым, Тревис.

— А у тебя глаза воспаленные, вид усталый, и долго ли ты еще собираешься просиживать по пять дней в неделю, следя за табло, великий волосатый орел?

— Не так долго, как думал.

— Действительно?

— Садись, слушай. Только прошу не смотреть остекленевшим взором. Постарайся понять.

— Приступай.

— Вот отчеты о доходах «Флетчер индастрис». Смотри, учет гибкий. Имеются варианты. Каждый вполне законный. Но скажем, есть пятнадцать способов обработки различных данных, чтобы доходы выглядели немножко лучше. Так вот, тут до предела использованы все пятнадцать. Судя по последнему опубликованному квартальному отчету, кажется, будто они заработали на сорок процентов больше, чем в предыдущем. Я пересчитал и выяснил, что доход даже не прошлогодний, а немного меньше.

— Ну?

— При пятнадцати долларах за акцию кажется, будто они принадлежат быстрорастущей компании, и продажа, наверно, раз в двадцать превышает ожидаемый в этом году доход. Но над этой так называемой фундаментальной картиной существует техническая картина положения акций на рынке. Такой покупательский спрос улучшает техническую картину. Она становится весьма привлекательной. Большой объем продаж привлекает внимание. Сегодня я посмотрел, как идут дела, какова реакция, и рискнул отдать приказы от ее имени. Вот в каком состоянии ее счет. У нее семь тысяч четыреста акций. Средняя стоимость акции восемнадцать долларов. Сегодня при закрытии было двадцать четыре с четвертью. Так что в данный момент краткосрочная прибыль составляет сорок шесть тысяч долларов.

— Сколько?

— Принадлежащие ей акции в данный момент стоят сто восемьдесят тысяч, минус дебет маржинального счета. Предложение сокращается, спрос растет. Дело движется чересчур быстро. Вчера «Уолл-стрит джорнэл» опубликовал заявление менеджмента, в котором говорится, что непонятно, откуда вдруг такой интерес к их акциям. Дело слишком быстро уходит из рук. Я тут экстраполировал, до чего дойдет на следующей неделе. Воспользовался хрустальным шариком, который мне подарила старуха-цыганка. Могу сказать: на следующей неделе, как минимум, восемь пунктов, где-то между тридцатью двумя с половиной и тридцатью семью. Спекулянты ухватят прибыль и смоются. В обычных обстоятельствах я бы обождал, покупая с поправкой и дожидаясь нового повышения. Но мы столкнемся с приостановкой торгов и, возможно, с проверкой счетов корпорации. По-моему, они фокусничают всеми возможными бухгалтерскими способами, да еще привирают немножко. Подъем слишком быстрый, а на следующей неделе будет еще быстрее. Поэтому начинаю переводить ее в то хорошее место, которое отыскал и за которое надо держаться.

— Ты меня извещаешь или совета спрашиваешь?

— Извещаю. Чего тебе еще? Ты специалист по голубиным какашкам. Я — по крупнейшим в мире играм краплеными картами.

— Но ты должен поговорить с ней и объяснить.

— Я? Почему?

— Потому что надо, чтобы она сюда приехала.

Он склонил голову набок:

— Это предложение Конни?

Я кивнул:

— Я ей все объясню. Это будет справедливо по отношению к ней.

— Может, ей следует подписать какие-нибудь бумаги?

— Очень важные с виду бумаги. — Он почесал подбородок, ущипнул нос-картофелину. — Одно направление твоей мысли мне непонятно. Насчет того гада Ла Франса. Ему имело бы смысл пойти к Санто, проверить, не удастся ли выкарабкаться, всучив ему опцион на землю Карби. Разве при этом он не упомянет тебя?

— Упомянуть меня для него — все равно что признать себя перед Санто чертовским дураком. Если он признает, что размазан по стенке и пытается спасти крохи, его цена в глазах Санто опустился до очень низкого предела.

— Как ты можешь уверенно предсказать реакцию этого идиота?

— Уверенно не могу. Могу только догадываться и с этим жить.

Заморозки ударили в низинах к западу и к северу от «То-Ко Гроувс», и ударили с такой силой, что все костры, самолетные пропеллеры и фейерверки из старых автомобильных шин не сумели спасти надежды множества мелких производителей. Ждали такой же субботней ночи, но направление ветра изменилось, с нижней части залива и с Юкатана стал поступать теплый влажный воздух, двигаясь через полуостров с юго-запада, после нескольких бурь с грозами наступила не по сезону ясная и теплая солнечная суббота, когда Джанин Бэннон приехала в той машине, которую мы с Ташем чинили три месяца назад.

Я ждал ее, зная, когда она выехала из «Гроувс», пошел навстречу, забрал у нее чемоданчик, привел на борт. Она уже бывала на яхте, когда я шел на «Флеше» вверх по Шавана-Ривер, — дела на лодочной станции шли хорошо, они с радостью и волнением рассказывали о своих планах, — так что обстановка была ей знакома.

Джанин выглядела подтянутой и привлекательной в зеленом костюме и желтой блузке, только худее, чем следовало. Разница заключалась в исчезновении жизненных сил, в помертвевшем узком изящном лице, в движениях, свойственных выздоравливающим от тяжелой болезни, в лишенном звучности, звонкости и выражения голосе. Даже темные волосы утратили блеск, под глазами залегли глубокие круги, рот окружили тонкие морщинки.

Я привел ее в гостевую каюту, и она сказала:

— Не хочу доставлять хлопоты. Найду где остановиться.

— Сейчас на это способен только замечательный фокусник. Никаких хлопот. И ты это знаешь. Располагайся. Мейер заглянет выпить и поболтать. А потом пойдем съедим бифштекс, или в китайский ресторан, или куда захочешь.

— Мне все годится, Трев. Я всего на день. Должна вернуться.

— Это будет зависеть от того, что тебе придется сделать по просьбе Мейера.

Чуть позже я услышал какое-то звяканье, стук хлопнувшей дверцы холодильника. Прошел, взглянул, как она, наклонясь, хмуро смотрит в морозилку. Оглянувшись, сказала:

— Мне бы было гораздо лучше, если б ты разрешил отработать, Трев. У Конни полным-полно помощников, они делают все по-своему, а я себя чувствую паразитом. У тебя тут куча всякого добра. Честно, я люблю готовить.

— Никогда добровольно не вызывайтесь, леди. Кто-нибудь этим воспользуется, и ты уже на крючке.

— Спасибо, — улыбнулась она. — Ты ведь все знаешь, правда? Например, знаешь, что людям на самом деле хочется сделать. А теперь иди, дай мне просто потолочься вокруг, самостоятельно посмотреть, что тут за техника и как она работает.

Я пошел, перебрал записи, выбрал классическую гитару Джулиана Брима[1], поставил, отрегулировал громкость так, чтобы это был не совсем фон и не совсем полноценное прослушивание. Только когда Мейер поднялся на борт и я кликнул Джанин из камбуза, мне пришло в голову, что они никогда не встречались.

Джан вложила тонкую руку в его лапу с той сосредоточенной сдержанностью, которую, кажется, проявляют женщины в течение первых двенадцати секунд в ошеломляющем присутствии Мейера.

Он пристально посмотрел на нее, медленно и огорченно покачал головой:

— Опять обман! Джанин, дорогая моя, если б меня предупредили, что вы красивы, я не так бы старался вас обогатить.

— Красива! Да ну, в самом деле.

Он повернулся ко мне:

— Видишь? Она протестует, стало быть, хочет еще раз услышать. Ладно, Джанин. Вы красивая леди. Я очень чуток к красоте. Мужчина, при виде которого дети разбегаются, прячась у мамочки за спиной, весьма чувствителен к красоте.

— Тебе стоило бы посмотреть на волчьи стаи маленьких ребятишек, которые бегают за этим типом вверх и вниз по пляжу, слушая его байки, — добавил я.

Ее темные глаза внезапно оживились.

---

[1] Б р и м Джулиан (р. 1933) — британский виртуоз игры на гитаре и лютне, возродивший стиль игры елизаветинской эпохи.

— Мейер, вы тоже красивый. Вы делаете меня богатой — не знаю как и почему, — но я очень рада и благодарна.

— Я это делаю потому, что меня просто достал Макги. Под эту гитару хорошо выпивать. И сколько мы будем стоять тут без выпивки?

Она приготовила огромный котел вкуснейшей еды, как она сказала, «что-то вроде бефстроганов». Я отыскал красное вино, получившее одобрение Мейера. Она вымыла посуду и ушла с Мейером совещаться на палубе по поводу принесенных им документов. Я сел на желтый диван, читал, переваривал пищу, вполуха прислушиваясь к ним. Наконец она подошла, опустилась на диван рядом со мной и вздохнула. Я отложил книгу.

— Этот фантастический человек все время рассказывает мне фантастические вещи, Трев.

— Мейер такой.

— Он говорит, что ты должен мне рассказать для начала, откуда взялось столько денег. Знаю, ты проделал какой-то фокус, заставив мистера Ла Франса дать такую цену за наше имущество. Но тут гораздо больше.

— Он внес добровольное пожертвование, Джан. Пресс Ла Франс сделал щедрый жест.

— Но... если ты их у него украл, я...

— Мейер, он добровольно отдал эти деньги?

— Добровольно? — переспросил Мейер. — Просто дождаться не мог, когда от них избавится. Это истинная правда, дорогая леди.

— Ладно. Сдаюсь. Но похоже, в конце концов у меня будет... Скажите ему, Мейер.

— Это только прикидка. В конце этого года после выплаты всех налогов у вас будет, по-моему, около двух тысяч акций «Дженерал сервис ассошиэйтс», свободных и чистых, стоимостью на данный момент семьдесят долларов за акцию, а потом и больше. Доход по дивидендам составит от шести до семи тысяч в год. Все яйца в одной корзинке, но корзиночка очень красивая. Великолепные показатели, великолепный менеджмент, фантастические перспективы. Мейер присматривает за корзинкой. Вам, молодой женщине с маленькими детьми, нужен растущий доход. Завтра мы встретимся с несколькими людьми, которые начали создавать некоторые основные трастовые структуры.

— Мне придется остаться еще на день, — сообщила она мне.

— Или больше, — поправил Мейер. — В зависимости от обстоятельств. Трехлетняя программа — и у вас будет пятизначный доход с хорошим резервом, со страховыми фондами для расходов на колледж. Мальчики вырастут, женятся. Сможете поехать за границу, в Испанию, богатая и дурашливая, выйти замуж за тореадора, накупить поддельных картин. И я буду рядом — трясущийся маленький старикашка, жутко переживающий, что испортил вам жизнь.

Она громко и долго смеялась — впервые после смерти Таша.

Глава 16

В следующий вторник вечером в половине одиннадцатого, после того как Джанин нас опять хорошо накормила, я провожал Мейера к его судну, перепроверяя стратегию.

— Звонок Конни, — сказал он, — гениальная вещь.

Я заранее, пока Мейер водил Джанин на таинственные свидания с адвокатами и попечителями фондов, договорился с Конни, она перезвонила в шесть и спросила, может ли увезти с собой мальчиков на несколько дней, прихватив Маргариту для присмотра за ними. В Тампе собрание Ассоциации, потом она хочет заехать дня на два в Талахасси, а на обратном пути повидаться кое с кем из других садоводов. Поездка продлится неделю, так что Джан вполне может сидеть на месте.

— Как только она согласилась, — продолжал Мейер, — сразу заметно расслабилась. Ты обратил внимание — есть стала лучше. Слышал, смеется немножко?

— Как там наш тайный план?

— В лучшем виде. Сброшу сегодня тысячу акций «Флетчера» по тридцати одному и переведу средства в «Джи-Эс-Эй». Наступает критический момент. Не знаю, высоко ли взлетит ракета. Нынче объем продаж — девяносто две тысячи. Скажем, утром я ей сообщу, что люди, с которыми мы должны встретиться, явятся в пятницу утром. Нет, в субботу утром. Так что придется тебе сдвинуть эту груду жуткой роскоши, пока она не примерзла к слипу, и совершить небольшой симпатичный круиз.

— Попробую. Но не рассчитывай.

Я легким шагом вернулся, поднялся на борт, вошел в салон. Джанин стояла в передних дверях, спиной к темному трапу.

— Трев... — проговорила она абсолютно чужим голосом, слабым, мрачным, испуганным, а за пояс ее обхватывала жилистая, покрасневшая на солнце рука. — Трев... прости.

Слева из-за нее на уровне талии высунулась другая рука, нацеливая мне в живот короткий ствол приличного калибра.

— Мне очень жаль, мистер Макги, — сказал он.

Я различил за ней высокую фигуру, бледность лица на фоне темноты.

— Фредди?

— Да, сэр.

— Мне тоже очень жаль, Фредди.

— Просто стойте спокойно, — посоветовал он.

Рука с талии Джан исчезла. Ко мне полетели наручники, описав дугу, блеснув в свете, со звоном упав на ковер салона.

Рука снова быстро схватила ее.

— А теперь все время двигайтесь, как в замедленной съемке, мистер Макги. Опуститесь на колени, медленно поднимите наручники, поднесите руки вон к той трубе, наденьте их и как следует пристегните покрепче.

— Или?

— Вы наверняка знаете, в какой угол меня загнали, мистер Макги. Все на меня навалилось, ни сбросить, ни остановить. Я не могу оставаться запертым в одном месте даже на месяц, сразу же превращусь в зверя. Поэтому у меня нету выбора. Мне очень жаль, что так вышло, только жалость не поможет. Так что давайте, пошевеливайтесь, или всажу пулю прямо вам в лоб, мистер Макги.

Фредди дошел до последней крайности, был на пределе, и его тон не обманывал. Я подчинился беспрекословно, униженно, двигался, точно минер, вытаскивающий из бомбы взрыватель. Аккуратно защелкнул наручники со слабо успокаивающей мыслью, что, если б на десять секунд остался в салоне один, дотянулся бы, сорвал пиллерс, схватил из стола револьвер.

Он подтолкнул Джанин из дверей в салон, отложил пистолет и вздохнул с облегчением. Отпустил ее и еще подтолкнул. Обмякшее тело качнулось вперед, голова наклонилась в отчаянии.

— Прости, — тихо вымолвила она.

Его рука нырнула в карман, потом довольно осторожно потянулась к ней. Раздался едва слышный звук, кожаный шлепок, смягченный волосами. Она сделала полшага, споткнулась, лицо помертвело, стала вытягивать перед собой руки, чтобы смягчить падение, и рухнула лицом вниз, совсем расслабившись, мягко стукнувшись о ковер салона, как мешок с костями.

В момент удара свинчаткой по голове лицо его стало каким-то странным. Это был момент истины и преображения, демонстрация наслаждения эротического порядка, чувственного удовольствия. Мужчины нередко свихиваются на этом. Копы влюбляются в ореховые дубинки. Боксеры в призовых матчах забывают держать дистанцию в предвкушении сладостного нокаута. Именно поэтому некоторые извращенцы становятся анестезиологами, занимаются подготовкой умерших к похоронам или берутся за грязную работу в психушках. Это мрачное братство любителей слабой плоти, воспламеняющихся неким низменным образом от полной беззащитности.

Он посмотрел на нее сверху вниз, перешагнул и сел в кресло вне пределов моей досягаемости, широко зевнув. У него было слабое фамильное сходство с Ла Франсом. Крупный пружинистый парень с покатыми плечами, с виду смертельно усталый. В правой руке он держал гибкую плетку, замысловато сплетенную из черной залоснившейся кожи, нежно постукивая свинцовой головкой по ладони другой руки.

До этого я видел его единственный раз, когда он и другой полицейский прикрывали шерифа Баргуна при моем задержании в вестибюле старого отеля.

Я сел, повернулся, прислонился спиной к переборке так, что пиллерс оказался между коленями, оперся на колени локтями.

— Зачем вы пришли сюда, Фредди?

От усталости он соображал медленно.

— Вспомнил, как два дня назад дядя Пресс рассказывал мне про этот ваш плавучий дом. Я пытался пробраться на какой-нибудь грузовой корабль, который уходит из Тампы. За ними чересчур пристально наблюдают. Думал, как-нибудь выберусь из страны, разложу все по полкам, будет время прикинуть, что делать дальше.

— Дальше надо делать вот что: идите вон к тому телефону, звоните шерифу Баргуну, сообщите, куда за вами прийти.

— Слишком поздно.

— У вас много друзей в округе Шавана. Они все для вас сделают. Посчитают, что вы оборонялись от Бэннона, ударили слишком сильно и испугались. Постараются, чтоб старики-супруги, у которых вы взяли одежду и автомобиль, не выдвинули обвинений.

— Говорю вам, мистер Макги, слишком поздно. Мне еще раз не повезло. В последнее время одно невезение. Я убил женщину, сам того не желая, к западу от Дэйд-Сити. Оглоушил ее хорошенько, легонько и в самый раз, она сделала на два шага больше, чем надо, упала прямо на садовые грабли, и уже ничто на свете не остановило бы море крови. Господи, сколько крови! Нет, сэр, слишком поздно, надо только бежать и прятаться. Дело вразнос пошло, только кажется, будто все в полном порядке.

— А как пошло дело с Ташем Бэнноном?

— Я патрулировал, увидал его прямо у первого светофора. Он шагал по обочине с чемоданом. Притормаживаю, говорит, что идет к автобусу, звонит домой, а там вообще никто не отвечает. Беспокоился за миссис Бэннон. Задним числом всегда хорошо понимаешь, что надо было делать. Мой папа называл мистера Бэннона сильным мужчиной, его не так просто обескуражить. Надо было бы мне отвезти его к нам, показать барахло, которое ему жена оставила, и записку, сообщить, что их собственность конфискована, опечатана со всеми уведомлениями и прочее. Дядя Пресс должен был получить те десять акров и непременно собирался их получить. А вечер стоял такой тихий, я решил ничего не говорить, отвезти его прямо на место, пусть увидит своими глазами, что навсегда лишился плодов своего труда. Думаю, захотелось мне этого потому, что он вовсе не походил на побитого. Держался, будто у него был способ вылезти из заварившейся каши. Ну, я и говорю, может быть, телефон не работает, давайте подвезу. А когда приехали, он смекнул, что я знаю о конфискации, и жутко разозлился. Тогда я говорю, что жена его бросила, оставила у шерифа письмо и шмотки, а он меня обозвал лжецом. Пошел на меня, чуть ли не заорал, и я дал ему по голове. Он должен был упасть, но всего чуть-чуть подогнул колени, помотал головой и пошел дальше. Тут я понял, череп у него крепкий, он здоровый, в жутком состоянии, и постарался свалить его следующим ударом. Размахнулся как следует, наверно, угодил бы в лоб, да он двигался очень быстро для своих крупных размеров, и закинул голову назад. — Фредди вздохнул. — Так что удар пришелся прямо в переносицу, мистер Макги. Очень нехорошее место, потому что оттуда две тонкие косточки идут прямо в мозг. Я присел над ним в утреннем свете, вспотел и похолодел, держу его за запястье и чувствую, сердце бьется все медленней, медленней, тише и тише, потом совсем останавливается, он как бы вздрогнул, а через какое-то время я сообразил, что проблемы вполне могли довести его до самоубийства, и прикинул, как сделать, чтоб так и подумали, и заодно и свои следы замести. Понимаете, я ведь знал, что, если расскажу правду, навсегда вылечу из полиции, а я только там хорошо себя чувствую, в форме, и когда люди слушаются приказов.

— Но вас видела Арлин Денн.

Он медленно покачал головой:

— Ох уж эти придурки! Я думал, что чисто разделался с Бэнноном. А потом она признается, что видела. Стою я там вечером и пытаюсь придумать, как их всех поубивать каким-нибудь способом. Расколошматить головы, вколоть чего-нибудь, слишком большую дозу, или поджечь. Но мой вызов записан в диспетчерском журнале, потому что оттуда поступила жалоба. У меня были снимки и зелье, что я у них отобрал. Она не хотела влипать в неприятности. Я их много мог ей доставить. Поэтому дождался, когда протрезвеет, начнет соображать, и спрашиваю, может, можно ввести в игру миссис Бэннон или, может, она расскажет, будто вместо меня видела какого-нибудь их приятеля. И тогда...

Из-за желтого дивана послышался шорох, хриплый вздох. Фредди быстро вскочил, метнулся к Джанин, наклонился к ней, исчез из поля зрения. Я слышал его тихий голос, но слов не разбирал. Впечатление было такое, словно влюбленный шепчется с возлюбленной, успокаивая ее страхи. Еще раз прозвучал короткий шлепок.

Когда он вернулся и сел на прежнее место, я заметил:

— Это не пойдет ей на пользу, помощник шерифа.

— Не принесет и вреда, мистер Макги. Я точно знаю, куда надо бить и с какой силой. Просто мозги как бы встряхиваются, а потом даже голова не болит. Я все думаю, как устроить, чтобы немножко поспать, не беспокоясь о вас обоих. Знаете, будь вы просто на яхте, когда округ Шавана выдал ордер на ваш арест, теперь все было бы совсем гладко.

— Не рассчитывайте на это. Как бы вы все хорошо ни обставили, Фредди, люди, которые были со мной в момент убийства Таша Бэннона, выступили бы, оправдали меня, и вам пришлось бы давать объяснения.

— К тому времени уже не было бы Арли, чтобы изменить показания. Может, все это так и осталось бы загадкой, но меня к ней никак не припутали бы.

— Значит, с Ташем все вышло случайно, и женщина упала на грабли случайно, а с Арли Денн должно было выйти намеренно.

— Порой так крепко вляпываешься, что из угла есть один только узенький выход. Лучше я вас обоих утихомирю...

Я очнулся увечный, страдающий, не имея понятия ни о времени, ни о месте. Сверху шел свет из углов неплотно прилегающей крышки люка. Приняв головную боль за похмелье, сообразив, что лежу в носовом трюме «Флеша» рядом с люком для якорной цепи, а в бок впиваются старые шпангоуты, я подумал, что лишь жалкий пьяница может выбрать подобное место для сна. Однако потом попробовал почесать правой рукой щеку, а рука не поднялась, звякнула цепочка. Повернул голову и увидел, что правым запястьем прикован к переднему брасу из двухдюймовой трубы. Я давно установил такие брасы, чтобы придать носу яхты больше жесткости в бурных водах. Конструкцию не расшатать без лебедки и рычага.

Ощупав голову левой рукой, обнаружил чувствительное место выше и чуть позади правого уха. Я не помнил «наезда», не помнил, чем кончился разговор. Голова работала еле-еле. Долго не мог понять, что судно не пришвартовано в Байя-Мар, — не те движения. Яхта слегка покачивалась, поднимаясь и опускаясь. Иногда ритм сбивался, и я ощущал легкое натяжение якорной цепи, которое заглушало остаточные колебания.

Я сел, поерзал, нашел место получше, где можно было вытянуться, не натыкаясь на белые дубовые шпангоуты. В карманах не оказалось решительно ничего полезного. И ни до чего не дотянешься. Я умудрился несколько раз задремать, движения яхты успокаивали. В четверть двенадцатого по моим часам очнулся и услыхал щелчок задвижки на маленькой дверце носового трюма.

Согнувшись, протиснулся Фредди Хаззард в моих новых слаксах цвета хаки и в чистой футболке. Кивнул, вылез обратно в дверцу, втащил полведра воды, поставил в пределах моей досягаемости. Снова полез за коричневым бумажным мешком, положил его рядом с ведром.

— Мистер Макги, тут в мешке молоко, хлеб и сыр, рулон туалетной бумаги. С ведром как-нибудь справитесь. Не собираюсь отстегивать вас без очень уж серьезной причины.

— Где миссис Бэннон?

— С ней все в порядке. Я нашел цепь и висячий замок, пристегнул ее цепью за ногу, а сперва дал поесть.

— Где мы?

— Стоим на якоре на мелководье рядом с Сэндс-Кей, к востоку от канала, милях в двенадцати от Майами. Пришлось потрудиться, чтоб вывести эту штуку с большой пристани. Ветер помог. Когда я был мальчишкой, учился в школе, почти каждое лето подрабатывал рыбной ловлей. Мистер Макги, я нашел в столе рядом со стеллажом с картами ваши расчеты. Похоже, запасов горючего хватит миль на четыреста, как по-вашему?

— Почему я вам должен объяснять что-либо, Фредди?

Он присел на корточки, легко балансируя в такт покачиванию корпуса, и озабоченно посмотрел на меня:

— Я подцепил на буксир тот ваш маленький катерок. Из-за этого с таким трудом вышел из бухты. Осмотрел его, и, по-моему, он миль триста пройдет — баки полные. Куба рядом, но, думаю, это просто другая тюрьма. Узнал погоду — прогноз на пять дней хороший. Наверно, смогу добраться до островов Каикос. Там не очень-то соблюдают формальности и властей почти нету. Как объяснил мне один приятель, они всегда принадлежали Ямайке, а когда Ямайка стала независимой, на островах Каикос и Теркс все осталось по-прежнему. Я взял ваши документы, можно их подпалить, вроде бы на этой яхте случился пожар, оставить ровно столько, чтоб можно было прочитать. Вполне могу сойти за вас там, где вас никто не знает. Очень жаль, что так вышло, но раз уж я собрался выдать себя за вас, то так и оставлю с ней вместе прикованными покрепче к яхте, все горючее выпущу и затоплю. Обдумал все другие способы, остался только этот. Ну, вам рассказал, ей не стал говорить, потому что она не в себе. И вы не расскажете, потому что больше никогда друг друга не увидите. Это единственный шанс. Очень жаль, но я должен попробовать. Ну, вы спрашивали, почему должны мне объяснять. Потому что, когда придет время, я могу проломить вам с ней черепа, и тогда вы спокойно пойдете ко дну, ни о чем не тревожась. А до этого обеспечу вам все удобства. И ей тоже. Но у каждого судна свои причуды, и, если это не будет работать как надо, мне придется просить у вас объяснений. А если не объясните, удобств вам обоим не будет. Сами поймете, когда приволоку ее сюда за волосы с цепью на ноге. Я всегда думал, почему это рядом со зрелыми женщинами вроде этой вечно чувствую себя неуклюжим, тупым, боюсь до них даже дотронуться. Да уж раз она все равно пойдет ко дну, не имеет значения, что с ней будет до этого. Можно с ней позабавиться. А можно и не забавляться. Прямо сейчас решать не стану, но если вы сделаете все как надо, шансов будет меньше. Так что прямо сейчас я хочу знать, куда нажимать, чтобы эта штука пошла полным ходом.

— Ничего не выйдет.

— У меня это единственный шанс, мистер. Сколько оборотов?

— Тысяча сто.

— Где переключатель автоматического управления?

— На верхней панели в углу.

— Где карта коррекции компаса?

— Приклеена к внутренней крышке коробки у штурвала.

Он кивнул.

— Я немного поспал, только надо еще добрать. Просплю весь оставшийся день и буду двигаться на рассвете. Принесу одеяла, вам будет удобнее, мистер Макги.

— Не утруждайтесь до смерти ради меня.

Он вышел. Будь я один на борту, безумный план мог бы сработать. Но Мейер и Конни Альварес знают, что здесь Джанин. Они никогда не отступятся, пока не узнают о происшедшем. Не слишком-то утешительно.

Итак, сейчас самое время. Долгая вторая половина дня. Позже не стоит рассчитывать на его беспечность. Он даже в пиковом положении неосторожности не проявляет. Ему пришлось

210

спасаться бегством. Двое других его спутников на борту крепко прикованы. Постель мягкая. Море покачивает. Может быть, больше не доведется так сладко поспать.

Итак, давай, Макги, работай, главным образом своей тупой головой. В карманах ничего. Для освобождения нужны инструменты. Скажем, пряжка от ремня? Ах да. Предусмотрительный молодой человек. На мне старые тренировочные штаны. Ни ремня, ни шнурков. Что у нас есть металлическое, приятель... Старое помятое ведро, часы, несколько пломб в зубах. Вот и все.

А если бы было что-нибудь металлическое, что бы ты сделал? Попробовал бы открыть замок наручников. А если бы вдруг подвернулась очень тонкая гибкая стальная проволока, попробовал бы просунуть ее вон в то маленькое отверстие, где наручники соединяются, и как-нибудь расцепить. Но наручники не просто хорошие, тут еще небольшие выступы, чтобы этого нельзя было сделать.

Засов опять щелкнул, он бросил два одеяла, до которых я мог дотянуться, и снова захлопнул дверцу. Щедрый дар, парень. Большое спасибо.

Еще подумаем. Наручники скользят по брасам из крепких труб, которые представляют собой букву Х, лежащую на боку. Прикован я к той, что нижним концом упирается в правый борт, а верхним в левый. В перекрестье трубы соединяются не вплотную. Там можно протиснуть наручники. Можно встать, хорошо оттолкнувшись. Я очень высоко оценил собственную работу — по крайней мере, по установке брасов. Обрабатывал их ножовкой, чтобы они как следует прилегали друг к другу, а потом соединил муфтами. Диаметр каждой в основании около четырех дюймов, с четырьмя большими отверстиями для болтов. Даже с самым большим на борту гаечным ключом трудно было бы с ними справиться. Ржавчина казалась не менее крепкой, чем сталь.

И вдруг я припомнил, что это просто фрикционные муфты. Без резьбы. И края труб входят в них всего на дюйм. Значит, если упереться спиной и как следует поднажать, чтобы одна труба стала на дюйм короче, она выскочит из прикрепленной болтами муфты, а сообразительный парень окажется на свободе.

Я свернул одеяло, подсунул под спину. Подлез под перекрестье, поднатужился и попробовал приподнять. Старался, пока белый свет не потемнел и не замигал красными вспышками. От стараний в ушах зашумела кровь, заныли челюсти, труба врезалась в кости, но не подалась ни на четверть дюйма.

Сел, отдышался. Глаза заливал пот. Не выйдет. Есть два способа освободиться: перегрызть себе руку в запястье или сдвинуть трубу. А сдвинуть ее невозможно.

Кто-то сказал, дайте рычаг и место, где можно встать. Или точку опоры? Так или иначе, он собирался перевернуть землю. Если и объяснял зачем, объяснение я позабыл.

Разумеется, с рычагом, с гаечным ключом, с домкратом — какие проблемы? Я выпил молока, поел сыра. Отлично, Макги, сядь и сооруди себе домкрат из хлеба, сыра, часов, ведра и двух одеял. Старое ноу-хау.

Что-то мелькнуло в подсознании, но так быстро, что не удалось уловить. Смутный призрак некой смутной мысли. Я лег на спину, постарался не думать вообще ни о чем, и, когда призрак вновь промелькнул, я его ухватил. Перетряхнул, но он мне ничего не сказал. Мямлил что-то про винтовую стяжку, и я выбросил его из головы.

Есть два способа что-нибудь сдвинуть — оттолкнуть или подтянуть. Я сел, осмотрел свой инструментарий. Взял одно одеяло, скатал с одного угла как можно туже и аккуратней. У левого борта возле переборки был толстый короткий прямоугольный деревянный шпангоут, но я на фут до него не дотягивался. Смочил концы получившегося из одеяла каната в ведре с водой, сбросил туфли, носки, вытянулся, закинул конец вокруг шпангоута, зажал в ступнях, подтянул к себе. Другой конец обмотал вокруг трубы, к которой был прикован, максимально затянул, связал оба конца. Выплеснул из ведра воду, обулся и начал топтать ведро, пока боковой шов не разошелся, а шов на дне совсем не ослаб. Потом трудился, кряхтел и потел, получив в результате безобразную железную трубку длиной около двух с половиной футов. Поплотней обмотал ее другим одеялом, связал оторванными от рубашки полосами. Потом до половины засунул мягкий рычаг между двумя петлями каната из одеяла и начал крутить.

Дело пошло легко — сперва. Импровизированный канат закручивался в узел, как резинка в игрушечном аэроплане. Деревянный шпангоут угрожающе заскрипел. Каждый следующий оборот требовал больших усилий. Я завернул свой рычаг в одеяло, чтобы он сразу не изогнулся. Но когда стал перехватывать ближе к концам, добиваясь максимальной рычажной передачи, он начал гнуться. Заметив, что труба браса тоже начала гнуться, я с тревогой задумался, что получится, когда все рухнет. Обливаясь потом, повернул рычаг. Одеяло натянулось так туго, что казалось, я слышу, как оно гудит. Каково сопротивление на разрыв среднего одеяла?

Внезапно что-то обрушилось в самом центре. Труба выскочила из муфты, ударила меня по локтю, лишив чувствительности руку и пальцы, перевернулась, шарахнула по голове, сбила с ног и едва не сломала прикованную руку. Шум стоял немилосердный. Фредди должен был прийти посмотреть. Я снял с трубы наручник, зубами развязал полосы, связывавшие рычаг, пополз на коленях к дверце, высоко держа железяку, молча молясь, чтобы он сунул в дверцу голову, и гадая, не поджидает ли он с другой стороны, когда голову высуну я.

Поэтому выполз осторожно, придерживая наручник на правом запястье, чтобы не звенела цепочка. Пробрался через другой люк вперед, тихо пошел к корме. Через каждые несколько шагов останавливался перевести дух, наклонял голову и прислушивался. У входа в коридор услыхал громкий храп, глубокий, медленный, регулярный. Дверь в капитанскую каюту была приоткрыта, дверь в носовую часть закрыта. Оттуда слышалось тихое звяканье цепи.

План действий: пройти в салон, взять оружие, зарядить, прострелить ему для гарантии одну коленную чашечку. Освободить леди. Взять курс на Диннер-Ки, радировав полиции, чтобы она нас встречала.

Но он вновь оказался предусмотрительным. Все было перевернуто вверх дном. Пистолет 38-го калибра исчез. Я посмотрел в капитанской рубке — ружья для охоты на акул на месте не было.

Пересмотренный план действий: тихо освободить леди, убрать ее отсюда ко всем чертям, перебраться на «Муньекиту», а когда нас отнесет подальше, запустить мотор и поскорей удрать.

Цепь. Быстрее и легче всего можно справиться с ней с помощью больших хороших кусачек, жуткой штуки с ручками в ярд длиной. Они оказались там, где я и надеялся, — висели в заднем шкафчике с инструментами.

Я с удовольствием слушал храп, пробираясь, как привидение, мимо дверей капитанской каюты. Медленно открыл дверь в носовой отсек. Она сидела на полу, вертя головой, глядя на меня обезумевшими глазами, широко открыв рот, готовая завизжать изо всех сил, но вовремя опомнилась, и я тихо вошел, закрыв дверь так же бесшумно, как открывал. До моего появления она отыскала в аптечке какую-то жирную мазь, смазала голую ногу в попытке сбросить цепь, но только содрала кожу. Лоснившаяся от мази лодыжка и пол были усеяны каплями крови.

Я подхватил цепь кусачками, нажал, они ее перекусили, цепь со звоном упала на пол. Отложил кусачки, помог Джан встать. Она прильнула ко мне, и я зашептал, что он спит, что мы сядем на «Муньекиту», отвяжем буксировочный канат, нас отнесет течением... Она мотала головой в лихорадочном одобрении.

В двух футах от приоткрытой двери капитанской каюты, мимо которой нам предстояло пройти, я вдруг понял, что не слышу храпа. Схватил ее за руку, чтобы быстренько пробежать, но дверь распахнулась, и в ней стоял он. Я с силой толкнул Джан в коридор и с такой же яростью бросился на него. Но увесистый, мягкий горячий красный молот на столь близком расстоянии с такой силой ударил в левое плечо, что меня перевернуло и отбросило через открытую дверь назад, в гостевую каюту. Ноги заплелись, я тяжело рухнул, вспоминая в момент падения старый, болезненный, давно заученный урок. Когда в тебя стреляют, ты умираешь. Бах! — и ты мертв. Так умри — может, это единственный шанс, оставшийся у тебя на всем белом свете.

Я услышал, как он подошел, остановился надо мной и сказал:

— Чертов дурак! Жалкий, ничтожный проклятый дурак, — и ткнул меня носком в бедро, проверяя расслабленность тела. Я выбросил обе ноги, сшиб его, вцепился, одновременно вопя, чтобы Джан прыгала с борта, плыла к берегу, торопилась изо всех сил.

Дело было непростое. Моя левая рука не работала, он все пытался вытащить револьвер и наставить его на меня, я старался держаться сзади и набросить ему на горло цепочку от наручников. Он умудрялся бороться, демонстрируя впечатляющую гибкость и силу, но потерял равновесие и рухнул вместе со мной на кровать. Прошло лишь несколько секунд. Я захватил шею крюком правой рукой, но левая к этому времени становилась все хуже и хуже, и он медленно, медленно умудрился повернуть дуло так, чтобы наверняка пустить пулю мне в голову, даже не оборачиваясь.

И в этот миг в дверь влетела Джанин, визжа, высоко держа в обеих руках маленький красный огнетушитель, который, видно, сорвала со стены в коридоре. Вопя, с искаженным лицом, неслась прямо на нас, стала замахиваться для удара, еще будучи минимум в трех шагах от кровати. Он вывернул руку с оружием, в замкнутом помещении оглушительно грохнул выстрел, я увидел, как голова ее дернулась в сторону при нанесении чудовищного удара, а потом на меня обрушилась такая тяжесть, что в плече и в руке разлилась смертельная боль, белый свет в глазах померк и погас совсем.

Не знаю, надолго ли я отключился, на тридцать секунд или на пятнадцать минут. Старался очнуться, сознавая, что дело спешное, чувствуя, что придавлен огромной тяжестью. Фредди Хаззард казался невероятно тяжелым. Я приложил пальцы правой руки к его горлу и ничего не нащупал. Выполз, извиваясь, и понял, откуда такая тяжесть. На нас обоих, спиной у него на бедрах, лежала Джанин, свесив темноволосую голову с края кровати.

Я выбрался из-под обоих и встал. Больше не хотелось ощупывать горла трупов. Она лежала ко мне левым виском. Волосы сильно намокли от крови. Я всматривался изо всех сил и, только заметив, как вздымается и опадает грудь, рискнул приложить к горлу палец, нашел местечко, где бился пульс — тук-тук-тук.

Потом посмотрел на него. Тут уже никому не найти никакого пульса. Череп раскроен по диагонали, от одного виска поперек до другой надбровной кости. Рана шириной с огнетушитель и, наверно, в дюйм глубиной. Глаз таращился с таким изумлением, какого не встретишь в мире живых.

Накатила слабость и медленно отступила. Я был ростом в три этажа и покачивался под легчайшим бризом. Игрушечный паренек из соломы и теста. Левая рука висела. Опустив глаза, я увидел деловито капавшую с кончиков пальцев кровь.

Принимайся за дело, Макги. О многом надо позаботиться. Приведи яхту в порядок. Берись за ведра и швабры, старик. Надраивай палубу. Давай, пошевеливайся, потому что не знаешь, сколько у тебя времени, а его, может быть, мало. Я полез в карманы Хаззарда, нашел ключ от наручников, умудрился повернуть его онемевшими пальцами, освободить правое запястье, сильно стертое металлом.

Никак не мог заставить себя поторапливаться. Я размышлял. Это было нечто вроде игры, занимательной и не слишком серьезной. Можно справиться, не позволив себе навсегда слететь с катушек, а можно и не справиться. Интересно.

Медленно двигаясь к носовой части, я сорвал с себя рубашку. Повернулся левым боком к зеркалу. Входное отверстие находилось в трех дюймах ниже плеча с наружной стороны, но было очень глубоким. Точно не скажешь, что кость не задета. Пуля явно прошла навылет, пробив чертовски большую дыру. Я поднял правой рукой левую, прислонил ладонью к стене, уткнулся локтем. Забил в раны марлевые подушечки, аккуратно перевязал, отрывая зубами полоски пластыря.

— Прекрасно, — услышал я собственный голос, который шел как бы из другой комнаты. — Весьма чистенько.

И направился в камбуз. Шок. Кровотечение. Надо возместить потерю жидкости. Принять стимуляторы. В холодильнике стояла кварта апельсинового сока. В шкафчике со спиртным — непочатая бутылка виски «Дикий Индюк». Я поставил все это на столик, сел, из углов на меня двинулся белый туман. Стало ясно, никто не намерен ко мне подойти, обслужить. Я взял за запястье левую руку, положил на стол. Послал по нервным волокнам приказ. Пальцы шевельнулись. Выпил треть сока. Сделал четыре долгих глотка бурбона. Еще треть сока. Еще глоток спиртного. Отлакировал соком. И опять бурбон, ровно столько, сколько требуется для ублажения рвотного рефлекса.

Давай, белый туман. Попробуй еще разок. Вот он я, Макги.

Но туман пока спрятался назад в угол, и я больше не видел его краем глаза. Встал, не думая о руке, которая соскользнула со столика и ударилась о бедро. Думал я о Джанин, которая получила пулю в голову, и о том, что тук-тук прекратится. Схватил левую руку, перевернул, посмотрел на часы, — неужели сейчас три часа дня?

Иди выясняй. Рано или поздно придется выяснить. Так иди посмотри на нее.

Горло еще пульсировало, как хороший моторчик. Я подхватил ее, оттащил от Фредди, положил на кровать. Не хотелось ее слишком двигать, не хотелось и рисковать, вдруг придет в себя и увидит, что лежит рядом с тем, что некогда было Фредди.

Взяв кусок старой парусины, я расстелил ее на полу у кровати сбоку, наклонился через бывшего Фредди, схватил окровавленную простыню, вытянул из-под Джанин и тянул, тянул, пока он не скатился, упав с мягким стуком на парусину лицом вниз. Я оставил на нем простыню, завернул в парусину. Включил яркую настольную лампу, разобрал ее слипшиеся от крови волосы, нашел след от пули в полтора дюйма длиной и настолько же выше левого уха. Вроде бы шить и фиксировать ничего не требовалось. Пуля содрала полоску скальпа вместе с волосами, кровь запеклась и остановилась. Я смочил в антисептике марлю, очень осторожно приложил к ране, привязал подушечку бинтом.

Потом в миг чисто гениального озарения оторвал кусок простыни, сделав перевязь для себя, чтоб рука не болталась. Нашел закатившийся в угол огнетушитель, вытер, повесил на место. Сел на пол и обеими ногами наполовину затолкал сверток с Фредди под койку, где он был не так заметен.

Потом вышел на верхнюю палубу. Мы стояли на якоре. Море спокойное, небо чистое. Спустился вниз, привел себя в порядок, умылся. Кровь через марлю не проступила. Знак хороший. Надел рубашку. Пустой болтающийся рукав не так мешает, как болтающаяся рука.

Сделал два огромных бутерброда с арахисовым маслом, проглотил, запил квартой холодного молока. Что еще нужно здоровому американскому мальчику после того, как его подстрелили?

В половине пятого, немного поразмышляв, включил радио, связался с портом Майами и через него связался по кредитной карточке с судном Мейера. Связистка сообщила ему, что его вызывают с яхты «Лопнувший клёщ».

— Тревис? Слушай, я смотрю, тебе без большого труда удалось ее уговорить. Прием.

— Это импульсивное побуждение, Мейер. Одичавшие и свихнувшиеся ребята отправляются на поиски волшебных приключений. Прием.

— Ты немножко под градусом, старина? Слушай, я о другом говорить не могу при таком удобном для прослушивания способе связи. Передай, что дела идут хорошо. В следующий раз позвони с берега, сообщу новости. Прием.

— Ладно. Не знаю, сколько еще мы проплаваем. Может быть, подержу ее пару недель. Прием.

— Пусть как следует отдохнет, Тревис. Да и тебе не повредит. Развлекись. Лови рыбку, пой песни.

Сразу по окончании разговора возникла реакция. Когда делаешь то, что должен, машина как-то выдерживает нагрузку. Но как только пробьешься, винтики и колесики принимаются дребезжать, скрипеть и идут вразнос. Я ощутил ледяной холод. Ясно — все пропало. Ей от этого никогда не оправиться. Что-то будет кровоточить в голове, и все кончится. Может быть, кто-то видел, как он поднимался на борт или как выводил яхту. В руке разливалась боль. Якорь выскочил из песка, и мы начали дрейфовать.

Я опять пошел вниз, посмотрел на нее, прошел в капитанскую каюту, сбросил халат, лег в огромную постель, жалея, что слишком стар, не могу заснуть, наплакавшись и обессилев от слез...

Я услыхал, что она окликает меня по имени, задолго до того, как позволил себя разбудить. Она сидела на краю постели лицом ко мне. На ней был короткий пляжный халат и нечто вроде тюрбана из светло-голубого полотенца. Стояла ночь. Из-за ее спины шел свет.

— Трев! Трев!

— М-м-м... Как твоя голова, Джанин?

— Все в порядке. В полном порядке. Ты тяжело ранен?

Она обнажила мое плечо, осмотрела повязку.

— Просто царапина.

— Да ладно тебе. Плохо?

— Похоже, не слишком.

— Я хочу посмотреть.

— Дай мне встать. Я не собирался так долго спать.

— Так вставай. Я сейчас.

Она вернулась с полотенцем, с набором первой помощи и тазиком горячей воды. Я перевернулся на правый бок. Она зашла с другой стороны кровати, разложила полотенце и прочее, сняла повязку.

Я слышал, как она охнула, и спросил:

— Что, так плохо?

— Я... По-моему, просто кажется хуже, чем на самом деле. Постараюсь не причинить тебе боли.

И занялась делом, очень осторожно.

— Тревис!

— Да, Джан.

— Он ведь хотел убить нас обоих, правда?

— Возможно.

— Я знаю. Он так смотрел на меня, после того... Когда ты пришел меня освободить, я думала, это он вернулся.

— Он доставил тебе кучу неприятностей?

— Пожалуй. Посадил на цепь, снова ударил по голове, очень-очень легко, но все сразу далеко уплыло, и я не могла ни двигаться, ни говорить, ни видеть. Только чувствовала... что он делает... руками. Как бы... выяснял, что такое женщина. Как только мне удалось шевельнуться, я отшвырнула его руки. А он посмотрел на меня, покраснел, вроде как улыбнулся, пожал плечами, и мне стало ясно, он знает, что я ни о чем никогда никому не смогу рассказать. Я знала, он вернется... а это был ты. А потом точно знала, он убьет тебя, как убил Таша, и... и знала, что сама могу его убить. Знала, он меня не остановит. И вот... я это сделала.

— Не совсем, дорогая. Я сам обо всем позаботился.

— Не старайся меня успокоить и оградить. Я его видела. Дотронулась до него, перевернула, чтобы убедиться. А когда ударила, даже почувствовала под руками какую-то пустоту... когда у него голова проломилась. Я совсем не горжусь и не радуюсь, ничего подобного. Но могу с этим жить... Вот. Кажется, теперь даже лучше, чем было, Тревис.

— Спасибо, — сказал я и перевернулся на спину. Она унесла тазик, полотенце и инструменты.

Вернулась, встала в ногах постели, спросила:

— Что нам теперь делать?

— Я звонил Мейеру, пока ты была без сознания.

— И все ему рассказал?

— Нет. Сказал, еще немного поплаваем.

— Как?

— Пока оба не исцелимся настолько, чтоб люди не задавали вопросов. Если вернемся, придется сделать заявление. Всем захочется получить больше места на первых страницах, сделать побольше снимков. Что хорошего для тебя и детей?

— Ничего.

— Или для родных Фредди?

— Они вполне могут думать, будто он где-то живет на свете.

— И я не могу допустить такой скандальной огласки, Джан. Не могу стать известным в обществе. Потому что тогда потеряю работу. Не хочу привлекать к себе большой интерес властей. Он отчасти уже возник, но я с этим могу справиться. Поэтому глубоко похороним его и ничего не расскажем. Ни слова, Джан. Никому, ни одной душе. Сможешь?

Лицо ее было спокойным, глаза задумчивыми. В морской ночи явственно ощущалось присутствие на борту смерти. Любителю бить по головам жестоко изменила удача. Никогда ему не добраться до островов Каикос. В подсознании у него гнездилось что-то дурное, извращенное, смешанное с темнотой, с беспомощностью, с сексуальным насилием. Под воздействием стресса дурное зашевелилось, задвигалось, стало выплывать на поверхность, но жизнь его кончилась, прежде чем оно вышло из-под контроля.

— А если ты как следует не поправишься? — спросила она. — Если придется искать врача?

— А у нас есть легенда. Мы стреляли по пивным банкам из пистолета тридцать восьмого калибра. Банка вылетела неожиданно. Пистолет выпал из рук и выстрелил, упав на палубу.

— А... кто-нибудь, кроме нас, знает, что он был на борту?

— Вряд ли.

Она кивнула:

— Все будет в полном порядке, Тревис. Я смогу.

Я встал, вышел на палубу и обнаружил, что совсем позабыл о сигнальных огнях. Мы были далеко в стороне от любого курса небольших судов, а темный корабль в ночи взывает к расследованию. Я вернул яхте легальный статус. Мы шли отлично. Ночь была мягкой, звезды затянуты легким туманом. На севере виднелось гигантское сияние Майами.

Я долго стоял наверху. Когда спустился вниз, она казалась спящей, свернувшись в клубочек на желтом диване в салоне. Посмотрел на нее, понадеявшись, что ей хватит выдержки помочь однорукому мужчине в жутких хлопотах. Под глазами у нее залегли темные круги. Я выключил маленький ночник и побрел в темноте знакомым путем к капитанской каюте.

Я в действительности не знал, выдержит ли она, справится ли, до следующего утра, когда сидел на краю свежезастланной постели, глядя, как она изогнутой иглой для парусов с толстой ниткой зашивает Фредди в его морской саван. Она промыла и заново перевязала мою рану. Я привязал к ногам помощника шерифа запасной якорь, сунул ему за спину его пистолет, наручники, черную кожаную фуражку.

Она вытащила остаток нитки, отмотала с катушки новую, срезала, послюнила, прежде чем вдевать в иголку, и бросила на меня быстрый взгляд. Этот ровный и мрачный взгляд напомнил мне о старых легендах про воинов, которые страшились, что их возьмут в плен живыми и отдадут женщинам.

В конце дня она выдернула со дна якорь, я подвел к этому месту «Флеш», поднял якорь на борт. Мы пошли в сторону, поскрипывая и покачиваясь на волнах. Я поставил автопилот на такую скорость, чтобы просто идти по морю, и мы вместе втащили тюк на боковую палубу. Она взяла книгу, наклонила ее, ловя свет заходящего солнца, прочитала слова, которые мы сочли уместными в данной ситуации.

Отложила книгу, и мы двумя ее руками и одной моей подняли окоченевшее тело. Она удерживала его на поручнях, я наклонился, схватил парусину у ног, сбросил в море. Оно утонуло сразу. А потом я встал к штурвалу и направился к бую, отмечавшему вход в Бискейнский залив.

Глава 17

Как только она осознала необходимость дождаться выздоровления во избежание лишних расспросов, на нее снизошло необычное умиротворение. Подолгу молчала и, по моим догадкам, теперь, зная о том, что и как произошло, отчасти покончила с этим, отчасти начала принимать смерть Таша.

Начала хорошо есть, загорать в солнечные часы, кожа быстро покрылась загаром; стала долго и глубоко спать, набирать вес, костлявое лицо округлилось, пополнели бедра, как ни странно, выглядела стройнее.

Я звонил Мейеру. Подолгу держал руку свободной, а не на перевязи, пока не начинали болеть мышцы.

Джанин позвонила Конни, вернувшейся из поездки с детьми, и та согласилась, что продолжение плавания пойдет Джан на пользу. Поговорила с каждым из мальчиков. Они чувствовали себя прекрасно. Скучали по ней. И она по ним тоже.

В среду, в последний день января, Мейер избавил ее от последних акций «Флетчера» по хорошей цене, а при следующей беседе вечером в понедельник — я звонил с Исламорады — с нескрываемой радостью объявил, что в полдень «Флетчер» взлетел до сорока шести долларов за акцию и через пятнадцать минут биржа приостановила торги, намереваясь полностью расследовать слухи о возможной фальсификации сведений о доходах, об игре спекулятивного синдиката на повышение и о том, что руководство компании тихонько избавилось от всей своей собственности по искусственно вздутым ценам. На Уолл-стрит поговаривают, что это повторение дела «Уэстека», и болтают о сильной причастности к повышению стоимости спекулянта из Флориды по имени Гэри Санто.

— Если эти бумаги когда-нибудь снова допустят на биржу, — добавил Мейер, — они пойдут при открытии приблизительно по шесть долларов, и даже это превышает реальную цену за акцию.

На следующее утро «Флеш» пришвартовался в порту Исламорада, и после завтрака Джан в последний раз обработала мою рану. Входное отверстие превратилось в розовое, хорошо заметное на фоне загара пятно величиной с пятицентовую монету. Джан тщательно осмотрела выходное отверстие, коснулась его рукой, измеряя температуру, и сказала:

— Последний след пропадет через несколько дней. Если бы мы зашили рану, шрама почти не было бы видно... Так, чепуха, словно кто-то нечаянно ткнул тебя острой палкой.

— Вчера я весь день ходил без перевязи. И мог бы секунд пятнадцать держать в вытянутой руке самый маленький кузнечный молот. И буду ходить в рубашке до тех пор, пока новый шрам не побелеет, сравнявшись со старыми.

— Твою шкуру задорого не продашь, — заметила она. — Может, найдутся три-четыре лоскута, из которых получится неплохой абажурчик, остальное придется выбросить.

— Наверно, я просто привержен к несчастным случаям. А вы уже прошли инспекцию, леди. Зачесывай волосы таким манером, и все будет отлично.

— Понимаешь, эту забавную яхту ужасно качало, я чуть не упала и содрала добрый кусок скальпа о какую-то острую штуковину.

— Можем отправляться назад, чтобы Мейер помог тебе сосчитать деньги.

Позже в тот день она спустилась вниз, вернулась с двумя откупоренными бутылками «Туборга», села ко мне поближе.

— Нечто вроде объявления, Тревис Макги. Может, не будет другой возможности поговорить. Хочу объявить тебя милым, чудаковатым и церемонным типом. В общем, ты мне не слишком нравился до смерти Таша, я не понимала, за что он тебя любит, а теперь, кажется, понимаю.

— Расскажи-ка. Вдруг пригодится.

— Перспектива остаться наедине с тобой ужасала меня. Я считала тебя утешителем маленьких вдовушек. Жизнь продолжается и так далее, разреши, я верну тебя к жизни, моя дорогая. Женщина всегда знает, что мужчина находит ее физически привлекательной, и я льстила себе такой мыслью.

— И правильно делала.

— Ждала неких логических доводов хронического жеребца, в том числе «Таш одобрил бы это» и, в конце концов, «для здоровья полезно». А ты был таким сдержанным, ласковым и деликатным. Спасибо.

— Пожалуйста.

— Может, я и сама справилась бы, подавила бы некий импульс самоуничтожения. Не знаю. Не знаю, однолюбка я или нет. По-моему, что-то вроде того. Может быть, эта моя сторона — интимная — снова когда-нибудь оживет. Так или иначе, меня радует, что ты не заставил меня делать выбор. Физически мне гораздо лучше, чем прежде. Лучше с нервами. Но я все еще половина личности. И чертовски одинокая... А мир стал совсем... плоским. — Она наклонилась, поцеловала меня за ухом. — Спасибо, милый, что не попытался стать Божьим даром для сироты.

— Буду рад видеть тебя на борту в любое время. Ты отлично здесь смотришься.

Она усмехнулась кривой горькой усмешкой, глаза увлажнились. Взяла меня за руку, крепко сжала. Мы были детьми в заброшенном сарае, вокруг грохотала сильнейшая буря, и ради успокоения мы держались за руки. Ее бурей был Таш, моей — может быть, Пусс.

В следующую среду, в Валентинов день, в самый полдень явился Мейер, нарушив мои планы вырезать кусок нотилекса, искусно имитирующий выгоревшее на солнце тиковое дерево, и постелить на палубе.

— Итак, я пришел и принес вам «валентинку»[1], — объявил он.

— Мейер, иногда ты ведешь себя точь-в-точь как Порки, причем я при этом чувствую себя Пого[2].

— Читай.

Я отложил нож, которым резал винил, раскрыл открытку. Самодельная. Нарисовано сердце, пронзенное стрелой, на конце которой болтался символ доллара. И следующее послание: «Розы алые, фиалки голубые. Искренние, бескорыстные усилия ради убитой горем вдовы старого друга не останутся без награды».

Внутри сложенной открытки лежал его личный чек на двадцать пять тысяч долларов, выписанный на мое имя.

— Это что за чертовщина?

— Ничего себе благодарность! Было больно смотреть, как ты утрачиваешь профессиональный статус, Макги. Как становишься мягким и сентиментальным. Поэтому я с помощью своего личного счета ввел нас в игру с «Флетчером», отлично поработал, вышел и разделил прибыль ровно пополам. Это чек. Заплати налоги. Немножечко поживи. Пусть на сей раз отставка продлится подольше. Можем собрать компанию, поплавать на этом безнравственном плавучем судне, сожалея о сказанных навеселе глупостях. У нас был контракт на спасательные работы, дурак. Гонорар относительно невелик, но справедлив.

— А ты сравнительно велик, но тоже справедлив.

---

[1] «В а л е н т и н к а» — открытка с любовным посланием, которые рассылают в день святого Валентина (14 февраля).

[2] Поросенок П о р к и — персонаж короткометражных мультфильмов; опоссум П о г о — персонаж комиксов, «разумное, терпеливое, сердечное, наивное, дружелюбное существо».

— И я так думаю. Где чек? В кармане? Так быстро? Хорошо. — Он взглянул на часы. — Я веду леди на ленч. Смотри, чтобы палуба была красивой и аккуратной, капитан.

И он ушел, напевая.

Не прошло и четырех минут, как наполовину знакомый голос окликнул:

— Мистер Макги?

Я отвлекся от весьма сложной укладки винила в углу возле люка и увидел троицу, выстроившуюся на причале и взиравшую на меня без особой приветливости и энтузиазма. Гэри Санто слева, Мэри Смит в ярко-оранжевом мини и детской шляпке посередине. Справа незнакомец среднего роста, сутулый, худой, бледный, болезненный, с физиономией умирающей с голоду моли, в очках в массивной черной оправе и с кейсом в руке.

— Как жизнь, Гэри, старина? — осведомился я. — Мисс Мэри...

— А это мистер Д. С Спартен, один из моих адвокатов. Можно подняться на борт?

— Ну, конечно. Прошу.

Я провел их в салон. Обмена рукопожатиями не последовало. Я извинился, вышел, смыл с рук грязь, сбросил пропотевшую футболку, вытер мокрым полотенцем грудь, шею, плечи, надел свежую белую спортивную рубашку и вернулся к ним.

— Кофе, друзья? Выпьете чего-нибудь?

— Нет, спасибо, — отказался Санто.

Заговорил Спартен голосом говорящего компьютера с легким гулом в динамиках:

— Было бы разумным присутствие вашего адвоката, если вы сможете быстро его пригласить.

— К чему мне адвокаты? Меня кто-то преследует?

— Бросьте эти чертовы выкрутасы! — вмешался Санто; лицо его слегка припухло, пошло пятнами, словно массажисты в последнее время не слишком хорошо работали.

— Прошу вас, мистер Санто, — одернул его Спартен. — Мистер Макги, мы столкнулись с ситуацией, которая может вылиться в весьма тщательное расследование роли мистера Санто в спекуляциях с акциями «Флетчер индастрис». Вполне может возникнуть необходимость в свидетельстве о вашей причастности к предложению этой... м-м-м... возможности помещения капитала вниманию мистера Санто.

— Почему?

— Кажется, существует неявное мнение, будто мистер Санто знал о сомнительном положении «Флетчер индастрис», в связи с чем его убедили сыграть на повышение, потом на понижение, каковой план был прерван приостановкой торгов собственностью компании «Флетчер». Для демонстрации благих намерений мистера Санто нам придется затребовать через суд сведения о ваших сделках, показав, что вы заняли позицию по акциям «Флетчера», потом пришли к мистеру Санто, возбудили его интерес, и после исследования текущего положения компании мистер Санто активно принялся совершать сделки.

Я покачал головой:

— Вы, мистер Спартен, чего-то не поняли. Я никогда не покупал ни одной акции «Флетчера». У меня нет вообще ни одной акции. И никогда не было.

— Брось, приятель, — грубо рявкнул Санто. — Советую сознаться, что ты хорошенько попользовался «Флетчером». Лучше покажи, как нагрел на нем руки.

— Никогда в жизни не держал ни одной акции!

Спартен омрачился, полез в кейс, вытащил пачку ксероксных копий фальшивых отчетов о маржинальных сделках через Шаттса, Гейлора, Стиса и остальную компанию.

— Вот, мистер Макги. Вам, безусловно, известно, что суд может затребовать ваши бухгалтерские счета из брокерской конторы.

Я взглянул и протянул обратно:

— Я бы сказал, довольно сумбурный набор брокеров, друзья. Если позволите высказать предположение, я бы сказал, это копии какой-то липы, или попросту у меня есть тезка. Даже не знаю, о чем это вы тут толкуете.

— Но мисс Смит готова засвидетельствовать вашу с ней беседу и получение от вас оригиналов, с которых изготовлены копии. Вы действительно будете отрицать, что приходили в офис мистера Санто и разговаривали на эту тему с мисс Смит?

— Приходил, конечно. Встреча не была назначена, и я с большим трудом добился беседы хоть с кем-нибудь, даже с этой симпатичной крошкой-охранницей. Думаю, наш разговор был записан, просто на случай, знаете, для справки. Но не думаю, чтобы вы предъявили подобную запись. Даже если решитесь, ее придется предъявлять целиком, а не отдельными кусками.

— Запись действительно есть, — сказал Спартен. — И мы можем доказать, что беседа предшествовала проявлению мистером Санто заинтересованности в акциях «Флетчер».

— Спартен, — перебил Гэри Санто, — по-моему, этот сукин сын чересчур умный. По-моему, он на кого-то работает. По-моему, он меня подставил.

— Иногда я работаю на людей, — подтвердил я, — только не слишком долго. Мэри, помнишь наш длинный разговор про участок Гэри в округе Шавана, которым он владеет под прикрытием «Саутвей лэндс инкорпорейтед»?

— Что? — опешила она. — Не было ничего подобного.

— Ты ведь, милочка, подтвердила слух, будто «Саутвей» собирается продать его «Кэлитрону» за хорошие деньги, если парень по имени Ла Франс сможет собрать остальные участки.

— Что вы пытаетесь мне приписать?

— Боже! Может, я ненароком проговорился и навлек на тебя неприятности?.. Наверно, мы говорили об этом не в офисе, а в другом месте, попозже, моя дорогая.

— Мы об этом никогда не говорили!

Я покачал головой:

— Но ведь ты мне рассказала, как до тебя добрался Бэннон, ты выпивала с ним в аэропорту, он тебе сообщил, что его прижали, и ему нужна помощь Санто, а ты решила не беспокоить подобными мелочами мистера Санто, которому нечего тратить время на незначительного субъекта, случайно оказавшегося на дороге.

Она закусила зубками губу точно так, как при разговоре с Ташем.

— Помнишь, милочка? — продолжал я. — Ты сказала, что, кажется, мистер Санто обмолвился, как в пентхаусе отеля в Атланте Ла Франс старался уговорить его купить собственность Бэннона, а он ответил, мол, это проблема Ла Франса, и он ее решать не собирается. Это было в тот вечер, когда ты дала мне карт-бланш от Санто.

Я успел вовремя. Санто вскочил, ринулся, замахнулся, чтобы влепить пощечину, которая выбила бы ей зубы. Я перехватил его руку, заломил за спину, дернул вниз. Санто рухнул на желтый диван с такой силой, что голова запрокинулась, а потом очутился на ковре на четвереньках.

— Минуточку, джентльмены! Минутку! — взмолился Спартен.

Санто встряхнул закружившейся головой. Я вздернул его за шиворот, посадил на диван, встал перед ним и сказал:

— Время забав кончилось, Гэри, малыш. Крошка не проронила ни слова, будь я проклят. Она верная и энергичная, но ей так и не удалось подобраться ко мне поближе. Я об этом позаботился. Таш Бэннон был чертовски хорошим другом. Ты нажал на него чужими руками и придавил к земле. Потом вышло несколько осечек, они перестарались и убили его.

Он смотрел на меня во все глаза, слушал очень внимательно.

— Я раздавил Ла Франса. Раздавил бы тебя, если бы придумал способ. Но ты слишком крупный и слишком размашистый. Могу только немножко ужалить.

— Немножко? — с удивлением переспросил он. — Немножко? Ты начисто лишил меня спекулятивного капитала, приятель. Выставил меня в таком свете, что стоит мне взяться за любой новый выпуск акций, и он никогда с места не стронется. Немножко ужалить! Черт возьми, я ведь мог не соглашаться на твою аферу! И все это из-за какого-то... твоего мелкого гнусного друга?

Я наклонился, хлестнул его по щеке, другим ударом вернул голову в прежнее положение, предупредил:

— Не забывай о хороших манерах, — и отодвинулся, позволяя ему встать с дивана.

Он не стал подниматься. Вытащил белоснежный носовой платок, промокнул краешек рта, разглядел капельку крови.

Я повернулся к Спартену:

— Объясните ему, в каком он окажется положении, если выяснится, что у меня никогда не было ни одной акции «Флетчера».

— Ну... в таком случае будет исключен единственно возможный способ облегчить сложившуюся ситуацию.

Я опять посмотрел на Санто, разглядев под напомаженной лощеной внешностью серый налет. Совсем легкий. Не такой, как у Ла Франса. Но он был заметен, наряду с явственным признаком признания своего поражения. Он еще раз промокнул рот и встал.

— Пойдемте, Спартен. — Остановился перед креслом Мэри Смит, мешая ей встать. — Ты уволена, глупая сука!

— Но вы же слышали, он сказал, я не сделала...

— Ты не сделала то, за что получила надбавку. Должна была подобраться поближе, выуживать любую мелочь. Могла спасти меня от ловушки, где я потерял столько, что хватило бы купить пять тысяч таких, как ты, до конца жизни. И поэтому стала слишком дорогой. Я велю собрать в офисе барахло и забросить к тебе на квартиру. Чек пришлю по почте. Меня стошнит, если еще раз тебя увижу.

— Гэри, вы даже не представляете, как это чувство взаимно.

Он опять замахнулся.

— Кхм, — кашлянул я.

Опустив руку, Санто быстро ушел. Спартен поспешил за ним, бросив на меня единственный отчаянный взгляд.

Она сгорбилась в кресле и устало выдохнула:

— У-ух! Мне рассказывали, что выпадают подобные дни. — Глянула на меня через изумрудные линзы. — Большое спасибо, Макги.

— Я не хотел, чтобы все вышло именно так, Мэри Смит.

— Но похоже, все вышло именно так. Во многих отношениях это была очень-очень милая работа, приятель. Иногда весьма гнусная. Знаешь, я даже не представляла, с какой радостью посмотрю, как великого Гэри Санто валяют в грязи. Забавно. За три года он трижды давал мне по морде. Тогда я сказала себе: еще разок, братец, и все. И что же, ушла бы? Не знаю. Но начинаю думать, что да.

— Пришлет он какого-нибудь накачанного лоботряса, который отучит меня от нехороших поступков?

Она, чуть нахмурясь, взглянула на меня, наклонив голову.

— Я бы сказала, нет. То есть если бы ты, по его мнению, абсолютно один это провернул, по-моему, мог бы прислать. Но, подумав как следует, он не поверит, будто такой тип, как ты, мог настолько беспросветно его одурачить. Сочтет тебя крайним и, думаю, вполне может оставить в покое. Вдобавок ему о многом надо поразмыслить.

— Ты тоже считаешь меня крайним?

— Склонна несколько усомниться. Не угостишь ли безработную девушку выпивкой, а потом и обедом? Знаешь, я особенной печали не испытываю. А у тебя тут неплохо, Макги. В прошлый раз, глядя со стороны, я бы этого не сказала.

— Чистый бурбон с водой без льда?

— Точно.

Когда я готовил напитки, раздался сигнал почтальона, который сунул почту под уголок мата на палубе. Я вручил Мэри бокал, принес почту, перебрал обычную белиберду и увидел авиаконверт из Чикаго, надписанный крупным круглым почерком Пусс.

— Извинишь ненадолго, пока я прочту?

— Конечно. Посижу тут, подумаю о своем будущем.

«Милый, дорогой старичок, я как-то сказала, что все тебе напишу, так и делаю, даже питаю призрачную надежду на твою способность читать между слов. Фамилия правильная, я на этот счет соврала. А город — нет, и Чикаго тоже. И развода не было. Я очень нежно любила Пола и до сих пор люблю. Тебя тоже, но чуточку по-другому. Ох, этот поганый Мейер с его поганым законом! Найди симпатичную девочку, пусть поцелует старого урода и сообщит, что он был совершенно прав. Видишь ли, мой дорогой, примерно за полгода до нашей встречи на пляже, когда мне в ступню воткнулась живая подушечка для иголок, из моей головы вырезали маленькое чудище размером, наверно, почти с английский каштан, с тремя толстыми лапками, как у паука, — у половинки паука. Люди в белых халатах копались в этой голове, стараясь найти каждый кусочек чудища, ибо оно оказалось весьма ядовитым. И вот... волосы отросли, я избавилась от сумятицы в мыслях, четко все вспомнила, приперла одного старого друга к стенке его кабинета, и он сдался, ибо достаточно долго меня знает и соображает, что я весьма плотно набита опилками. Вероятность его догадки — один к пятидесяти. Лечения не существует. Просто гуляй, почаще проверяйся, пускай в глаза яркий свет, стой, дотрагиваясь кончиком пальца до кончика носа с закрытыми глазами. Вот какая чепуха. А перья рисуют на маленьком мониторе электронные графики. Я могу с этим смириться, милый, жизнь ведь такая неопределенная, а я годами находила себе неплохое занятие. Но не могу примириться с жизнью в ожидании. Милый Пол сентиментален, как немец, и мы ежеминутно помнили о дьявольской бомбе с часовым механизмом. Жизнь стала похожа на похороны, слишком много друзей разузнали об этом, и каждый старался быть дьявольски милым и понимающим на долгой прощальной вечеринке. Я пришла к мысли всех их одурачить, раз уж мне не повезло. И в конце концов объявила Полу, что, если это и есть конец моей жизни, он становится жутко мрачным, с чрезмерным количеством скрипичной музыки, тогда как я веселая и не желаю, чтоб люди на меня смотрели полными слез глазами. Поэтому получила деньги под облигации, предназначенные для учебы детей, которых у меня никогда не было, и отправилась на охоту, и нашла тебя. Не слишком ли я настырно лезла в койку? Не слишком ли жадно старалась прожить каждый день? Милый, я из породы кузнечиков, и ты тоже. Благослови тебя Бог, каждый день я десятки раз забывала прислушиваться к происходящему в рыжей голове. Радуйся, что веселил и ублажал рыжеволосую леди в то время... Ей это нравилось. И ты нравился. Нам хорошо было вместе, и это не означало измены Полу! Он очень упорный и стойкий. Можешь представить себя, дорогой, женатым на чудесной Джанин, которая знает о твоей смертельной болезни? Она до сумасшествия нянчилась бы с тобой, пока ты не сбежал бы, как я сбежала. Но все время присутствовало поганое ощущение, что уж слишком мне хорошо. Я постоянно твердила себе: черт возьми, девочка, ты это заслужила. А потом волосатый Мейер процитировал свой проклятый закон о том, что трудней всего сделать именно то, что следует. Догадываюсь, ты, наверно, недоумевал на мой счет, а может быть, и ненавидел меня немножко. Я должна была убежать от тебя именно в тот момент и именно таким образом, иначе вообще не ушла бы. Знаешь, милый, у умирающих тоже есть особая обязанность — не проявлять чрезмерного эгоизма. Я лишила Пола возможности быть со мной, потому что ему только это и нужно... только этого он от меня ждал, и я забывала, что надо уйти, надолго, дав ему побольше времени, чтобы он хоть прошел через самое худшее. Он совсем не стал дознаваться. Не знаю, думает он или нет о присутствии на сцене другого мужчины. Вы понравились бы друг другу. В любом случае, представительницы женского пола — вечные свахи, и я написала длиннейшее в своей жизни письмо Джанин, полное девичьей болтовни, рассуждений о жизни и смерти. Надеюсь, ввела ее в заблуждение, сплетя целый короб вранья насчет Странных Каникул Пусс Киллиан, сообщив имя и адрес Пола с разрешением рассказать, какой я была и что происходило между неизвестными ему людьми. Интрига хитрая. Он химик-экспериментатор и, может быть, самый добрый из всех живущих на свете людей. Так или иначе, на прошлой неделе зрачок левого глаза вдруг увеличился вдвое, меня проверили и обследовали, улыбаясь стеклянными улыбками. Пишу по дороге в то место, где должны снова открыть дверцу и еще разок заглянуть. Могут снова закрыть и плюнуть: черт с ним. Могут влезть и, сами того не желая, ускорить мое путешествие. Могут превратить меня в овощ, могут вернуть к жизни еще на какое-то время, долгое или короткое. Только, судя по разговорам вокруг... Понимаешь теперь? Я боюсь. Я, конечно, боюсь. Отсюда начинается настоящая чернота, и надолго. Но не чувствую ни сожаления, ни раскаяния, потому что сбежала тогда, когда следовало сбежать, а Мейер вернул меня в нужный момент. Не грусти — если мне удалось повзрослеть, то и ты тоже должен попробовать. Сделай так, дорогой мой Трев. Найди себе девчонку-кузнечика, погрузи на борт «плимут», провизию и иди, веселись, загорай, плавай по красивым заливам. У нее должен быть хороший аппетит, не должно быть намерения навсегда остаться, кувыркайся с ней нежно, от всей души, но почаще — когда она спит, а ты нет, когда ты обнимаешь ее, когда вы засыпаете, лежа друг с другом, как чайные ложечки, когда она утыкается головой под твой жуткий подбородок, — считай, будто это... любившая тебя *Пусс*».

— Что-то случилось? — раздался голос.

Я поднял глаза на Мэри Смит, понял, что она спрашивает не в первый раз.

— Нет. Просто письмо от старого друга.

— У тебя странный вид.

— Должно быть... потому, что старый друг решил простить старый долг.

Я встал, взял бутылку, наполнил ее бокал.

Она подняла его и произнесла тост:

— За неоплаченный отпуск. Боже, какая была замечательная работа! Какая сладкая и роскошная жизнь, милый. Но знаешь, порой сигналит инстинкт. По-моему, у Санто начинаются и другие проблемы. По-моему, он собирается покрепче натянуть вожжи, чтобы удержаться, и задохнется, утратит стиль, а через пару лет про него, как про многих других, скажут: «Вы только посмотрите, во что он превратился».

В письме Пусс сказано: «Отсюда начинается настоящая чернота, и надолго».

Я чувствовал, как у меня упало сердце. Покатилось вниз и теперь там останется.

Я смотрел на Мэри Смит, словно никогда ее раньше не видел. Она сидела с тайной удовлетворенной улыбкой, думая о своих пожеланиях Гэри Санто. Пила из бокала маленькими стрекозиными глотками. Край юбки доходил до середины бедер. Роскошные ноги с медовым загаром закинуты одна на другую. Ранний дневной свет, лившийся в иллюминаторы, падал на блестящие темно-каштановые волосы. Таинственные ресницы скрывали живую пластиковую зелень, уголки пухлых губ изогнулись в сокровенной полуулыбке. Поднялась, прошлась, разглядывая этикетки пластинок на полке возле проигрывателя, спросила:

— Может, выпьем под музыку?

Я послушно поднялся и, стоя возле нее, осознал, что все ее внимание вдруг на чем-то сосредоточилось с такой полнотой, что она позабыла о моем присутствии, не слышит музыку. Застыла, глядя вбок через палубу в сторону пристани, и, проследив за ее взглядом, я увидел Героя, шатающегося в одиночестве в поисках свежей добычи, поигрывая мышцами плеч, заткнув большой палец за широкий кожаный, туго затянутый ремень.

Взглянув на нее, я заметил, как припухают теперь приоткрытые губы. Она смотрела на Героя, дыша медленно, глубоко, прикрыв глаза, слегка покачивая головой.

Потом повернулась ко мне и, казалось, не сразу припомнила, кто я такой.

— Милый, — сказала она голосом ниже обычного, с хрипотцой, — ничего, если я откажусь от обеда? Спасибо за выпивку и за развлечение. Спасибо, что не позволил врезать мне по зубам. Кажется... я заметила своих друзей. Как-нибудь в другой раз, милый. У тебя чудный корабль.

Надела огромные черные солнечные очки, поставила пустой бокал, улыбнулась, ушла. Я вышел на палубу, глядя, как она заторопилась к Герою. Помахивает сумочкой. Быстро цокает по бетону острыми каблучками. Быстро колышется роскошная темная грива. Незаметно и напряженно покачиваются бедра. Я догадывался, что она чувствует на ходу шелковистое соприкосновение размягчившихся бедер, щекочущее возбуждение кожи, тяжелый ком внизу живота, невозможность как следует глубоко вдохнуть, цокает каблучками, спешит оказаться под зверским, неустанным и равнодушным молотом Героя, снова стать молочным поросенком, забитым в постели, отдать все силы до опустошения и хромоты, как прежде.

И я медленно побрел к судну Мейера, сел на койку, обхватив руками голову, пока он читал письмо Пусс. Дочитал, откашлялся, охнул, вытер глаза. Я сказал ему, что мы возьмем его маленькое прогулочное судно, способное уйти по морю дальше плавучего дома, подцепим на буксир «Муньекиту», направимся как можно дальше к Эксума-Ки — куда только можно на этом судне дойти, — а потом еще дальше к Литл-Долл. Сказал, что до тошноты сыт мини-женщинами, мини-юбками, мини-любовью, мини-смертью и своей собственной мини-жизнью. Мне необходимы пустые песчаные отмели, яркие рифы, жаркое солнце, проворная рыба, а когда придет время для разговоров, можно будет немножечко поговорить.

И Мейер ответил:

— Тогда помоги мне, берись за линь, поведем корыто на заправку, зальем баки доверху.

МЕСТЬ
В КОРИЧНЕВОЙ БУМАГЕ

РОМАН

THE GIRL IN THE PLAIN
BROWN WRAPPER

Глава 1

Одна из прискорбных человеческих привычек — игра в загадки, например: «Что я делал, когда это произошло?»

Услышав о смерти Хелены Пирсон в четверг, третьего октября, я без труда реконструировал недавнее прошлое.

Тот четверг был четвертым и заключительным днем законной спасательной операции на море. Мейер отпускал массу шуточек насчет Тревиса Макги, спасателя по призванию, совершающего самую что ни на есть настоящую спасательную операцию, и повторял, что в результате моя легенда станет почти достоверной. Но разумеется, подобные речи были предназначены только для моих ушей.

Фактически все затеял не я. Мейер ввязался в странные проекты: где-то когда-то заинтересовался идеями удравшего с Кубы химика Джо Паласио и уговорил нашего общего друга Бобби Гатри, чертовски славного парня, обладателя насосов, прессов и прочей гидравлики, отправиться вместе к Джо в Майами, где тот обещал устроить миниатюрную демонстрацию своего изобретения в раздобытой каким-то образом старой ванне.

Когда Бобби вполне утвердился в решении уйти со своей постоянной работы, Мейер вложил деньги в небольшое партнерское предприятие, которое они окрестили «Флотационной ассоциацией».

Потом Мейер, в очередной раз проникшись духом мамаши-наседки, улестил меня безвозмездно оказать услуги и пожертвовать на первую настоящую спасательную операцию мой плавучий дом «Лопнувший флеш» плюс мой шустрый катерок «Муньекита». Поэтому мне пришлось привести «Флеш» на майамскую верфь, где на борт взгромоздили жуткий здоровущий дизельный насос со специально присобаченными Бобби Гатри добавками в виде неких весьма длинных армированных пожарных брандспойтов, несколько 55-галлонных металлических бочек специально составленной Джо Паласио смеси, подводные дыхательные аппараты, компрессоры, инструменты, паяльные лампы и прочее. Когда я загрузился водой и горючим, взял на борт провизию и спиртное, старичок «Флеш» сел на воду по самое некуда. Несмотря на идеально сбалансированный, широкий, как у баржи, старомодный корпус, он не мог не отреагировать на лишний груз в семь тысяч фунтов, по оценке Бобби. Похоже, «Флеш» здорово обиделся.

— Если он пойдет ко дну, — легкомысленно заявил Мейер, — посмотрим, удастся ли нам поднять его с помощью волшебной смеси Паласио.

И мы пошли вниз по Бискейнскому заливу с «Муньекитой» на прицепе, направляясь к нижним Флорида-Кис[1]. Стартовали рано, двигались не спеша, к последнему лучу солнца ушли довольно далеко по Большому Испанскому каналу, под защитой юго-западного бриза осторожно выбрались на мелководья Аннет-Ки и бросили пару якорей.

Краткосрочный прогноз погоды был хороший, но примерно над островами Лиуорд располагалось подозрительное скопление облаков. До официального окончания сезона ураганов с девичьими именами было еще полмесяца, и вдобавок известно, что эти девицы с визгом гоняют по своему району, не обращая внимания на календарь.

Как я позже узнал, в ту самую субботу, двадцать восьмого сентября, Хелена Пирсон написала мне письмо — под влиянием предчувствия, что не переживет операцию. Запечатанное письмо отослал ее поверенный со своей сопроводительной запиской. И с подписанным чеком.

В тот вечер трое флотационных партнеров на борту стоявшего на якоре «Лопнувшего флеша» страшно нервничали. Привыкший рисковать Мейер пребывал в азартном нетерпении. Перед

_____

[1] Ф л о р и д а-К и с — цепь островов у южной оконечности полуострова Флорида, которые в основном представляют собой коралловые рифы и известковые отмели. (*Здесь и далее примеч. перев.*)

Джо Паласио маячил шанс начать новую карьеру в приютившей его стране. Бобби Гатри думал о жене и пятерых ребятишках. Всех троих охватывал заразительный энтузиазм, потом одолевали сомнения, мрачность и приступы невеселого смеха. Если все получалось в очень малом масштабе в украденной ванне, совсем не обязательно должно было выйти в канале Хоук во Флоридском проливе, в океане, на глубине в семьдесят пять футов.

Утром мы пошли вниз, на юг, по Большому Испанскому, мимо Ноу-Нэйм-Ки, под постоянным мостом между Байя-Хонда-Ки и Спэниш-Харбор-Ки. Потом вывели перегруженный «Флеш» на глубину и совершили по медленно вздымавшейся грязной зыби девятимильный переход по курсу приблизительно 220 градусов к одинокому маленькому Лу-Ки. Вскоре мне удалось разглядеть в бинокль красный буй на Лу. По дороге, переключив управление на автопилот, я выбирал быстрейший и наилучший путь бегства, если гром грянет слишком внезапно. Надо как следует раскочегариться и идти чуть-чуть западнее северной стрелки магнитного компаса, градусов на восемь. Если можно будет делать восемь узлов, приведу «Флеш» в канал Ньюфаунд-Харбор минут за сорок, отыщу защищенный от ветра карман в Купон-Байт или поближе к берегу у Литл-Торч-Ки.

Бобби Гатри раздобыл координаты затонувшего в полумиле к юго-западу от Лу-Ки экскурсионного судна. Оно там лежало два месяца. Называлось оно «Бама-Гэл», принадлежало владельцу отеля из Тампы. Прогулочная яхта стоимостью около девяноста тысяч долларов, построенная всего полгода назад. Сорок шесть футов, фиберглосовый корпус, двойные дизели. Владелец отеля с женой и другая супружеская пара отправились рыбачить, и хозяин яхты заработал сердечный приступ, сражаясь с макрелью. Больше никто из присутствовавших на борту не мог связаться по радио с берегом и практически не знал, как пустить судно в ход. Примерно в полумиле впереди шел буксир с тремя баржами, и они решили, что на буксире должно быть радио, по которому можно вызвать вертолет береговой охраны и отправить владельца отеля в больницу. Приятель направил яхту наперерез буксиру, заглушил моторы, и все начали махать руками. Может, думали, что у буксира с баржей есть какие-нибудь тормоза. Капитан буксира старался избежать столкновения, но масса и инерция оказались слишком большими. Передний угол ведущей баржи пробил в корпусе огромную безобразную дыру, команда спустила ялик и быстро сняла людей, прежде чем судно пошло ко дну. К моменту прибытия береговой охраны владелец был мертв, как пойманная и утонувшая вместе с прогулочной яхтой рыба.

Страховая компания выплатила стоимость судна, Мейер получил от нее разрешение, так что спасательная операция должна была принести доход — если бы нам удалось поднять яхту, подцепить на буксир и найти что-то стоящее.

Итак, в то воскресенье я привел «Флеш» в самые надежные из имеющихся возле Лу вод, в бухту в форме вытянутого полумесяца, лежащего на боку, якоря бросил на мелководье поближе к берегу, но так, чтобы при низком приливе не остаться на мели. Мы вывели «Муньекиту» и нашли «Бама-Гэл» приблизительно через сорок минут ныряния и расчетов. Поставили над ней ярко-красный буй, после чего я повел «Муньекиту» вверх по течению, бросил якорь на глубине футов в семьдесят, дал лодке подойти к бую почти до конца якорной цепи длиной в четыреста футов, потом круто застопорил. Нельзя полностью доверять креплению, когда так мало места.

На борту «Муньекиты» было всего две цистерны со смесью, поэтому я нырнул вниз вместе с Джо Паласио осмотреть положение судна. Оно лежало на небольшом откосе, задрав нос, с креном около пятнадцати градусов на левый борт, с хорошо заметной дырой в правом борту почти посередине, ближе к корме. Корпус уже успел обрасти водорослями и зеленой слизью, но еще не слишком пострадал. Мы рассчитывали найти яхту досконально обчищенной от всего, что ребята-ныряльщики могут поднять, но по какой-то нелепой случайности они ее не нашли. В креплениях по-прежнему торчали большие удилища «Файнор» с катушками. Бинокли, спиртное, фотоаппараты, ящики с инструментами, ружье, солнечные очки — все игрушки, механизмы и приспособления, которые люди берут с собой в море, были сложены или разбросаны на кокпите, в каюте, на верхней палубе. Пока Джо занимался изучением люков, внутреннего расположения и размеров помещений, я собирал кучи добра и, дважды дернув линь, отправлял их на белый свет.

Поднявшись, мы обнаружили, что в зеленой сумрачной глубине барахло выглядело гораздо приличнее, чем на палубе катера: все заржавело, размокло и прохудилось.

В понедельник пришли на «Флеше», бросили якорь над местом крушения и работали целый день посменно, законопатив места, способные, по мнению Паласио, отрицательно повлиять на плавучесть, прорубив несколько внутренних переборок, чтобы обеспечить свободный проток воды через все подпалубное пространство, заколотив изнутри досками большую пробоину в корпусе. Наткнувшись на что-нибудь подходящее, привязывали к линю и поднимали на поверхность.

Погода держалась до вторника, и к полудню Джо удостоверился, что мы готовы к первой попытке. Спустили армированный пожарный шланг, надежно закрепили на месте, пропустив в дыру, прорубленную над ватерлинией в поврежденном борту. Мы не старались восстановить герметичность судна. Паласио это вовсе не требовалось.

Бобби Гатри запустил свою диковинную на вид помпу. Помпа пульсировала, дымилась, воняла, но накачивала через подсоединенный сбоку шланг воду в дыру, откуда она выходила через десятки мелких отверстий там и сям. Паласио жутко нервничал, трясущимися руками подсоединяя шланги поменьше от трех цистерн с разными видами смеси к медным ниппелям большого шланга, тянувшегося к затонувшей яхте. На каждой цистерне стояли датчики и ручные насосы. Как мне объяснил Мейер, смесь номер один вступала в реакцию с водой, повышая ее температуру. Потом с силой нагнетаемые вниз смесь номер два и смесь номер три взаимодействовали с нагретой водой, внутри корпуса разделялись на крупные капли и в более холодной воде образовывали очень легкую пластичную массу из миллионов маленьких капель, полную газов, высвобождающихся в результате их взаимодействия друг с другом и нагретой водой. Паласио велел нам троим качать ручные насосы, а сам прыгал взад-вперед от одного датчика подачи смеси к другому, подгоняя одного и притормаживая другого. Минут через десять, приблизительно в сорока футах вниз по течению, произошло внезапное извержение желто-белых пузырей неправильной формы размером с дыню, которые, взлетев высоко над водой, были быстро унесены легким бризом.

Паласио остановил нас и перекрыл подачу смеси. Гатри выключил большую помпу. Спустившись вниз, обнаружили перегоревший вентилятор на передней палубе. К тому времени как его починили, пора было кончать работу. В среду весь день возникали то одни, то другие проблемы с помпой. Казалось, Паласио вот-вот сорвется и зарыдает.

Днем в четверг все минут сорок работало вроде бы нормально. Рука у меня постепенно наливалась свинцом. Паласио грыз костяшки пальцев. Вдруг Гатри испустил изумленный вопль. Из воды змеей вынырнул шланг, а в следующий миг выскочила большая круизная яхта, так быстро и близко, что к нам на борт выплеснулась волна, окатила нас и залила помпу. Яхта покачивалась, извергая воду, переваливалась с носа на корму, красиво и высоко вздымалась. Мы топали, визжали и хохотали, как идиоты. Судно было битком набито яркими воздушными гроздьями пены, и я старался не думать о собственной глупости, по которой даже не прикинул, что будет, если оно так быстро выскочит прямо под «Флешем».

Не теряя времени, мы подцепили яхту на буксир. Зыбь усилилась, мне не нравился ветер. В промежутках между периодами мертвой тишины раздавалось жаркое влажное «уф-ф-ф», похожее на гигантский выдох. Я выстроил короткую процессию: «Флеш», естественно, впереди, спасенная «Бама-Гэл» посередине, Бобби Гатри на «Муньеките» в хвосте. Я задействовал пару раций, поскольку нельзя было сигналить Бобби жестами из-за массивного корпуса «Бама-Гэл». Ему было велено держать пару дизельных двигателей «Муньекиты» мощностью в 120 лошадиных сил на холостом ходу, чтобы в случае расхождения каравана дать легкий толчок реверсом и вернуть катер в ряд. Я знал, что подвесные моторы могут работать на холостом ходу целый день без перегрева. А если бы мне пришлось остановить «Флеш», чтобы кого-нибудь пропустить, Бобби не позволил бы катеру врезаться нам в корму.

Лишь в начале субботнего дня мы пришли в Меррил-Стивенс на Диннер-Ки. Пришлось заводить процессию в бухту под неутихающий свист порывистого ветра, который обрабатывал нас в паре с серым проливным дождем. До того я связался через майамский морской коммутатор с одним приятелем, так что нас ждали. Мы застроповали «Бама-Гэл», ее вытащили из воды, поставили на салазки, втащили по рельсам в один из больших ангаров. С физиономии Паласио не сходила широкая мечтательная улыбка.

Начальник дока выделил слип[1] для «Флеша» и место для «Муньекиты» на небольшой площадке для лодок. Когда мы как следует пришвартовались, бросили якоря, приняли душ, побрились и переоделись, хлестал уже настоящий ливень. В салоне на борту «Лопнувшего флеша» было очень уютно — горели огни, играла музыка, звенел лед в бокалах. Мейер грозил приготовить свой знаменитый бифштекс с соусом «чили», бобами и яйцами, который никогда не готовился дважды одним и тем же способом. Гатри позвонил жене, обещавшей приехать из Лодердейла забрать его в воскресенье утром. Откупорили найденное на борту «Гэл» виски «Уайлд Терки», я взялся колоть лед.

Мейер никому не позволял чересчур завышать ожидаемые доходы, постоянно предупреждая: «Минимум надежд, джентльмены». И мы продолжали обсуждать возможные необходимые меры, и выходило, что на приведение яхты в порядок потребуется максимум пятнадцать тысяч, возврат же составит, как минимум, сорок пять после уплаты брокерских комиссионных.

Лучше всего на свете спорить о заработанном. Приятно слушать шум тропического дождя, ощущать в мышцах боль от тяжелой ручной работы, держать в руке ледяной стакан, чувствовать зарождение жадного аппетита, сознавать, что через пару часов даже булыжное ложе покажется мягким, глубоким, манящим.

Меня звали в едва оперившееся партнерство на условии двадцати пяти процентов. Но рискованные предприятия, пробивающие себе дорогу, не стоит дробить на слишком много частей. Не хотелось и взваливать на себя ответственность, все время помня, что должен работать, оправдывая ожидания других людей. Гордость не позволяла Гатри и Паласио принять мои услуги как чистую благотворительность, поэтому после определенных взаимных торгов мы достигли согласия, что я возьму расписку на две тысячи, которая будет оплачена в течение шести месяцев. Свой доход они собирались вложить в совершенствование оборудования и отправиться на поиски баржи со сталью, затонувшей на глубине примерно в пятьдесят футов сразу на выходе из фарватера Бока-Гранде.

---

[1] С л и п — наклонная береговая площадка для подъема и спуска на воду судов.

Я растянулся и задремал, больше не разбирая слов, только смутно улавливая сквозь музыку гул голосов, возбужденно обсуждавших проекты и планы.

— Разве мы в свое время не сделали это за полтора часа? Эй, Трев!

Мейер щелкал мне пальцами.

— Что мы сделали? — переспросил я.

— Переход из Лодердейла в Бимини.

Они закончили обсуждать дела. Я слишком хорошо помнил тот переход.

— Чуть меньше полутора часов от морского буя в Лодердейле до первой отметки в канале у Бимини.

— На чем? — уточнил Гатри.

Это был, сообщил я ему, «Бертрам-25», оснащенный для океанских гонок и до того шустрый, что мне приходилось ежеминутно работать дросселями и штурвалом, чтобы он, поднявшись на гребень волны и летя по воздуху, ровно ложился на воду. Только не рассчитай время, только промахнись, сразу перевернешься.

— К чему такая спешка? — полюбопытствовал Бобби.

— Мы встречали самолет, — сказал Мейер.

И я знал, что он в этот момент тоже вспомнил Хелену Пирсон, очень быструю и поганую спасательную операцию несколько лет назад. Мы оба думали о ней, не имея никакой возможности знать, что она уже два дня мертва, не имея никакой возможности знать, что письмо ее ждет меня в Байя-Мар.

Даже не зная о смерти Хелены, я с волнением думал о ней...

Глава 2

Пять лет назад? Да. В зимний месяц, холодной флоридской зимой, Майк Пирсон с женой Хеленой и двумя дочерьми, двадцати и семнадцати лет, составлявшими его экипаж, пришел в Байя-Мар на собственном симпатичном голландском моторном паруснике «Лайкли леди» из самого Бордо. Жилистый, морщинистый, веснушчатый от загара, разговорчивый мужчина пятидесяти с чем-то лет, явно старше своей стройной пепельной блондинки жены.

Он производил впечатление человека, рано преуспевшего, ушедшего на покой и ведущего сладкую жизнь. Охотно и быстро общался и вращался в обществе, перезнакомившись со всеми постоянными обитателями причала. Казалось, будто он слишком много говорит о себе, но не хвастается и не важничает, а рассказывает о занимательных случаях. Люди легко вступали с ним в разговор.

Наконец у меня стало складываться впечатление, что он сосредоточивается на мне, словно провел некий процесс отбора и признал меня лучшим из кандидатов. Я понял, как мало о нем знаю и как мало в действительности он сообщает о себе. Как только мы начали проявлять любопытство друг к другу, неизбежно пришлось открыть карты. Помню, какими холодными были его глаза, когда он перестал быть дружелюбным, общительным и безвредным Майком Пирсоном.

Он хотел дать конфиденциальное поручение за солидный гонорар. Сказал, что участвовал за границей в небольших сделках. Сказал, что это премиальные сделки с какими-то старыми нефтяными танкерами и списанными турецкими военными кораблями в придачу, но мне следует знать лишь одно — все было абсолютно законно и ни одно правительство какой-либо страны его не разыскивает, по крайней мере официально. Сказал, что другие акулы пытались провернуть то же самое. Отказались принять его предложение о совместном предприятии и попробовали справиться в одиночку. Пирсон их обыграл и здорово рассердил.

— Так вот, им известно, что я получил банковский переводной вексель на предъявителя на двести тридцать тысяч английских фунтов, который будет оплачен только в банке «Нова Скотия» на Багамах в Нассау — у меня там есть закрытый счет. Не хотелось, чтобы они это выяснили, но им все же удалось. Ради такой суммы вполне могут нанять первоклассных профессионалов и послать отнять у меня деньги. Раньше я улизнул бы в мгновение ока. А сейчас должен думать о трех своих девочках. Какое будущее их ждет, если я о нем не позабочусь? Поэтому хочу отправить кого-нибудь неизвестного этим ребятам в банк с моим письмом, где будут изложены распоряжения. Тогда они отступятся.

Я спросил, почему он уверен, что я попросту не открою свой собственный счет, положив на него шестьсот сорок тысяч долларов.

Он очень скупо усмехнулся:

— Потому что это вас погубит, Макги. Подпортит в ваших глазах собственный нежно любимый имидж. Я не смог бы проделать такое ни с кем. И вы не сможете. Поэтому нам суждено вечно довольствоваться малым.

— Ну, знаете, если такие деньги — «малое», я не против.

— По сравнению с тем, что могло бы быть к этому времени, это мелочь, поверьте.

И он предложил мне пять тысяч за роль мальчика на побегушках, и я согласился. Плата вперед, сказал он. Отдав мне документы, он уйдет на «Лайкли леди» для отвода глаз, а я должен буду отправиться в путь через день после этого. Сказал, что пойдет к Багамам, но потом повернет на юг, вниз вокруг Флорида-Кис, вверх по западному побережью к дому, который он и девочки не видели больше года и по которому страшно соскучились, к старому дому на сваях в стиле ранчо из кипарисовых, прогретых солнцем бревен на северной оконечности Кейси-Ки.

Это было в пятницу. Он собирался передать мне документы в воскресенье и в понедельник вывести «Лайкли леди» в море. А в субботу около полудня, когда Хелена с дочерьми были на пляже, кто-то проник на борт. Ему проломили череп, открыли и выпотрошили сейф в каюте. Все прошло бы как по маслу, если бы Майк Пирсон не подсоединил к дверце сейфа судовую сирену, приводимую в действие потайным переключателем, который он выключал, когда сам открывал дверцу. Поэтому слишком многие видели слишком поспешно покидавшую «Лайкли леди» парочку. Мне пришлось почти два часа рыскать по округе, удостоверяясь, что они не улетели на самолете. Оставив взятую напрокат машину на пирсе, они в час ушли на чартерном судне ловить на Багамах рыбку. Я знал это судно — «Бетти Би», в хорошем состоянии. Капитан Рокси Говард, которому помогает один из его костлявых племянников.

Позвонил жене Рокси, и та сообщила, что они с двумя пассажирами на борту пошли к Бимини, а оттуда отправятся в воскресенье рыбачить в нижнем течении. Как я позже узнал, в тот момент нейрохирурги вынимали из мозга Пирсона осколки костей.

Я знал, что «Бетти Би» понадобится на переход четыре часа, так что ее приведут к Бимини не раньше пяти. В семь пятнадцать оттуда в Нассау отправлялся дополнительный рейс. Покидать страну на судне весьма непредусмотрительно. Во Флориде и на Багамах так охочи до туристских долларов, что местные чиновники ночей не спят, сокрушаясь обо всех неиспользованных бюрократических уловках.

Только к половине третьего я, советуясь с Мейером, придумал способ. Если опередить их, прилетев на место чартерным рейсом, справиться с парочкой на Багамской земле будет непросто. Мейер вспомнил про подготовленный к гонкам могучий «Беби-Биф» Холлиса Ганди, как всегда находившегося в затруднительном положении из-за чрезмерного количества бывших жен, вооруженных хорошими адвокатами.

Таким образом, в три мы промчались мимо морского буя за Лодердейлом, держа курс на Бимини. Наводить бинокль на замеченные объекты достойных размеров Мейеру было не легче, чем участнику родео вдевать нитку в иголку, сидя верхом на быке. А меняя курс, чтобы приглядеться поближе, мы рисковали потратить слишком много времени или перепугать каких-нибудь невинных субъектов.

В четыре тридцать мы достигли отметки на карте к западу от отмели возле Бимини, быстро проверили, убедились, что «Бетти Би» не превысила расчетное время, нырнули в бухту и принялись ждать в пяти милях от берега. Я прикинулся, будто моторы заглохли, поднялся на борт «Бетти Би», предупредил Рокси Говарда, и мы очень быстро их повязали. У Рокси крепли подозрения насчет этой парочки, грека и англичанина, так что убедить его было легко. Пришлось побыстрее поворачиваться, ибо грек был проворнее змеи и вооружен. Когда они были связаны, я, осматривая багаж и обыскивая их самих, рассказал Рокси, за чем они охотились. Конверт с банковским векселем на предъявителя лежал в чемодане грека, а вместе с ним и подписанное письмо в банк, передающее мне полномочия распоряжаться от имени Майка Пирсона. Оставлено место для моей подписи и еще для одной — должно быть, представителя банка. У грека в бумажнике нашлись две тысячи долларов, а у англичанина около пятисот. У англичанина в специальном промокшем от пота поясе оказалось еще одиннадцать тысяч. Логично было предположить, что это деньги из сейфа в каюте Майка. По моему мнению, Майк, получивший хороший удар по крепкому черепу, безусловно, не был заинтересован в каком-либо привлечении закона. Рокси тоже не рвался пообщаться с багамской полицией. Вроде бы англичанин и грек не собирались выдвигать никаких обвинений. И было совершенно понятно, что попытки вытянуть из них хоть слово потребуют весьма старательной стимуляции, на которую у меня никогда не хватало духу. Они явно умели твердо, профессионально молчать.

Поэтому я отдал пятьсот долларов Рокси, который заметил, что это слишком много, но спорить не стал. Мы перегрузили их на «Беби-Биф», Рокси развернул «Бетти Би» и направился в родной порт. Я дошел до Барнет-Харбор, приблизительно на полпути между Южным Бимини и Кэт-Ки, где посадил их на старую ржавую посудину — на старушку «Сапону», болтавшуюся там на якоре с 1926 года, которая во времена сухого закона использовалась как плавучий склад спиртного. Ночь им предстояла тяжелая, но назавтра их обязательно подберут рыбаки или ныряльщики. У них осталось все имущество, документы и больше двухсот пятидесяти долларов. Судя по виду, они наверняка должны были изобрести объяснение, которое не привлекло бы к ним пристального внимания. Я пошел назад в гавань Бимини, подыскал место для швартовки, где судно оставалось бы в целости и сохранности. Мы успели на дополнительный рейс до Нассау, и я позвонил старым друзьям на Лайфорд-Ки. Они не позволили нам остановиться в отеле и, поскольку у них шло, по их словам, «веселье средней степени тяжести», прислали за нами в аэропорт машину. Почти все воскресенье мы валялись у бассейна, рассказывая байки.

В понедельник утром я в одолженном автомобиле поехал в город к главным офисам на Бэй-стрит возле Роусон-сквера. В связи с масштабом финансовой операции ее пришлось проводить в закрытом заднем кабинете. Мне вручили квитанцию с указанием даты, часа, минуты совершения вклада, идентификационного номера чека на предъявителя вместо суммы и номера счета вместо имени Пирсона. Квитанцию отягощала массивная фигурная печать. Банковский представитель нацарапал на ней не поддающиеся расшифровке инициалы. Тогда я не понимал, до чего хорошо рассчитал время.

Рано утром мы с Мейером успели на дополнительный рейс назад в Бимини. День был ясным, солнечным и холодным. Течение утихомирилось, и неспешный переход, длившийся два с половиной часа, оказался гораздо приятнее нашего олимпийского броска на «Беби-Биф».

Придя на пирс 109, чтобы отдать Майку полученное, я нашел «Лайкли леди» запертой на все замки. Молодые супруги на борту стоявшего рядом большого кеча сказали, что в полдень в разговоре с ними Морин, старшая дочь, сообщила о критическом состоянии ее отца.

Я известил Мейера и пошел в больницу. Когда наконец выпал шанс поговорить с Хеленой, убедился в бессмысленности попыток вручить ей банковскую квитанцию или вести речь о деньгах. Квитанция в данный момент значила для нее не больше, чем старый список отданных в стирку вещей. С призрачной улыбкой на трясущихся побелевших губах она вымолвила, что Майк «держится».

Помню, как я нашел знакомую сестру, помню, как ждал, пока она ходила осведомиться о его состоянии вместе с сестрами отделения и врачами. Помню, как она пожала плечами, каким тоном сказала: «Дышит, но он не жилец, Трев. Мне стало известно, что его палату уже определили для нуждающегося в пересадке спинного мозга, который поступит завтра».

Помню, как помогал Хелене улаживать формальности, сопутствующие смерти, всегда обременительные, а тут дело еще осложняла кончина Майка в чужом штате. Он умер в пять минут второго ночи во вторник. Будь его смерть официально зарегистрирована на семьдесят минут раньше, оправдать банковскую операцию было бы практически невозможно. Помню вежливую настойчивость городской полиции. Но Хелена твердила, что сейф был опустошен, и она даже не представляет, кто проник на борт, нанеся ее мужу фатальный удар по голове.

Она с дочерьми уложила вещи, я заверил, что присмотрю за судном, позабочусь о нем, не спущу с него глаз, предложил провезти их через весь штат, но Хелена сказала, что сама справится. Явно держала себя под жестким контролем. Я отдал ей наличные и банковскую квитанцию, она вежливо поблагодарила. Они отправились в похоронное бюро, а оттуда поехали за катафалком в округ Сарасота. Очень маленький караван. Несчастный, торжественный, очень отважный.

Да, я знал, Мейер тоже ее вспоминает. Знал, что он мог догадываться о дальнейшем, может быть, строил предположения по этому поводу, но никогда ни о чем не расспрашивал.

Лил дождь, Мейер готовил фирменное блюдо, которое никогда не готовилось дважды одним и тем же способом. Как только я оказался в большой кровати в капитанской каюте, пришли другие воспоминания о Хелене, такие живые, что я долго балансировал на грани сна, не в силах в него провалиться...

Глава 3

...Сильный дождь барабанил по верхней палубе «Лайкли леди» в августе того года на уединенной надежной якорной стоянке, которую мы нашли на Шрауд-Ки на островах Эксума, и под шум дождя я занимался любовью с вдовой Пирсон в широкой и мягкой кровати, которую она делила с мужем, к тому времени почти шесть месяцев покоившимся во флоридской земле.

Она вернулась в Лодердейл в июле. В июне черкнула записочку с просьбой поручить кому-нибудь привести «Лайкли леди» в форму. Я велел вытащить парусник, очистить и заново выкрасить днище, проверить все обводы корпуса и такелаж, смазать автоматические лебедки, освободить шкивы, осмотреть паруса, отрегулировать вспомогательный генератор и сдвоенные шведские дизели. «Лайкли леди» была не столько моторным парусником в классическом смысле, сколько вместительной, крепкой моторкой, способной нести большое число парусов, собственно, так много, что для этого была устроена подъемная центральная платформа, управляемая тумблером на панели управления и хрипло ревущим мотором. Было в этой платформе, наверное, две тонны свинца, а когда она поднималась на полную, по свидетельству датчика рядом с тумблером, высоту, выдвигаясь в проем в подпалубном пространстве, весь этот свинец точно соответствовал форме корпуса. Майк однажды продемонстрировал мне оборудование — от автоматических лебедок, облегчающих работу с парусами, до цистерн поразительной вместимости с водой и горючим и мощной системы кондиционирования.

Я гадал, кому теперь принадлежит судно. Гадал, для чего оно предназначено.

Хелена появилась в жаркий июльский день. Она принадлежала к той особой породе, которая всегда внушает мне ощущение собственной неполноценности. Высокая, стройная почти до худобы, но все-таки не совсем. Такая костная структура складывается за несколько веков тщательной селекции. Светло-пепельные, небрежно зачесанные волосы с выгоревшими прядями, обласканные солнцем и ветром, так же как лицо, шея, руки. Представители этой породы не проявляют наигранной вызывающей холодности. Они естественны, невозмутимы и жутко любезны. Они прекрасно движутся в простых льняных платьицах стоимостью в двести долларов, о чем никогда в жизни не догадаешься. Давным-давно в возглавляемой мисс такой-то начальной школе их так старательно обучили, что они обрели неискоренимую автоматическую грациозность. Они не вытворяют девичьих фокусов глазами и губами. Просто появляются перед тобой спокойно и непринужденно, как персонажи на газетных снимках светской хроники.

Я осведомился про дочерей, и она сказала, что девочки отправились в двухмесячный студенческий тур по Италии, Греции и греческим островам под руководством старых друзей с факультета Уэллсли[1].

— Тревис, я так и не поблагодарила вас за помощь. Это было... самое трудное время.

— Я рад, что оказался полезным.

— Это не просто... помощь в мелочах. Майк мне рассказывал, что просил вас... оказать особую услугу. Сказал, будто вы, по его мнению, обладаете талантом благоразумия и осторожности. Я хотела, чтобы тех людей... поймали и наказали. Но помню, что Майк не желал огласки. Все это для него было чем-то вроде... гигантского казино. Когда выигрываешь или проигрываешь, это... не просто личное дело. Поэтому я признательна вам за то, что вы не стали... что инстинктивно не захотели... прославиться, высказывая какие-либо заявления о случившемся.

— Должен сказать, Хелена, что мне омерзительны эти субъекты. Я боялся услышать от вас просьбу об их разоблачении. В таком случае постарался бы отговорить вас от этого. Как только мое

_____

[1] У э л л с л и — престижный частный женский гуманитарный колледж.

имя и изображение появятся во всех газетах и программах новостей, мне придется искать другую работу.

Она угрюмо поджала губы и сказала:

— Мои родственники с абсолютной уверенностью считали мои отношения с Майклом Пирсоном чем-то вроде безумного романтического увлечения. Чтобы пожениться, нам пришлось уехать. Они уверяли, будто он для меня слишком стар. Авантюрист, без корней. А я чересчур молода и ничего не понимаю. Обычная история. Хотели приберечь меня для симпатичного и серьезного молодого человека, занятого банковскими инвестициями. — Она взглянула на меня сердито прищуренными сверкающими глазами. — А после смерти Майка одному из них, чертовски самоуверенному и тупому, хватило наглости заявить: «Ведь я тебя предупреждал!» После двадцати одного года с Майком! После рождения двух девочек, которые так любили его. После совместной жизни, которая... — Она замолчала и с тусклой улыбкой вымолвила: — Извините. Съезжаю с катушек. Хочу вас поблагодарить и извиниться за все свои глупости, Тревис. До отъезда я никогда не спрашивала о вашей... договоренности с Майком. Знаю, у него было правило хорошо расплачиваться за особые услуги. Он с вами расплатился?

— Нет.

— Была согласована сумма?

— За то, что я собирался сделать? Да.

— Вы ее взяли из денег, которые передали мне, из наличных, которые были в сейфе?

— Нет. Взял пятьсот на необходимые расходы, двести пятьдесят за аренду лодки и еще на некоторые непредвиденные затраты.

— О какой сумме шла речь?

— Пять тысяч.

— Но вы сделали гораздо больше, чем он... просил. Я намерена выплатить вам двадцать тысяч и считаю, что это гораздо меньше заслуженного.

— Нет. Я поступал по собственному желанию. Не возьму даже пять.

Она молча изучала меня и наконец сказала:

— Давайте оставим дурацкие препирательства, словно речь идет о счете за обед в ресторане. Вы возьмете пять тысяч, ибо для меня выполнение всех обязательств, данных кому-либо Майком, — вопрос чести. По-моему, ваше мнение о себе как о сентиментальном и щедром по отношению к вдовам и сиротам благодетеле не должно возобладать над моим чувством долга.

— Ну, если так...

— Вы возьмете пять тысяч.

— И мы закроем счет без всяких... препирательств.

— А я так старательно все спланировала, — улыбнулась она.

— Что спланировали?

— Что вы примете двадцать тысяч, после чего я смогу себя чувствовать абсолютно свободной и попрошу вас об одолжении. Понимаете, я должна посетить банк в Нассау. Для операций по тем особым счетам необходимо личное присутствие. Собираюсь слетать посмотреть на них, а потом прилететь обратно и с чьей-нибудь помощью отвести «Лайкли леди» в Нейплс во Флориде. Ее хочет купить один человек, за хорошие деньги. Намеревался забрать ее здесь, только... я не могу с ней расстаться без... какого-то романтического путешествия. И подумала, когда вы примете деньги, попрошу составить мне компанию в переходе к Багамам. Мы с Майком сами вымеряли каждый дюйм, наблюдали за ее постройкой. Она... как будто понимает. Не простит, если я ее брошу вот так, не попрощавшись. Вам это кажется странной причудой?

— Вовсе нет.

— И вы...

— Конечно.

И мы, загрузив «Лайкли леди» всем необходимым, отплыли в жару в начале июня. Я взял себе каюту, которую обычно занимали Морин и Бриджит. Не составляя никаких расписаний, поровну разделили обязанности. Я сверял курс, следил за картами и за лагом, отвечал за горючее, двигатели, радио и электронное оборудование, мелкий ремонт и уход, за уборку палубы, выпивку и стоянку на якоре. Она взяла на себя заботу о парусах, питании, стирке, уборке в каютах, запасах льда и воды, а за штурвалом мы стояли по очереди. Мы не уставали от общения — на судне было достаточно места для того, чтобы каждый из нас мог побыть в одиночестве.

Мы решили: раз нет расписания и крайних сроков, лучше днем идти по курсу, ночью стоять на якоре. Если приходилось слишком долго искать очередное подходящее для стоянки место, договаривались остановиться пораньше при первой же возможности, а потом отправлялись с рассветом.

Между нами бывало молчание разного рода. Порой приятное молчание в звездном свете, под шепот ночного бриза, под медленное покачивание на якоре, при взаимном наслаждении летней ночью. Порой — жуткое, когда я знал, что она остро чувствует одиночество и прощается с судном, с мужем, с планами и обещаниями, которым не суждено сбыться.

Мы, мужчина и женщина, оказались одни в море, среди островов, зависели друг от друга, делили хозяйственные и дорожные хлопоты и поэтому должны были помнить о физическом присутствии одного и другой, мужчины и женщины. Но была в нашем столь необычном сосуществовании некоторая благословенная банальность, которая легко препятствовала любому обострению восприятия. Сложившаяся пять лет назад ситуация была самой что ни на есть тривиальной — вдова, женщина бальзаковского возраста, пригласила крепкого молодого мужчину путешествовать вместе с ней. Я знал, что она рано вышла замуж, но не знал, в каком именно возрасте. Догадывался, что она старше меня лет на одиннадцать плюс-минус два года.

Думаю, именно потому, что любой посторонний, оценив ситуацию и двух присутствующих на сцене актеров, предположил бы, будто Макги послушно и усердно удовлетворяет физический голод вдовы во время ночных стоянок на якоре, подобные отношения были исключены. Ни разу ни словом, ни жестом, ни мимикой она даже не намекнула на то, что ждет от меня определенных действий или, наоборот, их опасается. Энергично и молодо двигалась, выглядела привлекательно и аккуратно, уделяла немало времени своей прическе, так что я знал: она вполне сознает свою женскую привлекательность и вовсе не нуждается в моем подтверждающем это пыхтении. Не заводила никаких двусмысленных полуневинных игр с флиртом, которые можно неверно понять.

Сперва тело ее было бледным, излишне худым и ослабевшим от сонных месяцев скорби. Но по прошествии дней ее кожа потемнела под солнцем, мышцы окрепли от физической нагрузки, появился аппетит и она начала прибавлять в весе.

Физически чувствовала себя все лучше, я впервые услышал, как она мурлычет под нос, занимаясь делами.

Мы часто подолгу молчали, но и разговаривали подолгу — на общие, сдобренные старыми историями темы о мире, о человеческом сердце, о хороших местах, где мы бывали, о хороших и плохих вещах, которые сделали или недоделали. Обошли Большую Багаму, прошли вниз вдоль восточного берега Абако, к островам Берри, до Андроса, наконец через четырнадцать дней подошли к Нью-Провиденсу, где пришвартовались в Клубном порту Нассау.

Она отправилась в банк одна, вернулась поникшая и задумчивая. На вопрос, в чем дело, ответила, что сумма значительно превышает ее ожидания. Это кое-что меняет, придется переосмысливать планы на будущее. Мы пошли обедать, а когда я проснулся на следующее утро, она уже встала, пила кофе, просматривая «Путеводитель по Багамским островам для яхтсменов».

— Полагаю, нам пора подумать о возвращении, — сказала она, закрыв книжку. — Ужасно не хочется.

— У вас с кем-то назначена встреча?

— Да нет. Это можно отложить. Надо сначала принять решение.

— Я не спешу. Давайте осмотрим еще несколько мест. Острова Эксума. Может быть, острова Рэггид. — Я объяснил, что время от времени оставляю дела и нисколько не возражаю против возвращения в конце августа или в начале сентября. Она была необычайно рада.

И мы пошли под парусами к Спэниш-Уэллс, потом вниз вдоль западного берега Эльютеры, потом неспешно миновали прелестную цепочку островов Эксума, останавливаясь по собственному желанию, обследуя пляжи и красочные рифы. Много плавали и гуляли. Я вдруг почувствовал изменение в ее настроении. В течение нескольких дней она была отчужденной, задумчивой, почти угрюмой.

Потом внезапно переменилась, повеселела и, казалось, каждым своим движением напоминала мне о том, что я путешествую в обществе красивой женщины. Я понял, что это было сознательное решение, обдуманное и принятое ею в те дни, когда она была погружена в свои мысли и воспоминания. Будучи элегантной, взрослой, чуткой леди со вкусом, она не флиртовала открыто. Просто как бы физически сфокусировалась на мне, стараясь обострить восприятие своего присутствия. Первый шаг, безусловно, должен совершить представитель мужского пола. Я терялся в догадках, не в силах признать ее столь пустой или по-детски наивной, чтобы задаться целью соблазнить молодого мужчину только ради подтверждения своей на это способности. Она была гораздо умнее и глубже. Вряд ли она затевала все это, не представляя себе неизбежного финала в постели. Ситуация выглядела так неестественно и нарочито, что я пришел к выводу о ее стремлении подтвердить что-то или опровергнуть. А может быть, просто изголодалась после потери. И я перестал беспокоиться и гадать. Она была желанной, волнующей женщиной.

Поэтому, когда она предоставила мне возможность, я совершил ожидаемый шаг. Губы ее были жадными. Бормотание «Нам не следует...» означало: «Мы сделаем это». Трепетала она непритворно. Слишком нервничала по причинам, о которых я узнал позже.

В первый раз произошло это на закате, на широкой двуспальной койке в капитанской каюте. Прелестное тело в слабеющем свете, огромные глаза, еще горячая от дневного солнечного жара кожа, плечи, соленые от морской воды и пота. Она была напряженной, встревоженной, и я долго ласкал ее, а потом, когда она наконец приготовилась в темноте, пришел вечно новый, вечно одинаковый, долгий и мимолетный, ошеломляющий момент проникновения и слияния, который раз и навсегда изменяет отношения между двоими людьми. В этот самый момент она изо всех сил толкнула меня в грудь, попыталась вывернуться, прокричав задохнувшимся, жутким, охрипшим голосом: «Нет! Ну пожалуйста! Нет!» — но на миг опоздала, и все было кончено. Отвернувшись, лежала подо мной, обмякшая и безжизненная.

Я догадывался о том, что с ней происходило. Она пришла к своему решению после некоего чисто интеллектуального упражнения, осмысления, казавшегося абсолютно разумным и здравым. Но совокупление невозможно в абстрактной форме. Зная ее, я сказал бы, что она никогда не изменяла Майку Пирсону. Все милые рассуждения, игры в предположения вмиг рассеялись перед истинной, необратимой и полной физической реальностью. Конечная близость существует в ином измерении, чем небольшие проверки и эксперименты. Услыхав тихое всхлипывание, я начал было отодвигаться, но она быстро схватила и удержала меня.

Прошло пять лет, но я по-прежнему отчетливо и подробно помнил, как часто и как отчаянно Хелена старалась достичь оргазма, доводя себя до изнеможения. Это напоминало ритуал и вызывало смех. Вроде какого-нибудь идиотского клуба для молодоженов «Здоровый секс». Вроде какой-то вынужденной терапии. Было абсолютно ясно, что она — здоровая, сексуально полноценная, страстная женщина. Но так сосредоточивалась на этой, по ее убеждению, суровой необходимости, что, задыхаясь, умудрялась дойти до последнего предела, задерживалась на нем, а потом медленно, медленно скатывалась назад. Извинялась, теряя надежду, умоляла быть с ней терпеливым.

Через четыре-пять дней, одеревенев от усталости, открыла причину возникновения этой странной проблемы. Тон ее был сухим, фразы — короткими и бесцветными. На ней хочет жениться один человек. По ее словам, очень милый. Сексуальная сторона брака с Майком всегда была совершенно великолепной. За прошедшие после его смерти месяцы она пришла к заключению, что в этом смысле навсегда умерла вместе с ним. Ей не хотелось обманывать влюбленного мужчину. Он ей очень нравился. И я тоже. Поэтому показалось разумным предположить, что, если секс со мной будет удачным, она сможет и с ним получать удовольствие. Она просит прощения за столь циничный подход. Но ей было необходимо решить, выходить за него или нет. Это одна из причин. Она просит прощения за столь прискорбную попытку. Извиняется за дурацкую кутерьму. «Извини. Извини».

Никому не стоит говорить, что он слишком сильно старается, — к добру это не приведет. Все равно что приказать ребенку полчаса простоять в углу, ни в коем случае не думая о слонах.

Поэтому я согласился с ее заявлением о бессмысленности продолжения этих глупых занятий. Пропустил один день, одну ночь, еще день. Она пребывала в недоумении и унынии. А на следующую ночь, где-то около часу, я начал ворочаться, дергаться и стонать, с трудом дав себя растолкать, когда она прибежала. Предварительно постарался, чтобы днем она побольше поработала и устала. Проснувшись, подскочил на кровати, откинулся на подушки, притворно дрожа. Объяснил, что пару раз в году повторяется старый кошмар, связанный с чудовищным событием, о котором я никому никогда не скажу.

До сих пор я был чересчур компетентным. Здоровенный, костистый, надежный светлоглазый Макги, который обо всем позаботится, сначала для Майка, потом для нее. Который справляется с кораблями, и с навигацией, и с чрезвычайными поручениями. Теперь я предстал перед ней с неким изъяном. Естественно, мне нужна помощь. Она заметила: надо кому-нибудь рассказать, и кошмар прекратит меня мучить. Я трагическим тоном сказал — не могу. Она опустилась на узкую койку — сплошное сочувствие, нежная ласка, — баюкая в материнских объятиях трясущегося страдальца.

— Мне можешь рассказать все, что угодно. Пожалуйста, разреши помочь. Ты был со мной таким добрым, таким понимающим, терпеливым. Прошу тебя, позволь помочь.

Пять лет назад шрам, оставленный воспоминаниями о леди по имени Лоис, был еще свежим и болезненным[1]. Достаточно жуткая, чтобы выглядеть правдоподобной, история. Мир слегка потускнел с исчезновением Лоис, словно на солнце был реостат и его кто-то перевел ровно на одно деление, притушив яркость.

Я изобразил нерешительность, а потом с циничной эмоциональностью рассказал. Использовать старое горе — дешевый прием. Мне самому не слишком нравился выбор для этого Лоис. Что-то вроде предательства. Внезапно, в момент ироничного всплеска эмоций, я понял — мне нечего притворяться взволнованным своим рассказом. Мой голос охрип, глаза щипало, речь, хоть я и старался себя контролировать, прерывалась. Это нельзя было никогда никому рассказывать. Но где кончается вымысел и начинается реальность? Я видел, она сильно тронута, так что, всем сердцем сочувствуя, в женской потребности убаюкать, взяв на руки, распахнула короткий халатик и с нежными поцелуями, с легкими объятиями, с лаской и бормотанием сладко соединилась со мной в долгом, медленном и глубоком проникновении, земном, теплом, простом. Зашепта-

---

[1] Речь идет о событиях, описанных в романе Джона Д. Макдональда «Расставание в голубом».

ла: «Это лишь для тебя, милый. Не думай обо мне. Ни о чем не думай. Просто позволь сделать так, чтобы тебе было хорошо».

И все получилось, ибо она получала приятное, сонное, теплое удовлетворение, успокаивая мои измученные ночным кошмаром нервы, залечивая боль потери, сосредоточив на мне свою женскую суть, мягкость, открытость и чистоту, в уверенности, что, чрезмерно устав за тяжелый день, сама даже не думает об удовольствии, не подозревая при этом о степени своего сексуального возбуждения после прошлых упорных и неудачных попыток. Поэтому в гипнотической, сонной, глубокой отдаче экстаз неосознанно нарастал, нарастал, она вдруг застонала, выгнулась, выпрямилась, перешагнула порог ослепительной бесконечности, где наслаждение крепло, взрывалось, крепло, взрывалось, достигло пика, пошло вниз и наконец исчерпало себя. Она лежала, растаявшая, точно масло, с сильно бьющимся сердцем, свистящим дыханием, источая пахучие соки, во вновь обретенном покое постели.

Помню, как она, когда мы стояли на якоре в бухте у Шрауд-Ки, на целых десять дней превратилась в ребенка в начале каникул. Мимолетное чувство вины, скорбь о Майке — все придавало удовольствию больше сладости. Не было в ней кошачьей игривости, этот стиль не пошел бы ей, да и мне тоже. Она смело, беспечно, открыто гордилась собой, как порочный мальчишка, смаковала свое наслаждение, преисполнившись радостной дикости, днем в постели, когда над нами по палубе грохотал сильный дождь, в полном самозабвении старалась испробовать то, другое и третье, сперва так, потом эдак и еще иначе, с таким искренним рвением жаждя радости, что никогда не утрачивала элегантности и грациозности в ситуациях, где другая женщина легко показалась бы смешной и вульгарной.

На это короткое время мы сосредоточились безраздельно на плоти, обратились в язычников, отмеряющих время только по оживающему желанию, с такой полнотой изучали друг друга, что обретали способность сближаться и разъединяться в едином согласии, как одно восьмичленное существо с четырьмя глазами, двадцатью пальцами и двумя голодными ртами. Когда снимались с якоря и шли дальше, темп замедлялся, забавы становилось сдержаннее, приличнее и милее, добавлялись ритуальные новшества — чисто любовный утренний поцелуй без каких-либо требований, отдых на широкой койке, когда я ее чувствовал у себя за спиной, сонную, теплую, радовался ее присутствию и с удовольствием вновь погружался в сон.

Последний день августа был последним днем нашего пребывания на островах. Мы провели ночь на якоре в широком канале Кэт-Ки, а на следующий день должны были пересечь пролив. Занимались любовью нежнее и ласковее, потом я обнял ее, оба были на грани сна, и она сказала:

— Ты понимаешь, что это последний раз, милый?

— Способ сказать «прощай». Хороший способ.

Она вздохнула.

— Я прожила с Майком двадцать один год. Без него мне уже никогда не быть... цельной личностью. Ты немножко поправил дело, Тревис. Знаю... смогу прожить остаток жизни, примиряясь с оставшимся и довольствуясь меньшим. Обойдусь. Хорошо бы влюбиться в тебя. Никогда тебя не отпустила бы. Стала бы твоей старой-престарой женой. Пожалуй, выкрасила бы тебе волосы под седину, сделала бы себе подтяжку и врала про свой возраст. Знаешь, я тебя не отпустила бы никогда.

Я начал говорить важные, значительные, памятные слова, а когда замолчал в ожидании аплодисментов, обнаружил, что она заснула.

По возвращении в Байя-Мар она совершила одну печальную прогулку по палубе «Лайкли леди», криво улыбнулась и проговорила:

— Это тоже прощание. Я позволила покупателю взять ее здесь. Ты покажешь и объяснишь ему все?

— Конечно. Пришли его ко мне.

Уложив вещи в багажник взятого напрокат автомобиля, я поцеловал ее на прощанье, она села за руль, нахмурилась, бросив взгляд на меня, и сказала:

— Если тебе когда-нибудь что-то понадобится, дорогой... все, что я могу тебе дать, даже если для этого надо будет совершить преступление...

— Если вы, леди, почувствуете себя неприкаянной...

— Будем держать связь, — бросила она, очень быстро моргая, усмехнулась, включила мотор и умчалась, отчаянно визжа колесами, леди, всецело владеющая машиной, высоко положив на руль руки, задрав подбородок, и больше я никогда ее не видел.

Глава 4

Забудь леди Хелену и спи. Перестань проклинать Мейера за то, что он выдумал эту поездку на Бимини, открыв таким образом обособленный закуток на чердаке моей памяти.

Она вышла замуж за симпатичного парня, пригласила меня, но приглашение пришло в момент моего отъезда. Потом были открытки с греческих островов, из Испании, из прочих мест, где принято проводить медовый месяц. Потом ничего, до письма, полученного три года назад, как минимум на десятке страниц, где она извинялась, что снова меня использует в качестве слушателя для прояснения собственных мыслей.

Она разводилась с Тедди. Этот милый, добрый и вдумчивый человек оказался весьма слабым и был буквально раздавлен и уничтожен ее сильной натурой. По сс словам, стушевался практически до невидимости. Видна только вежливая, неуверенная улыбка. Она признавалась, что продолжала его погонять и подстегивать, надеясь в конце концов вызвать внезапную вспышку мужской реакции, которая возьмет верх над рутиной супружеской жизни. Возможно, писала она, жизнь с послушным созданием на невидимом поводке лучше, чем одиночество, но не для нее — нет, потому что она замечает, как сама с каждой неделей и с каждым месяцем становится все более властной, грубой, крикливой. И поэтому отпускает его, пока он еще в состоянии самостоятельно мыться и есть. Развод оформлялся в Неваде. Выйдя замуж, она закрыла дом на Кейси-Ки, не раз подумывала его продать, но ее что-то удерживало от окончательного решения. Сейчас она этому рада. Вернется туда и постарается стать прежней Хеленой со славным, по мнению некоторых, характером.

Она сообщала, что старшая дочь Морин полгода назад вышла замуж за очень умного, очень красивого юношу, занятого брокерским бизнесом, и, кажется, восхитительно счастлива. Сообщала, что живут они в городке Форт-Кортни во Флориде, приблизительно в сотне миль к северо-востоку от Кейси-Ки — для тещи вполне подходящее расстояние. Сообщала, что Бриджит, известная как Бидди, которой три года назад, в момент написания того письма, было девятнадцать, сменила специальность на изобразительное искусство и перевелась из Бринмора в университет Айовы ради обучения у безмерно обожаемого его художника.

Хотя речь шла о личных, семейных делах, письмо не было слишком интимным. Читая, никто никогда бы не догадался об отношениях между нами во время долгого праздного круиза по Багамам на «Лайкли леди».

Она приглашала заехать повидаться, когда я в следующий раз окажусь в районе Сарасоты. Я этого так никогда и не сделал.

Вспоминал ее несколько раз. Что-то напоминало о ней — замеченное судно под парусами, сильный шум дождя, запах, напоминающий аромат маленьких розовых цветочков, растущих на каменистой почве островов Эксума, и она занимала мои мысли примерно с неделю. Потом я ее снова вспомнил, благодаря Мейеру, и думал о Хелене Пирсон то день, то неделю. Между нами были отношения того типа, который по-настоящему ничем никого не связывает. В целом у постороннего они вызвали бы усмешку. Женщина, полгода назад овдовевшая, отсылает своих дочерей, чтобы пуститься в круиз с мужчиной, который по возрасту мог бы быть сыном ее покойного мужа, с новым принцем-консортом, весьма крупным, явно крепким, здоровым, умелым и осторожным, явно незаинтересованным в сколько-нибудь продолжительной связи.

И все-таки я был вполне уверен, что она не планировала подобных событий. Они возникли из ее и моих логических рассуждений, а в действительности оказались совсем иным, чем мы предполагали. Может быть, для нее они подтверждали, что она еще жива после исчезновения навсегда абсолютного эмоционального ориентира всей ее жизни. Может быть, эту мысль подсказало ей собственное тело в стремлении к выживанию; может быть, сексуальное воздержание все сильнее сжигало и иссушало ее, месяц за месяцем, постепенно убивая все желания. Мой рассудок, просчитав все и взвесив, выдал ответ: было бы грубо и жестоко обмануть ее ожидания, сделав вид, будто я не замечаю ее ненавязчивого флирта. Отсутствие реакции с моей стороны означало бы, что меня в самом деле пугает разница в возрасте, что мне неловко и неприятно играть роль доступного молодого человека в каком-то спальном плавучем фарсе. Я убеждал себя, что должен ответить на ее призывы со всем энтузиазмом, на который способен. Но сладкая сиюминутная реальность плоти разбила доводы и рассуждения. В полутьме Хелена представала девушкой — гибкой, податливой, стройной, чувственной, элегантной, так решительно отказывалась от намерения получить удовольствия больше, чем дать, что некоторые попадавшиеся мне в дальнейшем женщины казались отчаянными эгоистками.

Наконец удалось приглушить живость воспоминаний и погрузиться в заслуженный сон...

Воскресенье, шестое октября, было тихим, серым и непроглядно туманным. В десять утра за Бобби Гатри приехала жена, и они повезли Джо Паласио обратно в Майами. В понедельник им предстояло получить оценку и результаты предварительного подсчета, основанные на детальной инспекции. Мы с Мейером завели «Флеш» в канал и около одиннадцати, когда сквозь завесу тумана стало просвечивать бледное солнце, направились на север к Лодердейлу с «Муньекитой» на буксире. «Лопнувший флеш» по-прежнему был нагружен барахлом и причиндалами «Флотационной ассоциации». Мейер заверил, что, как только партнерство получит за «Бама-Гэл» деньги, они перенесут свои вещи на рабочее судно, которое присмотрел Бобби за подходящую сумму.

— Бобби прямо на рабочем судне построит специальные химические цистерны и оборудует их автоматическими помпами с датчиками, чтобы один человек мог подавать необходимое количество смеси.

— Прекрасно.

— После следующей удачной спасательной операции мы собираемся установить такое же оборудование, только поменьше, на грузовике, вместе с хорошей лебедкой. Можно будет с легкостью вытаскивать из каналов автомобили.

— Прекрасно.

— Я тебе надоедаю, Макги?

— Если б я с жаром ввязался в прелестное прибыльное предприятие с троими симпатичными ребятами, наверняка охал бы, подпевал и приплясывал. Желаю удачи, Мейер.

Он вытаращил на меня глаза, пожал плечами и потопал вниз разбирать кассеты и фотоаппараты, проверяя, нельзя ли спасти их, промыв чистой водой. Он снова вошел в образ мамаши-наседки, только на сей раз заботился не о Макги, а о Гатри с Паласио. Они оказались в хороших руках. Но Мейер будет надоедливым, покуда их маленький бизнес спокойно не завершится.

У меня планов не было. Было умеренное беспокойство. Я решил помочь троице завершить работу по оборудованию судна, потом, может быть, собрать приятную компанию и пойти в круиз по фарватеру, скажем даже до Джэксонвилла. Приблизительно через месяц начать искать клиента, который попал в такое затруднительное положение, что с радостью согласится на мой метод спасения за обычный пятидесятипроцентный гонорар. А попутно игры и развлечения, кое-какие девушки, немного смеха.

В почтовом ящике валялась рекламная листовка, приглашавшая подписаться на что-то, поэтому я не обратил внимания на письмо от Хелены и достал его только в понедельник вскоре после полудня.

Сначала хрустящий белый конверт с обратным адресом, напечатанным рельефными черными буквами: «Фоулмер, Хардахи и Кранц, адвокаты». К сопроводительному письму, под которым меленькими алыми буквами была выведена подпись некоего доктора Уинтина Хардахи, был подколот скрепкой подписанный кассиром банка чек на двадцать пять тысяч долларов. Письмо было датировано двадцать восьмым сентября, а чек — двадцать седьмым сентября.

«Дорогой мистер Макги.

Во исполнение воли миссис Хелены Трескотт... (Фамилия Трескотт на миг меня озадачила, но потом вспомнилось приглашение на свадьбу, которую я пропустил, — она вышла замуж за Теодора Трескотта.) пересылаю Вам чек на сумму в двадцать пять тысяч долларов ($ 25 000) вместе с письмом, которое миссис Трескотт просила меня отослать с банковским чеком.

Она объяснила, что предназначает данную сумму для оплаты одного давнего обязательства и, поскольку ее выздоровление от нынешней критической болезни представляется маловероятным, желает избавить Вас от трудов по предъявлению претензий.

Если у Вас возникнут какие-либо вопросы по этому поводу, со мной можно связаться по указанным ниже адресу и телефону.

Искренне Ваш...»

Адвокатская контора находилась в Форт-Кортни, штат Флорида. Ее письмо — толстое — было запечатано в отдельном конверте, адресованном мне. Я вернулся на «Флеш», положил его, не распечатывая, на стол в салоне. Взял большой стакан, налил на кубики льда солидную порцию джина «Плимут» и начал расхаживать, прихлебывая спиртное, краешком глаза то и дело поглядывая на письмо. От странного совпадения — я почти год не думал о ней, а потом, ровно за неделю от отправления письма, нахлынули такие живые воспоминания — у меня дух захватывало.

Но письмо надо было прочесть, причем джин нисколько не облегчал дело.

«Тревис, мой дорогой!
Не стану обременять тебя клиническими подробностями, но ох до чего мне противно болеть, я почти с облегчением читаю на лицах окружающих — никто не надеется, что я выкарабкаюсь... До смерти надоело болеть — по-моему, плохая шутка. Помнишь день на острове Дарби, когда мы поспорили, кто придумает самую плохую шутку? И в конце концов бросили жребий. Я не очень-то храбрая. Боюсь слабоумия. Процесс умирания дьявольски неумолим, а сегодня я адски страдаю, приказав сократить дозу той дряни, которой меня пичкают, чтобы писать тебе с ясной головой... Извини за ужасный почерк, дорогой. Да, я боюсь, а к тому же совсем отчаялась, так отчаялась, что не рассчитываю не только вырваться из этого кошмара, но даже выползти из него маленькой седенькой старенькой леди — одни кости да пергамент.

Еще год назад, дорогой, я выглядела точно так же, как в то чудесное лето, которое мы провели вместе, и в этом году могло быть не хуже, если бы не небольшая проблема с большой буквы «Р». Год назад врачи думали, будто все удалили, потом обратились к кобальту, потом снова влезли в меня своими железками, причем вроде бы казалось, что все неплохо, но проблема возникла еще в двух местах, и в четверг собираются снова принять радикальные меры, к которым меня теперь готовят, и, по-моему, хотя доктор Билл Дайкс никогда не признается в этом себе самому, он действительно считает, что лучше мне уйти так, а не тем долгим, жутким путем, который ждет меня, если я откажусь от операции.

Я сказала, что не собираюсь тебе докучать! Меня так и подмывает разорвать листок и начать все сначала, но, думаю, я уже на это не способна. Насчет чека — мистер Хардахи позаботится, чтобы ты получил его с этим письмом, — пожалуйста, не сердись. По правде сказать, я разбогатела более или менее случайно — один старый друг Майка, очень умный и занятый управлением человеческими деньгами, распорядился насчет капиталовложений вскоре после его смерти. На протяжении последних пяти с половиной лет он от моего имени покупал смешные пакетики акций, о которых я никогда прежде не слышала, но многие из них росли, росли и росли, а он улыбался, улыбался и улыбался. Но конечно, в конце концов он все устроил так, чтобы все было чисто в смысле налогов на недвижимое имущество. Отбрось неприятную мысль, будто ты получил деньги, предназначенные для моих дочерей, — они получают достаточно. В любом случае это нечто вроде твоего гонорара...

Речь идет о моей старшей дочери Морин, Тревис. Ей почти двадцать шесть. Вот уже три с половиной года она замужем за Томом Пайком. Детей у них нет. У нее были два выкидыша. Мори — молодая женщина с потрясающей внешностью. Она тяжело заболела после второго выкидыша год назад. Я должна была о ней заботиться, но в то время лежала в больнице перед первой операцией... Господи, что за мыльная опера!.. Бриджит примчалась на помощь и до сих пор здесь, так как заварилась какая-то распроклятая каша. Понимаешь, я всегда считала Мори крепкой, как скала, а Бидди — ей сейчас двадцать три — вечной неудачницей, мечтательной, необщительной, незнакомой с реальностью. Но ей пришлось остаться не только из-за меня, но и из-за того, что Мори трижды пыталась покончить с собой. Смотрю, как рука моя пишет эти слова на бумаге, и мне это кажется еще более нереальным. Покончить с собой — что за глупая, страшная белиберда! Том Пайк очень милый, лучше не придумаешь. Они с Бидди изо всех сил стараются удержать

Морин, но, по-моему, с ней что-то неладно. Как будто до нее по-настоящему не достучишься. Том испробовал все способы профессионального лечения и консультаций, и они стараются убедить меня, будто теперь со всеми проблемами покончено. Но я не могу поверить. И разумеется, не могу вылезти из проклятой постели и обо всем позаботиться. Давай просто скажем: скорее всего, мне уже никогда и не выбраться из проклятой постели.

Помнишь, в круизе ты мне рассказывал, как живешь, чем занимаешься. Возможно, я преувеличиваю, но в сложившейся ситуации моя старшая дочь пытается лишить себя жизни. Ты никогда не работал на превентивной основе? Я хочу, чтобы ты постарался не дать ей покончить с собой. Не имею понятия, как это сделать и принесет ли сделанное хоть какую-то пользу. Но все равно, самый ничтожный шанс для Мори стоит гораздо больше двадцати пяти тысяч.

Я думала о тебе в эти последние дни и наконец решила, что не могу попросить никого другого и что никто другой из заслуживающих моего доверия ничем не сумеет помочь. Ты ужасно проницательный, и ты знаешь людей, Тревис. Я помню, с какой огромной ловкостью, тактом, любовной нежностью ты заново собрал из осколков погибающую вдову. Знаешь, в моих воспоминаниях о том лете ты предстаешь в двух обличьях. Одно — молодой мужчина, намного младше меня в момент наших забав, казавшийся необычайно ребячливым, как мальчишка, отчего я себя видела злой и старой развратной ведьмой. А в следующий миг ты был таким... старым и мудрым, что я чувствовала себя глупой молоденькой девочкой. Если б мы не провели вместе какое-то время, я могла бы приспособиться и провести остаток жизни с Тедди Трескоттом... В любом случае у меня осталось впечатление, что ты сможешь справиться почти со всем в этом мире. Я имею в виду не только рефлексы и мускулы... Я веду речь о тонком искусстве манипулирования людьми, как, по-моему, следует обращаться с Мори. Разве она не сумеет понять драгоценность жизни? Я понимаю — сейчас больше, чем прежде.

Поверь, дорогой, слишком велико искушение обрушить на тебя чудовищную предсмертную просьбу — спаси жизнь моей дочери! Но я не способна на столь драматическую банальность. Захочешь — сделаешь, не захочешь — не надо. Очень просто.

Только что пережила пару ужасных приступов, не могу как следует закрыть рот, позорюсь, так громко втягивая слюну, что вздрагивает сиделка. Поэтому мне сделали укол, все начинает затягиваться туманом, плывет куда-то. Продержусь до тех пор, пока не подпишусь, не запечатаю это письмо, но, возможно, с этого момента оно будет казаться пьяным бредом... Я написала, что видела тебя в двух обличьях... Я и в себе вижу двух женщин... Знаешь, каким странно юным остается сердце, несмотря ни на что? Одна — уродливая оболочка в опутанной проводами постели, вся в трубках... дурной запах, боль, шрамы, ничего не помогает, разве что ненадолго... Другая — там, в Шрауд-Ки, на борту «Леди»... Она с тобой резвилась, проказничала, возилась, подзуживала в постели... действительно, жутко бесстыжая ведьма-вдова, полностью поглощенная бесконечными новыми впечатлениями в то нескончаемое, бесконечное, очень короткое время, когда мы походили на два пышущих жаром, синхронно работающих двигателя... Сердце остается юным... непростительно, дьявольски, остро... О, мой дорогой, удержи ту, другую, подольше, подальше, крепко стисни в объятиях и не дай ей растаять, ибо...»

Вместо подписи нацарапано «X». Они все уходят, и мир становится пустым. Хорошие стоят на крышке западни, до того замечательно встроенной в пол, что столярной работы не видно. И по-прежнему задевают за предательскую бечевку.

А ты хлопаешь глазами, пытаешься сглотнуть ком в горле, испытываешь дурноту, старина Трев, кидаешься к телефону. Девушка сообщает, что мистер Хардахи ушел обедать, после чего добавляет, что его, может быть, удастся перехватить, спрашивает, важное ли у тебя дело, и ты с ужасающей точностью отвечаешь: вопрос жизни и смерти. У доктора Уинтина Хардахи мурлычущий голосок, полезный для передачи сверхсекретной информации.

— Гм, да. Да, конечно. Гм... Миссис Трескотт скончалась в прошлый четверг вечером... гм... после операции... в реанимационной палате. Очень храбрая женщина. Гм... Я считаю для себя честью знакомство с ней, мистер Макги. — И добавил, что короткая поминальная служба состоится завтра, в воскресенье.

Я уверен, бывали и худшие понедельники. Могу с ходу назвать три.

Хелена, черт возьми, это не лучшая твоя мысль. О твоей Морин преданно заботятся любящие ее люди. Может быть, ей там просто не нравится. Любой способен составить весьма длинный перечень современных изъянов реальности. А ты представляешь меня милым старым философом, который усядется у нее на веранде, начнет, поплевывая, строгать палку и трепать ее по плечу, сообщая, что жизнь прекрасна? Потерпи, детка. Посмотришь, что будет дальше.

Помню твоих дочерей, но не слишком отчетливо, это ведь было пять лет назад. Высокие, обе стройные, гибкие блондинки с длинными, гладкими волосами, ниспадающими потоком, с правильными чертами лица, немножко бесстрастные, в полном сознании необходимости источать абсолютную холодность, отчего они выглядят и ведут себя словно инопланетяне, наблюдающие за причудливыми ритуалами землян. Серо-голубые глаза редко моргают, как бы делая снимки скрытой камерой. Корабельная форма, наряды для отдыха открывают очень длинные ноги и руки с морским загаром. Сдержанно вежливы, быстро движутся, выполняя поручение или оказывая любезность, держатся по привычке совсем рядом, бормочут друг другу комментарии, едва шевеля девичьими, ненакрашенными губами.

На каком основании, черт возьми, Хелена Пирсон Трескотт, ты думаешь — думала, — будто я смогу на каком-либо уровне контактировать с ними обеими? Я старше твоей старшей дочери не настолько, насколько ты была старше меня, но разрыв между нами большой. Не доверяй никому старше тридцати? Проклятье, я не доверяю никому старше, равно как и младше тридцати, пока события не продиктуют иного, и некоторые из моих лучших друзей — белые пляжные девочки, протестантки с нордическим темпераментом.

Хелена, по-моему, прикончить себя — личный, самостоятельный и гнусный шаг, оставляющий при успешном исходе не вкус высокой трагедии, а привкус тошнотворной растерянности. Чего ты от меня хочешь? Я не гожусь на роль пропагандиста идеи о возможности прекрасной жизни. Она в самом деле возможна. Но понимание этого не купишь у дружелюбного розничного торговца.

Нет, спасибо. Муженек Томми и сестричка Бидди справятся. Что, кстати, скажите на милость, я объявлю всем троим? Меня прислала Хелена?

Вдобавок, милая леди, вы мне оставили выход. «Захочешь — сделаешь, не захочешь — не надо. Очень просто».

Я этого не сделаю.

Но скажу тебе, что я сделаю. Просто ради честной игры. Совершу небольшую поездку туда, выдумав какую-нибудь причину, докажу нам обоим, как неудачно твое предложение. Скажем, мы оба будем спать спокойнее. Ладно? Никто не обижен?

Глава 5

Округ Кортни: население 91 312. Окружной центр: муниципальная корпорация Форт-Кортни. Население 24 804. Местность вздымается холмами с пологими склонами. Акры и акры цитрусовых садов, столь роскошно плодоносящих, что зеленые листья кажутся темно-зеленым пластиком, а изобильные плоды декоративными восковыми. Южнее — край ранчо. Черные абердин-ангусы[1] за белыми изгородями. Побочное занятие — разведение лошадей. Индустриальный парк, пара экологически чистых и аккуратненьких предприятий, выпускающих детали компьютеров. Одно — филиал «Литтон индастрис», другое — ответвление «Вестингауза», третье, под названием «Бракстин дивайсис инкорпорейтед», никем еще не проглоченное.

Между округлыми холмами — озера, одни естественные, другие — порождение грозного брачного танца бульдозера и землеустроителя. Гольф-клубы, места отдыха, колледж «Мид-Флорида джуниор».

Никакого земельного бума. Никто пыль в глаза не пускает — никаких ферм по разведению аллигаторов, никаких африканских парков, фабрик по выделке раковин, джунглей из орхидей. Солидный, осмотрительный рост, основанный на контроле и на капиталах третьего и четвертого поколения, что во

---

[1] А б е р д и н-а н г у с с к а я порода — безрогий мясной скот, выведенный в шотландских графствах Абердин и Ангус.

Флориде сравнимо с состоянием, унаследованным от предков в четырнадцатом веке.

Во время дневного полета в тот четверг, через неделю после смерти Хелены, когда самолет накренился на крыло при финальном заходе на посадку, я скользнул взглядом по городку, наполовину скрытому необычным множеством деревьев, по расположенным на окраинах торговым площадкам, по жилым районам в листве с извилистыми дорогами, с многочисленными геометрическими частными плавательными бассейнами, потом по жарко сверкающим акрам автомобилей на стоянке у одного из промышленных предприятий, потом мы сели — скрип-бум-скрип-бум, потом раздался визг тормозящего такси.

Я решил не приезжать в своем проворном синем пикапе «роллс» древнего происхождения. В «Мисс Агнес» становишься одновременно подозрительным и запоминающимся. Я ни в коем случае не выполнял какой-либо секретной миссии, но и не желал носить ярлык эксцентричного чудака. Я запасся правдоподобной и скромной легендой, решив быть во всем абсолютно правдивым и честным. Нельзя же вломиться и объявить: «Детка, ваша мама просила выяснить, не удастся ли мне удержать вас от самоубийства».

Девочки должны были помнить меня не только потому, что я присутствовал в их жизни во время убийства Майка, но и потому, что вокруг шатается не так много ребят моих габаритов, с очень сильным морским загаром, в определенной степени помогающим скрыть наглядные свидетельства множества разнообразных случайных травм, помимо прочих достоинств такие же ребята обладают небрежной и сонной походкой, ненавязчивы, дружелюбны и явно готовы верить чему угодно.

Так как девочки должны были помнить меня, требовалась правдивая и простая легенда. В любом случае, чем проще — тем лучше. Причем всегда полезнее сплетать их так, чтобы какой-нибудь особо любопытный слушатель мог их проверить. С хитроумными вымыслами за тобой тянется слишком много следов.

Прошагав по раскаленному бетону посадочной площадки, я вошел в ледяной холод аэровокзала. Накрахмаленная компьютеризированная девушка в форме авиакомпании с обезличенной энергичностью предоставила мне напрокат «шевроле» с кондиционером, а потом, когда я попросил подсказать самое лучшее место для остановки на несколько дней, превратилась из робота в девушку. Выгнула бровку, прикусила губку и после замечания, что я никогда не испытывал затруднений с оплатой счетов, предложила «Воини-Лодж» на шоссе 30 рядом с междуштатной автострадой — свернете с хайвея, повернете налево, проедете около мили, мотель будет справа. Новый, сказала она, и весьма симпатичный.

Мотель оказался настолько гавайским, как будто стоял в Гонолулу, но номер был просторным. Полным-полно всякой техники, пахло свежестью и чистотой. Машину удалось поставить в тени под тростниковым навесом. С другой стороны из номера виднелся зеленый газон и частично загороженный цветущими кустами большой плавательный бассейн в центре четырехугольного корпуса. Около половины четвертого я набрал номер городского коммутатора, а потом Томаса Пайка. Адрес: Хейз-Лейк-Драйв, 28.

— Миссис Пайк?

— Кто ее спрашивает? — отозвался хриплый невыразительный женский голос.

— Это Морин?

— Представьтесь, пожалуйста.

— Может быть, мое имя ничего вам не скажет.

— Миссис Пайк отдыхает. Ей что-нибудь передать?

— Это Бриджит? Бидди?

— Кто говорит?

— Меня зовут Тревис Макги. Мы встречались пять с лишним лет назад. В Форт-Лодердейле. Вы меня помните, Бидди?

— Да, конечно. Чего вы хотите?

— Поговорить с вами, с Морин или с обеими.

— О чем?

— Слушайте, я ничем не торгую! Просто мне довелось оказать несколько мелких услуг дамам Пирсон после смерти Майка. Я узнал о Хелене в прошлый понедельник и очень сожалею. Если я побеспокоил вас в неудобное время, так и скажите.

— Я... понимаю, что не совсем вежливо отвечаю. Мистер Макги, вы приехали не в самый удачный момент. Может быть, я смогу прийти и... Вы в городе?

— Да. В «Воини-Лодж». Номер 109.

— Удобно, если я загляну около шести? Я должна оставаться здесь, пока Том не вернется с работы.

— Спасибо. Отлично.

Я воспользовался свободным временем для знакомства с географией. В ящичке для перчаток взятого напрокат автомобиля оказалась карта города и округа. Я обычно неловко себя чувствую в любом незнакомом месте, пока не изучу все въездные и выездные пути, не разузнаю, куда они ведут и как их найти. Выяснилось, что в районе Хейз-Лейк-Драйв необычайно легко заблудиться. Подъездные дороги вились вокруг маленьких озер. У въезда на усыпанную гравием дорогу 28 стоял большой темно-синий деревенский почтовый ящик с рельефными алюминиевыми буквами на крышке, гласившими: «Т. Пайк». За посадками виднелся скат кедровой крыши, проблески сверкающего под солнцем озера. Дом стоял в районе из числа хороших, но не самых лучших; пожалуй, в миле от клуба для игры в гольф и теннис «Хейз-Лейк», и стоил, по-моему, на пятьдесят тысяч дешевле домов, расположенных ближе к клубу.

По дороге назад к городу я обнаружил замечательный миниатюрный кружок дорогих магазинов. Один из них торговал спиртным, причем явно обладал вкусом, ибо запасся «Плимутом», так что я прикупил партию для выживания в местных условиях.

Бидди-Бриджит позвонила по внутреннему телефону в пять минут седьмого. Я вышел в вестибюль и привел ее в коктейль-холл у бассейна, отгороженный от жаркой улицы термостойкой стеклянной стеной противного зелено-голубого цвета. Девушка выглядела симпатично, шагала в белой юбочке и голубой блузочке, расправив плечи, высоко держа голову. Ее приветствие было сдержанным, тихим, достойным.

Сидя напротив за угловым столиком, я разгадывал в ней черты Хелены и Майка. От Хелены — хорошая костная структура и стройность, но лицо — как у Майка, широкое в скулах, асимметричное, один глаз чуть выше другого, улыбка кривая. И его ясные светло-голубые глаза.

С семнадцати до двадцати трех лет прошло много-много времени, полного перемен и познания. Она перешагнула границу, отделяющую детей от взрослых. Взгляд уже не скользил по мне с покровительственной холодной индифферентностью, словно по статуе в парке. Теперь мы с ней оба были людьми осведомленными о существовании кое-каких ловушек и об узкой черте между тем, верным, и ложным выбором.

— По воспоминаниям я представляла вас старше, мистер Макги.

— По воспоминаниям я представлял вас младше, мисс Пирсон.

— Намного младше. Я, по-моему, очень уж повзрослела во всех отношениях. Мы столько ездили... Я и Мори... Наверно, мы были ужасно самоуверенными, европейскими и утонченными. Должно быть... я знала гораздо меньше, чем тогда думала.

У нас приняли заказ, и она продолжала:

— Извините, что я не слишком любезно разговаривала по телефону. Мори порой надоедают... хулиганскими звонками. Я отлично научилась их отшивать.

— Хулиганскими звонками?

— Как вы узнали, где нас искать, мистер Макги?

— Тревис или Трев, Бидди. Иначе я буду чувствовать себя слишком старым, каким и должен, по вашему мнению, быть. Как я вас отыскал? Мы поддерживали контакт с вашей матерью. Иногда переписывались. Обменивались новостями.

— Значит, вы получали от нее известия за этот... последний год, так что вам не придется меня расспрашивать.

— Последнее письмо получил в понедельник.

Это ошеломило ее.

— Но она...

— Оно пришло в мое отсутствие. Было отправлено в сентябре.

— Семейные новости? — осторожно спросила Бидди.

Я пожал плечами:

— Извинения за дурное расположение духа. Она все знала. Сообщила, что вы здесь с тех пор, как Мори в плохом состоянии после второго выкидыша.

Губы девушки неодобрительно сжались.

— Зачем же она сообщала такие... семейные, личные вещи едва знакомому нам человеку?

— Думаю, для того, чтобы я опубликовал их в газете.

— Я не хотела грубить. Просто не знала, что вы были такими близкими друзьями.

— Мы ими не были. Майк доверял мне, и ей это было известно. Иногда нужен кто-то, кому можно написать или выговориться, как в колодец. Я не получал от нее известий после свадьбы с Трескоттом.

— Бедный Тедди, — вздохнула Бидди, призадумалась, потом кивнула сама себе. — Да, по-моему, хорошо, когда можешь довериться кому-нибудь... не болтливому... Может быть, он напишет в ответ, что все будет хорошо. — Наклонила голову, прищурилась, взглянула на меня. — Понимаете, после смерти папы она уже никогда не была по-настоящему цельной личностью. Они были во всем так близки, что мы с Мори порой себя чувствовали заброшенными. То и дело шутили, непонятно для нас, умели говорить друг с другом практически не произнося ни слова. В одиночестве она... не находила себе места. В сущности, выйдя замуж за Тедди, осталась одинокой. Если письма к вам помогали ей быть... не такой одинокой... тогда мне очень жаль, что я вас нечаянно обидела. — Глаза заблестели слезами, она их сморгнула, уставилась в свой бокал, глотнула спиртного.

— Я вас не виню. Осведомленность незнакомца о семейных проблемах всегда раздражает. Но я не разношу по округе сплетни.

— Знаю. Просто не могу понять, за что... ей пришлось пережить такой адский год. Может, жизнь все уравновешивает. Если ты был счастливей других, то потом... — Она замолчала, широко открыла глаза, глядя на меня с внезапным подозрением. — Проблемы? И про Мори тоже?

— Про попытку самоубийства? Без подробностей. Просто ее это очень расстроило и она не могла понять.

— Никто не может понять! — слишком громко сказала она и попробовала улыбнуться. — Если честно, мистер... Тревис, это был такой... такой ужас...

Я видел, что она вот-вот сорвется, поэтому бросил на столик счет, взял ее под руку и увел. Шагала она неуверенно, так что я срезал дорогу к номеру 109 по прогулочной дорожке через оранжерею. Отпер дверь, и, пока закрывал ее за нами, Бидди заметила ванную, слепо метнулась туда с громким гортанным болезненным плачем. Еще секунду слышались приглушенные звуки, потом шум воды.

Я прошел в кухню, вытащил подносик с миниатюрными кубиками льда, смешал в миксере три разных коктейля. Себе налил «Плимут», опустил тонкие шторы на больших окнах, отыскал на цветном экране Уолтера Кронкайта[1], ровным, сдержанным, непрерывным тоном сообщавшего о неслыханных мировых катастрофах, сел в кресло из черного пластика, ореха и алюминия, сбросил туфли, положил обе ноги на краешек кровати и стал потягивать спиртное, глядя на Уолтера и слушая о конце света.

Когда она нерешительно заглянула, бросил очень короткий равнодушный взгляд, кивнул на стойку и предложил:

— Угощайтесь.

Она налила себе выпить, подошла к простому стулу, повернула его к телевизору, села, скрестив длинные ноги, принялась пить маленькими глотками, держа бокал в обеих руках, и смотреть на Уолтера.

Он закончил, я выключил телевизор, вернулся и сел теперь на кровать вполоборота к ней.

— Сейчас пишете что-нибудь?

— Пытаюсь. Превратила лодочный дом в подобие студии, — ответила она, пожав плечами и приглушенно икнув. Кожа под глазами порозовела и чуть припухла. — Спасибо за спасение, Трев. Очень эффективно. — Улыбка вышла тусклой. — Значит, вы и про живопись знаете.

— Только то, что вы увлекались ею пару лет назад. Не знал, что до сих пор занимаетесь.

— Из-за всего навалившегося на меня в последнее время почти забросила. Я действительно не могу отдавать этому столько времени, сколько хочется. Но... сперва самое главное. Кстати, о чем вы хотели поговорить с Мори?

— Ну, мне ужасно не хочется беспокоить вас, девочки, сразу после смерти Хелены, особенно по таким мелочам. Похоже, мой друг — его зовут Мейер — не в силах выбросить из головы тот ваш редкостный моторный парусник, «Лайкли леди». Ей сейчас должно быть лет шесть, чуть побольше. Он долго рыскал по верфям, бегал к судовым брокерам, ища нечто подобное, но ничего не нашел. Хочет попробовать отыскать ее след и узнать, не про-

---

[1] К р о н к а й т Уолтер (р. 1916) — один из популярнейших в США телерепортеров, в 1961—1981 гг. бессменный ведущий программ новостей Си-би-эс.

даст ли ее нынешний владелец, кем бы он ни был. Собственно, я уже обещал ему обратиться к Хелене, когда... пришло ее письмо. Я говорил Мейеру, что не время сейчас дергать вас или Морин. А потом думаю, вдруг... и мне вам удастся помочь как-нибудь. Наверно, из-за своего присутствия на сцене в прошлый раз считаю себя чем-то вроде самозваного дядюшки.

Она напряженно улыбнулась:

— Больше не надо сбивать меня с толку. В последнее время я просто не выношу человеческой доброты.

Поставив бокал, она встала, подошла к зеркальной двери, пристально оглядела себя. Через несколько секунд обернулась.

— Помогло. Всегда помогает. Когда мы были маленькие и не могли перестать плакать, мама нас заставляла пойти, встать и взглянуть, как мы плачем. В конце концов начинаешь корчить себе рожи и смеешься... если ты маленький.

Вернулась в кресло, принялась за выпивку и нахмурилась.

— Знаете, просто не помню, как зовут человека, купившего «Леди». По-моему, он из Пунта-Горда, а может, из Нейплса. Но знаю, как выяснить.

— Как?

— Поехать, открыть дом на Кейси-Ки и посмотреть в мамином столе. Все равно адвокаты советуют это сделать. Она очень аккуратно вела дела. Папки, копии под копирку и все такое. Все должно быть в папке за тот год, когда она продала судно. Оно было таким замечательным. Надеюсь, ваш друг его найдет и купит. Папа говорил, будто «Леди» прощает. Говорил, можно выкинуть абсолютно дурацкую штуку, и «Леди» простит тебя и позаботится о тебе. Если дадите свой адрес, я сообщу адрес и фамилию покупателя.

— Вы скоро туда собираетесь?

— Договорились поехать в субботу утром и вернуться в воскресенье днем. Думаю, нам хватит времени. Но все зависит от... состояния Мори.

— Она физически больна?

— Вдобавок к душевной болезни? Вы это имели в виду?

— Чего вы так сердитесь? Нормальные люди не набрасываются друг на друга по пустякам.

— Я... наверно, привыкла защищать ее всеми силами.

— Так что с ней такое?

— Смотря кого спрашивать. Ответов и заключений у нас больше, чем нужно. Маниакальная депрессия, шизофрения, синдром Корсакова, частичная вирусная инфекция мозга, алкоголизм. Назовите любой диагноз, и кто-нибудь подтвердит.

— Синдром... чего?

— Корсакова. Все ее воспоминания перепутаны. Помнит все, вплоть до прошлого года, а прошлый год — сплошные джунгли с прогалинами. По-моему, иногда она этим... сознательно пользуется. Правда, бывает ужасно хитрой. Точно мы ей враги или что-нибудь в этом роде. Умудряется жутко, мертвецки напиться и удрать от нас, как бы внимательно мы ни следили. Отвезли ее в санаторий на две недели, но она так смутилась, расстроилась и озадачилась, что мы просто не выдержали. Пришлось вернуть домой. Очутившись дома, радовалась, как дитя малое. Нет, по поведению она вовсе не сумасшедшая, правда, — милая, добрая, славная. Что-то просто... выходит из строя, а что именно, пока никто не знает. Если б я всего этого не сказала, вы, придя в дом, никогда ни о чем бы не догадались, правда.

— Но ведь она пыталась покончить с собой?

— Три раза. И дважды была очень близка к цели. Мы ее вовремя обнаружили в тот момент, когда она глотала снотворные таблетки. А потом Том нашел ее в ванне с перерезанными на запястьях венами. В третий раз обнаружили только приготовления — четырехдюймовую нейлоновую веревку, перекинутую через бимс в лодочном доме. Вся в кошмарных узлах, но очень прочная.

— Она объяснила, почему решилась на это?

— Она не помнит почему. Вроде бы помнит попытку, совсем смутно, а почему — забыла. Она страшно этим напугана, плачет и сильно нервничает.

— Кто сейчас за ней присматривает?

— Том сейчас дома. А, вы про врача спрашиваете? Фактически никто. Можно сказать, мы избавились от врачей. Многое для нее можем сделать мы с Томом. Она держалась до смерти мамы. А потом у нее было... несколько нехороших дней.

— Она меня вспомнит?

— Конечно! Она вовсе не слабоумная идиотка, Боже сохрани!

— А что за хулиганские звонки, о которых вы упомянули?

Она насторожилась:

— Да просто люди, с которыми она сталкивалась, когда... убегала от нас.

— С мужчинами?

— Убегала одна. И попадала в переплет. Она очень красивая. Для Тома это истинный ад, только вас это совсем не касается.

— Не стоит так разговаривать с добрым старым дядюшкой. Тусклая улыбка.

— У меня нервы измотаны. Из-за этого мне просто... хочется отказаться от принадлежности к человеческой расе. Слышу по телефону проклятые масленые голоса, будто испорченные детишки интересуются, выйдет ли Мори гулять и играть. Или стая псов, бегущих по следу. Они не знают о ее болезни. Им на это плевать.

— И часто она убегала?

— Не часто. Может быть, раза три за последние четыре месяца. Но и этих трех раз слишком много. И она никогда почти ничего не помнит.

Я взял у нее пустой бокал, налил коктейль, подал ей со словами:

— У вас ведь должна быть какая-нибудь теория. Вы наверняка знаете ее лучше всех на свете. С чего все началось?

— Второй выкидыш произошел у нее из-за какой-то почечной недостаточности. У нее были конвульсии. Я думала, это как-нибудь отразилось на мозге, но врачи отрицают. Тогда я предположила опухоль мозга, ее обследовали, и ничего подобного не оказалось. Не знаю, Тревис. Просто не знаю. Это та же самая Мори, и все же другая. Больше похожа на ребенка. У меня разрывается сердце.

— Ничего, если я заскочу поздороваться с ней?

— Что из этого выйдет хорошего?

— А что плохого?

— У вас просто болезненное любопытство?

— Пожалуй, мое любимое развлечение — ходить смотреть на свихнувшихся.

— Черт возьми! Я просто хотела сказать, что...

— Ее нельзя показывать в таком виде? Да? Ладно. Ей было двадцать. Она пережила страшную смерть отца с огромным тактом и самообладанием. Мне известно, как она обожала Майка.

Слушайте, я не просил посвящать меня во все семейные тайны, но меня посвятили. Хотелось бы посмотреть, что она собой представляет. Может, вы слишком близко общаетесь с ней. Может быть, она выглядит лучше, чем вам кажется. Или хуже. Знаете кого-либо, не видевшего ее с двадцати лет?

— Н-нет... Хорошо, я спрошу мнение Тома. И позвоню вам сюда либо попозже вечером, либо утром.

Она допила свой бокал, и я проводил ее к маленькому красному фургончику «фолкон». Поблагодарила за выпивку, извинилась, что отнимала у меня время, перечила и грубила. Потом уехала.

Бидди позвонила утром и пригласила меня в дом на ленч. Сказала, что Мори ждет новой встречи со мной, а если Том сможет вырваться, то тоже присоединится к нам.

Глава 6

Бриджит Пирсон, видно, услышала скрежет гравия подъездной дороги под колесами моей машины и появилась из-за дома со стороны озера, в желтых шортах и белом топе без рукавов, с волосами, стянутыми в хвост желтой лентой, в огромных темных очках.

— Очень рада, что вам удалось выбраться! Пойдемте. Томми окуривал двор перед уходом на службу, и теперь там едва ли найдется хоть одна мошка. Он будет с минуты на минуту.

Она все тараторила, несколько нервно, пока я шел за ней по склону, выходившему на берег озера. Густые кроны тесно посаженных деревьев скрывали участок от соседних домов. Под тенистым цветущим баньяном стоял стол красного дерева и скамейки. Двухэтажный ангар для лодок представлял собой симпатичное произведение архитектуры, гармонирующее с домом. Т-образный причал, у причала маленькая моторная лодка. Вокруг газона железная ограда, выкрашенная в белый цвет, на траве играют солнечные зайчики. На краю стола припасы для пикника. В железной жаровне дымятся угли. Указав на кувшин со свежим апельсиновым соком, на ведерко со льдом, бокалы, бутылку водки, она мне предложила смешать себе выпивку, пока пойдет известить Мори о моем приходе.

Через несколько минут из затянутых сеткой дверей патио вышла Морин и с улыбкой направилась ко мне через двор. Ее покойная мать назвала внешность Мори в письме потрясающей. Она была поистине великолепна. Бидди потускнела в ее присутствии, словно младшая сестра оказалась неудачной цветной фотографией, снятой со слишком большой выдержкой и поспешно проявленной. Светлые волосы Мори были длиннее, пышнее, светлее; голубые глаза — глубже, ярче. Кожа покрыта золотым безупречным загаром, даже как бы театральным и нарочитым. Фигура гораздо полнее; не будь она такой высокой, вес казался бы лишним. Поверх голубого купальника на ней был короткий открытый пляжный халат с широкими белыми и оранжевыми полосами. Она не спеша подошла ко мне, протянула руки. Пожатие твердое, сухое, теплое.

— Тревис Макги. Я вспоминала вас тысячу раз. — Голос столь же неторопливый, как походка и улыбка. — Спасибо, что приехали нас навестить. Вы были так добры к нам давным-давно. Ты права, — объявила она, оглянувшись на Бидди через плечо, — я тоже думала, что он гораздо старше. — Дотянулась, легонько поцеловала меня в краешек губ, крепко стиснула мои пальцы и выпустила. — Извините, дорогой Тревис, мне надо пойти поплавать. Я уже несколько дней пропустила, а когда это затягивается надолго, становлюсь вялой, сонной и гадкой.

Она вышла на перекладину Т-образного причала, натянула шапочку, сбросила на доски халат, нырнула с порывистой энергичностью специалиста и принялась плавать взад-вперед вдоль ряда опор, почти полностью скрытая причалом, так что мы видели только медленные и грациозные взмахи загорелых рук.

— Ну? — спросила Бидди, стоя у меня за плечом.

— Совершенно потрясающая.

— Но другая?

— Да.

— В чем разница? Можете точно сказать?

— Пожалуй, кажется, будто вся эта сцена ей снится. Она как бы... плывет. Она что-нибудь принимает?

— Наркотики? Нет. Ну, когда возбуждается, мы делаем укол. Нечто вроде долго действующего транквилизатора. Том научился у одного врача и меня научил.

Я понаблюдал за медленными и неустанными взмахами рук и пошел к столу завершить приготовление напитка.

— Никакой мути в глазах, никакого тумана. Но она мне внушила странное впечатление, Бидди. Что-то вроде предостережения. Как будто нельзя догадаться, что она может сделать в следующую минуту.

— Все, что взбредет в голову. Нет, никакого насилия. Она просто... естественна и примитивна, как маленький ребенок. Если что-то зачешется, почешет в любом месте. За столом ведет себя... дьявольски непосредственно. Говорит что вздумается, порой весьма... личные вещи. А потом, когда мы с Томом одергиваем ее, конфузится и расстраивается. Лицо перекосится, руки задрожат, и она убегает к себе в спальню. Но вполне может поговорить о живописи, о политике, о книгах... пока речь идет о том, что она знала больше года назад. За этот год ничего нового не добавилось.

Мы услышали скрип гравия — приближалась другая машина, и Бидди торопливо помчалась за угол дома, потом вновь появилась, торопливо и серьезно разговаривая с мужчиной, медленно шедшим с ней рядом. Определенная напряженность в его позе и выражении исчезала, на губах появилась улыбка. Она подвела его и представила.

Высокий, гибкий, темноволосый и темноглазый, с подвижным и чутким лицом, может быть, слишком красивый, без какой-либо неправильности в чертах, без какого-либо намека на вихры, отеки или шелушение, похожий на молодого Джимми Стюарта[1]. Впрочем, в голосе не было деревенской плаксивости мистера Стюарта, голос был на редкость низким, богатым и звучным, почти basso profundo[2]. Держался мистер Том Пайк исключительно. Редкий дар. Не столько продукт силы и воли, сколько результат внимания и понимания. Это всегда удивляло и интриговало меня. Люди, не заканчивая никаких курсов, где учат нравиться и заводить друзей, не проявляя показной застенчивости, мгновенно с тобой знакомятся, расспрашивают о тебе, искренне стараются выяснить твое мнение, обладают особым талантом немедленно занимать доминирующее

---

[1] С т ю а р т Джеймс (р. 1908) — киноактер, создавший образ «стопроцентного американца».

[2] Глубокий бас (*um.*).

положение в зале, за обеденным столом или на заднем дворе. Этот талант есть у Мейера.

Том скинул легкую спортивную куртку, бросил на землю, Бидди подобрала ее, унесла в дом, а он с усталой улыбкой проговорил:

— Я все утро переживал, как Морин на вас среагирует. Может, очень хорошо, а может, очень плохо, заранее невозможно сказать. Бидди говорит, пока все отлично.

— Она выглядит великолепно.

— Конечно. Я знаю. Проклятье, я себя чувствую таким... предателем, будто мы с Бидди держим кого-то дефективного в цепях в подвале. Но слишком многие посторонние выводят ее из себя. — Он едва заметно, как бы про себя, горестно улыбнулся. — А когда она расстраивается, можно быть вполне уверенным, что расстроит и постороннего, так или иначе. Она собирается выбраться на свободу без проездного билета. Раньше или позже. Так или иначе.

— А тем временем, Том, ситуация непростая.

— И по этой причине я чувствую себя виноватым. Потому что все тяготы большей частью ложатся на Бидди. Я весь день на работе. Мы все стараемся кого-нибудь подыскать, кто приходил бы и помогал, доброго, терпеливого и хорошо обученного. Разговаривали с десятками претендентов. Но когда выясняется, что проблема, возможно, психиатрическая, все поворачивают обратно.

Бидди вернулась и занялась едой. Я спросил, повезло ли с врачами. Он пожал плечами:

— Внушают большие надежды, а потом говорят «извините». Один из последних диагнозов заключается в том, что отложения кальция сокращают приток крови в мозг. Ряд анализов — извините, совсем не то. Просто симптомы не соответствуют тем, что описаны в книжках. Есть у меня несколько человек, которые постоянно следят, пишут письма.

— Извините за неприятный вопрос, Том, она деградирует?

— Я и сам все гадаю. Просто не знаю. Можно только ждать и следить. И надеяться.

Мори покончила с плаванием, положила ладони на доски, выскочила из воды, уселась на краю, гладкая, словно котик. Встала и улыбнулась нам снизу вверх. Насухо вытерла ноги коротким халатиком, потом надела его, сдернула шапочку, сунула в карман халата, встряхнула на ходу волосами. По мере приближения к Тому Пайку медлительная, плавная уверенность как бы покидала ее. Она подошла к нему скованным шагом, потупив взор, слегка сгорбив плечи, с нервной приветственной улыбкой, напоминая мне очень хорошую собаку, которая знает, что ослушалась хозяина, и надеется, продемонстрировав рвение и послушание, заработать прощение и забвение. Он быстро и небрежно чмокнул ее, потрепал по плечу, спросил, была ли она хорошей девочкой. Она робко подтвердила. Ее поведение и реакция были полностью правдоподобными. Она была женой и, в какой бы растерянности ни пребывала, не могла не понять, что больше не оправдывает ожиданий. Скорее сознавала свою неадекватность, чем признавала вину.

Москиты в тени баньяна начали перегруппировку. Том пошел, принес маленький электрический опылитель, включил в розетку и уничтожил их всех, объяснив мне по завершении, что терпеть не может им пользоваться, так как он действует без всякого разбора.

— Когда я был маленький, мы летом по вечерам сидели на затянутой сеткой веранде и видели тучи пожирательниц москитов — стрекоз, которые падали и взлетали, съедая количество, равное своему весу. Потом, после захода солнца, появлялись летучие мыши. А мы уничтожили стрекоз опрыскивателями, истребили других насекомых, которыми питались летучие мыши, и теперь ничего не осталось, кроме миллиардов москитов и комаров. Приходится постоянно менять средства, как только у них вырабатывается иммунитет.

— Вы выросли в этих краях?

— В целом да. Тут и там. Мы часто переезжали. Бифштексы готовы, Бид? Тогда пора еще выпить, Трев. Позвольте, я вам приготовлю. Мори, милая, ты должна перемешивать салат, а не пробовать.

Она ссутулилась.

— Я не хотела... Я...

— Все в порядке, дорогая.

Во время обеда возникла одна сцена, как застывший цветной снимок в раме, подчеркивая странный оттенок этого тройственного союза. Мы с Мори сидели на одной скамейке по одну сторону стола для пикников. Она слева от меня, Бидди напротив. Мори ела очень красиво, прилично, а я, подняв глаза, заметил, что Бидди и Том наблюдают за ней. Муж и младшая сестра следили за женой с одинаковым нервным, внимательным одобрением, точно супружеская пара за единственным ребенком, исполняющим простое соло на фортепьяно для пришедших с визитом родственников. Потом застывший кадр шевельнулся, Бидди поднесла к губам вилку, Том Пайк снова начал жевать.

Потом Бидди мне что-то рассказывала, а Том тихо, предупредительно произнес одно слово: «Дорогая», что заставило ее резко умолкнуть и бросить взгляд на Морин. Оглянувшись, я увидел, что та наклонилась над своей тарелкой, низко опустив голову, жадно схватила рукой бифштекс, рвет и грызет его. Морин бросила бифштекс в тарелку, выпрямилась, опустила глаза, под столом вытирая о голую ногу жирные пальцы. На загорелой упругой коже остались лоснящиеся следы.

— Ты опять забылась, милая, — мягко заметил Том.

Мори явственно задрожала.

— Не расстраивайся, солнышко, — вставила Бидди.

Но Морин вдруг сорвалась и помчалась, так сильно ударившись бедром о край стола, что из бокалов и чашек выплеснулось спиртное и кофе, побежала к дому, громко всхлипывая в своем слепом, безнадежном бегстве. Том резко окликнул ее, но она не оглянулась и не замедлила бег. Бидди, быстро вскочив, поспешила за ней.

— Извините, — сказал Том. — Думаю, вы понимаете, почему мы не... Бидди успокоит ее и... — Он отодвинул свою тарелку. — Ах, да к черту все! — встал и пошел к берегу озера.

Когда Бидди вернулась, он по-прежнему оставался там. Она снова села напротив меня.

— Мори сейчас отдыхает. Вскоре даже не вспомнит о том, что случилось. Я хочу, чтобы Том посмотрел на нее и решил, не надо ли сделать укол. Он... в порядке?

— Расстроен.

— Потому что она вела себя так хорошо.

Она взглянула на молчаливую фигуру на берегу озера. Я сидел вполоборота к ней, имея возможность видеть больше, чем ей хотелось бы. Выражение ее лица было мягким, задумчивым, губы приоткрылись. Это было обожание, поклонение, жадная, безнадежная и беспомощная любовь. Я понял, почему она так странно вела себя в коктейль-холле. Можно было с абсолютной точностью предсказать, что эта ситуация доведет ее до предельной точки, когда она проведет год в одном доме с деградирующей женой, озабоченным и страдающим мужем. Верность старшей сестре — и покорная, жертвенная любовь к ее мужу.

Через какое-то время мы все пошли в дом. Том поднялся взглянуть на Мори, вернулся и сказал, что она спит. Присел на минутку, взглянув на часы.

— Приятно было познакомиться с вами, Тревис. Только... простите, что все вышло так... так... — Голос его ослабел, рот перекосился, он вдруг закрыл руками лицо. Бидди, поспешив к нему, робко и нерешительно положила на плечо руку.

— Том. Прошу тебя, Том. Ей будет лучше.

Он вздохнул, выпрямился, полез в карман за платком. Из глаз еще текли слезы.

— Конечно, дорогая, — хрипло вымолвил он. — Все будет просто отлично. — Вытер глаза и нос. — Я и за себя извиняюсь. Еще увидимся.

Она пошла его провожать. Я услышал его слова — что-то насчет того, что домой придет поздно. Хлопнула дверца машины. Он уехал. Бидди вернулась в двухэтажную гостиную. Глаза ее были влажными.

— Он... хороший парень, Тревис.

— По-моему, ему не очень-то хочется возвращаться назад в офис продавать акции и ценные бумаги.

— Что? Он этим давно уже не занимается. Больше двух лет. Основал собственную компанию.

— Какую?

— Называется «Девелопмент анлимитед». Нечто вроде стимулирующей компании. Создают земельные синдикаты. Я на самом деле не знаю, как фирма работает, но, кажется, это настоящее спасение для людей, которые платят очень большие налоги, например для врачей и так далее. При покупке земли фирма платит большие проценты авансом, а потом продает ее ради выигрыша от продажи. Том очень умный в подобных делах. Выпускает акции жилых домов, очень умно учитывает амортизацию, ущерб, потоки денежной наличности и так далее. Он мне пробовал объяснить, но у меня голова не годится для таких вещей. Дело, наверно, идет хорошо, так как ему часто приходится уезжать из города, заключать сделки в других местах тоже. Но Мори в таком состоянии, что... все его успехи пропадают впустую. Он действительно замечательный.

— Похоже на то.

Она хотела показать мне свою студию и работы, но слишком явно силилась меня развлечь. День для нее погас. Я сказал, что мне надо идти, записал ей свой адрес, попросив сообщить о покупателе «Лайкли леди», когда она просмотрит бумаги матери.

Остановившись у моей машины, мы выразили друг другу надежду когда-нибудь снова увидеться. Может быть, мы в самом деле надеялись. Трудно сказать.

В «Воини-Лодж» я вернулся в три, растянулся на кровати и сказал себе, что с моим обязательством, если оно было, на этом покончено. Я все хорошо рассмотрел. Ситуация прискорбная. Прогноз плохой. Когда невозможно установить заболевание, прогноз всегда плохой. И со всем этим связаны двое хороших людей — Том Пайк и Бриджит Пирсон. Может быть, Мори удастся покончить с собой таким способом, что Том не станет винить Бидди, а она не станет винить ни его, ни себя. Может быть, они смогут устроить жизнь. Многие вдовцы женятся на младших сестрах, с большим удовольствием.

Беспокойство вернулось, разбушевавшись в полную силу. Возвращаться домой в Лодердейл не хотелось. Невозможно придумать, куда отправиться. Я чувствовал себя умирающим от скуки ребенком в дождливый день. Мори упорно проскальзывала в мои мысли, я упорно ее отгонял. Уходи, женщина. Поспи хорошенько.

Пошел в ванную, бросил взгляд на свой несессер с туалетными принадлежностями, лежавший на бледно-желтом пластиковом столике, и случайные беспокойные мысли вмиг исчезли, я полностью насторожился, ощущая, как шею покалывают холодные иголки.

Осторожность становится столь же привычной, как ремень безопасности в автомобиле. Если ты собираешься пользоваться привязными ремнями, лучше делать это автоматически, застегивая ремень каждый раз, как садишься в автомобиль. Тогда о ремне перестаешь думать и по этому поводу не приходится принимать никаких решений, ибо ты всегда пристегнут.

Целая куча маленьких ритуалов стали для меня абсолютно автоматическими — привычкой к осторожности. Многие из них связаны со случайным, небрежным расположением всяких вещей. Оставляя несессер открытым, я обычно последней укладываю зубную щетку, принадлежа к числу тех, кто чистит зубы в последнюю очередь. Кладу ее щетиной вверх поперек прочих предметов так, чтобы она легла прочно, идеально по диагонали из одного угла в другой. Когда лезу туда утром, бессознательно чувствую — щетка лежит правильно. И вдруг остро осознаю, что она не на том месте или в неправильном положении.

Я восстановил в памяти утро. К моменту моего возвращения после завтрака горничная убрала в номере. Я был в ванной и заметил бы, если б зубная щетка лежала не на месте. Я исследовал ее новое положение. Никаким случайным толчком, никакой звуковой волной ее так далеко не сдвинуть.

Хорошо. Значит, кто-то здесь рыскал и шарил в моих вещах. Мелкий воришка с отмычкой. Для доказательства надо только поднять мыльницу. (Исключительно мазохисты могут пользоваться жалким кусочком с десятицентовую монету, пахнущим сиренью, который в мотелях именуется мылом.) Две вдвое сложенные двадцатки. Я развернул деньги. По-прежнему две. Глупый вор взял бы обе. Поумнее — одну.

Когда люди, благодаря сфере твоей деятельности, порой очень эмоционально относятся к тому факту, что ты еще бродишь по свету и дышишь, уловка с сорока долларами становится довольно жалким способом идентификации визитера. Если бы деньги исчезли, не было бы абсолютной уверенности в визите простого воришки. Достаточно хитрый и опытный профессионал взял бы их в любом случае, зная, что, если вокруг расставлены мелкие ловушки, пропавшие деньги могут направить меня по ложному следу.

Я вернулся к кровати, уселся на край и уставился на ковер. При мне не было ничего, что дало бы кому-нибудь хоть какую-нибудь подсказку. Мой временный адрес в мотеле известен Бидди, Тому Пайку, девушке из конторы по прокату автомобилей и тем, кому они могли рассказать и кто мог их спросить.

Бидди и Том знали, что я уеду из мотеля на ленч. У Тома хватило бы времени зайти в мотель до приезда домой. Что он мог бы искать? Письмо Хелены? Что могло быть в письме? Надо поработать над этим предположением, пока оно не рассыплется. Но зачем? Что могло быть в письме? Бидди не знала о нем, пока я ей не рассказал, если только она не дьявольски замечательная актриса. Сомнительно, чтобы Хелена упомянула о написанном мне письме. Во-первых, письмо в высшей степени личное. О нем точно знал доктор Уинтин Хардахи. Может быть, больничная сиделка Хелены. Забудем вопрос «зачем», по крайней мере на время. Отправимся с известной точки или с известного угла, что составляет основу всей навигации.

Знаю, возможна ошибка. Может быть, я похож на кого-то, кого кто-то ищет. Может быть, он не поладил с законом. Может быть, здесь был псих, помешанный на зубных щетках.

Я позвонил мистеру Уинтину Хардахи из конторы «Фоулмер, Хардахи и Кранц», расположенной в здании банковской и трастовой компании округа Кортни на Сентрал-авеню. Дозвонился до секретарши, которая сообщила, что мистер Хардахи на совещании. Неизвестно, когда он вернется. Да, если мне хочется прийти и подождать, пожалуйста, но, если совещание закончится после пяти, он не сможет со мной увидеться до понедельника.

Я собирался тихонько пройтись, поглядывая и прислушиваясь, выискивая что-то неладное в ближайшем окружении. И больше не испытывал беспокойства. Абсолютно.

Глава 7

В половине пятого величественная секретарша Хардахи вышла в отделанную панелями приемную и провела меня в кабинет. Будучи средним партнером фирмы, он занимал отдельный угловой кабинет с большими окнами. Кругленький, смуглый, лысый, с виду очень здоровый и крепкий. На книжной полке стояли несколько теннисных кубков. Разговаривал он тихим хриплым голоском, который я помнил по нашему телефонному разговору и который совсем ему не подходил. Наклонился через стол, обменялся со мной рукопожатием, указал на глубокое кресло и сказал, вроде бы с легкой настороженностью и любопытством:

— Это была прекрасная женщина. Очень жаль, что все так обернулось. Могу ли я чем-нибудь вам помочь, мистер Макги?

— Мне хотелось задать только пару вопросов. Если какой-то окажется неподобающим, просто так и скажите.

— Расскажу, что смогу. Но возможно, вам следует знать, что я не являюсь личным поверенным миссис Трескотт. Ее дела — юридические, налоговые, имущественные и так далее — велись в Нью-Йорке. Она, видимо, позвонила или написала своим нью-йоркским помощникам, попросив порекомендовать кого-то здешнего, способного выполнить ее личное поручение. Один мой однокурсник — партнер фирмы, с которой она там сотрудничала, поэтому ей назвали мое имя. Она позвонила, я поехал в больницу увидеться с ней. Может быть, из Нью-Йорка ко мне обратятся насчет деталей, связанных с ее здешней собственностью, но я точно об этом сказать не могу.

— Вы никому не рассказывали о том письме с чеком?

— Я сказал вам, что она желала совершить это конфиденциально. Выписала чек со своего нью-йоркского счета, и я его депонировал на наш счет. Когда он был оплачен, я взял для вас выписанный кассиром банка чек, согласно ее просьбе. Она мне вручила запечатанное письмо, которое следовало переслать вместе с чеком. Не будь вы получателем, я отрицал бы свою осведомленность о любой из данных операций.

— Простите, мистер Хардахи. Я не хотел...

— Все в полнейшем порядке. Вы не могли знать о процедуре до моего сообщения.

— Я сказал ее младшей дочери о полученном письме. Я сегодня обедал с Пайками и мисс Пирсон. Судя по письму Хелены, она жила с ними до последнего переезда в больницу.

— Верно.

— Могу ли я тоже установить с вами конфиденциальные отношения? Наверно, могу, как клиент, но не знаю, в какой именно области законодательства вы работаете, мистер Хардахи.

— Специализируются у нас два других старших партнера. Я веду практическую работу. Почти на любой позиции.

— Вы каким-либо образом, прямо или косвенно, представляете Тома Пайка? Или дочерей?

— Никого из них фирма никоим образом не представляет.

— Очень быстрый и очень определенный ответ.

— Стараюсь быть внимательным и хорошим поверенным, мистер Макги, — сказал он, пожимая плечами. — Получив из Нью-Йорка от Уолтера Олбэни предупреждение, что миссис Трескотт может связаться со мной, я выяснил, кто она такая, узнал о ее состоянии, и мне пришло в голову, что по этому поводу могут возникнуть наследственные проблемы — ведь у Тома Пайка заключена масса контрактов с местными юристами. Поэтому я обратился к нашим архивам, чтобы убедиться в невозможности столкновения интересов, если со временем вокруг этой выплаты завяжется собачья свара.

— Ваша догадка основывалась на том, что она искала местного юриста через Нью-Йорк, вместо того чтобы спросить у зятя?

Этот вопрос он проигнорировал:

— У клиента должны быть юридические проблемы. Какие проблемы у вас?

— Я поселился в номере 109 в «Воини-Лодж». Вернувшись сегодня днем из дома Пайка, случайно обнаружил, что кто-то рылся в вещах в моем номере. Сорок долларов наличными не тронуты. Никаких признаков вторжения со взломом. Ничего не пропало.

— В итоге вы не можете ни о чем заявить?

— Вот именно.

— В чем же юридическая проблема?

— В письме Хелена Трескотт просила меня подумать, не смогу ли я каким-то образом удержать Морин — миссис Том Пайк — от самоубийства. Это конфиденциальная просьба. Мы с Хеленой старые друзья, она мне доверяла. Равно как и ее первый муж, Майк Пирсон. По-моему, умирающая женщина может просить о самом безумном одолжении. Поэтому я поехал и посмотрел. У меня был разумный повод для встречи. Вымышленный, но разумный. Итак, я оглядел сцену, нашел миссис Пирсон в довольно-таки невменяемом состоянии, но ничего не могу сделать сверх того, что уже сделано. Я должен был убедиться, потому что Хелена об этом просила. Решил уже покинуть город, как вдруг обнаружил, что кто-то проник ко мне в номер.

— В поисках письма? Известно, что должно быть письмо, и кто-то весьма озабочен его содержанием?

— Среди прочего у меня возникала и эта мысль.

— Кто-то может забеспокоиться о наследстве?

— Об этом я не думал.

— По выражению Уолтера Олбэни, состояние у нее «существенное», — заметил Хардахи.

— Что это значит?

— М-м-м... В переводе с адвокатского жаргона и с учетом района, где практикует Уолтер, я сказал бы, что «адекватное» означает сумму от четверти миллиона до миллиона, тогда как «существенное» — от миллиона и выше, до... скажем, пяти-шести миллионов. Если бы состояние было еще больше, полагаю, Уолтер назвал бы его «впечатляющим». Итак, вы задумались и пришли повидаться со мной, ибо хотите узнать, скольким людям известно об этом письме. Мне, моей секретарше и покойной. Вам и всем, кому вы могли сообщить.

— И сиделке в больнице?

— Возможно. Не знаю.

— Я сообщил младшей дочери, мисс Пирсон, вчера, когда она приходила в мотель со мной выпить. Она понятия не имела, что мы с ее матерью поддерживали отношения последние пять лет. Мне пришлось все рассказывать вплоть до нынешнего дня. Но о просьбе Хелены ко мне ничего не сказал.

— Вы привезли письмо? Оно было в номере?

— Нет.

— Если его кто-то ищет, могут искать везде. В вашем доме в Форт-Лодердейле?

— Могут, но не найдут.

— Вы заметите, что его кто-то искал?

— Безусловно.

Он взглянул на часы и нахмурился. Было уже шестой час.

— В какой сфере деятельности вы заняты, мистер Макги?

— Консультант по спасательным операциям.

— И что же вы хотите у меня узнать — можно ли доверять первому впечатлению о мистере и миссис Пайк и мисс Пирсон и не служит ли инцидент в номере мотеля достаточным основанием, чтобы присмотреться к ним поближе?

— Мистер Хардахи, приятно иметь дело с тем, кому не требуется подробных инструкций и спецификаций.

Он встал.

— Если сочтете удобным, приглашаю вас выпить со мной в клубе «Хейз-Лейк» в семь пятнадцать. Если меня не будет в мужском зале, скажите Саймону, бармену, что вы мой гость. У меня назначена парная игра... ровно через двадцать минут.

Войдя, я увидел, что доктор Уинтин Хардахи закончил игру. Он с высоким стаканом в руке стоял в баре с компанией других игроков, держа входную дверь в поле зрения. При моем появлении извинился перед компаньонами, шагнул навстречу и повел меня в дальний угол, к окну, выходившему на зеленое спортивное поле, где в меркнущем свете доигрывалась последняя партия в гольф.

Хардахи был в белых шортах, белой вязаной рубашке, с влажным от пота полотенцем на шее. Я был прав насчет крепости и здоровья. Ноги сильные, загорелые, мускулистые, покрытые волосками, выгоревшими на солнце. Подошел официант, и Хардахи объявил об исключительности фирменного пунша, так что я заказал порцию без сахара, а он попросил повторить.

— Выиграли партию?

— Секрет выигрыша в парной игре заключается в тщательном подборе и обучении своего партнера. Мой — вон тот блондин. Он сделан из сыромятной кожи и стальных пружин, а внутри у него явно спрятаны баллоны с кислородом. Благодаря ему мое имя сверкает на старых кубках, как новенькое, а все прочие игроки ненавидят меня.

— Победителей все ненавидят.

— Мистер Макги, после нашей беседы я собрал воедино клочки и обрывки имевшейся у меня информации относительно Тома Пайка. Субъективное резюме таково. Энергичен, с немалым финансовым воображением и огромной пробивной силой. Обладает личным обаянием и магнетизмом. Многие горячо и неистово ему преданы, те, кто время от времени работали в его команде или так или иначе были с ней связаны, преуспели и ни о чем не жалеют. По их мнению, он не способен на ошибку. У него качества и таланты прирожденного предпринимателя, а именно проворство, уклончивость, очень чуткий нюх, равно как и природный талант продавца. Время от времени кое-кто неизбежно встает на пути его сделок,

оказывается побитым, с готовностью объявляет себя обману-
тым и открыто его ненавидит. Мне не известно ни об одном
успешно возбужденном против него юридическом деле. Как
вы заметили, победителей все ненавидят. Не стоит смешивать
хитрость, ошибки в руководстве и оппортунизм с противоза-
конностью. Не припомню ни одного человека, кто знал бы
Тома и был бы к нему равнодушен. Он вызывает прямо про-
тивоположные чувства. Я предполагаю следующее. Если б он
знал о предсмертном письме своей тещи, написанном вам, и
считал содержащуюся в нем информацию для себя полезной,
то явился бы к вам, и раньше или позже вы обнаружили бы,
что рассказали или показали все, что его интересует.

— Как он добился бы этого?

— Изучив вас и ваши желания, а затем исполнив их так,
чтобы вы преисполнились благодарности. Все, что вы поже-
лали бы, — деньги, волнующие события, любые сведения, —
что угодно. Если бы ему что-то потребовалось, он, на мой
взгляд, сначала попробовал бы добиться этого по-своему.

— А если бы не получилось?

— Возможно, дал бы поручение одному из страстно жажду-
щих оказать ему услугу, в чем бы она ни заключалась.

— А ведь вам он не нравится.

Адвокат надул губы.

— Нет. Думаю, Том мне нравится. Только я не стал бы завязывать с ним деловых отношений. Это наверняка принесло бы
мне выгоду, как и многим другим, но люди его круга оказываются как бы... безликими. Императив любой спекуляции — стро-
жайшая секретность. Кажется, они становятся очень... смир-
ными... Нет, не точно. Замкнутыми... Скрытничают, несколько
покровительственно относятся ко всему остальному миру — будто к стаду, которое приносит им доход. Я, наверно, не стадное
животное, мистер Макги. И никогда таковым не стану, даже если
это хороший способ набить кошелек.

— Если это не Пайк и не один из его обожателей, тогда кто
и зачем нанес мне визит?

— Мое единственное суждение на эту тему заключается в
том, что я ни черта не понимаю.

— Ну, если кто-то искал нечто, по его мнению, принадле-
жащее мне и настолько нуждался в этом, что пошел на риск

быть случайно замеченным в дверях номера, он обязательно захочет обыскать мои карманы.

— Если то, что он ищет, может в них поместиться.

— Пожалуй, пошатаюсь вокруг, закину пару крючков.

— Не пропадайте.

— Конечно.

Я поехал назад в «Воини-Лодж», съел фирменный псевдогавайский обед, потом прошел из столовой в коктейль-холл и встал у бара. Дела шли весьма вяло. В большом подсвеченном бассейне плескалось несколько юных супружеских пар. Стойка бара представляла собой половинку треугольника, и на последнем табурете у стены под выставкой древнего псевдогавайского оружия я заметил одинокую девушку. На ней был пышный золотисто-рыжий парик, в котором тонуло хорошенькое личико с довольно острыми чертами. Белое платье, в отличие от парика, свидетельствовало о хорошем вкусе. Глаза были сильно накрашены, на одной руке болталось большое количество золотых цепочек-браслетов. Она курила сигарету в длинном бело-золотом мундштуке, размеренными глотками пила из бокала какое-то красное вино со льдом, столь же сознательно медленно и подконтрольно, как затягивалась сигаретой.

Я заметил ее потому, что ей хотелось этого. Любопытно, ибо, по моей оценке, мотель не привечал охотниц на мужчин. Вдобавок, явно одевшись и приготовившись к этой роли, она действовала неумело и неискусно. Профессионалки обычно сами делают выбор, бросая долгий пренебрежительно-дерзкий и вызывающий взгляд широко открытых глаз, а потом, соответственно, предоставляют избраннику право на следующий шаг. Есть веселые девочки, которые болтают с барменом так громко, чтобы слова донеслись до ушей жертвы: «Господи, Чарли, я ведь всегда говорю, не пришел парень — черт с ним. Не собираюсь глаза проплакивать! Налей-ка мне еще того же самого». Притворные жеманницы робко бросают в сторону испытующий полустыдливый взгляд и быстро отворачиваются, как робкие оленята. Существует проблемный подход: озабоченный, хмурый взгляд, приглашающий взмах рукой намеченной добыче, небольшой мрачный спектакль: «Простите, мистер, не сочтите меня свихнувшейся, подружка попросила меня прийти сюда вместо нее на свидание с парнем, и я хотела спросить, вы не Джордж Уилсон?» Или: «Мистер, не окажете ли жуткую услугу? Я должна здесь дождаться телефонного звонка, а ко мне пристал какой-то псих и обещал вернуться, так не присядете ли вы рядом, чтобы он мне не надоедал?»

Но эта не прибегала к рутинным процедурам. Изредка окидывала меня заинтригованно-неопределенными взглядами. Я счел ее обычной заскучавшей молодой супругой, которая, вооружившись противозачаточными таблетками, пошла на поиски приключений, пока муженек в Атланте в очередной чертовой командировке. Интересно, как она выкрутится, если я ей не помогу.

Вот что она сделала: встала и направилась в женский туалет. Проходя позади меня, обронила зажигалку. Та звякнула об кафель и скользнула к моей ноге. Я шагнул назад, чтобы наклониться ее поднять, но при этом наступил каблуком на ногу в сандалии. Вовремя спохватился, не обрушился всем своим весом, но все-таки наступил так твердо, что девушка завизжала от боли. Я обернулся, забормотал извинения, а она согнулась со стоном: «О Боже!» Потом мы, одновременно нагнувшись, столкнулись, солидно, болезненно, костью в кость, до того сильно, что в глазах у нее помутилось, колени ослабли. Я схватил ее за плечи, осторожно подвел, прислонил к стойке бара.

— Теперь я наклонюсь и подниму зажигалку.

— Пожалуйста, — тихо проговорила она, ухватилась за край стойки, повесила голову и закрыла глаза.

Я вытер зажигалку бумажной салфеткой, лежавшей под моим бокалом, и положил перед ней.

— Как вы?

— Кажется, ничего. Пальцы почти минуту совсем не болят.

Она выпрямилась, взяла зажигалку со стойки, обошла меня далеко стороной и зашагала к туалету. Я кивнул бармену:

— Любительница, желающая провести ночь?

— Для меня новенькая, сэр. Так или иначе, вы обратили внимание друг на друга.

— Какие здесь правила?

— Мне говорят: Джейк, смотри сам.

— Так что вы мне скажете?

— Ну... как насчет счастливого пути?

— Что она делала до моего появления, Джейк?

— Двое пытались ее подцепить, да она их такой холодной водой окатила, что я решил, будто эта тут не по тому делу, то есть пока не положила на вас глаз.

— Живет в мотеле?

— Не знаю. По-моему, нет, но не уверен.

Услышав постукивание каблучков по кафелю, я улыбнулся ей и сказал:

— У меня есть целебный пластырь. Для сломанных пальцев, сотрясений, порезов.

Она остановилась и глянула на меня, склонив головку:

— Я уж думала, грузовик на меня наехал, да не заметила номеров. Пожалуй, соглашусь на кое-какое лекарство. Со льдом, пожалуйста.

Я пошел за ней следом, пододвинул стул, попросил Джейка подать то же самое на двоих, подмигнув ему дальним от нее глазом. Ритуальное знакомство — только по именам: Трев и Пенни. Ритуальное рукопожатие. Рука у нее была очень маленькая и тонкая, хороший костяк, пальцы длинные. Легкие следы веснушек на носу и на скулах. Духи слишком мускусные для нее, слишком щедро налитые. Никаких признаков снятого с безымянного пальца кольца — ни вмятины, ни бледной полоски.

На первом уровне шла небрежная болтовня, на втором началось вдумчивое, чувственное общение. Влажный взгляд леди. Более непосредственно обращаясь ко мне, она поворачивается, и к моей лодыжке прижимается круглое колено. Губы приоткрываются, увлажняются кончиком языка. Только двигалась она очень резко, излишне суетилась с сигаретами, сумочкой, зажигалкой, бокалом. Составляющие не сочетались с конкретной личностью. Кричаще заметный парик, макияж и духи, чего никак не скажешь о платье, маникюре и дикции.

Итак, Трев прибыл в город повидаться с субъектом, заинтересованном в инвестициях в маленькую компанию под названием «Флотационная ассоциация», а Пенни — секретарь-регистратор в кабинете врача. Трев не женат, Пенни год была замужем четыре года назад, но ничего не вышло. Лето выдалось безусловно дождливым, и осень тоже. Чересчур высокая влажность. А у Саймона и Гарфанкеля[1] самое главное — слова к песням, пра-авда? Когда одновременно читаешь стихи на обложке пластинки и слушаешь запись, в самом деле балдеешь, особенно эта вещь про молчание. Ты не думаешь, только честно, Трев, что, когда кому-нибудь до знакомства нравится одно и то же, одно и то же доставляет удовольствие, получается все равно, что они знают друг друга давным-давно. И не часто выпадает шанс просто поговорить. Почему-то люди не общаются больше, каждый бродит вроде как недосягаемый и одинокий.

Я покончил с игрой в шарады и повел ее, подхватив под локоть. Она вслух громко раздумывала, не пойти ли куда-нибудь в другое место, по той или иной причине отвергая одно за другим по мере упоминания, я привел ее в темный альков близ гудящего центрального кондиционера, после внезапного изумленного онемения и инстинктивного сопротивления она несколько нерешительно подставила губы. В поцелуе присутствовала чуть наигранная живость, но вкус был превосходный. Потом разрешила увлечь себя к 109-му номеру и ввести, пыталась держаться развязно, отчего голос стал слишком резким и напряженным:

— Джин? Твой любимый напиток, да? Я тоже его обожаю, но не люблю пить на публике. Становлюсь дико счастлива, начинаю шуметь и так далее. Но ведь мы можем выпить немножечко, правда, милый?

На дне ведерка в воде от растаявшего льда плавала горстка кубиков. Она решила свой тоже не разбавлять. Мы чокнулись, она с улыбкой захлопала длинными пластиковыми ресницами. Отхлебнула глоточек, достойный колибри, села, поставила бокал на ковер, сбросила левую туфлю, нежно погладила посиневшие пальцы.

Я подержал во рту «Плимут». Становлюсь дегустатором, когда нравится вкус. Но было в нем что-то не то, до такой степени, что я убедился в справедливости подозрений. Нехорошая Пенни. Сделав вид, что отхлебываю еще, выпустил первый глоток обратно в стакан. Во рту слегка покалывало, присутствовал вяжущий вкус с легким привкусом пыли.

[1] С а й м о н Пол и Г а р ф а н к е л ь Артур — вокально-инструментальный дуэт, завоевавший особую популярность с выходом в 1966 г. альбома «Звуки молчания».

Извинившись, пошел в ванную, закрыл за собой дверь, вылил джин в полотенце, чтобы сберечь лед. Сполоснул лед и стакан, налил воды. Спустил в унитазе воду, постоял несколько минут, стараясь перед возвращением разгадать план операции. К откупоренной бутылке «Плимута» она не приближалась, по крайней мере при нынешнем посещении номера.

Значит, она или кто-то из ее знакомых заранее провели медикаментозную процедуру. Потом она пришла убедиться, что я выпил, и в случае необходимости снять с двери цепочку, если предположить наличие сообщника. Вдобавок, чтобы не рисковать, отправив человека туда, откуда он может и не вернуться, полезно быть на месте и удостовериться в произведенном эффекте.

Вернувшись, я заметил, что ее бокал пуст на две трети. Предположительно вылит в растаявшую воду. Она сбросила обе туфли и села, скрестив ноги. Подол белого платья задрался до середины бедер. Маленькая, с длинной талией. Ноги можно было б назвать толстыми, если бы не красивая форма.

— Я что, одна буду пить? — спросила она, надув губки.

— Никогда не соревнуйся с хлебателем, — предупредил я, осушил стакан воды и пошел к стойке, где стояла бутылка и лед. — Я успею проглотить еще одну порцию, пока ты прикончишь ничтожный остаток своего джина, ангел.

Она поспешно подскочила сзади, обвила меня руками.

— Милый, давай не будем слишком много пить, а? Знаешь, можно кое-что испортить. По-моему, мы оба выпили... в самый раз.

Полезная подсказка. Если ее встревожила мысль, что я выпью две порции, — значит, средство действует быстро. Но прежде чем притвориться уснувшим, я признал необходимым преподать небольшой урок. Поэтому не стал наливать, повернулся и начал хихикать и лапать ее. Без туфель она была очень маленькой. Старалась отвечать, пока я не нащупал на шее «молнию», одним рывком расстегнув платье до самого копчика. Тихо посмеиваясь, стянул его с плеч, она заволновалась, задергалась, стала отскакивать и бороться, приговаривая: «Нет, нет, милый! Давай... Ой! Не спеши... Ой! Пожалуйста...» Я сдернул рукава, пресекая сопротивление. На ней был бледно-желтый лифчик с белыми кружевами.

— Ты порвешь... Подожди... Нет, не надо!

Я нащупал застежку, подцепил ногтем, та отскочила, слетели бретельки.

— Нет! Черт! Ой! Пожалуйста!

Она выпростала из рукава одну руку, попыталась натянуть платье, но в этот момент я сдернул другой рукав, стиснул одной рукой оба ее запястья, другой схватил за талию, приподнял, чуть встряхнул, по-прежнему хихикая. Платье с лифчиком соскользнули, упав на пол, я перевернул ее в воздухе, одной рукой держа плечи, другой под коленки, с дурацким смехом бросил на кровать. Она молча боролась, смертельно серьезно, удерживая желтенькие, в тон, трусики. Я в конце концов сжалился, застонал как мог глуше, тяжело рухнул грудью на ее крепкие трепещущие бедра.

Тяжело дыша, она столкнула меня:

— Эй! Проснись!

Я не шевельнулся. Она больно, с вывертом, ущипнула под ухом, потом рванула к себе мою руку, нащупала пульс. Удостоверившись, оттолкнула меня, высвободила свои ноги, кряхтя от усилий. Глаза мои были закрыты. Заколыхалась кровать, через несколько секунд послышался тихий щелчок застежки лифчика, вскоре почти неслышное жужжание нейлоновой «молнии», застегнутой в три приема, потом легкие шаги — я понял, что она снова обулась.

Сняла телефон с полочки у кровати, набрала городской коммутатор и нужный номер. Несколько секунд обождав, проговорила: «Порядок» — и положила трубку. Щелчок зажигалки. Усталый вдох. Запах табачного дыма. Дальнейшие звуки уведомили меня, что она отперла дверь, возможно, оставила приоткрытой для получившего сообщение о полном порядке в номере 109. Край кровати врезался мне в нижнюю часть живота. Ноги были на ковре.

— Давай! — прошептала она. — Давай, Рик, дорогой.

От телефонного звонка до визита прошло шесть-семь минут. За дверью мужской голос, мягкий и приглушенный, спросил:

— Все о'кей, детка?

— Никаких проблем.

— Отличная работа. Я просто с ужасом думал, как ты пойдешь к нему в номер. Боялся, вдруг он решит не пить. С виду такой здоровенный и сильный сукин сын, даже жутко подумать...

— Так же жутко, как мне представлять, что ты каждую ночь спишь со своей драгоценной женой Дженис, милый? — едко перебила она.

— Ты же знаешь причину.

— Да ну?

— Нет времени открывать ту же самую чертову старую банку с червями, Пенни. Давай лучше посмотрим, что тут у нас выйдет.

Он вцепился в ремень и стащил меня с кровати. Я полностью расслабился, позволяя себя ворочать, оказался в конце концов на боку с согнутыми коленями, щекой на колючем ворсе ковра. Он толкнул меня в плечо, и я медленно перекатился на спину, потом снова перевернул меня лицом вниз. Я почувствовал, как он вытаскивает из кармана брюк бумажник, отчетливо услышал, как сел на кровать. Судя по всему, крупный. Физически сильный. Голос молодой.

— Что-нибудь есть? — спросила она.

— Тут нет. А в пиджачных карманах?

— Только вон то барахло. Ничего.

— Посмотрю еще в карманах брюк.

— Может быть, что-то... в белье, в ботинках?

— Не знаю. Если не найдем ничего, то проверю. Не нравится мне, что у этого сукина сына так мало обычной белиберды.

— Что ты хочешь сказать, дорогой?

— Обычные люди носят при себе бумаги. Записную книжку, памятки, адреса, письма, всякую ерунду. У Макги документы на взятую напрокат машину, билет на самолет до Лодердейла, ключи, водительские права, полдюжины кредиток и... чуть больше восьмисот наличными. Вот. Возьми две по пятьдесят.

— Не надо мне этих денег!

— Надо, чтобы он думал, будто его обокрали. Бери, черт возьми!

— Ладно. Только не понимаю, почему он должен думать...

— Не знаю, что нас ждет — выигрыш, проигрыш или ничья, в любом случае перевернем к чертям постель вверх дном, вымажем подушку помадой, обольем его твоими духами, разденем и оставим в постели. А остаток в бутылке выльем в унитаз.

— Ладно. Только, знаешь, он не похож на того, кто...

— Пенни, ради Бога!

— Ладно. Извини.

— Мы знаем, что тот был крупным мужчиной. Знаем, что не из нашего города. Знаем, что он приходил на встречу с Пайком.

Он обшарил остальные карманы. Потом она напомнила про карманы рубашки. Он опять перевернул меня на спину. Она стояла рядом. Я чуть-чуть приоткрыл глаза, только чтобы различить очертания и оценить расстояние до его наклонившейся надо мной головы, нанес крепкий удар сбоку в горло кулаком правой руки, одновременно перекатившись влево для соответствующего размаха, потом выбросил ноги, описав ими по полу широкую дугу, зацепил ее прямо под щиколотки, и она плашмя рухнула на спину с очень громким для девушки таких размеров стуком. Ее приятель перевернулся на спину, встал на колени, вскочил одновременно со мной, издавая сдавленные булькающие звуки, выпучив глаза и открыв рот. Песочные волосы, мощная шея, плечи и челюсти. Похож на линейного игрока из колледжской команды, набравшего шесть лет спустя двадцать фунтов и сильно утратившего крепость.

Однако, повернувшись спиной к стене, он откуда-то выхватил весьма эффектный на вид вороненый револьвер и нацелился мне в живот. Я резко замер, осторожно шагнул назад, поднял руки и проговорил:

— Ну-ну, полегче. Полегче, приятель.

Он закашлялся, задохнулся, помассировал горло, заговорил резким, болезненным шепотом:

— Назад, сядь на край кровати, умник. Положи обе руки на шею.

Я послушался, медленно и осторожно. Пенни еще лежала ничком на полу, с каждым вздохом издавая ужасные звуки. Колени согнуты, сжатые кулаки прижаты к груди. Падение полностью вышибло из нее дух.

Он подошел, посмотрел, и она задышала полегче. Он протянул руку, чтобы помочь сесть, но она яростно затрясла головой, не способная в данный момент ни на что больше. Подтянув к себе ноги, ткнулась лбом в колени.

— Ты говорила, на два часа, — прошептал он. — Или на три.

— Он... наверно, невосприимчивый. Получил... лошадиную дозу.

Не сводя с меня глаз, он пододвинул простой стул, поставил футах в пяти от меня спинкой ко мне. Сел верхом, положил на спинку короткое дуло, нацеленное мне прямо в грудь.

— Немножко поговорим, умник.

— О чем? О вашем вшивом спектакле? У меня восемь сотен, возьми их. Бери на здоровье. И проваливай.

Она встала, шагнула и снова едва не упала. С искаженным от боли лицом доковыляла до изголовья кровати и простонала:

— Коленка... — У нее выдался неудачный вечер.

— Немножко поговорим о докторе Стюарте Шермане, умник.

Я нахмурился в абсолютно искреннем изумлении:

— Никогда в жизни не слышал о нем. Если это какой-нибудь вариант мошенничества, ты чересчур усложнил дело, приятель.

— А еще поговорим о твоем решении наехать на Тома Пайка. Скажешь, будто не виделся с ним сегодня?

— Я приехал навестить Мори и Бидди, дочерей Майка Пирсона, моего друга, который умер пять... почти шесть лет назад, и тебя это дело совсем не касается.

На миг в его взгляде мелькнула растерянность. Но мне требовалось более существенное преимущество, и, помня об их небольшой весьма интимной ссоре, помня ее заявление, что со мной не было никаких проблем, я придумал дьявольский способ исправить дело.

— Я уже сказал, бери восемь сотен и проваливай. Девчонка у тебя хорошая, если цена восемь сотен, плачу, хоть она того и не стоит.

— Ну-ка, не умничай, — предупредил он, вновь обретя голос.

— Парень, умничать я собираюсь в последнюю очередь. У меня голова раскалывается от той дряни, которую она сыпанула в спиртное. Мы немножечко покувыркались, да ее это не успокоило, она захотела отправиться в какой-то салун. Сказала, потом вернемся. Ну, я стал одеваться, а ей захотелось выпить. Налил два стакана, свой выпил, вижу, она одевается и как-то странно на меня смотрит. Больше ничего не видел, просто стало темно.

— Он все врет! Не было ничего подобного, милый!

Я удивленно вздернул брови, прикинулся, будто до меня медленно начало доходить, и кивнул:

— О'кей. Если она твоя, парень, стало быть, я все выдумал и не было ничего подобного. Ничего не было.

Безобразно кривя рот, не сводя с меня пристальных глаз, он набросился на нее:

— Ты ведь не рассчитывала, что он очнется? Не рассчитывала, что расскажет? Слегка развлекаешься на стороне, крошка?

— Прошу тебя! — взмолилась она. — Пожалуйста, не верь. Он старается...

— Я стараюсь быть вежливым и любезным, — вставил я. — Ничего не было. Годится, Пенни?

— Прекрати! — закричала она.

— Возможно, единственный способ не дать мне пустить в ход револьвер — доказать, что было. Расскажи что-нибудь, чего ты иначе не мог бы знать, умник.

— Светло-желтые лифчик и трусики с белыми кружевами. Вверху на грудях очень слабые, маленькие, но многочисленные веснушки. Коричневое родимое пятно размером, наверно, чуть меньше десяти центов на два дюйма ниже левого соска, ближе к середине, как часовая стрелка на цифре семь. А когда она кончила, назвала меня Риком. Если ты не Рик, совсем плохи твои дела.

Кровь схлынула с его лица. Он не просто перевел на нее взгляд, но и голову повернул.

Она задохнулась и взвизгнула по-щенячьи:

— Да он это увидел, когда... Я... Он...

— Ах ты, сучка дешевая, — выпалил он срывающимся голосом. — Грязная нетерпеливая шлюха. Ты...

К этому моменту он отвернулся настолько, что я смог застать его врасплох, вложив в удар массу энергии, надежды, тревоги, так как со спинки стула торчало крошечное дуло. Ударил так сильно, что онемели пальцы, так сильно, что выбил оружие. Револьвер взлетел над его головой, ударился в стену, отскочил, закрутился на ковре. Он быстро среагировал, бросился, даже достал его, но я уже пришел в движение, изготовился, правильно развернулся, нашел хорошую точку опоры и всадил правый кулак в самый центр треугольника, образованного горизонталью ремня и двумя нисходящими кривыми грудной клетки. Он испустил громкое «уф-ф-ф», звучно сел на пол футах в четырех от того места, где стоял, закатил глаза, повалился, как «Рэгтеди

Энди»[1]. Я подхватил револьвер, опустился рядом на колени, проверил сердце и дыхание. Выделившееся от ощущения опасности большое-пребольшое количество адреналина ускорило мою реакцию, а в том месте, когда я вломил ему, находится важный нервный узел, так что нервная система могла получить шок вплоть до остановки дыхания и фибрилляции сердечной мышцы.

Уловив краем глаза движение, я поймал девушку в тот самый миг, когда она протягивала руку к двери. Швырнул назад в комнату, забыв про ее больное колено. Она упала, покатилась, попыталась встать, легла, скорчившись, на пол, тихо, глухо, безнадежно всхлипывая.

Рик был чересчур опасным противником, чтобы с ним можно было валять дурака, поэтому я нашел пару проволочных вешалок, оставшихся в шкафу вместе с деревянными, вставленными в мерзкие металлические щелки, чтоб их не украли. Распрямив одну, схватил левой рукой его оба запястья, придержал конец проволоки большим пальцем и быстро крепко закрутил руки проволокой, насколько хватило длины, согнул оба конца и заправил внутрь. Чертовски эффективное приспособление. И времени на изготовление много не требуется.

Подошел к девушке, поднял, посадил на край кровати. Она села, хныча, как слабоумный ребенок, а я присел и осмотрел колено, крепкое, хорошей формы, начинавшее распухать изнутри, прямо под чашечкой.

— Я л-люблю его, — выдавила она. — Это... гадость... ужасная мерзость... Вранье, жуткое, гадкое...

Я подобрал свалившийся с нее парик. Она оказалась песочно-рыжей, с небрежной короткой стрижкой. Лицо стало пропорциональнее без парика, но накрашенные глаза, особенно при растекшейся по щекам туши, выглядели смехотворно.

— Гнусно... гнусно... гнусно... — стонала она.

— Однако в обыске и в моем отравлении нет ничего гнусного и поганого? Пойди смой всю дрянь с мордочки, девушка. Вдобавок, если я соврал, то, может быть, оказал тебе неплохую услугу. Он никогда не бросит Дженис и не женится на тебе.

Встав с моей помощью, она захромала в ванную, внезапно замерла, неподвижно, потом оглянулась и вытаращила на меня глаза:

---

[1] «Р э г г е д и Э н д и» — товарный знак и имя тряпичной куклы в виде деревенской девочки с косичками; имя здесь заменено на мужское — Энди.

— М-мы говорили про Джен... Дженис ср...сразу после его прихода! Так ты... просто прикидывался... Все время знал?

— Пойди умой грязную мордашку, детка.

Когда она закрыла за собой дверь, я опустошил карманы Рика, разложил найденное на столе и стал рассматривать на свету.

Документы ошеломили и насторожили меня. Я оглушил и связал Ричарда Хейслоу Холтона, адвоката, члена окружного комитета Демократической партии, почетного шерифа Флориды, бывшего президента Молодежной торговой палаты, обладателя массы кредитных карточек, члена практически каждой организации, от Союза защиты гражданских свобод до клуба «На службе общества», от «Клуба куотербэков» до Лиги футбольных фанатов, от Симфонической ассоциации до Ассоциации прокуроров.

При нем были цветные фотографии стройной темноволосой улыбающейся женщины и двух мальчиков разного возраста, одному около года, другому лет шесть. Не следует без особой надобности раздражать любого члена любой местной силовой структуры, занимающего в ней солидное положение. У меня было предчувствие, что очнется он в крайней степени раздражения.

Пенни вышла из ванной с чисто вымытым лицом. Она отклеила длинные черные ресницы и где-то бросила. Плакать перестала, но пребывала в трагическом и унылом состоянии.

Как раз в этот миг господин адвокат издал стон и попробовал сесть. Считая полезным произвести на обоих небольшое, но незабываемое впечатление, я подошел, схватил его, вздернул и бросил в черное кресло. Будучи крупным, мясистым, он испытывал потрясение и изумление. Я, конечно, проделал все это без всяких усилий. В результате заныли задние зубы, расплющились позвонки, руки выскочили из суставов, образовалась двойная грыжа, но, Богом клянусь, я справился без заметных усилий.

— Вот теперь можно мило беседовать, — заключил я.

— ... твою ... ... в!.. — отвечал он.

Я дружелюбно улыбнулся:

— Может, мне позвонить миссис Холтон, предложить ей прийти составить нам компанию? Может, она нам поможет разговориться?

И мы мило побеседовали.

Глава 8

Оказалось, что мисс Пенни Верц была преданной и старательной медсестрой в кабинете некоего доктора Стюарта Шермана, который вел общую медицинскую практику, но имел и особые интересы, нередко склонявшие его к пренебрежению основной работой.

В начале июня, три месяца назад, доктор Шерман пришел в кабинет субботним вечером. Пенни знала, что он спешит привести в порядок записки для завершения наброска статьи о применении искусственного сна в лечении зависимости от барбитуратов.

Доктор, вдовец лет пятидесяти пяти, имевший живущих в других штатах взрослых женатых детей, жил один в небольшой квартире. Некоторые исследования проводил там, остальные — в задней комнатке при своем небольшом кабинете. Тело обнаружили только после прихода на службу Пенни в обычное время, в десять утра, в понедельник.

Оно лежало на столе в процедурной, с закатанным на левой руке рукавом белой рубашки. Резиновый жгут, который, видимо, перетягивал левую руку над локтем, чтобы легче было попасть в вену, был распущен, но остался на месте, придавленный рукой. На столе стоял пустой пузырек и пустой шприц с иглой для инъекций. И в маленьком пузырьке с резиновой пробкой, и в шприце присутствовали следы морфина. Сейф с наркотическими препаратами был открыт. Ключ лежал у доктора в кармане. На шприце и на пузырьке обнаружили его фрагментарные отпечатки. За пустым пузырьком валялся кусочек хирургической ваты со следами крови, растворенными в спирте. Проведенное окружным медицинским экспертом вскрытие показало, что смерть, с достоверной медицинской определенностью, наступила от сильной передозировки морфина. По свидетельству Пенни, ничего больше из сейфа с наркотиками не пропало, равно как и из других запасов лекарств, используемых для лечения пациентов. Она не могла лишь сказать, исчезло ли что-нибудь из задней комнатки, где хранились препараты, специально заказанные доктором Шерманом для экспериментальной работы.

Входную дверь отперла Пенни, придя на работу.

К тому времени я уже развязал Рика Холтона. Он вел себя гораздо лучше, а проволочные путы причиняют боль.

— Одно время, — рассказывал он, — я был помощником генерального прокурора здесь, в округе Кортни. Вышло так, что генеральному прокурору достался целый судебный округ из пяти административных округов, поэтому он поставил в каждом помощника прокурора. Должность выборная. Я решил больше не баллотироваться. Государственный прокурор сейчас тот же самый, Бен Гаффнер. Я, как только услышал о предположительном самоубийстве Стью Шермана, в тот же день сказал Бену, что просто никогда этому не поверю. Ну, черт возьми, сделали аутопсию, шериф Тарк провел расследование, передал дело Гаффнеру, и Бен объявил: мол, ничто в мире не заставит его себя выставить полной задницей, пытаясь представить Большому жюри присяжных что-нибудь, кроме самоубийства, которое, по его мнению, и произошло.

— Доктор не мог покончить с собой! — вставила Пенни.

— И я так же думал, — подтвердил Рик. — Поэтому после закрытия дела решил потратить свободное время на расследование. Бен дал неофициальное благословение. Когда я впервые расспрашивал Пенни, выяснилось, что у нее точно такое же мнение.

Значит, вот каким образом начался их роман. Из услышанного во время притворной отключки я понял, что был он несладким. А сейчас они очень натянуто друг с другом держались, затаив приятное чувство обиды.

Считая натянутость их отношений помехой в общении со мной, я решил снять их с крючка и сказал Холтону, что, почуяв неладное по вкусу джина, хотел заставить ее хорошенько струхнуть и, возможно, внушить, как опасно порой выдавать себя за проститутку. А для этого стащил платье и лифчик.

— Она здорово сопротивлялась, — добавил я.

Он несколько повеселел:

— Ясно. Значит, вы меня заставили разозлиться до чертиков, чтобы я отвлекся от вас. Неплохо, Макги.

— Будь мне известно о вашей принадлежности к адвокатуре и членстве во всех клубах города, я не стал бы на вас набрасываться. Только выхода не было, а калибр у вас очень опасный. Но почему вы пришли ко мне? Я уже говорил, что никогда даже не слышал про доктора.

И он изложил обобщенные результаты расследования, демонстрируя методичность и профессиональное знание правил дачи свидетельских показаний. С помощью Пенни он нашел двух человек, видевших, как в субботу из кабинета доктора Шермана поздно вечером выходил очень высокий мужчина. По словам одного, в одиннадцать тридцать. По словам другого, вскоре после полуночи. Пенни знала, что доктор, работая над исследовательским проектом, не отвечает на телефонные звонки. Автоответчик в тот вечер не зарегистрировал никаких звонков. Один из свидетелей заметил, что мужчина сел в стоявшую поперек улицы темно-синюю или черную машину, с виду новую, и уехал. Свидетелю показалось, что номера на машине флоридские, но число перед дефисом однозначное, а не двузначное, как полагается в округе Кортни. Рик собрал показания и занес в свое личное досье.

— А при чем здесь Том Пайк? — спросил я.

— Я искал мотив. Пару раз слышал, будто Стью умер в дьявольски неподходящий для Тома момент, мол, из-за этого он может здорово погореть на некоторых своих сделках, и думаю, не прикончил ли кто-нибудь доктора, просто чтобы напакостить Тому. Понимаете, Шерман был семейным врачом Пайков, и, когда Том два года назад открыл «Девелопмент анлимитед», Стью вложил туда много денег. Он всегда хорошо зарабатывал вдобавок к оставленному женой после ее смерти три года назад. Том дал Стью и другим участникам первых сделок несколько замечательных шансов. Прибыль поистине фантастическая. Деньги всегда хороший мотив. Поэтому я долго беседовал с Томом. Сначала он мне ничего не хотел говорить, заявлял, что все отлично. А как понял, к чему я клоню, страшно забеспокоился и раскололся. Доктору полностью принадлежали три больших участка земли к востоку от города. Том работал над четвертой сделкой, и Стью предварительно договорился занять в банке крупную сумму, предложив в качестве обеспечения свои первые три участка. Заручившись согласием банка, Том пошел дальше и сколотил группу для четвертой сделки. Теперь он не только попал в суровый переплет с этой сделкой, но вдобавок из-за налога на недвижимость вмешалось налоговое управление, заморозило собственность доктора на три других участка и фактически может издать приказ об их продаже ради уплаты этого налога. По словам Тома, Шерман не мог выбрать более неудачный момент — не только в смысле спасения собственной недвижимости, но и в смысле возможных последствий для остальных участников всех четырех синдикатов. Сказал, придется влезть в долги, чтобы спасти все дело от полного развала.

— Полагаю, ему это удалось.

— Говорят, будто выкарабкался, но ему это дорого стоило. По правде сказать, сыновья Стью пытались принять против Тома какие-то меры, потому что осталось гораздо меньше, чем они думали. Однако юридических оснований не оказалось. Я спросил Тома, не мог ли кто-то убить доктора, чтобы погубить сделки. Эта мысль адски его потрясла. Сказал, можно было бы нескольких заподозрить в подобном желании, но они никак не могли знать, больно ли это его ударит. Согласился, что самоубийство доктора кажется весьма сомнительным, но других версий у него нет.

— И какой-то высокий мужчина поднажал на Тома?

— Странный случай, из тех, что могут иметь значение, а могут и не иметь. В конце августа Том снял с одного из своих счетов двадцать тысяч наличными. Многие сделки с недвижимостью оплачиваются наличными, так что тут нет ничего необычного. Сумма мне стала известна после осторожной проверки через одного приятеля уже после этого случая. Один мой партнер адвокат заказал ко дню рождения двенадцатилетнего сына большой рефлекторный телескоп, который по его просьбе доставили в офис, установил его там на треноге, направил из окна на торговую площадь в другом квартале и принялся забавляться, меняя линзы. Выбрал мощностью в двести сорок, то есть расстояние до всего, находившегося за двести сорок ярдов, оптически сокращалось до ярда. Сфокусировал телескоп на одинокой машине на пустом участке стоянки, а когда четко и ясно ее разглядел, обнаружил стоявшего возле нее Тома Пайка и полюбопытствовал, кого это Том поджидает. Тут подъехала другая машина, из нее вышел высокий мужчина, которого мой коллега, по его утверждению, никогда раньше не видел. Сильно загорелый, обветренный, в белой спортивной рубашке и в брюках цвета хаки. Том протянул незнакомцу коричневый конверт. Тот открыл его, вытащил пачку банкнотов, пересчитал большим пальцем. Мой партнер отлично видел достоинство купюр. Потом мужчина бросил коричневый конверт в свою машину, вынул белый конверт, отдал Пайку, а Том его так быстро спрятал, что мой партнер не совсем успел разглядеть. Он рассказал мне об этом через пару дней. Мы обсуждали дело о разводе, над которым работали, и он заметил, что хорошо бы воспользоваться телескопом, сообщив, как следил за Томом. Можно придумать кучу объяснений. Может, это расплата наличными за сделку с землей для ранчо или для пастбища. Может, он покупал предварительную информацию у дорожного инженера. Но может быть, именно тот высокий мужчина был тем вечером в кабинете Стью и каким-то образом причастен к произошедшему.

— А на меня вы как вышли?

— Вчера вечером я был в баре с клиентом и увидел вас со свояченицей Тома. Она расплакалась, вы ее увели, я попросил у клиента разрешения на минуточку отлучиться, вышел, увидел, как вы открываете 109-й, взглянул на номера вашей машины, понял, что она прокатная. Узнал ваше имя у стойки администратора. Мой приятель полисмен, которому я даю работу в свободное время, сегодня сидел у вас на хвосте и позвонил мне, когда вы поехали к дому Пайка. Мы с ним здесь встретились, он проник в номер, а я стоял у внутреннего телефона, чтобы предупредить его, если вы слишком рано вернетесь. Он не нашел ничего интересного. Конечно, у меня нет никакого официального статуса. Даже если б и был, все равно из-за обыска навалились бы настоящие неприятности. И мы с Пенни придумали, что она постарается вас подцепить. Мой приятель полисмен упомянул об откупоренной бутылке. У Пенни было быстродействующее, по ее мнению, средство. Пока вы обедали, я подсыпал его в бутылку.

— Как вы попали в номер?

— Со служебным ключом моего приятеля копа. У него есть ключи всех крупных мотелей в округе.

Я посмотрел на них:

— До чего ж вы старательные ребята! И чертовски глупые. А если б она меня не подцепила? Если бы я вернулся один и выпил всю бутылку?

— Я был в пяти минутах ходьбы отсюда. Она позвонила бы мне, и я по телефону вызвал бы вас из номера под любым предлогом. Она открыла бы дверь служебным ключом и вылила джин из бутылки или унесла.

— Понимаете, — тихо вставила она, — чтобы подействовало как следует, пришлось всыпать такую дозу, что она подавила бы симпатическую нервную систему и убила вас.

— Зачем Пайк отдал вам двадцать тысяч? — спросил Холтон.

— Абсолютно дилетантский вопрос, — хмыкнул я. — Я сегодня увидел его первый раз в жизни. Могу ли доказать это? Нет, сэр. Доказать не могу. Хочу ли попробовать доказать? Нет. Не стану трудиться. Вы желаете отыскать доказательства? Валяйте, Холтон. — Я крутнул барабан полицейского револьвера — обойма полная, — протянул ему оружие. — Может быть, доктор был славным малым. И сами вы, может быть, неплохие ребята. Медсестра и член множества клубов. Даже если отыщете настоящего убийцу доктора, он вполне может убить заодно вас обоих. К сожалению, вы насмотрелись телесериалов. Если б я убил доктора, то проломил бы вам головы, сунул в багажник машины, выбросил в подвернувшуюся сточную канаву и завалил глыбами известняка.

Он вспыхнул, встал и сунул револьвер за пояс.

— Мне не нужны поучения какого-то чертова лоботряса.

— Занимайтесь своими делами. Вступите еще в какой-нибудь клуб.

— Не дадите ли мне разрешение удалиться, мистер Макги?

— Ничто не доставит мне большего удовольствия.

— Пошли, Пен.

— Отправляйся домой к Дженис, — сказала она. — Ты и так слишком часто уходишь по вечерам.

— Слушай, я виноват, что вышел из себя, когда он сказал...

— Очень уж ты охотно поверил, милый. Тебе попросту не терпелось поверить во что-то подобное, в какую-нибудь гадость. Думаешь, если сам шляешься, и любой другой делает то же самое. В любое время. Иди к черту, Рик. Ты злое, мерзкое существо с погаными мыслишками.

— Ты идешь со мной или нет?

— Спасибо, останусь здесь ненадолго.

— Либо идешь...

— Либо ты никогда меня не простишь, между нами все кончено и так далее. Ох, детка. А было ли что-нибудь между нами? Раз нет веры, то и вообще ничего нету. Прощай, милый Рики. Можешь всю дорогу домой к Дженис воображать всякую пакость, которая, по твоему мнению, творилась вот в этой постели.

Он развернулся, промаршировал к двери, яростно захлопнул ее за собой.

Она попыталась улыбнуться мне, но улыбка вышла поистине жуткой. Губы не слушались.

— Надеюсь, не возражаете... надеюсь, мне можно... — И тут рот раскрылся, она вскочила и с криком: — Ох! А-а-а... У-у-у... — захромала в ванную.

Форт-Кортни приятное место, если ничего не иметь против бегающих в твою ванную плачущих женщин, ровно половина из которых хромые. Я выплеснул воду из ведерка для льда, насыпал из морозильника кубики. Хотел было выплеснуть и отравленный джин, потом передумал, завинтил крышку, поставил бутылку в темный угол стенного шкафа. Вытащил чистый стакан, откупорил вторую бутылку «Плимута» и налил себе. Когда она наконец вышла — ослабевшая, маленькая, подавленная, — предложил выпить.

— Спасибо, пожалуй, нет. Я лучше пойду.

— У тебя здесь машина?

— Нет. Меня Рик подбросил. Моя машина дома. Могу от администратора вызвать по телефону такси.

— Сядь на минутку, пока я допью. А потом отвезу домой.

— О'кей. — Она вытащила из своей сумочки сигареты и закурила. Подняла двумя пальцами пышный светло-рыжий парик, как огромное дохлое насекомое, бросила его на стол. — Пятнадцать девяносто восемь плюс налог, чтобы смахивать на секс-бомбу.

— Вышло неплохо.

— Бросьте. У меня веснушки, волосы как солома, короткие толстые ноги и большой зад. Вдобавок я неуклюжая. Вечно натыкаюсь на всякие предметы. И на людей. Вот уж повезло старушке нарваться на Рика Холтона. — Она поколебалась. — Ничего, если я передумаю насчет выпивки?

Я достал последний чистый стакан, налил, она взяла его, понесла к креслу.

— Спасибо. Хотя с какой стати вам оказывать мне услуги? После всего, что я с вами хотела проделать.

— Синдром вины. Я испортил ваш роман.

Она нахмурилась:

— Это больно. Я знаю. Когда ввязывалась, то знала, что будет больно. На самом деле вы ничего не испортили. Просто немножко ускорили конец. У него уже возникало желание с этим покончить. Искал крупную, серьезную причину. Господи, вы совершенно взбесили его!

— Я, по-моему, тоже немножко взбесился. Никак не мог понять ваших планов, пока не смошенничал.

Она смотрела в стакан.

— Знаете что? Наверно, мне надо мертвецки напиться. У меня и от этого уж во рту онемело, так что много не понадобится.

— Будь как дома. Только не пой. — Я потянулся за ее стаканом, а она махнула рукой и пошла наливать сама.

— Ты точно не возражаешь, Макги? Пьяные женщины — настоящий кошмар. Я на станции «Скорой» работала и насмотрелась.

— Скажи, почему оба вы так уверены, что доктор не покончил с собой?

— Идеально здоровый, любил свою работу, исследования. Энтузиаст, как дитя малое. И я знаю, как он относился к попыткам самоубийства. Ну, например, к случаям с женой Тома. Это просто его ошарашивало. У него в голове не укладывалось, как может человек лишить себя жизни.

— Он ею занимался?

— Оба раза. Причем обе попытки чуть не удались. Если б Том не подоспел, удались бы. Когда он не смог ее добудиться, позвонил доктору, тот велел быстро везти ее в реанимацию. Встретил их там, выкачал всю дрянь, дал стимуляторы, они стали водить ее, шлепали по щекам, не давали заснуть, пока опасность не миновала. В другой раз Тому пришлось выломать дверь в ванной. Она потеряла много крови. На левом запястье остались два... пробных надреза, как их называют, когда человек не решается глубоко резать. А уже третий совсем глубокий. Конечно, из вены кровь течет медленней. У нее хорошая стандартная группа. Доктор Шерман влил четыре пинты крови и так хорошо обработал запястье, что теперь шрам, наверно, почти незаметный.

— Сообщили полиции?

— Ну да. Мы обязаны. По закону.

— Ты вообще не догадываешься, что все-таки могло доктора беспокоить?

— Ну, трудно сказать. Он не из тех, кто всегда одинаковый. Затевал новый проект и совсем замыкался, особенно если дела шли не слишком-то хорошо. Не хотел об этом говорить. Так что... может быть, его что-то тревожило... Настроение у него было такое, будто что-то пошло неожиданным образом. Только я точно знаю, он с собой не покончил бы.

— При вскрытии не обнаружили ничего подозрительного?

— Например, что его сперва оглушили? Нет. Никаких признаков, никаких следов, кроме морфина, в такой дозе, что следами не назовешь.

Я глубоко погрузился в кресло, положил ноги на круглый пластиковый столик. После довольно продолжительного молчания взглянул на нее. Она смотрела на меня. Один глаз закрыт на треть, другой наполовину. Одна бровь поднялась, верхняя губа вздернулась, открывая довольно красивые зубы. Странная застывшая гримаса — не совсем ухмылка, не совсем насмешка.

— Эй! — хрипло вымолвила она, и я вдруг сообразил, что взгляд по ее задумке должен был быть эротическим и призывным. Это меня озадачило.

— Ох, Пенни, прекрати!

— Эй... слушай. Ты умный. Знаешь? Чертовски умный. Я все думаю, до чего быстро этот сукин сын посчитал меня дешевкой. А? Ладно, никто никуда в любом случае не собирается. Нынче п-пятница, правда? Утром я проглотила лил... пил-люльку, чтобы не залететь, что ж-ж-ж ей теперь, пропадать?

— Тебе пора домой.

— Ой-ой-ой! Премного благодарна. Я, наверно, тебе жутко нравлюсь, Макги. От веснушек воротит? Не любишь толстоногих?

— Очень люблю, сестренка. Успокойся.

Она подошла, встала передо мной, еще раз одарила меня тем же пьяным, застывшим взглядом, поставила стакан на стол, как-то лихо крутнулась и тяжело плюхнулась мне на колени, умудрившись при этом заехать в глаз локтем. Попала в какой-то нерв, из глаза потекли слезы. Прильнула, прижалась щекой к подбородку, опять выдохнула:

— Эй!

— Дружочек Пенни, это поганый способ расплаты даже с симпатичным стариной Риком. Ты ведь по уши напилась. Потом возненавидишь саму себя.

— Не х-хочешь девушкой поп... пользоваться?

— Хочу, конечно. С большим удовольствием. Ты подумай как следует, приходи завтра вечером и поскребись в дверь.

Она испустила долгий усталый вздох. Мне на миг показалось, что она отключается. А потом ровным тоном, с отличной дикцией объявила:

— Я хорошо переношу выпивку.

— М-м-м. К чему этот спектакль?

— Макги, холодной и трезвой девушке не так-то легко предлагаться заезжему незнакомцу. Может, кому-то легко, но не Пенни Верц. Не толкай меня. Легче рассказывать, когда я на тебя не смотрю.

— Что рассказывать?

— У меня большая проблема. С Риком. Он действительно злой. Знаешь, бывают испорченные мальчишки? Жестокие маленькие существа. Знаешь, почему он при этом неплохо живет?

— Потому что одна только ты видишь в этом проблему?

— Точно. Ты жутко умный. Знаешь, что я сейчас сделаю?

— Что?

— Соберусь с силами. Сообщу себе, что вела себя плохо. Выше голову, подтяни живот, расправь плечи — вперед, девушка. Дня три-четыре буду думать о нем каждые три минуты, потом наберу личный номер в офисе, униженно покаюсь, поплачу, попрошу прощения за то, чего не делала. И буду одновременно стыдиться и тошнотворно радоваться.

— Совсем никудышный характер?

— Всегда казался сильным. Он меня зацепил... в физическом, что ли, смысле. Думаю про него и так сильно хочу, что в голове гудит, в ушах звенит, белый свет кружится перед глазами.

— М-м-м. Унижаешься?

— Именно. Я хочу порвать с ним. Хочу освободиться. И когда в твоей ванной ревела после его ухода, меня осенило, как вырваться на свободу, если хватит духу.

— С моей помощью решить проблему?

— Думала, ты ухватишься за такую возможность. Дело не в том, будто я до того сногсшибательная и прелестная, что могу

316

походя всем вскружить головы. Только знаю — во мне есть какая-то очень эффектная чертовщинка. То есть если бы я оказалась в одном салуне с какой-нибудь победительницей всемирного конкурса «Мисс плантация спаржи» и какой-нибудь тип положил на нее глаз, то многие по дороге сменили бы цель. Не знаю почему, но так оно и есть. Поэтому я была совершенно уверена, что смогу подцепить тебя в баре.

— Ты действительно подала сигнал.

— Интересно знать, как ты его понял.

— Он, по-моему, объявлял: «Посмотри-ка, я здесь!»

— Ну и черт с ним. Я люблю мужчин — просто как таковых. Шесть братьев и я, единственная девчонка. Никогда не могла быть настоящей девчонкой, вести за завтраком девичью болтовню. Только я не брожу по панели. Конечно, мне нравится заниматься любовью. Просто не признаю это настоящей потребностью, понимаешь? Правда, сейчас к Рику здорово привязалась, причем он мне даже не очень нравится. Уж и не знаю... может ли после этого выйти не хуже с другим. И подумала, что с тобой можно будет проверить. Думаю, нервы взвинчены, чуть-чуть подтолкнуть — и готово дело. Легче разыгрывать пьяную. Я едва тебя знаю. Больше никогда не увижу. А ты засомневался. Или у моей загадочной чертовщинки другая длина волны. Ой, Господи! Я себя чувствую безобразной, тупой, нерешительной... Честное слово, никогда раньше не пробовала подцепить незнакомца.

— А если не произойдет ничего особенного, не будешь страдать сильнее прежнего?

— Нет. Потому что после этого у меня не хватит духу ему позвонить. Буду считать себя чересчур виноватой, когда пересплю с тобой, — не важно, выиграю или проиграю... Понимаешь, я могу сорваться и приползти к нему на брюхе. А так у меня будет время справиться с этим порывом. Если придет, не имея от меня известий, не знаю, сумею ли удержаться. Но... получу довольно хороший шанс.

Она вновь глубоко вздохнула. Странная маленькая веснушчатая леди, излучающая нечто не поддающееся определению, нечто манящее и отважное... нечто игривое. Да, мир — просторное тенистое местечко, где всего несколько раз, только в нескольких уголках можно встретиться с незнакомцем. Может, она частично избавит меня от тревоги последних недель. Старый доктор Макги. Домашняя терапия. Наложение рук. Лечебные манипуляции. Голод всегда присутствует, нисколько не интересуясь именами и лицами, нуждаясь лишь в подходящем рациональном доводе. Поэтому я запустил пальцы в завитки волос у нее на шее, нашел тот же самый язычок «молнии» и медленно потянул к пояснице. Она рванулась, взлохмаченная, широко распахнув глаза, радостно приоткрывая губы...

Но остановилась, нахмурилась, сосредоточилась:

— О'кей, история в самом деле печальная. Но не настолько же, чтобы сильный мужчина заплакал.

— Я не плачу. Ты попала мне локтем в глаз.

И она захохотала, утробно, от всей души, смех всецело ее одолел, до слез, но не до истерики. Пока я гасил свет, она повесила платье на вешалку, разобрала постель. Дверь ванной мы оставили приоткрытой, оттуда к изножью кровати углом тянулась полоска света. Она была скованной, с напряженными мышцами, нервничала, но недолго. Пролетело неизмеримое время, и я понял, что именно представляет собой ее таинственная аура. Это была здоровая, крепкая, веселая, чистая, неистощимая девушка, сплошной сгусток масла и пряности, с длинной стройной талией и торсом, в изощренном, ритмичном контрасте с сильными, жаркими, жадными бедрами, намекавшими на скорое возрождение жажды.

Утром я медленно очнулся от шума воды — она принимала душ — и снова заснул. Проснувшись чуть позже от яркого солнца, сиявшего в затемненной комнате, увидел ее, обнаженную, у двойных гардин. Отвернув край, она выглядывала на белый свет, а другой рукой энергично чистила зубы моей зубной щеткой.

Отвернулась от окна, заметила, что я открыл глаза, подскочила к кровати, продолжая работать щеткой.

— ...брое утро, милый.

— И тебе доброе утро, тигрица.

— Ур-бур-бур...

— Что?

— Я хотела сказать, что взяла твою щетку. Надеюсь, не возражаешь. То есть после интимной близости становишься вроде как родственником.

— Согласно одной старой шутке, нечто вроде официального знакомства.

Она вновь принялась чистить зубы, а я протянул руку, схватил ее за запястье, подтащил поближе. Она вытащила изо рта щетку и задумчиво уставилась на меня.

— В самом деле? Серьезно? — И улыбнулась. — Конечно. Только пойду пописать.

И ушла в ванную. Зашумела вода, послышался прерывистый звук слабой струйки, словно писал ребенок. Присеменила обратно, сияющая, бросилась в постель, звучно шмякнулась, жадно потянулась, с крайним удовлетворением промычала в предвкушении: «М-м-м...» В особой сфере своей компетенции она, пожалуй, была наименее неуклюжей особой во всем округе.

Пока мы одевались, она все сильнее нервничала — ей предстояло выйти из номера мотеля в субботний полдень. Была почти уверена, что Рик поджидает ее в смертоносном молчании. Или компания каких-нибудь приятелей по некоей неизвестной причине пройдет мимо. Отчасти замаскировалась, надев парик. Заставила меня выйти, завести машину, открыть дверцу с ее стороны, убедиться, что берег чист, и посигналить.

Вылетела галопом и, вскакивая в машину, ударилась коленом о край дверцы так, что первые три квартала не разгибалась, держась за ногу и поскуливая. Время от времени поднимала голову, выясняя, где мы находимся, и давая указания. Ее дом стоял в маленьком жилом садовом квартале под названием Ридж-Лейн. Дважды объехав по ее требованию два квартала и удостоверившись, что поблизости не стоит красный автомобиль Рика с откидным верхом, я свернул на короткую узкую подъездную дорожку за плотной оградой секвой и остановился в нескольких дюймах за ее блекло-синим «фольксвагеном» на стоянке. Она по буквам продиктовала мне свою фамилию и добавила, что телефон есть в справочнике. Мне показалось, что ей не хочется слышать мои звонки. Она не желала менять одну связь на другую.

Я вспомнил, что забыл спросить одну вещь.

— Кстати, что вы надеялись у меня найти, Пенни?

— Мы даже не знали, правда, — пожала она плечами. — Хоть какую-нибудь подсказку. Документы, деньги, письма, записки... Когда попадаешь в тупик, пробуешь все, что угодно.

Сидя в машине, мы вдруг оба зевнули, широко, от души, так что челюсти скрипнули. И рассмеялись. Она поцеловала меня, вылезла, взвизгнув от боли, когда наступила на ногу. Наклонилась, растерла больное колено и захромала к дверям. Открыла дверь, улыбнулась, махнула, я дал задний ход.

На обратном пути остановился в местечке, где было чисто, как в операционной, имелся свежий сок, совсем свежий арахис и на удивление хороший кофе. Потом, чуть посмеиваясь над собственной щепетильностью, прошел полквартала, купив зубную щетку перед возвращением в мотель. Да, есть разные степени личной собственности, и, похоже, зубная щетка стоит на особом уровне, чуть повыше расчески.

Номер был убран. Хоть я должен был съехать в одиннадцать, меня наверняка не упрекнули бы за задержку — мотель был далеко не полон.

И я сидел, зевал, вздыхал, слишком одолеваемый приятной усталостью, чтобы прийти к какому-то решению. Заявил себе, что после этого эпизода ничего не изменилось. Каким бы образом доктор ни умер, покойник не имеет ни малейшего отношения к больной молодой жене, похоже искренне желающей умереть.

Не добавилось ничего нового, кроме...

Кроме чего-то сказанного среди ночи, после одного момента, для нее несомненно кульминационного — никаких диких судорог и прерывистых воплей, только очень долгое, очень сильное наслаждение, очень медленно, медленно, мягко слабевшее. Во время одного из сонных отрывочных разговоров, которые мы вели, лежа ночью в объятиях, с отброшенными простынями и покрывалами, с остывающей и просыхающей от трудовой испарины кожей. Я чувствовал на шее глубокое влажное, замедляющееся дыхание, круглое колено на животе. Она вновь и вновь медленно и любовно проводила пальцами от мочки моего уха до подбородка. Опуская глаза, я видел в яркой диагональной полосе света слабо мерцающую округлость бедра, покатого к талии, где лежала моя большая, контрастно темная ладонь.

— М-м-м... — промычала она. — Теперь знаю.

— Ищешь чувство вины?

— Слишком рано для этого, дорогой. Мне слишком хорошо. Может, позже. Но... в любом случае черт с ним, со всем.

— В чем дело?

— Не знаю. Девушка выясняет, что может свернуть с пути и шагать дальше по самой большой дороге с подвернувшимся по пути симпатичным парнем. Выходит, она довольно поганая личность.

— Гормоны одолевают?

— Может, бешеная нимфоманка.

— Тогда я, должно быть, номер восемьсот пятьдесят шесть или что-нибудь в этом роде.

Она минуту лежала в раздумье, потом прыснула:

— Считая Рика, одну цифру ты правильно угадал. Шесть. Из других четверых за одним я была замужем, с двоими помолвлена, в оставшегося была по уши влюблена. По сравнению с другими работавшими и учившимися со мной медичками просто монашка. Но моя старушка бабушка упала бы замертво.

— Нимфоманки интересуются только собой, детка. На парня им наплевать. Сам по себе он их не интересует. Им отлично сгодился бы робот.

— Я все время помнила, что это ты. Даже в самый лучший момент. Тогда что я такое?

— Охотница до неожиданных и приятных открытий.

— Это плохо?

— Нет. Хорошо.

Она потянулась, зевнула, придвинулась ближе.

— Я все время хочу сказать, что люблю тебя, милый. Наверно, для собственного успокоения. В любом случае ты мне чертовски нравишься.

— Взаимно. Такое остаточное ощущение подтверждает, что все было правильно.

Встав на колени, она натянула на нас простыню с покрывалом, расправила, подоткнула, разгладила, снова свернулась, вздрогнула, кулаками и лбом уткнулась мне в грудь, колени сложила на животе. Ее щека покоилась у меня на плече, другой рукой я ее обнимал, положив ладонь на спину, а пальцы под расслабленную и тяжелую грудную клетку.

Балансируя на грани сна, думал об этом остаточном ощущении, пытаясь объяснить его самому себе. Если у норки, овцебыка, шимпанзе, человека на протяжении энного количества минут продолжается соответствующее раздражение соответствующих участков плоти, нервные окончания включают взрывной механизм гландулярно-мышечного наслаждения. А потом возникает не больше желания дотрагиваться до эрогенных зон, чем трясти перед носом перечницу, вызывающую облегчающее чихание.

Наверное, у каждого мужчины и у каждой женщины в чувственно-сексуально-эмоциональной области есть изъяны, слабости, трудности, особые картины нейронной и эмоциональной памяти, предрассудки, и в случае несовпадения этих сложных субъективных структур можно ждать только слабого взрыва. Но возможно, таинственное совпадение порождает в древних, темных, глубоко спрятанных закоулках мозга наслаждение посильнее и послаще, проникающее в тайные отгороженные камеры сердца. Тогда одновременно происходящее в чреслах — только прелюдия, а потом возникает остаточное ощущение любви и удовлетворения, которое знаменует гораздо более важный экстаз в мозгу и в сердце.

Издалека донесся ее голос, эхом раскатился по комнате, не дав мне провалиться в сон.

— ...говорят, мошки женского пола подают сигнал к спариванию. Господи, я не хлопаю глазами, не кручу задом, не облизываю губы. А пациенты ко мне так и липнут. И разносчик из химчистки. И мистер Том Пайк прошлой весной.

— Пайк?

— Когда его жена пару дней оставалась в больнице, проглотив упаковку снотворного. Это было в кабинете, пока он ждал возвращения доктора Шермана из реанимации. Понимаешь, тут не было никакой грубости. Том Пайк — мужчина со вкусом и очень осторожный. Мне его было чертовски жалко, и я жутко его уважала за отношение ко всей суматохе с Морин... Едва не связалась с ним, просто из жалости.

— Когда это было?

— По-моему, в марте. А может, в апреле. Одно знаю: он был бы очень осторожным, предусмотрительным, все держал бы в секрете, не стал бы кричать на всех углах о своей подружке-медсестричке. По-моему, было бы хорошо, ведь тогда я и с Риком бы не связалась.

— Думаешь, он подыскал другую?

— Можно сказать, надеюсь. Пусть нашел бы себе милую, славную, любящую девчонку. Но кто знает? Мистеру Пайку каким-то образом обо всех все известно, а про него никто ничего особенного так и не выяснил. Может, сейчас ему даже еще важней обзавестись подругой, после смерти миссис Трескотт.

— Почему?

— Ну, их теперь всего трое, а младшая сестра Морин просто жутко в него влюблена, и никто его по-настоящему не упрекнет за очень долгие тайные взгляды в ее сторону. Был бы самый чудовищный треугольник, страшней не придумаешь. — Она зевнула и вздохнула. — Спокойной ночи, милый.

Я снова почти заснул, остановился на самом краю. Стал понемногу острее осознавать каждое касание плоти. Девушка стала столь сладостной и роскошной, что тело ее каким-то колдовским образом обрело чувственную бесконечность, как бы вообще не ограничиваясь, а тайно продолжаясь. Я все сильнее чувствовал неподвижное соприкосновение наших тел, медленное биение сердец, пульсацию крови, дыхание четырех легких, которое смешивалось в уютной постели, невероятную сложность клеток, питательных веществ, преобразующейся энергии, теплового баланса, секреции. Гадал, спит ли она, но при первой же пробной и вкрадчивой ласке она быстро и глубоко вздохнула, выгнулась, вытянулась, промурлыкала в знак согласия и радостного предчувствия.

Тела уже знали ритм и температуру друг друга. Мелькали фрагменты, как виды в ночи из окна проходящего поезда. Продолжительный шорох скользящей по телу ладони. Глубоко-глубоко медленно хлюпает густой сладкий сок, соски напряглись, бедра колышутся, плоть аритмично соприкасается, обретает иной темп, проникновение длится все дольше, и дольше, и дольше, возбуждение, трепет, последнее нарастающее биение в самой что ни на есть глубине, она изворачивается, открывается рот, горячеет дыхание, бьется язык, легкий стук зубов о зубы, ладони охватывают упругие ягодицы, она глубоко дышит, шепчет, выдыхая мне в губы: «Люблю тебя, люблю, люблю». Открывается что-то еще, затягивает, увлекает, настойчивее и призывнее, она хрипит в агонии, требует, чтобы я безжалостно шел вперед, бился, прокладывал путь. Медленное восхождение к вершине. Долгий спуск. Сердца стараются выскочить из груди. Никак не отдышаться после долгой пробежки. Падаешь на цветущий луг, в высокую траву, в клевер. По-прежнему слившись, проваливаешься в сон, погружаешься в сон, чувствуя в глубине последние редкие, мягкие, слабые спазмы, словно сжимается маленькая ладошка, когда мозг видит сны.

Утром я лежал и смотрел, как она одевается, зная, что мне скоро тоже придется вставать. Вид у нее был такой хмуро-задумчивый, что я полюбопытствовал, не одолел ли ее снова синдром гнусной личности.

— С тобой не было ничего подобного, Тревис, — объявила она, сунув руки в рукава белого платья, — потому что ты — нечто вроде фантастического любовника.

— Большое спасибо.

— То есть ты понимаешь, никаких гадких штучек.

Подошла, повернулась, чтобы я застегнул «молнию». Я сел и, прежде чем застегнуть, поцеловал спину, дюйма на два выше застежки лифчика.

— Видишь? — сказала она.

— Что вижу?

— Ну, просто очень мило. Я в тебя вроде как влюблена. А когда мы это делали в первый раз, не была, и поэтому вышло не очень, а потом ты мне больше понравился, и все стало совсем по-другому. Поэтому у меня новая философия насчет случайной постели.

— Расскажи, пожалуйста, — попросил я, застегнув «молнию» и шлепнув ее по заду.

Она отошла, обернулась, расправила белое платье, разгладила на бедрах.

— Она еще не устоялась. Одни кусочки. Буду думать, будто веснушчатым больше радости выпадает. И к чертям все нытье, рев и скрежет зубовный насчет Рика Холтона, адвоката. А если обнаружу, что мне попросту нравится заниматься любовью с мужчиной, в которого можно влюбиться... что ж, бывают проблемы намного хуже. Милый! Ты собираешься встать и отвезти меня домой? Время все идет, идет и идет.

И я отвез ее домой. Конец короткому роману. Весь его можно обклеить ошибочными ярлыками. Приключение на одну ночь. Случайно подцепленная девчонка. Приятное развлечение путешествующего мужчины. Черт возьми, Чарли, ты даже не представляешь, какие бывают медсестры.

Может быть, только искательницы приключений не кажутся тривиальными и дешевыми, действуя на свой страх и риск.

Мне казалось, будто я, погрузившись в размышления, упаковывал вещи, чтобы убраться отсюда и вернуться в Лодердейл. Но оказалось, что ничего не уложено. Я лежал на кровати поверх покрывала, сбросив туфли, глубоко дыша. А потом сообразил, что уже субботний вечер, восемь часов и мне хочется быстренько выпить и съесть пару фунтов филейной вырезки.

Глава 9

В обеденном зале с гавайским названием «Луау» в «Воини-Лодж» я часов в девять съел, правда, не двухфунтовый, но в меру недожаренный бифштекс — после долгого душа, бритья и двух медленно выпитых порций «Плимута» со льдом.

Я пребывал в старом состоянии колеблющегося баланса противоположных эмоций. Дурацкое мужское удовлетворение и самодовольство после многократного бурного звучного кувыркания с горячей партнершей, которая засвидетельствовала свое одобрение отзывчивым трепетом и глухими гортанными вздохами. Удовлетворение заключается в опустошающей легкости и расслаблении, в осязаемой памяти о податливом теле, временно запечатленной на соприкасавшихся поверхностях рук и губ. Другая половина — уплывающая, ускользающая грусть после соития. Возможно, ее порождает постоянная глубоко затаившаяся жажда близости, облегчающая хорошо всем известное одиночество души. Всего на несколько моментов эта жажда почти утоляется, тесно слившиеся тела как бы символизируют гораздо более настоятельную потребность покончить с полным одиночеством. Но все кончено, и иллюзия исчезает, в смятой постели вновь два чужака, в сущности, несмотря на самые любовные объятия, незнакомые, словно два пассажира, сидящие рядом в автобусе, которые случайно купили билеты в одном направлении. Может быть, поэтому к послевкусию удовольствия всегда примешивается печаль, ибо ты опять, как прежде, обрел доказательство, что летучая близость только подчеркивает полную разъединенность людей, и какое-то время осознаешь это с огорчительной очевидностью. Мы удовлетворяем потребности друг друга и никак не способны понять, насколько искренни в своей готовности и насколько она представляет поток оправданий, которые чресла столь ярко отбрасывают на центральный экран сознания.

Они всегда говорят больше, чем оба партнера.

Я вдруг вспомнил про сто долларов, которые Холтон заставил Пенни сунуть в сумочку, и улыбнулся. Я услышу ее раньше, чем ожидал. Когда она наткнется на них, всеми силами поторопится возвратить, так как это внесет в чудную ночь весьма гнусный оттенок.

Поэтому, вернувшись в номер где-то около половины одиннадцатого и увидев красный огонек, мигавший на телефоне, я был уверен, что это Пенни Верц. Но это оказалась очень возбужденная Бидди, которая выразила удивление, обнаружив меня в Форт-Кортни, и спросила, не видел ли я Морин, не слышал ли про нее. Она каким-то образом пробралась вниз по лестнице и улизнула из дому, пока Том сидел за рабочим столом в гостиной, а Бриджит делала покупки. Удрала она вскоре после семи.

— Том с тех пор ее ищет. Я звонила повсюду, куда могла придумать, потом тоже ушла, где-то в четверть восьмого. Сейчас я в одном местечке неподалеку от аэропорта и вдруг думаю: не пошла ли она в мотель, зная, что вы там остановились.

— Полиция тоже ищет?

— Н-ну, специально не ищет. Но они знают, что она где-то бродит, и, если заметят ее, заберут. Тревис, на ней розовый вязаный джемпер с большими черными карманами, и она может быть босиком.

— В машине?

— Нет, слава Богу. Или лучше бы была в машине, не знаю. Может, как в прошлый раз, пойдет по шоссе 30, будет голосовать. Как вы понимаете, ее охотно подбирают. Но я страшно боюсь, вдруг ее подхватит какой-то... подонок.

— Чем я могу помочь?

— Ничего в голову не приходит. Если она где-нибудь там появится, позвоните девять-три-четыре-два-шесть-шесть-ноль. Это автоответчик Тома. Мы все время звоним через каждые четверть часа, проверяем, нет ли от нее известий.

326

— Вы вместе?

— Нет. Так мы больше осмотрим. Обычно я рано или поздно на него натыкаюсь.

— Сообщите, когда найдете?

— Если хотите, я звякну.

Я положил трубку, гадая, почему они не подумают про дно озера. Она испробовала почти все, кроме прыжка из окна с высоты. Как это называется? Дефенестрация. «Я должна прыгнуть в окно, я должна, я должна...»

Потом в подсознании зашевелился какой-то отрывок старого воспоминания. Смотря по телевизору одиннадцатичасовые новости, я не мог на них сосредоточиться, так как бегал по комнате, стараясь поймать то, что пыталось привлечь мое внимание.

Потом выплыло имя вместе с болезненным мужским лицом, горько стиснутыми губами, всезнающими глазами. Гарри Симмонс. Давний долгий разговор после смерти друга моего друга, который внес пространное дополнение в свой страховой полис примерно за пять месяцев до того, как его нашли плавающим лицом вниз в Бискейнском заливе.

Я сел на кровать, медленно реконструировал часть беседы. С мыслью об озере и о высоком окне открылась небольшая дверца к старому воспоминанию.

«Когда речь идет о выпрыгнувших и утопившихся, Макги, общий принцип не уловить. Видишь ли, прыгуны адски часто справляются с первой попытки. Обычно утопленники действуют почти с аналогичным успехом, в среднем примерно как висельники. Пожалуй, последних вынимают из петли не чаще, чем спасают утопленников. Поэтому общий принцип выводится главным образом на примере вскрывающих вены, глотающих таблетки и стрелявшихся. Забавно, но очень многие переживают выстрел. И если не избавляются от помешательства, есть шанс на вторую попытку. Равно как у резавших вены и поедавших таблетки. Способ всегда одинаковый. Никогда не меняется. Видят, как добиться цели, и повторяют, пока не добьются. Любитель таблеток не прыгнет в окно, а утопленник не застрелится. Они как бы вообразили одну картину смерти и другой просто не признают».

Хорошо. Допустим, Гарри Симмонс согласился бы сделать весьма редкое исключение. Но Мори Пирсон Пайк испробовала таблетки, бритву и веревку. Три способа.

У меня зачесались ладони. Как ни взгляни, что-то не вяжется. Страдающий муж всякий раз поспевает в последний момент. Или младшая сестра? А не существует ли третьей стороны, способной близко подобраться к Мори?

Как насчет мотива? Самые основательные — любовь и деньги. Состояние «существенное». Проверить у тихоголосого доктора Уинтина Хардахи. А благородный страдалец Томми тайком приставал к веснушчатой девчонке. Вдобавок имеется умерший семейный врач, объявленный самоубийцей, который лечил Морин. Есть ли в этом какой-нибудь смысл или это случайное совпадение? Пенни всем сердцем твердо убеждена, что доктор Стюарт Шерман не мог лишить себя жизни.

Раздался стук в дверь — должно быть, Пенни принесла две бумажки по пятьдесят долларов. Идя открывать, я чувствовал неприятную пустоту в желудке и похотливое предвкушение — вдруг она согласится остаться.

Однако там стояли двое мужчин, и оба таращились на меня со спокойным, отважным, скептическим любопытством опытных представителей закона, как при первом осмотре новых особей, доставленных в базовый лагерь музейной экспедицией. Особи могут быть редкими, опасными, ядовитыми. Но их осматривают, заносят в каталог на основании многолетнего опыта классификации тысяч других, а потом принимаются за обычное дело, получая за это деньги.

Крупный, крепкий костлявый мужчина помоложе был в брюках цвета хаки, в белой рыбацкой кепке с помпоном, бело-синих теннисных туфлях и белой спортивной рубашке с изображением красных пеликанов. Он носил ее навыпуск, поверх брючного ремня, несомненно прикрывая миниатюрный револьвер, пользующийся растущей популярностью среди местных флоридских законников. На мужчине поменьше и постарше был светло-коричневый костюм и белая рубашка без галстука. Лысеющая голова, коричневые пятна, мутные темные глазки, дурной запах изо рта, почти затмивший ощущение, что младший партнер чересчур долго ходит в одной и той же рубашке.

— Макги?

— Он самый. Чем могу служить? — Я был босиком, в одних шортах.

— Ну, для начала поднимите руки, совсем медленно повернитесь. Потом можно встать у окна. — Он мельком открыл кожаную обложку, где сверкнул маленький золотой значок, представился: — Стейнгер, — кивнул на молодого: — Наденбаргер. Городская полиция.

— Ну, для начала, — сказал я, — ордер на обыск.

— Пока у меня его нет, Макги. Но если заставите нас потрудиться, то все кипятком начнут писать — ночь жаркая, — но ордер так или иначе присовокупится. Поэтому можете — если желаете — просто пригласить нас пройти.

— Проходите, мистер Стейнгер. И вы, мистер Наденбаргер.

Наденбаргер заглянул в шкаф, в чемодан, в ванную. Стейнгер открыл мой бумажник, лежавший на столе, и начал списывать какие-то сведения с кредитных карточек в крохотный бледно-голубой блокнот. Ему удавалось писать только с чуть высунутым языком. Кредитные карточки — конфетти властных структур — немного смягчили сердца служителей закона.

— Полным-полно наличных, мистер Макги.

Наличные и кредитки заслужили «мистера», и я без разрешения сел на кровать.

— Семьсот с чем-то. Дайте прикинуть... семьсот тридцать восемь. Нечто вроде дурной привычки, от которой стараюсь избавиться, мистер Стейнгер. Глупо носить наличные. Может быть, результат неких трудностей, пережитых мной в детстве. Это была моя голубая мечта.

Он бесстрастно смотрел на меня.

— По-моему, очень забавно.

— Забавная мечта?

— Нет. Забавная любовь к умным шуткам над глупыми копами.

— Да что вы! Голубая мечта — это...

— Запомнить дату рождения Бетховена и пчелок Де Хэвилленд[1].

— Чего? — спросил Наденбаргер. — О чем это ты?

— Забудь, Лью, — устало отмахнулся Стейнгер.

---

[1] Де Хэвилленд Оливия (р. 1916) — актриса, снимавшаяся в фильме «Рой» о нападении пчел-убийц.

— Вечно ты так со мной разговариваешь, — негодующе возмутился Наденбаргер.

Конечно, партнерство похоже на брак. Связанные в команду, они действуют друг другу на нервы, и некоторые храбрецы, заходя в темный склад, получают пулю в спину от партнера-супруги, у которого просто терпение лопнуло.

Стейнгер примостил на краю стола жесткие ягодицы, закинул ногу на ногу, лизнул большой палец, пролистал назад несколько страниц голубого блокнота.

— Отбывали когда-нибудь наказание, мистер Макги?

— Нет.

— Аресты?

— Время от времени. Никаких обвинений.

— В чем подозревались?

— Фабрикация. Попытки выдать себя за другое лицо... Сговор, вымогательство. Возникала грандиозная идея, но рассыпалась при первой же небольшой проверке.

— Часто?

— Что считать частым? Пять раз в жизни? Около того.

— Но вы бы об этом не упомянули, пока факты не всплыли бы так или иначе после моей проверки?

— Если угодно.

— Вы много чего тут наговорили, Макги, но, по-моему, кое-что упустили. А именно: что за наглое вторжение? Чего вам нужно? Почему сочли возможным явиться сюда, и так далее, и так далее, и так далее. Даже не потрудились изобразить священное негодование.

— Разве это на вас действует, Стейнгер?

— Нет, в последнее время. Хорошо. Подтверждаете, что вышли сегодня около полудня, а вернулись чуть позже часу?

— Приблизительно.

— И заснули?

— Как убитый. Часов до восьми.

— Когда будете составлять завещание, мистер Макги, оставьте немножечко миссис Имбер.

— Кто это?

— Экономка. Проверяла работу горничных. Открыла вашу дверь служебным ключом в четыре плюс-минус десять минут. Вы храпели в кровати.

— Кажется, я очень правильно сделал.

— В высшей степени. Позвольте огласить небольшую записку. Я скопировал ее с оригинала, который находится в лаборатории. Вот что в ней сказано... Кстати, находилась она в запечатанном конверте, адресованном мистеру Т. Макги, номер 109. Мы проверили несколько мест, где имеется номер 109, который занимает Макги. Оказалось, вы тут. Вот что в ней сказано: «Милый, как насчет платы за грех? В любом случае это была его очередная грязная мыслишка, я совсем забыла, теперь возвращаю. Проснулась, не могла заснуть, полезла в сумочку за сигаретами и нашла. Почему не могла заснуть? Ну, черт возьми. Рассуждения, доводы, воспоминания о нас с тобой... Слишком перетрудилась для спокойного сна. Может быть, надо с тобой кое-что обсудить. То, что С.Ш. говорил насчет памяти и механических навыков пальцев. Я должна в восемь заступить на смену, заменить подружку. По пути брошу записку. Ни один нормальный мужчина не станет ждать девушку на больничной стоянке в воскресное утро в четыре пятнадцать. Правда? Правда? Правда?»

Читал Стейнгер плохо.

— Подписано инициалом, — добавил он. — «П». Никогда о такой не слышали?

— Пенни Верц.

— Сотня баксов — плата за грех, Макги?

— Просто не очень смешная шутка. Личная и интимная.

Наденбаргер разглядывал меня как мясник, выбирающий кусок для рубки.

— Шрамы в армии заработали?

— Кое-какие.

Гнусная ухмылка Наденбаргера не очаровала меня.

— Ну и как она, Макги? Аппетитный кусочек?

— Заткнись, Лью, — устало и терпеливо сказал Стейнгер. — Давно знаете мисс Верц, Макги?

— С тех пор, как познакомился в баре вчера вечером. Можете спросить бармена. Его зовут Джейк.

— Горничная предполагает, что у вас здесь прошлой ночью была женщина. Значит, подтверждаете, что это медсестра. Потом, около полудня, вы ее отвезли домой. Заходили с ней вместе?

В моем подсознании на горизонте возникла нехорошая тучка.

— Давайте заканчивать игры, — предложил я.

— Она не говорила, никто не мог ее поджидать? — спросил Стейнгер.

— Назову имя, когда перестанем играть в игры.

Стейнгер полез во внутренний карман запятнанного светло-коричневого пиджака, вытащил конверт, вынул несколько цветных полароидных снимков, протянул мне, предупредив:

— Это не официальные фотографии. Я их сделал для своего личного досье.

Снимал он со вспышкой. Она лежала на полу в кухне, левым плечом упираясь в тумбу под раковиной, закинув голову назад. В сине-белом клетчатом халате с поясом. Обе полы разошлись, обнажив правую грудь, бедро, ляжку. В горло были глубоко воткнуты сомкнутые лезвия кухонных ножниц. Под телом расплылась широкая лужа крови. Бескровное лицо казалось бледнее и меньше, чем помнилось; на бледном фоне ярче выступали веснушки. Кто-то нанес ей четыре удара под разным углом. Я сглотнул вставший в горле комок, вернул фотографии.

— Сообщение поступило в восемь тридцать вечера, — сказал Стейнгер. — Она обещала подменить другую сестру, у которой был ключ от ее квартиры, так как она могла проспать. Другая сестра живет в одном из домов напротив. Согласно мнению окружного медицинского эксперта, время смерти шестнадцать тридцать плюс-минус двадцать минут. На основании свертываемости крови, температуры тела, состояния нижних конечностей и окостенения шеи и челюстей.

Я снова сглотнул.

— Это... ужасно.

— Я заглянул в кастрюльку в духовке, не готовила ли она еду. Поднял крышку, а там плавает запечатанная записка, словно она ее спрятала в спешке в первое попавшееся место. Как будто не хотела, чтоб дружок прочитал адресованное вам письмо. Думаете, он знал, что она провела ночь в вашем номере?

— Возможно. Не знаю.

— Она беспокоилась насчет его?

— Слегка.

— Просто на случай, если их двое, может быть, назовете известное вам имя?

— Ричард Холтон, адвокат.

— И все?

— Я бы сказал, он был ее единственным другом.

Стейнгер с обескураженным видом вздохнул:

— И у нас те же сведения. А он нынче повез жену в Веро-Бич к ее сестре. Уехал утром около девяти. Часа полтора назад позвонили туда, а они часов в восемь отправились обратно. Сейчас уж должны быть дома. Городок у нас маленький, Макги. Мистер Холтон с этой убитой медсестрой подняли шум из-за того, что смерть доктора Шермана объявлена самоубийством. Думаю, это его инициалы в записке — «С.Ш.»?

— Да. Она мне рассказывала про доктора.

— А что это... постойте-ка... вот: «...говорил насчет памяти и механических навыков пальцев»?

— Для меня это не имеет ни малейшего смысла.

— Может, как-нибудь связано с ее неверием в самоубийство?

— Понятия не имею.

— Дурно стало от фоток? — спросил Наденбаргер.

— Заткнись, Лью, — буркнул Стейнгер.

Было за полночь. Зазвонил телефон, я взглянул на часы. Стейнгер знаком велел мне взять трубку, подошел поближе, наклонился, прислушиваясь.

— Тревис? Это Бидди. Я только что пришла домой. Том нашел ее минут двадцать назад.

— С ней все в порядке?

— По-моему, да. Обыскали практически весь округ, а потом он увидел ее приблизительно в миле отсюда. Бедняжка вся искусана, опухла и чешется до безумия. Том ее сейчас купает, а потом мы подключим «Дормед». Сон для нее сейчас лучше всего на свете.

— Что подключите?

— Аппарат для электротерапии. Отлично на нее действует. И... спасибо за заботу, Тревис. Мы оба... очень признательны.

Я положил трубку, Стейнгер, несколько удивленный, поднялся.

— Вы и с Пайками тоже знакомы?

— Давно знаю его жену и ее сестру. И их мать.

— Она ведь недавно скончалась?

— Верно.

— Нашли они эту чокнутую жену? — полюбопытствовал Наденбаргер.

— Том Пайк отыскал ее.

Наденбаргер медленно покачал головой:

— Ну, это действительно штучка, клянусь Богом! Эл, никогда не забуду, какой у нее был видок прошлой весной, когда она два дня пропадала, а три брата Телаферро все это время держали ее в грязном чуланчике в гараже для грузовиков, накачивали спиртным и без конца трахали бедную чокнутую, пока она, честное слово, не истаскалась так, что Майку с Сэнди пришлось на носилках вытаскивать...

— Заткни свою поганую пасть, Лью! — рявкнул Стейнгер.

Наденбаргер обиженно посмотрел на него:

— Да что с тобой, в самом деле!

— Пойди позвони, узнай, есть ли что-нибудь новенькое. Если есть, возвращайся за мной, если нет, сиди в машине, черт побери!

— Ладно. О'кей.

Когда молодой человек тихо закрыл за собой дверь, Стейнгер вздохнул, сел, полез в боковой карман, нашел половинку сигары, тщательно и осторожно раскурил покрытый пеплом конец.

— Мистеру Тому Пайку следовало бы отослать ее куда-нибудь. Или получше присматривать. Однажды ночью убежит и нарвется на психа, который вполне может ее убить.

— Прежде чем она сама себя убьет?

— Кажется, если в одном человеку везет, Макги, какие-то другие дела идут плохо. Она потеряла второго ребенка, и в мозгах у нее что-то свихнулось. Я бы сказал, хорошо бы ей довести до конца какую-нибудь попытку... Думаю, вам стоит задержаться в городе на несколько дней.

— Мне хочется помочь, если можно. Я не долго знал Пенни Верц, но... она мне очень нравилась.

Он вытащил изо рта сигару.

— Предлагаете дилетантскую помощь? Будете вертеться вокруг и все только запутывать?

— Скажем, не такую уж дилетантскую по сравнению с той, что сейчас вертится вокруг вас, Стейнгер.

— Когда Лью сняли с мотоцикла и приставили ко мне, у него вроде как сердце разбилось. Можете, если вам не претит, проверить, уезжал ли Рик Холтон, как он утверждает. Допрашивать человека с таким положением, как у Холтона, вредно для моего здоровья. Думаю, легче поговорить с Дженис Холтон, причем вам легче, чем мне.

Я опять вспомнил Гарри Симмонса и попросил:

— Если она позвонит справиться насчет меня, подтвердите, что я страховой инспектор, расследующий смерть доктора Шермана.

— К ней пойдете, не к Холтону?

— Просто выясню, искренне ли он, по ее мнению, верит в убийство доктора или притворяется ради сестры Верц.

Он тихонько присвистнул.

— Смотрите, чтобы она вам физиономию не разукрасила.

— Смотря как взяться за дело.

— Если Рик Холтон с женой оставались в городе и не держались вместе, я хочу точно знать, где она была в тот момент, когда в девушку воткнули ножницы.

— Она на это способна?

Он встал.

— Не угадаешь, кто на что способен или не способен при подходящей фазе Луны. Знаю только, что до замужества с адвокатом ее звали Дженис Носера, а ее родня всегда имела обыкновение улаживать проблемы на свой собственный лад.

Я вспомнил фотографии ее и детей из бумажника Холтона. Симпатичная, худая, смуглая, с большим носом и ртом, с гривой черных волос, с вызывающей высокомерной улыбкой глядящая в объектив.

— А вас я еще немножко проверю, — заключил Стейнгер, устало, скупо улыбнулся и вышел.

Глава 10

На первой странице местной газеты «Санди реджистер» красовался заголовок: «Убийство медсестры». Поместили и фотографию с солнечной улыбкой, тайно и больно ужалившую меня в самое сердце.

Представители закона сообщили весьма мало фактов — как было обнаружено тело, орудие убийства, приблизительное время смерти. Как всегда, обещали немедленный арест.

Бидди я позвонил почти в полдень в воскресенье. Усталым, апатичным тоном она сообщила, что Том улетел в Атланту на деловую встречу, рассчитывает вернуться около полуночи. Да, чудовищное несчастье с Пенни Верц. Когда Мори была пациенткой доктора Шермана, она всегда усердно, старательно помогала. Относилась поистине замечательно, никакой грубости, никакого официоза.

— Может быть, мне приехать, попробовать вас развлечь?

— Песнями, шутками и салонными фокусами? Сегодня, по-моему, ничего не поможет. Впрочем... приезжайте, если хотите.

Я трижды нажал кнопку звонка, прежде чем она в конце концов подошла к двери и впустила меня.

— Извините, что заставила ждать, Трев. Снова укладывала ее спать.

И направилась в большую гостиную — длинноногая, в желтых джинсовых шортах с медными пуговицами на задних карманах, в выцветшей синей рабочей рубашке с короткими рукавами. Длинная светлая грива зачесана вверх и заколота желтым гребнем, прядки выбились, и она, оглянувшись с кривой усмешкой, смахнула со лба шелковистые волосы.

— В этом месяце я совсем развинтилась, Трев. Хотите выпить? «Кровавую Мэри»? Джин с тоником? Виски?

— А вы что будете?

— Может, «Мэри» меня реанимирует. Поможете?

Просторная кухня оказалась светлой, веселой, в белых и голубых тонах, окна выходили на озеро, до самого берега тянулся пушистый газон.

Она вытащила лед, ингредиенты, а я приготовил напитки. Прислонившись к длинному столу, Бидди скрестила ноги, потягивая спиртное, и предупредила:

— Если вдруг рухну ничком, не пугайтесь. Вчера ночью, после того как мы ее уложили, совершила чертовскую глупость. Надо было забыть... обо всем... Пошла в лодочный домик, стала рисовать дурацкую ерунду, легла только в пять, а Том перед отъездом разбудил меня в восемь.

— Можно взглянуть?

— Ну... почему нет? Только она не в обычном для меня стиле.

Мы прихватили выпивку с собой. В обширное помещение над лодочным домиком, где она устроила студию, вела наружная лестница. Гудел оконный кондиционер. Бидди запустила второй, подошла к интеркому, включила, прибавила звук, я услышал медленный ритмичный шум и вдруг понял, что это глубокое внутреннее дыхание человека, спящего крепким сном.

— Собственно, — объяснила она, — Мори не может проснуться, я просто уверенней себя чувствую, когда слышу.

В студии стоял смешанный запах масляной краски и растворителя. Работы стояли штабелями у стен, а немногочисленные висевшие были полуабстрактными. Темы явно заимствованы у природы — камни, земля, кора, листья. Могучие цвета. Некоторые фрагменты почти символические.

— Это обычные для меня, — указала она на картины. — Вроде старой шляпы. Никакого «опа» и «попа»[1]. Никаких структур, фактур и прорывов.

— Да ведь всем дьявольски надоели чересчур тщательно выписанные лакированные поделки. Вполне можно взглянуть на такие цвета.

Она удивилась и обрадовалась:

— Неужели вы тоже член этого клуба?

— Черт возьми, девушка, я знаком даже с головоломными терминами, не имеющими абсолютно никакого значения. Например, динамическая симметрия.

— А тональное единство?

— Безусловно. Структурное восприятие. Композиционная иконография.

Она громко расхохоталась — хорошим смехом.

— Жуткий бред, правда? Жаргон завсегдатаев галерей, критиков и художников-неудачников. А вы что скажете, профессор Макги?

[1] О п-а р т и п о п-а р т — художественные течения, возникшие в 50—60-е гг.; в первом с помощью цвета и рисунка создается оптический эффект, например иллюзия движения; второе, возникшее как реакция на элитарное абстрактное искусство, берет свои образы из рекламы, комиксов, кино- и телефильмов.

— Интересно, картины всегда смотрятся одинаково или меняются в зависимости от освещения и от моего настроения? А развешанные на стене не исчезают ли через месяц настолько, что их замечаешь, только когда они свалятся?

Она задумчиво кивнула:

— Согласна. Так или иначе... я редко пишу фигуры. Но вот что сделала ночью.

Полотно стояло на мольберте — прямоугольник, вытянутый по горизонтали, примерно тридцать дюймов на четыре фута. В самом центре в небольшом просвете сидит, согнувшись, обнаженная женщина, обхватив ноги руками, опустив на колени голову, свесив светлые волосы. А вокруг злые джунгли, пятна острых, как пики, листьев, путаница виноградных лоз, корни, всплески черной воды, мясистые тропические цветы на черно-зеленом фоне. Ощущение полной тишины, неподвижности, ожидания.

Мы смотрели и слышали глубокое дыхание спящей сестры. Бидди кашлянула, отхлебнула и заключила:

— По-моему, очень уж драматично, сентиментально и... повествовательно.

— Я бы сказал, пусть сидит. Потом вы ее лучше поймете.

Она поставила стакан, сняла картину с мольберта, прислонила лицом к стене и отвернулась.

— Пожалуй, пусть не попадается на глаза.

Показала другие работы, потом выключила интерком, один кондиционер, и мы вернулись в дом.

— Еще выпьете или, может быть, сделать сандвич?

— При одном условии.

— При каком?

— Быстро выпьем, съедим простой сандвич, и плюхайтесь в койку. Я человек надежный, ответственный, сознательный и так далее. Если что-то понадобится, разбужу.

— Я не могу позволить...

— Горячий душ, чистые простыни, шторы задернуть. Макги обо всем позаботится.

Она зевнула, прикрыв рукой рот.

— Благослови вас Бог. Сдаюсь.

Мы перекусили, и она повела меня вверх по лестнице и по застланному ковром коридору к комнате Морин. Морин спала на спине, лежа посередине двуспальной кровати. Кондиционер выстудил комнату до ощутимой прохлады. Синее одеяло. Простыни и наволочка голубые с белыми цветами. Морин в стеганой пижаме, с распухшим лицом и горлом в красных пятнышках. В тихой комнате царили запахи цинковой мази, медицинского спирта, духов. Ароматы болезни и девушки. Хотя в комнате было темно, на ней красовались перламутровые очки для сна.

Бидди изумила меня, заговорив нормальным громким голосом:

— Я хочу, чтоб она проспала, как минимум, шесть часов. О, она нас не слышит, пока включен «Дормед».

Подвела меня к кровати, показала, о чем идет речь, и я разглядел тонкий электрический провод, тянувшийся от массивных очков к аппарату на тумбочке у кровати, похожему на маленький любительский радиоприемник. Три шкалы. Постоянно мигающий крошечный оранжевый огонек. Бидди объяснила, что этот электронный прибор, вызывающий сон, изобретен в Германии и поставляется в Англию и Соединенные Штаты одной медицинской торговой фирмой. В очки встроены электроды, покрытые пенопластом, два из них прикасаются к векам, два других, в наушниках, контактируют с сосцевидными отростками височных костей за ушами. Пенопластовые подушечки смачивают соляным раствором, очки надевают на пациента. Контролирующее устройство представляет собой импульсный генератор, посылающий в ответственные за сон центры в таламусе и гипоталамусе крайне слабые электрические импульсы, фактически в тысячу раз слабее, чем требуется для обыкновенной лампочки.

— Абсолютно безопасно, — продолжала она, — испробовано многими тысячами пациентов. Надо просто регулировать силу и частоту на вот этих двух шкалах. Третья включает и выключает прибор. Его достал для нас доктор Шерман и научил меня пользоваться. Понимаете, каким бы ни было ее состояние, он опасался давать ей снотворное из-за побочных эффектов. При чрезмерном возбуждении мы вынуждены делать уколы, но обычно аппарата вполне достаточно.

— Что при этом чувствуешь?

— Что-то... странное. Никакого дискомфорта. У меня было только какое-то мерцание в глазах. Не то чтобы неприятное. Я пробовала сопротивляться. Говорила себе, что наверняка не усну.

А потом мерцание пропало, меня медленно охватило такое... теплое и хорошее чувство, как будто погружаюсь в горячую пенную и душистую ванну. И заснула! А сон в самом деле чудесный. Освежающий, сладкий, глубокий. Как только заснешь, очки можно снять. Индуцированный «Дормедом» сон попросту превращается в абсолютно естественный. Или, вот как сейчас, я даю очень слабый импульс, и она будет спать, пока не сниму очки. Мимо может маршировать духовой оркестр, а она будет спать, как дитя. Замечательное изобретение. Этот прибор портативный, укладывается в серенький аккуратненький чемоданчик, где есть место для соляного раствора и прочего.

— Надо мне что-то делать, пока она спит?

— Ничего. Ну, то, что делаю я, совершенно необязательно. Просто захожу посмотреть на нее, проверяю, мигает ли маленький огонек. Он не должен ни гаснуть, ни постоянно гореть. Только однажды она так дернула головой, что очки съехали.

— Но вам будет спокойней, если я сделаю то же самое?

— Пожалуй.

— Тогда идите.

В холле она показала свою дверь:

— Стучите, пока не отвечу. Если просто что-нибудь пробормочу, не отступайтесь, ждите настоящего ответа. — Она бросила взгляд на часы. — И не давайте мне спать дольше пяти часов. Ладно?

— Разбужу в пять.

— Если проголодаетесь, захотите выпить или еще чего-нибудь...

— Знаю, где что найти. Отправляйтесь, Бриджит. Спите спокойно.

Через тридцать минут в доме установилась особая тишина воскресного сна. Легко пощелкивают и гудят маленькие реле и электроприборы — холодильник, морозильник, кондиционер, термостаты, электрические часы. Сквозь закрытые окна доносятся слабые звуки — дети катаются на озере на водных лыжах, жужжат моторные лодки.

Где искать, не имея понятия, что ты ищешь? Альков в гостиной явно служил Тому Пайку небольшим домашним кабинетом. На антикварном столе пусто. Ящики заперты на современные, великолепные, хитроумные замки, вскрыть которые можно только в телевизионных драмах. В коридоре на телефонном столике я увидел черно-белую фотографию в серебряной рамке. Хелена, Морин и Бриджит на фордеке «Лайкли леди». Судовая одежда, свитеры для плавания в холодных водах. Девочки Майка Пирсона, стройные, уверенные, улыбающиеся, с глазами, полными любви, что может означать лишь одно: в объектив смотрит Майк, Майк держит палец на спуске.

Итак, в тишине вверх по мягко застланной лестнице с длинными низкими ступеньками, шагая через одну. В задней части дома закрытая дверь — не заперта, открывается в хозяйскую спальню. Окна во всю стену с видом на озеро, шторы задернуты. В одном конце камин, книжные полки. Огромная, сделанная на заказ кровать царствует в другом конце. Кажется чересчур сибаритской, не соответствует остальной обстановке дома. Две ванные, две гардеробные. Его и ее. В ее туалетной глубокая квадратная темно-синяя ванна, душевая отгорожена прозрачным стеклом. Стратегически расставлены зеркала, так же как и на ближайшей к огромной кровати стене.

Постель аккуратно застелена, значит, Бидди, как минимум, по воскресеньям служит горничной, домоправительницей и кухаркой. В ванной Морин отсутствуют личные вещи. В шкафах в гардеробной зимняя одежда. На туалетном столике пузырьки духов, бутылочки с лосьонами, лишь чуть-чуть запылившиеся.

А вот он здесь живет — и очень аккуратен. Тут спортивные рубашки, там официальные. На одной вешалке пиджаки, брюки. На другой костюмы. На встроенном стеллаже обувь. Шелк, кашемир, лен, ирландский твид, английская шерсть, итальянские туфли. Ярлыки с Уорт-авеню, Нью-Йорк, Сент-Томас, Палм-Спрингс, Монреаль. Вкус, цена, качество. Безличие, отчужденность, корректность, какая-то стерильность. Явно никаких сантиментов по поводу старых свитеров, древних поношенных мокасин, дряхлых спортивных слаксов, мягкого потрепанного халата. Все, на чем остаются наглядные признаки носки, изъято.

Я поискал еще ключики. Видно, все у него в порядке, ничего не требуется, за исключением аспирина и «Алка-Зельцер». Записок в пиджачных и брючных карманах он не оставляет. Кажется, нет у него ни единого хобби, отсутствует оружие, книги только по экономике, законодательству, ценным бумагам, недвижимости.

Тогда я махнул рукой на Тома Пайка и тихо пошел вниз по коридору к комнате Морин. Она все так же глубоко дышала, даже не пошевельнулась. Руки вытянуты вдоль тела поверх одеяла. Маленький оранжевый огонек на контрольном приборе «Дормеда» по-прежнему помигивал. Я подошел сбоку к кровати, осторожно приподнял ее левую руку. Она была теплой, сухой, полностью расслабленной и поэтому тяжелой, как рука свежего трупа. Тыльная сторона исцарапана, искусана насекомыми. Перевернув руку, подставив под свет, я, наклонившись, сумел разглядеть белый шрам, пересекающий сеть голубых вен под чувствительной кожей. Уложил обратно, посмотрел на Морин. Из-за массивных очков казалось, будто глаза у нее завязаны. На горле медленно и размеренно бился пульс. Даже искусанная, исцарапанная, испещренная высохшими оранжево-белыми пятнами лосьона, она выглядела ухоженным и роскошным, сладостно-чувственным животным.

Милая изгнанница. Прелестные супружеские забавы в огромной постели с отражением в зеркалах буйной девчонки, волнующая возня со стройным возлюбленным-мужем. Потом рай искажается, образ становится смешным и страшным. Две внезапные катастрофы — вместо младенцев два маленьких окровавленных комка плоти, слишком быстро исторгнутых из безопасного, теплого, темного лона. Мир становится странным, как в быстро забытом полусне. Пружинистая кровать сменяется матрасом, брошенным на пол в чуланчике гаража для грузовиков, где ты, мертво-пьяная, охромевшая, искалеченная, служишь жестокую службу братьям Телаферро. Прости меня, милая, за обыск в комнате, куда тебя изгнали. Я ищу ответы на еще не придуманные мной вопросы. Один, впрочем, есть: правда ли, что тебе хочется умереть?

Ничего не нашлось. В ванной стоял на скамеечке железный шкафчик, надежно запертый. Несомненно, с лекарствами. Видимо, в ванной и в спальне не оставили ничего, чем она могла бы пораниться. Каждый выдох Морин заканчивался легким урчанием. Диафрагма вздымалась и опадала в глубоком дыхании глубокого сна.

Я вышел из комнаты, радуясь, что больше не слышу его. Чем-то похоже на кому, предшественницу смерти.

Спустился вниз, нашел холодное пиво, включил телевизор на малую громкость, понаблюдал, как двадцать два очень крупных молодых человека сбивают друг друга с ног под радостный тысячеголосый рев. Наблюдал, но ничего не видел. Просто оживленная мешанина цветов, движений и звуков.

Кухонные ножницы с темно-синими кольцами. Хелена взбирается, на палубу, обнаженная, в красном свете солнца Эксумы, спотыкается о брусок, умудряется не потерять равновесие, ныряет в черно-серую воду бухты у Шрауд-Ки, а потом на поверхности появляются блестящие, как у котика, волосы, облепившие изящную головку. Пенни Верц прижимается ко мне в ночи с влажными от трудов спиной и плечами, тихонько урчит от удовольствия, все медленнее дыша. Бидди громко всхлипывает, торопясь в мою ванную, спотыкается, жалкая, некрасивая, неуклюжая, тяжеловесная. Пальцы и память. Вскрывающие вены, не прыгают в окна, а висельники не режут вены. Двадцать тысяч высокому мужчине. Бармен Джейк желает счастливого пути. «Бама-Гэл» выскакивает на солнечный свет после многих недель в мутной глуби. Том Пайк открывает закрытое руками лицо, из глаз текут слезы. Майк стучит увесистым кулаком по обшивке кабины, демонстрируя честную конструкцию «Лайкли леди». Мори вытирает жирные пальцы об округлые упругие фарфорово-золотистые бедра. Рик Холтон разгибает и растирает запястья, с которых я снял жесткую тугую проволоку. Синие кольца кухонных ножниц. Запах Пенни. Пятьдесят шелковых галстуков с золочеными ярлычками. Мигает оранжевый огонек — янтарно-оранжевая мошка, меньше десятицентовой монетки. Скорчившаяся обнаженная девушка в гогеновских джунглях.

Мозг — котел, что-то вскипает, выскакивает на миг и ныряет обратно в похлебку. На ощупь ничего не найти. Ждешь, пока как-нибудь упорядочится, обнаружится некая связь в хаосе всплесков и пузырьков на поверхности. А потом — эврика! Причем веришь, что это холодный, чисто логический процесс.

Наконец, при моем четвертом визите к электронному снотворному, стукнуло ровно шесть. Я осторожно снял очки, отложил в сторону, выключил «Дормед». Последил, готовый идти будить Бидди, если Морин проснется. Несколько минут она не шевелилась. Потом перекатила голову из стороны в сторону, что-то промурлыкала, совсем перевернулась на бок, подтянула колени, сунула обе руки, сомкнув ладошки, под щеку и вскоре задышала так же глубоко, как и прежде.

В комнате темнело, и я включил плоскую лампу на противоположной стене. Сел в качалку возле кровати, наблюдая за спящей женщиной, думая, что, наверное, на этом месте обычно сидит Бидди, глядит на нее, размышляет о браке, о своей собственной жизни.

Чуть позже восьми я стукнул в дверь Бидди. Через секунду услышал сердитое неразборчивое ворчание. Подождал, еще стукнул, она неожиданно резко распахнула дверь, в халате, наброшенном на плечи, придерживая его скрытой под полой рукой. Волосы спутаны, лицо припухло от сна.

— Который час?

Я сообщил, что восемь с небольшим, что Мори отключена от аппарата в шесть и по-прежнему спит. Бидди зевнула, откинула волосы свободной рукой.

— Бедняжка, наверно, совсем измучена. Я буду через минуту.

Одеваясь, она послала меня вниз, пообещав привести Мори. Я отыскал выключатели, а когда смешивал выпивку, зазвонил телефон. Раздался один звонок. И все. Поэтому я решил, что Бидди ответила наверху. Понес стакан в гостиную, и снова прозвенел один звонок.

Они вскоре спустились. Мори была в длинном, до полу, синем халате с длинными рукавами, белыми пуговицами и белой отделкой. Одной рукой чесала плечо, другой бедро и кисло жаловалась:

— Просто совсем меня съели. Как они пробираются в закрытый дом?

— Не чешись, милая, только хуже будет.

— Ничего не могу поделать.

— Поздоровайся с Тревисом, дорогая.

Она остановилась у подножия лестницы, улыбнулась мне, все еще почесываясь, и сказала:

— Привет, Тревис Макги! Как дела? Я сегодня чудесно спала.

— Отлично.

— Только все жутко чешется. Бидди!

— Что, детка?

— Он здесь? — Тон и выражение опасливые.

— Том уехал.

— Бидди, можно мне сандвич с арахисовым маслом? Ну пожалуйста!

— Ты же на диете, милая. Опять набрала почти сто пятьдесят.

— Но ведь я очень высокая, Бидди, — льстиво, угодливо продолжала она. — И умираю с голоду. Так хорошо поспала и так жутко чешусь!

— Ну...

— Пожалуйста! Его ведь все равно нет. Он ничего не узнает. Знаешь, наверно, какой-нибудь сукин сын меня пнул или стукнул. Ужасно болит, прямо...

— Морин!

Она замолчала, сглотнула с виноватым видом.

— Я не хотела.

— Пожалуйста, веди себя прилично, милая.

— Ты ему не расскажешь?

Бидди взяла у меня стакан, и они проследовали на кухню. Потом очень медленно и осторожно вышла Морин, неся новую порцию. Я поблагодарил, и она просияла. Каким-то образом умудрилась выпачкать нос арахисовым маслом, должно быть, лизнула из банки. Ушла назад. Я слышал их разговор, но не разбирал слов, лишь интонации, словно мать разговаривала с ребенком.

Вернувшись, Морин придвинула к телевизору пуф, охотно надела подключенные Бидди наушники и погрузилась в образы, звуки, жадно поедая сандвичи.

— Любит смотреть то, чего не выносит Том, — заметила Бидди.

— Она помнит о своем вчерашнем побеге?

— Нет. Все уже позабыто. Доска начисто вытерта.

— Она не хочет произносить имя Тома?

— Иногда произносит. Ужасно старается угодить ему, заслужить одобрение. Просто... вся костенеет в его присутствии. Он действительно замечательный и очень с ней терпелив. Но по-моему... человек с интеллектом Тома не может приспособиться к жене-ребенку.

— Если говорить о ней как о ребенке, это хороший ребенок.

— О да. Она счастлива или кажется, будто счастлива, любит помогать, только забывает, как делать разные вещи.

— Вроде бы это не согласуется с попытками самоубийства?

— Нет, — нахмурилась она. — Все гораздо сложней, Тревис. В этих случаях речь идет о другом ребенке, дурном и хитром. Перед попытками она сперва добирается до спиртного и напивается. Как будто алкоголь помогает ей осознать себя и свое состояние, снимает какую-то блокировку или нечто подобное. С самого первого раза мы держим под замком все спиртное. В тот раз, когда она заперлась в ванной и перерезала вены, я оставила на столе рядом с миксером полкварты джина и забыла. Как бы упустила из виду. А она, должно быть, утащила наверх. Так или иначе, пустая бутылка валялась у нее под кроватью. И когда Том нашел петлю, мы знали — она что-то выпила, только неизвестно, что именно и каким образом. Ванильный экстракт, лосьон для бритья, еще что-нибудь, может, даже медицинский спирт. Она, конечно, не помнит. Уже довольно поздно. Приготовить вам поесть?

— Думаю, мне пора, Бидди. Спасибо.

— Это я вам обязана, друг мой. Я сердилась, что вы мне позволили так долго спать. Но наверно, вы лучше знаете, как это мне было нужно. Я дошла до предела. Минимум, чем могу отплатить, — накормить.

— Нет, спасибо, я...

Она насторожилась, прислушалась, склонив голову, потом расслабилась:

— Извините. Показалось, снова этот чертов телефон. Наверно, какие-то неполадки на линии. На протяжении двух-трех последних месяцев то и дело звонит один раз или даже один не дозванивает, а потом умолкает. Никто не отвечает. Снимешь трубку — там просто гудок. Так останетесь?

— Нет, пожалуй. Но все равно спасибо.

Морин, попрощавшись улыбкой и кивком, поспешно вернулась к голубому экрану, где окруженная толпой девушка с оживленным лицом наклонилась через проволочную ограду, радуясь при виде стремящейся к финишной линии беговой лошади. Из наушников Морин слышалось только жужжание.

Идя к машине на подъездной дороге, я услышал позади щелчок. Бидди заперла на замок тяжелую парадную дверь.

Глава 11

К моменту моего появления в обеденном зале мотеля воскресный обед закончился. Могли подать разве что сандвич со стейком. В дальнем конце зала сидела перешептывавшаяся пара, да одинокий толстяк притулился у стойки. Когда я подошел к бару выпить на ночь, и пара, и толстяк ушли. Я сел на дальний стул у стены, где впервые увидел Пенни.

Ко мне со странным выражением на физиономии приближался Джейк, бармен.

— Добрый вечер, сэр. Слушайте, если вы вляпались в какую-то передрягу...

— Я всего лишь посоветовал Стейнгеру спросить у вас, действительно ли я впервые с ней встретился прямо здесь в пятницу вечером.

Ему вроде бы полегчало.

— Честно сказать, он мне голову заморочил. Заявился с такими речами, говорит, если будете пускать сюда шлюх, потакать, можно ведь и лицензию потерять. То да се, вокруг вас с той девчонкой. Вдруг думаю, ему намекнули, прямо так отрицать не могу, говорю, разумеется, они вместе ушли, да откуда мне знать, может, они друзья-приятели. Клянусь Богом, сэр, я не знал, что это про нее нынче утром писали в газетах, пока он не сказал. Я расстроился, думаю, может, вы тот самый псих, что повез ее домой и... Даже самые обыкновенные с виду парни иногда из-за шлюх с ума сходят. Только никак в голове не укладывалось, чтобы вы... Ну, в любом случае, вижу, как вы вошли, сразу полегчало, не пойму, почему.

— Мне, пожалуй, «Блэк Джек» со льдом.

— Слушаюсь, мистер Макги. — С подобающей помпой подал спиртное и продолжал: — Господи Иисусе, я прямо чуть жив с тех пор. А... по-моему, вам должно быть еще хуже. — Подразумеваемый вопрос был абсолютно ясен.

— Джейк, мы вышли отсюда, пожали друг другу руки, спели коротенький гимн и сказали друг другу «спокойной ночи».

Он вспыхнул:

— Простите. Это не мое дело. Я просто думал, может, она сама напортачила, понимаете? Захотела сквитаться с изменившим дружком, повела вас к себе, а назавтра сообщила ему, как разделалась с ним, и он просто не выдержал. Посмеялась над ним, он схватил первое, что подвернулось под руку, и...

— Потом в ужасе посмотрел на дело своих рук, зарыдал от всего сердца и позвонил копам.

— Я просто стараюсь сообразить, что там было.

— Знаю, Джейк. Извините. Все играют в эту игру. Нам ведь всегда хочется знать почему. Гораздо больше, чем как, кто, когда. Именно почему.

— Можно задать вам один вопрос? Вы к себе в номер заглядывали, прежде чем пришли обедать?

— Нет. Поставил машину перед отелем. То есть вы хотите сказать, что меня кто-то ищет?

— Н-ну, это мистер Холтон, — неуверенно признался Джейк. — Адвокат. Он здесь часто бывает, и никогда никаких проблем. Заходил часов в пять, искал вас. Опрокинул две порции и вернулся где-то без четверти шесть. Еще выпил, опять пошел посмотреть, опять вернулся. Я ему наливал больше обычного, потому что он местный, старый клиент и всегда хорошо со мной держится. Ну, в конце концов разошелся и начал шуметь, мне в итоге пришлось его выставить. Было это, наверно, за полчаса до вашего прихода... Судя по его походке... может, он спит сейчас в своей машине. А может, еще на ногах держится и поджидает вас в номере. Заявил мне, мол, хочет надрать вам задницу. Глядя на вас, приходишь к выводу, что это не так легко сделать, разве что с ног свалить, но он на это вполне способен, почти совсем рехнулся. Лучше поглядывайте по сторонам по дороге в номер.

Он заслужил чаевые в размере сдачи с пятерки за одну порцию.

Я решил не подъезжать к 109-му, как планировал, а пойти пешком, длинным кружным путем, ступая по траве, держась подальше от света. Остановился, прислушался, осмотрелся и наконец разглядел крупную тень, которая торчала у высоких кустов, прислонясь к белой стене мотеля. Постарался припомнить, как он поступил с полученным от меня назад револьвером, — сунул под пиджак за пояс слева, высоко над бедром, рукояткой к животу. Легко выхватить правой рукой. Я пригнулся, прикинул подходящий маршрут, сбросил башмаки, описал круг, тихо и быстро прошмыгнул через два освещенных участка, медленно и осторожно пополз в гущу листвы позади него справа. Приближаясь, услышал сильную икоту, от которой он трясся всем телом, как в немых фильмах. Наконец я неслышно остановился на четвереньках прямо за ним, чуть правее, там, где полагается быть крупному и послушному псу, слегка сблизил колени, перенес вес тела назад, поднял обе руки. При следующей икоте выбросил руки, зацепил крепкие коленки, рванул его за ноги и повалил, перевернув на левый бок. Как только он рухнул, я упал на него, ощутил деревянную рукоятку, выдернул револьвер, перекувырнулся в траве и вскочил на ноги.

Он медленно принял сидячее положение, перекатился на колени, уперся руками в стену, медленно встал, обернулся, прислонился к стене спиной, тряхнул тяжелой головой и слабо вымолвил:

— С-с-сволочь. Гр... грязный сволочной кобель.

— Успокойтесь, Ричард. Я вылечил вас от икоты.

Рыча, он пошел на меня, яростно размахнулся, только был еще так далеко, что ударить мог только сырой вечерний воздух. Я вильнул в сторону, выставил ногу, и он тяжело упал лицом вниз. С болезненной медлительностью большого покалеченного насекомого снова поднялся на ноги, опираясь о деревце.

Повернулся, отыскал меня блуждающим взглядом и забормотал:

— Плата за грех. Грязные мыслишки. Воспоминания. Все сработало. Я ее прочитал, слышишь, ты, сукин сын. Ты заставил Пенни на меня разозлиться, хитрый ублюдок. Придержал ее тут, улестил и убил, гад паршивый. — И снова с натужным рычанием ринулся на меня.

Как только он приблизился, я быстро пригнулся, коснувшись пальцами травы. Он наткнулся на меня, повалился мне на спину, я быстро распрямился, и он, сделав в воздухе пол-оборота, упал плашмя, глядя в небо и тяжело дыша. Потом сдавленно, сухо закашлялся и сообщил:

— Тошнит. Сейчас стошнит.

Я помог ему перевернуться. Он поднялся на четвереньки, медленно пополз, остановился, содрогнулся, и его начало рвать с дикими спазмами.

— Жутко тошнит, — простонал он.

Я поднял его на ноги, одну руку забросил себе на плечи, обнял за широкую талию и повел в номер. В ванной его опять стошнило. Я поддерживал его глупую голову, потом посадил на закрытую крышку унитаза, мокрым полотенцем счистил с него грязь и рвоту. Он покачивался с полузакрытыми глазами.

— Я любил эту девушку. Любил. Жуть какая. Я не вынесу этого. — Открыл глаза и взглянул на меня снизу вверх. — Клянусь Богом, не переживу!

— Лучше пойдемте домой, Рик.

Он обдумал эту мысль и кивнул:

— Лучше. Мне плохо. Кого теперь это интересует? Дженис плевать. Одна Пенни заботилась. А она умерла. Какой-то сукин сын ее убил. Какой-то свихнувшийся псих. Не ты, знаю. Лучше бы ты. Я бы тебя пришил.

— Где вы живете, Холтон?

— 28, Форест-Драйв.

Я взял у него ключи от машины, добился ее описания, пошел к центральному подъезду и подъехал к номеру. Вошел, забрал его, помог влезть в красный автомобиль с откидным верхом, сам сел за руль. Он бормотал указания, а когда пришлось остановиться перед светофором, проговорил:

— Извини за беспокойство, Макги. Знаешь ведь, как бывает.

— Знаю, конечно.

— Надо было разрядиться. Я тебя ненавидел. Зачем ты уложил в постель мою девочку... мою чудную веснушчатую медсестричку? Но, как мужчина мужчине, черт побери, раз она сама хотела, значит, хотела, к чему отказываться, а? Замечательная девчонка. Самая лучшая в мире. Ты хороший парень, Макги. Ты не должен мне нравиться, сукин ты сын, а вот нравишься. Слышишь? Нравишься.

Пришлось его встряхивать, чтобы получить дальнейшие указания. Когда я свернул на асфальтированную подъездную дорогу, он спал. Дом был блочный, бетонный, одноэтажный, белый с розовой отделкой. Двор был пуст, в доме горел свет, из дверей гаража наполовину высовывался серый фургон «плимут».

Я свернул в сторону от гаража, остановился у парадных дверей. Зажегся свет снаружи, дверь открылась, выглянула худая темноволосая женщина.

Я вылез, обошел вокруг машины.

— Миссис Холтон?

Она подошла и взглянула на спящего мужа. На ней были темно-оранжевые брюки и желтая блузка, на стройной, лебединой шее повязан ярко-красный платок. Цыганские цвета.

— К сожалению, да. Кто вы такой?

— Меня зовут Макги. — Мне показалось, что это ее слегка удивило. Почему — непонятно. — Помогу вам ввести его в дом.

Она протянула руку, взяла его за подбородок, слегка повернула голову. Подняла другую руку, секунду выждала, а потом очень быстро, с большой силой, дважды хлестнула по щеке открытой костлявой ладонью. Он стал с трудом выкарабкиваться из тумана, хватая ртом воздух и озираясь вокруг.

— Эй! Эй, крошка Дженис! Это Тревис Макги, мой очень хороший приятель. Он собрался зайти и немножечко выпить. Мы все выпьем. Ладно?

Он начал вылезать из машины, я схватил его за руку, вытащил, мы подхватили с обеих сторон, ввели в дверь. Она подсказывала напряженным от усилий голосом, зажгла свет, видимо в комнате для гостей, где мы посадили его на кровать. Он сидел с закрытыми глазами, бормоча что-то нам непонятное. Потом повалился, я подхватил за плечи, развернул, чтобы под головой оказалась подушка. Жена опустилась на колени, расшнуровала, сняла башмаки. Я подхватил на ноги, забросил на кровать. Она расстегнула брючный ремень. Он издал длинный грохочущий храп, она бросила на меня взгляд и поморщилась с омерзением. Следом за ней я вышел из комнаты. Она выключила свет и закрыла за нами дверь.

Я проследовал за ней в гостиную.

— Спасибо за помощь, — сказала она, повернувшись ко мне. — С ним такое не часто случается. Это не извинение и не оправдание. Просто констатация факта.

Я вытащил из брючного кармана револьвер Холтона, протянул ей.

— Если такое вообще случается, ему не стоит иметь при себе эту штуку.

— Я спрячу, а ему скажу, будто он его потерял. Еще раз спасибо.

— Можно от вас позвонить, вызвать такси?

Она шагнула к окну, выглянула на улицу.

— Моя подруга еще не спит. Придет присмотреть за спящими детьми, а я вас отвезу.

— Мне не хочется доставлять вам хлопоты, миссис Холтон.

— А мне хочется подышать свежим воздухом. Вы и так мне доставили кучу хлопот.

Она подошла к телефону в прихожей, набрала номер, поговорила вполголоса. Когда вышли и сели в машину, попросила минуточку обождать. Открылась дверь дома через дорогу, вышла женщина, стала переходить улицу, я получил разрешение трогаться. Она махнула рукой и крикнула:

— Большое спасибо, Мэг!

— Не за что, Джен. Не спеши назад, детка.

Дженис Холтон развязала шейный платок, накинула его на темные волосы, завязала под подбородком. Судя по ее поведению, поездка предстояла быстрая и молчаливая.

— Думаю, ваш муж расстроился из-за убийства его приятельницы.

Я видел краем глаза, как быстро она на меня оглянулась.

— Меня не интересует, из-за чего он... расстроился, мистер Макги. Мне жаль девушку. По правде сказать, жаль, что мне так и не довелось ее поблагодарить.

— За что?

— Скажем, за то, что спустила меня с привязи.

— Разорвала цепь?

— Вас действительно интересуют прискорбные детали моей счастливой супружеской жизни?

— Просто ваши слова показались мне странными.

— В последнее время я обнаруживаю, что говорю очень странные вещи.

— В самом низу брачного свидетельства, миссис Холтон, четкими буквами напечатано, что отныне вы будете навеки счастливы.

Наверное, это можно назвать ролевой игрой, в том же смысле, в каком данный термин употребляют психологи при групповой терапии. А можно вслед за Мейером окрестить моим мошенническим инстинктом. Ладно, сойдемся на капле хамелеоновой крови. Но наилучший способ завязывать отношения заключается в обнаружении общих проблем, и, как только подобная связь установится, собеседник раскалывается. Поэтому я немножко соврал, чтоб немедленно вызвать сочувствие. Чтобы треснула скорлупа, надо было сыграть роль бывшего мужа, поэтому я вложил в свои слова максимум мужской горечи.

— Кажется, вам тоже выпала подобная увеселительная поездка, мистер Макги?

— Покатался на карусели, пошатался по комнате смеха, проплыл по туннелю любви. Конечно. Я совершил карнавальное путешествие, миссис Холтон. Но обстановочка с большим успехом вытянула из супруга кишки. Я поверил напечатанной в брачном свидетельстве строчке. А она оказалась гулящей. Выдержал только месяц, пускай дальше гуляет. Поэтому несколько сомневаюсь в работе системы.

— У девушки, вышедшей замуж за адвоката, она работает не совсем так. Я тоже верила напечатанному, мистер Макги. Считала брак почетным, честным контрактом. И, клянусь Богом, соблюдала его. Через год выяснила, что все будет не так... как надеялась. Поэтому постаралась понять. Рик, по-моему, чувствовал, что... не достоин любви. Никогда не мог поверить по-настоящему, что его кто-то любит. Он способен все портить тысячами злобных, низких и мелких способов. Знаю, он любит наших сыновей. Но любую... семейную церемонию, каждое теплое, радостное событие... обязательно омрачит. Слезы, кавардак, гадости... Все, что старался спланировать... дни рождения, годовщины... испорчены самым жестоким образом. Я все терпела. Думала, будто терплю. Знаете, взрослый человек всегда пристраивает ступеньки... Он успешно работает, заслуживает доверия, не пьет, не шляется. А потом... тайная связь с мисс Верц перевернула лестницу.

— И освободила вас от супружеских уз?

— Удержала от отчаянных стараний... сохранить семейную жизнь. Как бы... аннулировало все мои обеты.

— Вы недавно про нее узнали?

— Нет, практически в самом начале. Он пустился в крестовый поход — выяснять, что на самом деле произошло с доктором Шерманом. Вам об этом известно?

— Он рассказывал. Это лишь прикрывало интрижку с медсестрой?

— О нет. Он искренне старался. Но, занявшись вместе с ней так называемым следствием, безусловно, стал уделять ему чересчур много времени. Кто-то мне позвонил и весьма гадким шепотом просветил. Не могу сказать, мужчина или женщина. Не хотелось верить, но почему-то я знала, что это правда. Потом начала замечать всевозможные мелкие признаки. — Она невесело усмехнулась. — Убедительнее всего была его необычайная нежность ко мне и к мальчикам.

— Стало быть, собираетесь разводиться?

— Не знаю. Я больше его не люблю. Но собственных денег у меня ни цента, и я просто не знаю, удастся ли получить после процесса достаточно алиментов и средств на детей.

Я свернул к «Воини-Лодж», остановился подальше от огней на въезде, неподалеку от архитектурного водопада и пылающих газовых факелов.

— С вами чертовски легко разговаривать, мистер Макги.

— Может быть, благодаря одинаковым боевым ранениям. Мне пришлось как можно скорее отделаться от своей обузы.

— Дети есть?

— Нет. Она все твердила: «Потом, потом».

— Знаете, в том-то и разница. Довольно симпатичный дом, приятное соседство, хорошая школа. Лечение и дантист, обувь и сбережения. Сейчас все устроено. Я честно делаю свое дело, занимаюсь хозяйством. Но больше не разрешу ему прикоснуться ко мне. Меня выворачивает наизнанку. Пусть найдет другую подружку по играм, плевать. А светскую жизнь мы практически не ведем.

— И вы сможете так прожить до конца?

— Нет! И не собираюсь. Но мой друг говорит — лучше нам... лучше мне временно потерпеть. Это милый, ласковый, умный и понимающий человек. Мы очень сблизились с той поры, как я узнала про Рика. Его брак безнадежен не менее моего, но в другом смысле. У нас не просто любовная интрижка. Мы встречаемся, и при этом приходится жутко осторожничать и скрываться, так как я не хочу давать Рику каких-либо поводов, которыми он может воспользоваться при разводе. Мы даже особенно не планируем будущее. Просто оба... должны пока терпеть сложившееся положение.

— Тогда, должно быть, семейный визит, о котором Рик мне рассказывал, — вчерашняя поездка в Веро-Бич, — просто шутка.

Она повернулась на боковом сиденье лицом ко мне, прислонившись спиной к дверце и вытянув ноги:

— Вечная история про запутанную паутину, в которую сам попадаешь! Мне даже в голову не приходило, что он соизволит провести субботу с женой и детьми. Сообщила ему, что поеду навестить сестру, Джун, а мальчиков по дороге оставлю у своей лучшей подруги. Она живет в двадцати милях к востоку отсюда, и у нее сыновья практически того же возраста. Договорилась с Джун, чтобы она прикрыла меня на тот случай, если Рик позвонит под каким-то дурацким предлогом. И собиралась поехать... в другое место поблизости, провести день со своим другом. А Рик из чистой вредности тоже решил поехать! По-мосму, он никак не мог ничего пронюхать. Вел себя до того безобразно, что я заподозрила небольшую любовную ссору с подружкой. Когда я отводила мальчиков, Рик оставался в машине. Улучила момент позвонить и предупредить сестру, но нельзя было известить друга от отмене свидания. Рик весь день был в мерзком настроении. — Снова невеселая усмешка. — Что за паршивая мыльная опера!

Не следовало покидать ее в этот момент: ей могло показаться впоследствии, будто из нее ловко выкачали информацию или что она была чересчур откровенна. Поэтому я сплел рассказ о своей стычке с дружком жены, которой у меня никогда не было, а когда изложил в подробностях, она проговорила:

— Ужасно, что людям приходится проходить через это только из-за чрезмерной незрелости мужа или жены... которые попросту не способны каждый день хранить верность. Вы когда-нибудь с ней встречаетесь? Она все еще в Лодердейле?

— Нет. Уехала. Где сейчас — не имею понятия. Деньги шлю в один банк в Джэксонвилле. Если захочется ее найти, стоит только приостановить выплату. Слушайте, не хотите зайти выпить?

— Боже, который теперь час? Мэг хорошая соседка, но не хочу злоупотреблять ее добротой. Мистер Макги...

— Тревис.

— Тревис, я вовсе не собиралась так долго жаловаться, но почему-то мне стало лучше после сравнения своих синяков с вашими.

— Удачи вам, Дженис.

— И вам тоже.

Я вылез, она перебралась за руль, застегнула ремень, подтянув пряжку по своей стройной фигуре, крикнула: «Доброй ночи», дала задний ход, развернулась, выехав на подъездную дорогу, умело вильнула и уехала.

Я послал телепатическое сообщение ее неизвестному другу. Держись за нее, приятель. Ричард Холтон чересчур слеп, не видит, что имеет. В ней есть огонь, цельность, отвага, самообладание. Весьма симпатичное живое существо. Хватай ее, если можешь. Даже если вокруг их немало, вряд ли какая-нибудь хоть когда-то освободится.

Никаких сообщений, никакого мигания красной лампочки автоответчика. Горничная постелила постель. Я выключил свет, и комнату заполонил веснушчатый призрак. Я пожелал ему спокойной ночи.

— Мы узнаем, мисс Пенни, — посулил я. — Мы каким-нибудь образом выясним, и тогда тебе незачем будет шататься в ночи по номерам мотеля.

Глава 12

Я провел адскую ночь. Сотни снов, и все запавшие в память обрывки были скроены по одному образцу. Либо за мной кто-то гнался, чтобы сообщить что-то важное, а я никак не мог остановиться и убегал, либо я сломя голову мчался за кем-то, кто, несмотря на все мои старания, медленно удалялся, уезжая в машине, в автобусе, в поезде. Иногда это была Пенни, иногда Хелена. Я проснулся с уставшим, пронизанным болью телом, рот смахивал на воротца для крикета, глаза красные и распухшие, кожа как бы растянулась, стала слишком просторной, готовясь обвиснуть волнистыми складками.

После бесконечной чистки зубов и душа — абсолютно бесполезных — я позвонил в департамент полиции Форт-Кортни и попросил передать Стейнгеру, что хочу с ним пообщаться.

Только принесли завтрак, как он плюхнулся в кресло напротив меня за столом, попросив у официантки горячего чая.

— Плохо выглядите, Макги.

— Плохо спал, плохо себя чувствую.

— Со мной всю жизнь то же самое, каждое утро. Ну что, удалось обработать Дженис Холтон?

— Они ездили в Веро-Бич вместе. Можете справиться у ее старой подруги, у которой она оставляла детей, милях в двадцати отсюда по направлению к Веро-Бич. Холтон серьезно верит в убийство доктора Шермана. Брак Холтона рухнул. Ей известно про медсестру. Ради детей намерена терпеть, пока не отыщет какой-нибудь способ встать на ноги. И по-моему, ей это удастся раньше или позже.

Стейнгер подул на горячий чай, отхлебнул, внимательно посмотрел на меня, медленно покачал головой:

— Ну, вы молодец! Клянусь Богом, очень уж она разговорилась с каким-то чертовым страховым инспектором.

— Это не пригодилось. Вы предоставили мне лучший способ.

Он устремил на меня мутные темные глазки:

— Я?

Я положил вилку и послал ему улыбку:

— Разумеется, глупая задница, неудачная подделка под копа.

— Ну-ка, полегче...

— Вы знали, что Холтон спал с медсестрой, Стейнгер. Вы знали, что любой, кто умеет читать, ясно поймет из найденной вами записки, что у нас с ней кое-что было. Как вы себе представляли реакцию Холтона на оригинал или копию? Думали, он усмехнется и промычит «ну и ну»? Может быть, вы даже знали, что бывший помощник государственного прокурора носит оружие. И даже не попытались предупредить, чтобы меня не пристрелили! Это не в правилах доброго старины Стейнгера, представляющего закон. Спасибо, Стейнгер. Если смогу вам хоть чем-то помочь, только кликните.

— Да обождите минутку, черт побери! Почему вы считаете, что он читал записку?

— Видно, его потрясли некоторые пассажи. Он их цитирует.

Стейнгер отхлебнул еще чаю, нашел у себя в кармане треть сигары, сковырнул ногтем пепел, поднес спичку.

— Он пытался применить оружие?

— Шанса не было. Я получил подсказку. Обнаружил его на посту в ожидании, бросился и забрал револьвер. Не знаю, собирался ли он пустить его в ход или нет. Из уважения к презумпции невиновности скажем, что не собирался. Он знает, что не я воткнул ей в горло ножницы. Знает — в этом смысле я чист. Хотя все остальное его, скажем так, возмущает. Кстати, револьвер я отдал жене, и, похоже, она считает полезным куда-нибудь его спрятать. Может быть, в этом счастливом доме не надо хранить оружие.

— Итак, вы забрали револьвер, а потом?

— Сначала сбил его с ног, а потом забрал. Затем пришлось еще раз уложить его мордой вниз, потом подхватил, шмякнул на спину, вышиб дух. Он был пьян. Его тошнило. Поехали домой в его машине. Стали старыми добрыми друзьями. Пьяные непоследовательны. Домой я доставил его мирно храпевшим. Помог уложить в постель. Соседка пришла присмотреть за детьми, пока миссис отвозила меня назад. Ей известно о романе с самого начала. Он спит в гостевой комнате. Она мне понравилась.

Стейнгер поднял руку с сигарой, развернул ко мне ладонью и провозгласил:

— Клянусь могилой дорогой старушки матери, которая так любила меня, что даже не возражала против решения стать копом, не имею никакого понятия, каким образом, черт побери, в руки Рику Холтону могла попасть записка. Слушайте, у него, как у экс-прокурора, имеются кое-какие рычаги. Не слишком много, но есть. Думаю, если он знал о существовании записки, то знал, где искать и кого расспрашивать. Но как он мог узнать? Ну, прикинем. Знала сама Верц — она ее писала. Знаю я — я ее нашел. Знает дурак Наденбаргер, который был рядом со мной, когда я ее нашел. Знаете вы, потому что я вам прочитал. И еще двое в конторе. Тэд Ангер из лаборатории делал фотокопии. Билл Сэмюэлс — нечто вроде регистратора-координатора. Составляет досье, держит их в чистоте и порядке, заполняет для передачи в случае необходимости государственному прокурору. Хранит улики, составляет предписания о вскрытии и так далее.

Если б я хоть немного подумал, сообразил бы, что должны были провести вскрытие. Надо было узнать, не беременна ли убитая незамужняя женщина; нет ли следов не оставившего видимых синяков удара, закрытых травм, ссадин; не изнасилована ли она, не имела ли недавно половых сношений, а если имела, нельзя ли определить тип спермы. Трудолюбивое, дюйм за дюймом, исследование эпидермиса позволяет обнаружить любую царапину, следы от уколов, небольшие кровоподтеки, признаки укусов. Должны были сделать химический анализ содержимого желудка после прекращения нормального процесса пищеварения в результате смерти.

— Что с вами? — мягко спросил Стейнгер.

— Все в порядке. Когда сделали вскрытие?

— Должны были начать во время нашего разговора у вас в номере в субботу вечером.

— А те двое, Ангер и...

— Сэмюэлс.

— ...не могли рассказать про записку?

— Нет, черт возьми. Давно минули времена, когда можно было любому сообщать любые сведения. Закажите себе еще кофе. Не уходите, я сейчас вернусь.

Ему понадобились десять минут. Он устало сел, вытер лоб грязным носовым платком.

— Ну, у Билла Сэмюэлса вчера был выходной. Холтон зашел утром около одиннадцати. Объявил дежурному Фостеру, что государственный прокурор Бен Гаффнер просил его взглянуть на записку, найденную в квартире Верц. Фостер открыл архив и дал прочитать фотокопию. Ответа на вопрос, откуда Холтон узнал о существовании записки, по-прежнему нет.

— Можно мне попробовать?

— Давайте.

— Холтон знал, что дело ведете вы?

— Конечно.

— Знал, что из вас ничего не вытянет?

— Знал.

— Знал, кто работает с вами?

— По-моему, знал... Ох, проклятье, этот кретин мотоциклист!

Он сказал, что своими страданиями я вполне заслужил удовольствие от наблюдения за процессом разборки. Я подписал счет за свой завтрак и его чай и пошел за ним следом.

Машина стояла в тени. Прислонившийся к ней Наденбаргер, на сей раз в спортивной рубашке с вертикальными зелеными и белыми полосами, стоял, улыбаясь и переговариваясь с парочкой здоровенных загорелых девчонок-тинейджеров в шортах. Заметив нас, он что-то проговорил, девчонки оглянулись и медленно пошли прочь, время от времени оборачиваясь.

— Все путем? — спросил он, открыв дверцу машины.

Стейнгер захлопнул ее.

— Может, ради побочных доходов сдашь свою пасть в аренду? Чтобы люди держали там шмотки, костыли, кресла-качалки, велосипеды. Небольшой дополнительный заработок.

— Ну-ка, минуточку, Эл, я...

— Заткнись. Закрой большую пустую дыру, зияющую на твоей дурацкой физиономии, Наденбаргер. Прекрати подпирать машину. Я только хочу выяснить степень твоей дурости. Ты ежедневно становишься мировым чемпионом среди дураков. Как тебя уломали разболтать про записку, оставленную медсестрой?

— Уломали? Никто меня не уламывал.

— Но ведь ты о ней рассказал, правда?

— Ну... если честно...

— После моего предупреждения, что ты никогда не слышал ни про какую записку?

— Ну... это совсем другое дело, Эл.

— Он просто пришел и спросил, что мы нашли в квартире?

— Нет. Он сказал, что расстроен из-за ее убийства. Подъехал совсем рано утром. Я только встал, вышел кликнуть собаку. Он сказал, они с женой ее очень любили и были очень благодарны. Сказал: «Не хочу нарушать правила или путаться под ногами, но, может, надо привлечь других следователей, так могу устроить». Эл, я твое отношение к этому знаю, поэтому ответил, что сами справимся. Он спросил, далеко ли продвинулись, и я доложил, что нашли записку, пересказал, что запомнил, добавил, что типа, которому она написана, — то есть вас, Макги, — уже хорошенько проверили.

— А почему ты не посмеялся?

— Над чем, Эл?

— Над тем, что они с женой очень любили малютку медсестру. И были очень благодарны. Господи Иисусе!

— И что тут такого?

— За что, скажи на милость, Дженис Холтон благодарить Пенни Верц?

— Кто говорит про Дженис Холтон?

— Да ведь ты говоришь, что Холтон сказал тебе...

— Холтон! Мимо меня проезжал мистер Том Пайк. Мистеру Холтону я не сказал ни единого слова, черт побери. У мистера

Тома Пайка была всего пара минут. Ехал в аэропорт, срезал путь по дороге мимо моего дома, увидел меня, тормознул, потому что расстроен убийством девушки. Ну, теперь видишь, совсем другое дело! А?

Стейнгер утихомирился:

— Ладно. Другое. Он действительно хочет помочь любым способом. А медсестра ухаживала за миссис Пайк. Лью, черт возьми, ты еще кому-нибудь упоминал о записке хоть словом?

— Никогда. Ни разу. И не упомяну, Эл.

— И Пайку не должен был говорить. — Стейнгер повернулся ко мне: — Пришли к тому же, откуда ушли. Слушайте, я разузнаю у Холтона. Если сочту нужным, то вам сообщу.

Я взял его под руку и отвел в сторонку, чтоб Наденбаргер не слышал.

— Раз уж я тут, может, еще чего-нибудь разузнать?

Он насупился, сплюнул, растер плевок ногой.

— Мои люди звонят в каждую дверь во всей округе близ Ридж-Лейн. Кто-то пришел, убил ее и ушел средь бела дня. Кто-нибудь должен был что-нибудь видеть субботним днем. Мои люди просматривают архивы из кабинета дока Шермана, отправленные на хранение после его смерти, и бумаги, перешедшие к доктору, который принял практику, — Джону Уэйну. Ничего себе имечко для маленького толстячка?[1] Когда Шерман исследовал зависимость от барбитуратов, он лечил нескольких психов. Поэтому нам не хочется отбрасывать версию охоты за его медсестрой какого-то бывшего пациента. Мисс Верц работала и как сменная медсестра, так что я получил список всех, за кем она ухаживала после смерти доктора. Мы их проверяем. Кроме того, поручил одному верному человеку покопаться в ее личной жизни, собрать все, что сумеет найти. Про бывшего мужа, про прежних дружков. Из квартиры ничего не похищено. Жила она одна. Передняя дверь надежная, крепкая, замки на кухонной двери хорошие. По-моему, должна была знать того, кого впустила. Никаких следов взлома. Судя по смятой постели, она спала. Встала, накинула халат и впустила кого-то. Никакой косметики. Воткнуть ножницы в горло могли и мужчина и женщина. Кровь брызнула. Наверня-

---

[1] Доктор — тезка киноактера Джона Уэйна, имя которого стало символом стопроцентного американца и супермена.

ка испачкала убийцу пониже колен. Если реконструировать произошедшее, она схватились за горло обеими руками, качнулась назад, упала на колени, потом перекатилась на спину. Сексуального домогательства не было. Есть признаки полового сношения за четыре-шесть часов до смерти. Не беременна. Месячные должны были начаться дня через три. Легкое растяжение лодыжки, судя по отеку и цвету. Небольшой ушиб в центре лба сразу над линией роста волос, ушиб правого колена. Но все три эти повреждения получены задолго до смерти. Мы запросили судебный ордер на проверку ее счетов и банковского сейфа. Ну, если можете что-то придумать, что я упустил, Макги...

Разумеется, это был вызов. Предполагалось ошеломить меня старательностью и скрупулезностью представителей закона.

— Как насчет разносчиков и обслуги? Из чистки, прачечной, телевизионной мастерской? Телефонист, водопроводчик, электрик? Как насчет управляющего, если он в доме имеется?

Стейнгер тяжко вздохнул. Я его утомил. Даже на улице он дышал как летучая мышь-каннибал.

— Вот сукин сын. Поверите на слово? Все они отрабатываются, я просто забыл упомянуть.

— Верю, Стейнгер. Вы, по-моему, очень хорошо работаете.

— Занесу это нынче вечером в свой дневник.

— А комната отдыха для медсестер в больнице? Может быть, у нее был там шкафчик. Может быть, там какие-то личные вещи.

Он снова вздохнул, вытащил голубой блокнот, записал.

— Одно очко в вашу пользу.

— Может, будет еще одно. А если будет, позволите мне проверить? Знаете, я ведь... лично заинтересован.

— Если будет, позволю.

— Вряд ли дипломированная медсестра вела счета, бухгалтерию, составляла расписание приема. Наверно, у Шермана работала другая девушка, полный или неполный рабочий день.

Он прищурился на ясное небо, кивнул:

— Она была в отпуске, когда Шерман покончил с собой. Только сейчас вспоминаю. Ладно, действуйте, черт возьми. Совсем забыл, как ее зовут. Секретарша в кабинете доктора Уэйна должна знать. Только не пробуйте играть дальше, разузнав что-нибудь. Сперва мне докладывайте.

— А вы мне расскажете, что узнали у Холтона.

— Договорились.

Он пошел к поджидавшей машине, я вернулся в мотель, позвонил из вестибюля в кабинет доктора Уэйна. Автоответчик сообщил, что по понедельникам кабинет открывается в полдень.

Я пошел к своему 109-му. Перед дверью стояла тележка, горничная заканчивала уборку. Это была мускулистая симпатичная мулатка безупречного медно-коричневого цвета. Судя по скулам, в ней текла и индейская кровь.

— Через минуту закончу, — сказала она.

— Не спешите.

Горничная застилала постель. Я сел на простой стул у стола, встроенного в длинную пластиковую стойку. Отыскал номер телефона доктора Уинтина Хардахи и, записывая, краем глаза заметил, что горничная как будто танцует. Оглянулся, всмотрелся, увидел, что она покачивается, опустив подбородок на грудь, с закрытыми глазами, заплетающимися ногами. Подняла голову, улыбнулась мне смутной улыбкой и пробормотала:

— Что-то мне... вроде как...

Вновь закрыла глаза и упала ничком на постель головой и плечами, обмякла, соскользнула на пол, перевернувшись на спину.

Я внезапно сообразил, что могло произойти. Кинулся к закрытому стенному шкафу, нагнулся, вытащил бутылку с отравленным джином из угла, куда сунул ее и так глупо забыл. На бутылке снаружи была пара бесцветных капель. В помещении с кондиционером любая влага давно бы уж высохла. Я слегка лизнул — простая вода. Значит, она поутру хорошенько хлебнула. А потом долила водой. Подошел, встал рядом с ней на колени. Пульс был сильный, хороший, дыхание глубокое, регулярное. На ней была светло-синяя униформа с белой отделкой. На кармане блузы вышито красным: «Кэти».

Взвесив все за и против, проклиная себя за идиотизм, отправился искать другую горничную. На длинном балконе вверху перед открытой дверью номера на втором этаже стояла тележка. Я поднялся по железной лестнице, стукнул в открытую дверь и вошел. Из ванной выглянула горничная. Помоложе Кэти, маленькая, худенькая, с матовой кожей оттенка кофе, наполовину долитого сливками. Губы накрашены оранжевой помадой, две пряди черных волос выкрашены в белый цвет, поразительно большая грудь. Вышивка извещала: «Лоретт».

— Сэр, я только что начала здесь уборку. Могу вернуться попозже, если...

— Это не мой номер. Вы дружите с Кэти?

— Если вы ищете эту высокую, крупную, сильную девушку, она работает в нижнем крыле, прямо под этим, мистер.

— Я знаю, где она. Я спросил, вы с ней дружите?

— Почему вы об этом спросили, мистер?

— Ей, возможно, понадобится дружеская услуга.

— Мы вполне ладим.

— Может, спуститесь в номер 109?

Она меня окинула весьма скептическим взглядом.

— Мы с ней делаем совсем разные вещи, мистер. Я работаю горничной, и точка. Ничего против нее не имею, только ей уже надо бы запомнить, что при надобности для других каких-нибудь дел лучше кликнуть толстуху Аннабел или чокнутую девчонку, которую держат на кухне.

— Лоретт, я вернулся в свой номер пару минут назад. Кэти выпила из моей бутылки. Думала, будто там джин, а в ней было снотворное. И она сейчас там отключилась. Ну, если вам наплевать, так и скажите.

Она округлила и вытаращила глаза:

— Отключилась? Эта каменная глыба? Идите, пожалуйста, вниз, я сейчас прибегу.

Через десять секунд после моего возвращения в номер Лоретт распахнула дверь и встала на пороге, глядя на Кэти.

— Вы правду говорите? Ничего с ней не сотворили?

— Вон бутылка. Хлебните глоточек, вскоре свалитесь рядом с ней.

Она подумала, вошла, почти закрыла за собой дверь. Опустилась на пол рядом с Кэти, приложила ухо к груди, потом встряхнула ее, хлестнула по щекам. Голова спящей Кэти мотнулась из стороны в сторону, раздалось вялое, жалобное мычание.

— Сможете ее выручить? — спросил я.

Лоретт села на пятки, прикусила костяшку большого пальца.

— Лучше всего попросить Джейса привезти тележку для белья, погрузить ее, прикрыть парой простыней и увезти в пустой номер. — Она подозрительно глянула на меня. — Это ведь не отрава, а? Она очнется в полном порядке?

— Должно быть, через два-три часа.

Она встала, уставилась на меня, склонив голову.

— А почему просто не позвонили администратору?

— Ее уволят?

— Наверняка, будь я проклята.

— Лоретт, я позвонил бы администратору, если б бутылка была заперта в чемодане, а она туда влезла бы и откупорила ее. Может быть, и без этого позвонил бы, если б она меня плохо обслуживала. Только номер сиял чистотой, как медная пуговица, а бутылку я просто забыл на полу в стенном шкафу, где на нее могла наткнуться любая горничная. Поэтому отчасти тоже виноват.

— А может, не желаете слишком многим объяснять, почему держите снотворное в бутылке с джином?

— По-моему, вы — очень милая, умная девушка, способная без особых проблем выручить подружку.

— У нас сейчас затишье, могу прибрать и ее, и свои оставшиеся номера. Только еще одно. Вы с ней точно ничего такого не сотворили, пока она в отключке?

— Точно.

— Тогда скоро вернусь.

Она вернулась через пять минут, придержав дверь перед высоким юношей с непомерными плечами, который втолкнул в номер корзину для белья на колесиках. Остановил ее рядом с Кэти, легко поднял ее, опустил в корзину. Лоретт бросила сверху ворох мятых простынь и сказала:

— Ну, Джейс, Аннабел ждет прямо в 288-м. Просто положи Кэти там на кровать, и пускай Аннабел за ней присматривает, слышишь?

— Угу, — буркнул Джейс и покатил коляску.

— Застелить постель, мистер?

— Спасибо.

Закончив, она хихикнула, продемонстрировав массу очаровательных белых зубов, встряхнула головой:

— Старушка обязательно удивится, что это с ней приключилось.

— Ведь вы объясните ей ситуацию?

— Конечно. Если не уедете, по-моему, она завтра зайдет сказать спасибо. — Лоретт задержалась в дверях, сунув кулачки в карманы форменной юбки. — Очень важно, чтоб Кэти не уволили, мистер. Ей нужна работа. Живет со старухой матерью, а та злющая, как змея. Вся искореженная от артрита. По-моему, это она выгнала мужа Кэти. Трое малых детишек. Кэти вполне могла бы устроиться на хорошую должность и работать честно. Только как увидит какую-нибудь шмотку, она у нее из головы не выходит — так хочется заполучить. Покупает в рассрочку, потом расплачивается деньгами на другие домашние надобности. Боится потерять и шмотку, и уже выплаченные за нее деньги, и... ну... хватается за возможности, за которые иначе не ухватилась бы, делает вещи, которых иначе не сделала бы. Она старше меня, да во многом прямо как ребенок. Тут всегда полным-полно коммерсантов, так что она делает — отпирает номер одинокого мужчины, который или только проснулся, или собирается одеваться, улыбается до ушей, говорит, скажем, доброе утро, сэр, извините, что побеспокоила. А он ее рассматривает и приглашает: мол, прыгай прямо сюда, милочка. Ну... она так и делает. Зарабатывает обычно десятку или двадцатку, на шмотки хватает, только за такие фокусы с хорошей работы в два счета вылететь можно. Я это все говорю, чтобы вы не считали ее просто шлюхой. С ней это только порой случается, и, хоть я не иду по такой же дорожке, это вовсе не значит, будто она мне не подруга. Мы подруги. Она мне всегда давала подержать своего первого малыша. Мне было десять, а ей пятнадцать. И... спасибо, что позвали меня, помогли.

Она ушла, а я крепко завинтил пробку и поставил отравленный — и разбавленный водой — джин к себе в чемоданчик, прикидывая, не лучше ли вообще его вылить.

Доктор Уинтин Хардахи был занят с клиентом. Я оставил свои координаты. Он перезвонил через десять минут, в одиннадцать.

— Я подумал, не смогу ли у вас получить чуть больше информации, мистер Хардахи.

— Весьма сожалею, мистер Макги, мой рабочий день очень плотно загружен. — В тихом голосе звучала равнодушная, мертвая нотка.

— Может быть, побеседуем после работы?

— Я сейчас не беру никаких новых клиентов.

— Что-то случилось? В чем дело?

— Простите, больше ничем помочь не могу. До свидания, мистер Макги. — Щелк.

Я начал расхаживать по комнате, изрыгая проклятия. Это прекрасно организованное процветающее общество действовало мне на нервы. Огромный клубок перепутанных ниток. Найдешь кончик, дернешь — и получаешь лишь кучу оборванных концов. Казалось, будто мы договорились проверить, как Хелена распорядилась своим капиталом, как минимум, месяц назад. Думал, Хардахи это устроит через своего нью-йоркского однокурсника. Но Хардахи не пожелал ничего для меня устраивать. Что же так быстро его заставило дать обратный ход? Ложь? Страх?

Я растянулся на кровати, пусть сумбурный котел кипит, пусть мелькают в нем Пенни, Дженис, Бидди, Морин, Том Пайк, Рик, Стейнгер, Том Пайк, Хелена, Хардахи, Наденбаргер, Том Пайк.

Пайк становился чертовски назойливым. Вспоминались небольшие обрывки бесед. Слышались фразы из ночного разговора с Дженис Холтон, и что-то меня беспокоило. Я отмотал назад, обнаружил, что именно, и медленно сел.

Она спросила про мою выдуманную жену: «Вы когда-нибудь с ней встречаетесь? Она все еще в Лодердейле?»

Проверим. Проклятье, я не сказал ни единого слова про Лодердейл. Холтон просматривал записи в регистрационном журнале. Значит, он знал. Но зачем ему упоминать об этом при своей жене? «Слушай, милая, моя подружка пожелала остаться в номере мотеля с каким-то болваном из Лодердейла по имени Макги».

Невероятно.

Отмотаем назад. Слегка удивленный взгляд, когда она услышала мое имя. С изумлением обнаружила меня вместе со своим мужем.

Возможности: подруга Бидди. Встретилась с ней в супермаркете или еще где-нибудь. Бидди обмолвилась о старом друге по имени Макги из Лодердейла.

Или: Стейнгер в процессе проверки, не выходил ли я в субботу вечером и уезжал ли из города Холтон, мог спросить Дженис: «Знаете ли вы некоего Макги из Форт-Лодердейла» или: «Известно ли вам, что ваш муж его знает?»

Возможно, но, на мой взгляд, не очень увязывается. Как плохо срифмованные детские стишки — то один слог лишний, то одного не хватает. Мозги мои превратились в пудинг.

Я пошел пешком в торговый центр, купил плавки, вернулся, натянул их и потащился к большому бассейну мотеля. Отдельный бассейн-«лягушатник» был полон трех-четырехлетних купальщиков, которые визжали, захлебывались, швырялись и колотили друг друга резиновыми животными под небрежными благосклонными взорами четырех молодых матерей, щедро смазанных жирным кремом. Я нырнул, несколько раз медленно проплыл по всей длине основного бассейна, постепенно разошелся, стал менять стиль, растягивая и терзая длинные мышцы рук, плеч, спины, бедер и живота, вдыхая и выдыхая воздух вместе с остатками, застоявшимися на дне легких. Темп держал чуть пониже того, на котором начинаю чересчур раскачиваться по сторонам, плескаться и шлепать. Потом принялся издеваться над самим собой, приказывая: ну, еще один раз. И еще. И еще. Наконец выбрался, совершенно измотанный, с пульсом около ста пятидесяти, с напрягшимися легкими, с расслабленными, как подушка, набитая старыми мокрыми перьями, руками и ногами. Вытер лицо банным полотенцем, захваченным из номера, растянулся, предоставив солнцу доделывать остальное.

Мейер называет это «моментальным всплеском интеллекта». В определенном смысле так оно и есть. Повышаешь до максимума кислород в крови, стимулируешь сердце, чтобы нагнетало ее в бешеном темпе. Обогащенная кровь поступает в мозг, одновременно питая перетрудившиеся мышечные ткани. Иногда помогает.

Но я загрузил тяжелую, обогащенную кислородом и гудящую голову проблемой «Дженис — Лодердейл» и в конечном итоге получил ответ: «Ничего не понимаю, дружище, черт побери!»

Скорбно потащился назад в 109-й и, прежде чем одеться, попробовал звякнуть в кабинет маленького толстяка Джона Уэйна, доктора медицины. Попал на жизнерадостную и общительную леди, сообщившую мне, что регистраторшей и делопроизводителем у доктора Стюарта Шермана была мисс Элен

Баумер. Ей неизвестно, работает мисс Баумер сейчас или нет, но с ней можно связаться по телефону, зарегистрированному на имя миссис Роберт М. Баумер. Попросила минуточку обождать и продиктовала мне номер.

Миссис Роберт М. Баумер оказалась весьма непреклонной.

— Простите, но я не могу позвать дочь к телефону. Сегодня она себя плохо чувствует. Лежит в постели. Она вас знает? В чем, собственно, дело?

— Мне хотелось задать ей несколько вопросов по делам страховки, миссис Баумер.

— Могу определенно сказать, она не заинтересована в приобретении полиса. Равно как и я. Всего хорошего.

— Постойте! — Я не успел, и пришлось перезванивать. — Миссис Баумер, я веду следствие по страховым вопросам. Расследую страховые претензии.

— У нас не было никаких происшествий с машиной. В течение многих лет.

— Мне нужна информация по поводу смерти.

— Что?

— Дело касается доктора Шермана. Несколько обычных формальных вопросов, мэм.

— Ну... если обещаете не утомлять Элен, можете поговорить с ней, если возьмете на себя труд подъехать к нам часа в четыре.

Я согласился подъехать. Номер 90 на Роуз-стрит. Она объяснила, как его найти.

— Небольшой дом с белыми рамами, в желтую полосу, справа за вторым поворотом, два больших дуба в переднем дворе.

Положив трубку, я позвонил Пайкам. Ответила Бидди.

— Нельзя ли зайти поговорить с вами кое о чем после ленча?

— Почему нет? Который сейчас час? Может, придете около половины или в четверть третьего? В это время она будет спать. Годится?

Я сказал, что годится.

Оделся, пообедал в мотеле, потом направился к служебному входу за кухней, высматривая Лоретт. Идя по дорожке мимо мусорных баков, заглянул в открытую дверь и увидел ее. Она, все еще в униформе, сидела на столе, разговаривала, болтая ногами. Были там еще две темнокожие женщины без формы. Тележки горничных на резиновых колесиках выстроились у стены рядом с обшарпанным автоматом с кока-колой и грудой зеленых металлических вешалок.

Меня заметили, разговоры и смех умолкли. Лоретт соскользнула со старого деревянного стола, подошла, встала в дверях с бесстрастной физиономией, потупив взгляд.

— Что вам угодно, сэр?

— Хочу спросить у вас кое-что, — сказал я и прошел в тень, отброшенную на дорожку выступом крыши, который опирался на столб, обвитый лозой с огненными цветами.

Лоретт не стронулась с места, но, когда я оглянулся, пожала плечами и медленно подошла. Сунула руки в карманы юбки, прислонилась к стене.

— Что спросить?

— Я не знал, удобно ли вам разговаривать в присутствии тех двух женщин. Хотел узнать, как Кэти.

— Хорошо. — Бессмысленное выражение, рот приоткрыт, как у страдающей насморком дурочки. — Она проснулась?

— Ушла домой.

Слишком знакомо и слишком досадно. Броня чернокожих — тупое непонимание, упрямое, как у целого каравана ослов. Они выбирают такой путь либо хихикают, демонстрируя сплошные зубы. Правда, они через край хватили лиха от людей с моей внешностью — белых, крупных, мускулистых, потемневших на солнце, покрытых шрамами, полученными в мелких личных боях. Внешне похожие на меня мужчины проломили кучу черных черепов, перепортили кучу черных овечек, сжигали кресты с привязанными к ним людьми. Они видят лишь внешний тип и на этой основе проводят классификацию. К некоторым никогда не пробиться, точно так, как нельзя научить женщин брать в руки змей и любить пауков. Но я знал, что могу до нее достучаться, ибо на короткое проведенное со мной время она отбросила оружие, перестала обороняться, и я увидел за броней смышленость, понимание, не образованием данную интеллигентность.

Надо найти способ пробить черную броню. Как ни странно, раньше это было легче. Подозрительность возникала на личной основе. Сейчас каждый из нас, черный и белый, — символ. Война идет в открытую, форма враждующих армий — цвет кожи. Глубинное фундаментальное сходство между людь-

ми забыто настолько, что можно преувеличивать немногочисленные различия.

— Что с вами? — спросил я.

— Ничего.

— Вы ведь раньше со мной разговаривали, а сейчас дверь
захлопнули.

— Дверь? Какую дверь, мистер? Мне надо вернуться к работе.

Я вдруг догадался, в чем может быть дело.

— Лоретт, вы захлопнули дверь потому, что узнали, как я
нынче утром разговаривал перед мотелем с двумя копами?

Она искоса бросила на меня взгляд — быстрый, полный подозрительности — и опять опустила глаза.

— Какая разница, с кем вы разговаривали.

— Наверно, казалось, будто мы ведем милую дружескую болтовню.

— Мистер, мне надо работать.

— Здесь ведь есть экономка миссис Имбер? Если б она днем
в субботу случайно не заглянула в 109-й и не увидела меня спя-
щим, разговор с представителями закона у меня был бы вовсе
не дружеским. И не перед мотелем, а в камере, где никому не
придет в голову улыбаться. Меня посадили бы за убийство медсестры.

Лоретт прислонилась к затененной стене, сложив руки. Идиотское оборонительное выражение исчезло. Она задумчиво хму-
рилась, прикусив белыми зубками полную нижнюю губу.

— Стало быть, это та медсестра была у вас в номере в пятницу ночью, мистер Макги?

— Именно так я и познакомился с представителями закона,
со Стейнгером и Наденбаргером.

— Я от Кэти узнала про женщину. Она рассказала, что Стейнгер ее расспрашивал, не заметила ли она при уборке, что в
номере была женщина. Это было еще до того, как вы ей помогли. Никогда нет смысла спасать белого от закона. Она и сказала, мол, у вас точно была компания. Вам, по-моему, повезло,
что миссис Имбер заглянула в номер.

— Вот именно.

Недоверчивый взгляд прищуренных карих глаз.

— Зачем же тогда вы связались с двоими этими полицейскими?

— Мне нравилась медсестра. Ради того чтобы найти убийцу, свяжусь с прокаженным и с гремучей змеей. Это личное дело.

Взгляд смягчился.

— Наверно, когда кто-то нравится и ты спишь с ним в одной постели, а назавтра он умирает, это очень печально.

Я ошеломленно сообразил, что это первое услышанное от кого-либо выражение понимания и сочувствия.

— Очень печально.

Лоретт вдруг легко улыбнулась:

— Ну, если уж она была такая хорошая, зачем спуталась с этим злым грубияном, с адвокатом мистером Холтоном? Удивляетесь, что я знаю? Мистер, мы хорошенько присматриваем за типами вроде Холтона.

— Почему у вас на него зуб?

— Он прямо лопался от удовольствия, когда был прокурором, засаживая каждого попавшего в суд черного, да как можно крепче. Каждый раз, как пошлет черного в тюрьму Рэйфорд, праздник празднует, расхаживает, ухмыляется, пожимает всем руки. Таким, как он, никогда не найти работника во дворе или по дому, по крайней мере того, кто стоил бы дневной платы.

— Она не любила Холтона, Лоретт. Пыталась порвать с ним. Поэтому и была со мной. Неужели вы ни разу не слышали о том, как женщины влюбляются в ничтожных мужчин, а потом разочаровываются?

Когда разговор свернул на Холтона, она враждебно ко мне настроилась. По цвету кожи я был из его команды. Но мой рассказ об отношениях между Пенни и Риком вернул все к теме знакомого одиночества в непонятной стране человеческого сердца, у всех одинаковой, а не разной.

— Слышала. Конечно слышала, — кивнула она. — Бывает и наоборот. Ну, правда, я знаю, что вы утром были с двоими полицейскими. Лейтенант Стейнгер не очень плохой. Честный, насколько ему позволяют. А другой, его зовут Лью, любит бить по головам. Не важно кого, лишь бы голова была черная. А Стейнгер ему не препятствует, так что, в сущности, никакой разницы между ними нет.

— Я хотел спросить, как Кэти. Не пойму, сколько она выпила из той бутылки.

Взгляд стал ироничным и умным.

— Да старушка сейчас в полном порядке. Здоровая, крепкая девка. Раз вы не позволили ее уволить, будет по-настоящему благодарна. Какой благодарности вы от нее ждете, мистер?

— Черт возьми, в чем вы меня заподозрили?

Она издевательски расхохоталась, громко и грубо.

— А чего вы еще, черт возьми, ждете от черной горничной из мотеля? Чтоб она научила вас мыть и стирать? Прогулялась бы с вами в парке? Почитала бы Библию? Я точно знаю, о чем сейчас думают те женщины в бельевой. Они точно воображают, будто за мной наконец-то пришел белый, а завтра я, может быть, поменяюсь с Кэти, сменю свой номер на 109-й. Решила стать мотельной шлюхой, заработать лишний кусок хлеба. Они знают, что вам ничего больше на свете не требуется от меня и от Кэти. Так оно и есть.

— И вы так обо мне думаете?

— Мистер, не знаю, что мне о вас думать, а уж это так и есть.

— Я искал вас, чтобы узнать про Кэти. И хотел попросить об услуге.

— Например?

— Я видел много таких городов. Вполне достаточно, чтобы понять: черным известно все, что творится у белых. Горничные, повара, уборщики — одна из лучших в мире разведывательных организаций.

— Пронырливые черномазые везде подслушивают да подглядывают, так, что ли?

— Будь я черным, уверяю вас, миссис Уокер, хорошенько посматривал бы по сторонам. Просто чтобы меня не застигли на чем-то врасплох. Я гораздо быстрей пошевеливался бы, только ради того, чтоб найти и не потерять работу. Я бы слушал и запоминал.

Она взглянула на меня, склонив головку:

— Да вы почти все знаете, мистер! Будь вы черным, не оказались бы чересчур умным для грязной работы?

— Будь вы белой, тоже были бы чересчур умной для горничной в мотеле.

— Почему ж вы меня считаете дурой, готовой впутаться в разборки белых и приходить пересказывать вам то, что слышала?

— Потому, что мне нравилась медсестра. Потому, что копы, не получив помощи, могут закрыть дело. Потому, что вы можете доверять своему инстинкту, который подсказывает, что я никогда даже не попытаюсь во что-нибудь вас впутать. Но самая серьезная причина, по которой вы согласитесь, заключается в том, что это вам никогда в жизни даже в голову бы не взбрело.

Она фыркнула:

— Моя бабушка все твердит: «Лори, когда сунешь голову в пасть льву, просто лежи спокойно. Не забывай, а то навлечешь на себя большую беду».

— Ну, что решили?

— Мистер Макги, мне пора на вечерний обход. Кэти не так уж и хорошо себя чувствует. Говорит, как в тумане. Работает медленно, язык заплетается, голова, говорит, прямо раскалывается. Джейс отвез ее домой, мне придется убрать два ее последних номера да три своих.

— Но вы хотя бы подумаете?

Она медленно пошла прочь с загадочной улыбкой, держа руки в карманах форменной юбки. Сделала десяток шагов, шаркая подошвами, остановилась, оглянулась через плечо с веселой, бесстыдной улыбкой.

— Могу пошуршать, есть ли что-нибудь стоящее. Только если есть, если я вам расскажу, если вы об этом кому-то насвистите и за мной придут, — встретят самую тупоголовую черную девушку к югу от Джорджа Уоллеса[1].

Никто не видит, что творится впереди на дороге, по которой мы движемся. В один прекрасный день человек за огромной панелью управления в одиночку сможет выпустить годовую производственную продукцию целой страны, командуя машинами, которые строят машины, которые проектируют и выпускают остальные машины. Куда тогда денется миф о возможности предоставить работу любому желающему?

А если черные требуют, чтобы Большой Дядя о них позаботился, обеспечив всем, что нахваливает реклама, то это возвращение окольным путем к рабству.

Белым нужен закон и порядок, то есть рубка голов в стиле алабамского Джорджа. Ни один черный не посочувствует ни одному милому, доброму непредубежденному белому либера-

---

[1] У о л л е с Джордж (р. 1919) — в 60—70-е гг. губернатор Алабамы, известный своими расистскими взглядами.

лу, который высунулся из «бьюика» и был забит насмерть, ибо огромное множество милых, смирных, услужливых, трудолюбивых черных тоже были забиты. Во всех подобных случаях непростительная вина заключается в черной или белой от рождения коже, как в тех древних культурах, где младенцев, по глупости принадлежавших к женскому полу, хватали за младенческие ножки, разбивали головку о дерево и выбрасывали крокодилам.

Поэтому, миссис Лоретт Уокер, ни для меня, ни для тебя никаких решений не существует — ни у твоих вождей, смиренных или воинственных, ни у политиков, ни у либералов, ни у рубящих головы, ни у просветителей. Нет ответов — лишь время, бегущее вперед. И если можно будет заставить закон и суд закрыть глаза на цвет кожи, мы, уже после своей смерти, получим хороший ответ. А иначе он будет кровавым.

Глава 13

Я остановился на подъездной дороге у дома 28 по Хейз-Лейк-Драйв в десять минут третьего. Выходя из машины, уловил какое-то движение и увидел, как из окна студии над лодочным домиком мне машет Бидди.

Взобрался наверх по наружной лестнице, она открыла, похоже в отличном настроении. На ней были мешковатые белые хлопчатобумажные шорты и мужская синяя рабочая рубашка с рукавами, отрезанными ножницами дюйма на четыре ниже плеч. На левой скуле красовался небольшой мазок синей краски, лоб был слегка забрызган желтой. Из интеркома раздавалось знакомое медленное, глубокое дыхание.

— Может быть, дело в добавочном сне, который вы мне обеспечили, Тревис. А может быть, просто хороший день. А может быть, потому, что Мори, кажется, гораздо лучше.

— Электросон? — спросил я, указывая на динамик.

— Нет. Она просто заснула, и я выключила аппарат. Так естественнее, хоть я и не считаю, будто при таком сне отдых лучше.

Я взглянул на полотно, над которым она работала.

— Морской пейзаж?

— Ну наподобие. Навеяно метельчатой униолой, что растет перед домом на Кейси-Ки. Сквозь стебли видна голубая вода, они колышутся под бризом. Не знаю, почему вдруг вспомнился этот образ... Можем поговорить, пока я буду работать.

— Значит, ей намного лучше?

— Я уверена. Как ни странно, в ней что-то будто бы изменилось, когда она пропадала, а мы ее искали. По крайней мере, не нашлось никого, кто купил бы ей выпивку, и она не попала в жуткую ситуацию. По-моему, просто бродила в кустах. Но ничего не помнит. Просто, кажется... лучше владеет собой. Том чертовски рад. Я даже думаю, завтра вечером можно было бы взять ее на открытие, но Том сомневается.

— На открытие чего?

— Вы не обратили внимание на огромное новое здание на углу Гроув-бульвара и Лейк-стрит? Двенадцатиэтажное? С массой окон? Ну, в любом случае оно там, его только построили, и над этим проектом Том трудится почти год. Создал инвестиционную группу, получил землю в аренду. На следующей неделе первые четыре этажа займет банковская и трастовая компания «Кортни». Чуть ли не все помещения уже сданы. Том переносит свой офис на верхний этаж. В самом деле, прелестные кабинеты, декораторы работали как сумасшедшие, чтоб вовремя закончить. Завтра вечером, прямо с заходом солнца, будет нечто вроде предварительного осмотра нового офиса «Девелопмент анлимитед», прием с барменом, поставщиками провизии и так далее. Для Мори, по мнению Тома, это не под силу, но, если завтра не станет хуже по сравнению с нынешним ее состоянием, я действительно думаю, стоит попробовать. Если увижу по поведению, что она не выдерживает, могу сразу увезти домой. Сейчас она хорошо спит, так как я заставляла ее без конца плавать.

Взглянув вниз на газон заднего двора, я увидел мужчину с бакенбардами, в комбинезоне и менонитской шляпе, управлявшего мощной газонокосилкой.

— О чем вы хотели спросить меня, Трев?

— Ничего важного. Вдруг подумал: знакомы ли вы с миссис Холтон? Дженис Холтон.

— Такая... смуглая и живая?

— Точно.

— По-моему, нас с ней как-то знакомили. Но я ее на самом деле не знаю. То есть поздоровалась бы при встрече, но мы давным-давно не встречались. А что?

— Ничего. Я с ней виделся в субботу вечером после ухода от вас, показалось, знакомая внешность. Не стал ее расспрашивать. Думал, вы о ней что-нибудь знаете, скажем откуда она. Можно будет прикинуть, мог ли я ее раньше видеть.

— Мне действительно ничего не известно. С виду вроде бы симпатичная. Наверно, произвела на вас впечатление, раз вы ради этого не поленились приехать.

— Ничего подобного. У меня несколько загадок. Это только одна из них. Я хотел спросить о другом. Не хочется выпытывать, но не забывайте, что я как бы неофициальный дядюшка. Мать оставила вам достаточно, чтобы прожить?

Она округлила глаза:

— Достаточно! Боже! Когда она впервые узнала, что ей требуется операция, еще до болезни Морин из-за выкидыша, рассказала о своих распоряжениях каждой из нас и спросила, желаем ли мы изменить что-нибудь, пока у нее еще есть время. После папиной смерти ее финансовые дела вел какой-то невероятно умный человек, заработавший для нее кучу денег. Есть два трастовых счета, один для меня, другой для Мори. После уплаты налогов на недвижимость, юридических издержек, расходов на утверждение завещания и прочее, на наших счетах осталась фантастическая сумма, около семисот тысяч долларов! Поэтому, когда все устроилось, был продан дом в Кейси-Ки и так далее, мы начали получать какие-то сумасшедшие деньги, тысяч по сорок в год каждая. Я и понятия не имела! Они будут лежать на трастовых счетах, пока каждой из нас не стукнет сорок пять или пока нашим старшим детям не исполнится двадцать один. Если у нас не будет детей, мы после сорока пяти лет, конечно, получим всю сумму. А если будут, то каждый ребенок по достижении двадцати одного года получит трастовый фонд в сто тысяч долларов. Ну, в сорок пять уже точно детей больше не будет, а до тех пор деньги депонируются — правильно я выражаюсь? — из расчета на пятерых детей младше двадцати одного, а потом для каждого открывается трастовый счет на сто тысяч долларов, а мы получаем остаток.

— А что будет в случае смерти одной из вас?

— Если я выйду замуж и заведу детей, все достанется им. Если нет, траст как бы закончится и накопившуюся сумму получит Мори. Боже, Тревис, на протяжении этих последних недель я с ужасом думала о том, что будет, если вдруг Мори действительно удастся покончить с собой! На меня свалятся сотни тысяч долларов и все проценты с траста. Кошмар! Я никогда и не представляла себя в таком положении. Знала, конечно, что у семьи есть какие-то деньги и когда-нибудь они перейдут ко мне. Но за определенным пределом ситуация начинает вызывать нервный смех. — Она с улыбкой оглянулась, держа в руке кисть. — Так что, милый дядюшка, можете не беспокоиться насчет моих финансов. — И вдруг опечалилась. — Мама последние шесть лет почти не видела жизни. Вернувшись на Ки после смерти отца, мы каждое утро подолгу гуляли по пляжу втроем. Она говорила с нами. Объяснила, что отец просто не мог вести аккуратную, размеренную, упорядоченную, хорошо налаженную, серую жизнь. Он все время рисковал всем на свете. И я помню, она нам сказала, что, если бы прожила с ним не двадцать один год, а пять, десять, пятнадцать, все равно не променяла бы их на сорок лет с любым другим человеком. Сказала, вот это и есть настоящий брак... понадеялась, что мы обе будем хотя бы наполовину так счастливы...

— Ей здесь делали первую операцию?

— Да. Понимаете, Мори тогда была беременна почти на пятом месяце, а первого младенца потеряла на шестом. В первый раз произошла совсем дурацкая случайность. Она поехала за тортом, который заказала ко дню рождения Тома. Дело было в июле два года назад. Возвращалась под проливным дождем, затормозила, торт едва не свалился с сиденья, она подхватила его, держа ногу на тормозе, сильно нажала, автомобиль занесло, он перевалил через бровку, ударился в пальму, она наткнулась на руль животом и часа через три в больнице родила живого младенца. Он весил меньше двух фунтов и просто не мог выжить. Так плачевно все обернулось, но Мори сказала по междугородному, что мне незачем приезжать. Она очень быстро поправилась. Мама, наверно, подумала, что ей лучше быть рядом, присматривать, чтобы Мори снова не врезалась в какую-нибудь пальму, увидеть своего первого внука. Пробыла тут с неделю, заметила кровотечение, прошла обследование, и ее решили оперировать. Она выбрала доктора Уильяма Дайкса, фантастического специалиста. Когда мы узнали про предстоящую операцию, я приехала, чтобы побыть с ней, помочь, чем смогу. А дня через три после маминой операции у Мори началось нечто вроде почечной недостаточности, конвульсии... и она потеряла второго ребенка. С тех пор не приходит в себя. Ну, я полетела к себе, собрала вещи, закрыла свою квартиру, отдала все на хранение, а остальное перевезла сюда.

— Когда все это было?

— В прошлом месяце минул год. Словно целая жизнь прошла. Доктор Билл еще раз оперировал маму в прошлом марте. А третьего числа этого месяца она умерла. Всего одиннадцать дней назад, Трев! А кажется, гораздо больше. Собственно, так и есть. Ее накачивали лекарствами, пытаясь подкрепить, подготовить к операции. Она стала совсем крошечной, сморщенной... как семидесятилетняя старушка. Вы никогда бы ее не узнали. Она была такой... дьявольски храброй. Извините. Простите меня. Какой, к чертям, толк от ее храбрости?

— Был хоть какой-нибудь шанс?

— Ни малейшего. Билл объяснил это Тому и мне. Мне пришлось дать разрешение. Он сказал, по его мнению, вторая операция может продлить ее жизнь... ненадолго. Удалят еще часть кишечника, несколько нервных узлов, облегчат боль. Он меня не обманывал. Знаю, он не смог ее спасти. Но... ему нравилась мама. Он надеялся, что она проживет еще пару месяцев, даже дольше, пока болезнь не убьет ее.

Я попытался отвлечь Бидди от тяжелых воспоминаний, немного поболтал о пустяках, наблюдая ее за работой. Она пригласила меня на прием во вторник вечером. Я обещал прийти, если до этого не уеду из города. Она сообщила, что, если Том будет свободен, они втроем собираются в следующее воскресенье поехать на Кейси-Ки, где можно поискать сведения насчет «Лайкли леди».

Дом номер 90 на Роуз-стрит я нашел без труда, но, когда поднялся по ступенькам веранды и позвонил, заметил, что уже двадцать минут пятого. Жалюзи были опущены от дневной жары. Из полумрака появилась полная, сдобная женщина, взглянула на меня через сетку. На ней было хлопчатобумажное платье с крупным цветочным рисунком. Медно-золотистые волосы извивались в хитрой прическе и казались отлитыми из одного куска металла.

— Слушаю.

— Меня зовут Макги, миссис Баумер. Я звонил насчет беседы с вашей дочерью по страховым вопросам.

— Для делового человека вы не слишком точны. И по-моему, не похожи на делового человека. У вас есть какие-нибудь документы?

Прежде чем вылезти из машины, я нашел три старые карточки, сунул их в переднее отделение бумажника. Искусно изготовленные, гравированные, шоколадного цвета с темно-желтым оттенком. Д-р Тревис Макги. Директор отделения. «Ассошиэйтед аджастерс инкорпорейтед». Длинный адрес в Майами, два телефонных номера, телеграфный адрес. Она приоткрыла дверь ровно настолько, чтобы я смог просунуть карточку, изучила, водя пальцем по строчкам, распахнула дверь:

— Прошу, мистер Макги. Можете сесть в вертящееся кресло. Очень удобное. Мой покойный муж называл его самым лучшим из всех, в каких ему доводилось сидеть. Пойду узнаю, как себя чувствует дочь.

И она ушла. Мебели и барахла в маленькой комнатке хватило бы на две большие. Над головой с гулом и шорохом медленно вращались широкие лопасти вентилятора. Я сосчитал лампы. Девять — четыре напольных и пять настольных. Столов семь — два больших, четыре маленьких, один совсем крошечный.

Она вернулась строевым шагом, распрямив плечи, как вымуштрованный сержант. За ней следовала женщина помоложе. Я поднялся и был представлен Элен Баумер. Должно быть, года тридцать три. Высокая, с плохой осанкой. В шелковой зеленой блузке, вычурной, с оборками, в светлой плиссированной юбке. Болезненно желтоватая кожа. Очень худые руки и ноги при необычной фигуре, широкой, но плоской. Широкие плечи, широкий таз. Грудь совсем незаметна, а задницу словно спрямили, приколотив планку пятнадцать на сорок. Острый нос. Мышиные волосы, до того тонкие, что шевелятся под вентилятором. Очки в металлической позолоченной оправе, глаза искажены линзами. Нервно-манерные руки и губы. Сплошное самоуничижение. Она робко присела на диван лицом ко мне. Мамаша устроилась на другом конце дивана.

— Мисс Баумер, извините, пришлось вас побеспокоить, когда вы не совсем здоровы. Но речь идет об окончательном решении по некоторым страховкам доктора Стюарта Шермана.

— По какому полису? Я знаю все его полисы. Я с ним работала больше пяти лет. Занималась всеми платежами.

— Я не располагаю такими деталями, мисс Баумер. Мы ведем дополнительную работу по контракту с другими компаниями. Меня просто просили приехать сюда, провести опросы, составить отчет для нашей конторы, изложить свое мнение о причине смерти доктора, выяснив, имело ли место самоубийство.

— Она была в отпуске, — объявила мамаша.

— Ну, ведь я провела его здесь.

— Разве плохо отдыхать в своем собственном благоустроенном доме, Элен? Хорошо, — сообщила она мне, — не потратила заработанные трудом деньги, клюнув на кучу туристических приманок, потому что не работала ни единого дня после смерти своего драгоценного доктора. Похоже, и не желает искать работу. Я, могу вам сказать, искренне верю в страховку. Мы не жили бы так, как сейчас, если б не предусмотрительность Роберта, обеспечившего семью на случай его смерти.

— Просто не знаю, о какой страховке идет речь, — вставила Элен. — Крупные полисы он обратил в наличные, хотел вкладывать деньги с помощью мистера Пайка. А оставшиеся такие старые, что, по-моему, срок их обжалования в связи с самоубийством истек, разве нет?

Пришлось действовать вслепую.

— Не уверен, мисс Баумер, но кажется, будто дело касается некоей коллективной страховки.

— А! Наверняка общеврачебной. Это временный полис и деньги на нем не накапливаются, поэтому доктор его сохранил. Думаю, там есть условие насчет самоубийства на весь срок действия полиса. Как по-вашему?

— Возможно, — улыбнулся я. — Должен быть полис, по которому возникли вопросы, иначе я бы сюда не приехал.

— Вероятно, — сказала регистраторша-делопроизводитель.

— Покойный не оставил записки, не имел явных поводов для самоубийства. Компания, безусловно, не заинтересована в формальных придирках, если придется выплачивать сумму наследникам. Вы считаете, что он покончил с собой, мисс Баумер?

— Да!

До этого голос ее был таким слабым, что неожиданный выкрик меня испугал.

— Почему вы так думаете?

— Я уже говорила об этом в полиции. Он был в депрессии, в дурном настроении и, по-моему, совершил самоубийство. Меня расспрашивали, записывали, я подписала свои показания.

— Я беседовал с мистером Ричардом Холтоном, а также с мисс Верц до ее трагической гибели в прошлую субботу. Оба самым энергичным образом утверждают, что он не мог покончить с собой.

— Сначала и ты утверждала то же самое, — вставила мать, — рыдала, бесилась, кричала, шумела, чего не наблюдалось даже после кончины твоего несчастного отца. Постоянно твердила мне, что твой замечательный доктор никогда не пошел бы на самоубийство. Намеревалась выяснить, что с ним стряслось, даже если на это уйдет весь остаток жизни, забыла? А двух дней не прошло, как решила, что он все-таки с собой покончил.

Элен сидела, стиснув на коленях руки, переплетя окостеневшие пальцы, опустив голову, как ребенок на молитве в воскресной школе.

— Подумав как следует, я изменила мнение, — проговорила она, и мне пришлось потянуться к ней, чтобы расслышать.

— Но мисс Верц своего мнения не изменила.

— Меня это не касается.

— Вы считали мисс Верц уравновешенной и разумной личностью, мисс Баумер?

Элен быстро подняла на меня глаза и опять опустила.

— Она была очень милой. Мне жаль, что она умерла.

— Ха! — сказала мамочка. — У этого невинного дитя все очень милые. Ее очень легко провести. Всем верит. Даже слепой увидел бы в Пенни Верц дешевую и вульгарную побрякушку. Да ей было просто плевать, покончил ли доктор Шерман с собой, или его убили.

— Мама!

— Помолчи, Элен. Этой крошке Верц надо было только трагедию разыграть. Одна леди из моего клуба садоводов, весьма заслуживающая доверия леди, которая никогда в жизни не нуждалась в очках, видела, как эта сестра обнималась и целовалась с женатым мужчиной, с мистером Холтоном, ровно три недели назад, в машине на больничной стоянке, практически под самым светофором. Вы бы назвали подобное поведение уравновешенным и разумным, мистер Макги? Я называю его греховным, дурным и дешевым.

— Мама, прошу тебя!

— Она хоть когда-нибудь пыталась снять с твоих плеч часть работы? Пыталась? Ни разу, никогда...

— Но это же не ее дело! Я выполняла свою работу, она свою.

— Безусловно. Могу поклясться, свою она перевыполняла. Могу поклясться, что между ней и твоим изумительным доктором было гораздо больше, чем ты замечала, считая ее очень милой и славной.

Девушка быстро встала, на миг покачнувшись от головокружения.

— Извините, я не очень хорошо себя чувствую. Не хочу больше говорить об этом.

— Тогда иди в постель, милая. Мистер Макги не хотел тебя утомлять. Я скоро зайду узнать, не нужно ли тебе чего-нибудь.

Элен остановилась в дверях, взглянула в мою сторону, но куда-то мимо меня.

— Никто никогда не заставит меня сказать что-либо другое. По-моему, доктор покончил с собой, так как находился в дурном настроении и в депрессии.

И исчезла.

— Простите, — извинилась миссис Баумер. — Элен все эти дни сама не своя. Она так изменилась после смерти доктора. Боготворила его. Не пойму почему. Я считала его довольно глупым. Будь у него энергия или амбиции, мог иметь великолепную практику. Все было в полном порядке до смерти его жены три года назад. А после этого доктор как-то размяк. Она не позволила б ему работать над всеми этими дурацкими проектами. Над исследованиями, как он их называл. А ведь даже не был специалистом. Полагаю, компании, выпускающие лекарства, сами проводят все необходимые исследования.

— С тех пор ваша дочь не искала работу?

— Нет, после того как привела в порядок весь его архив для передачи доктору Уэйну и постаралась собрать последние счета, сидит дома. Но по-моему, людям нет особого смысла оплачивать счета умершего доктора, правда? Нет, она просто лишилась сил. Похоже, не желает идти искать другую работу. Она хорошая, трудолюбивая. Отлично училась в школе. Но всегда была тихой девочкой. Любила побыть в одиночестве. Слава Богу, нам хватает на жизнь. Раз она не работает, мне приходится экономить и сокращать расходы, но мы справляемся.

— Вам казалось, она какое-то время была уверена, что доктор не лишил себя жизни?

— Положительно. Вела себя как сумасшедшая. Я с трудом узнавала собственную дочь. У нее был безумный взгляд. Кажется, на второй день была в кабинете, наводила порядок, домой пришла поздно, легла в постель, отказавшись поесть. Несколько дней почти ни единого слова не говорила. Сильно похудела. Ну, может быть, скоро начнет оживать.

— Надеюсь.

Глава 14

В понедельник вечером, в половине десятого, в баре мотеля у меня за плечом внезапно возник Стейнгер и предложил поговорить у меня в номере. Я проглотил последнюю, третью, порцию выпивки и вышел вместе с ним. Воздух был очень плотным и влажным. Стейнгер сказал, что гроза помогла бы и, может быть, грянет ночью.

Оказавшись в номере, я вспомнил, о чем все время забывал спросить.

— У Холтона есть какой-то приятель в полиции, открывающий для него двери в мотелях и подобных местах. Кто это?

— Не в городской полиции. Дэйв Брун. Следователь по особым делам из департамента шерифа. Истинный сукин сын, скользкий, маленький. Сперва шериф, Эймос Тарк, не хотел его брать. Было это лет семь назад. Но на Эймоса было оказано политическое давление. Про Дэйва Бруна постоянно ходит масса слухов. Хотите, чтоб вам оказали небольшую услугу, когда, скажем, какой-нибудь гад начнет действовать вам на нервы, ухлестывая за вашей женой, — обращайтесь к Дэйву. Он сядет ей на хвост, напугает до смерти, устроит облаву, но потом, когда Дэйву от вас что-то понадобится, в его распоряжении окажутся имена, даты, фотокопии регистрационных книг из мотелей, так что вы ему поможете. У него куча влиятельных политических связей в этой части штата. Многие юристы дают ему небольшие особые поручения. Он старательный, держит язык за зубами.

— Следующий вопрос. Адвокат Уинтин Хардахи его человек?

— Господи, да вы везде пролезли, Макги. Насколько мне известно, да. Голос тихий, только с ним лучше не ссориться. Острый нюх, честность. Никто не смеет давать ему указания.

— Что насчет Холтона и записки?

— А нельзя ли и мне задать кое-какие вопросы?

— Вы получите на них ответы. Так что с Холтоном?

— У парня нынче утром такое похмелье, что он еле-еле моргает. Не может голову повернуть. Обливается потом. Весь порезался, когда брился. Вот что с ним было. Они вернулись из Веро-Бич в субботу вечером после десяти. Это установлено — засекли радио в их машине. Выпил пива и сразу лег. Говорит, почти не спал ночью в пятницу, когда ушел из дому. Долго ездил вокруг, немного постоял возле дома Верц, но она не вернулась. Встал, по его словам, в три. Поэтому ночью в субботу беспробудно спал. В воскресенье утром проснулся около половины одиннадцатого. Жена была уже на ногах. Когда сидел на кровати, зазвонил телефон. Поднял трубку, ответил. Какое-то время звонивший молчал, он уж думал, на линии неполадки. Звонит один раз, и все. Потом, говорит, кто-то начал шептать. Он сперва ничего не понял. Тогда прошептали еще раз и бросили трубку. Не может сказать, мужчина или женщина. Сказанное для него не имело никакого смысла. Прошептали следующее: «Полиция нашла записку, которую она оставила новому любовнику». Посчитал это какой-то идиотской выходкой. Потом увидел первую страницу газеты, не стал завтракать, не сказал никому ни единого слова, поехал в город и хитростью вынудил Фостера показать записку. Начал разыскивать вас. Жутко набрался. Мог пристрелить. Признался, что серьезно об этом подумывал. — Стейнгер вдруг вытаращил на меня глаза: — Черт возьми, что с вами?

— Щелчок. В голове что-то плывет беспорядочно, а потом раздается щелчок, все выстраивается и обретает смысл.

— Ну-ка, что за щелчок?

— Вы, случайно, не упоминали при Дженис Холтон что-либо про некоего Макги из Форт-Лодердейла?

— Ни словом.

— Телефон звонит один раз, и все. В доме Холтона и в доме Пайка.

— Помедленнее и поразборчивее, приятель. На хорошем американском языке.

— У Дженис есть милый, прекрасный, заботливый, нежный друг, с которым она тайно встречается. Никакой физической связи, по ее утверждению. Она узнала про Холтона с Пенни от того, кто нашептал ей новость по телефону.

— Да что вы!

— Любовный код, Стейнгер. Тайные игры. Есть место для встреч. Хорошее, укромное место. Звонишь, даешь один звонок и кладешь трубку. Другой партнер смотрит на часы. Через пять минут снова звонок. Значит: встречаемся в пять часов в обычном месте, если можешь, дорогая. Или звонок через восемь минут, через две, через двенадцать, когда свидание в полдень или в полночь. Значит, ей обо мне рассказал Том Пайк. Случайно обмолвился в разговоре о человеке по имени Макги, который почти шесть лет назад познакомился в Лодердейле с его женой, свояченицей и тещей и который приходил обедать. Может, мое присутствие на обеде и помешало свиданию. Она проговорилась случайно, не подумав.

— Так кто шепчет? Том Пайк? Господи помилуй! Когда шептун звонил Холтону, Том Пайк летел в Джэксонвилл. Ладно, Пайк знал о записке от Наденбаргера, но даже если звонил именно он — с какой целью? Совсем запутать Холтона? Для чего? Том Пайк не из тех, кто способен расторгнуть брак, пускай даже такой неудачный. Даже если этот парень держит на привязи Дженис Холтон, что он старается доказать или сделать?

— Полагаю, в субботу у них с Дженис было назначено важное свидание за городом. Но Рик все испортил, поехав с ней. Она не смогла предупредить Тома, что ей пришлось вместе с мужем ехать к сестре в Веро-Бич.

— Я ни на секунду не собираюсь винить эту пару, Макги, — задумчиво объявил Стейнгер. — Дженис настоящая женщина, черт побери. Два несчастных в браке человека, причем не по их вине. Господи Иисусе! Это гораздо лучше, чем если бы Пайк затеял интрижку с младшей сестрой.

— Которая, кстати, в него влюблена.

— Думаете?

— Уверен.

— Тогда Дженис, наверно, спасительный клапан. Что ж, Том Пайк будет действовать медленно и осторожно, и, если мы... если вы не проболтаетесь, могу поклясться, об этом никто никогда не узнает. Одно скажу: если тут нет, как вы говорите, ничего физического, им, должно быть, довольно несладко. Дженис более чем готова к этому. Связь должна стать физической, приятель. И что мы имеем? Какой-то чертов шептун хочет испортить все дело.

— Эл, кого во всем городе вы назвали бы шептуном? Не по логическому рассуждению. Просто по наитию.

— Наверно, того, о ком вам уже говорил. Дэйва Бруна.

— Он действует по чьему-то приказу?

— Или в личных целях. Тарк поручает ему кое-какие дела. Брун хитер. Совершает неплохие ходы, добивается результатов. И ему везет. Везение помогает копу в работе. Но ему абсолютно плевать, правильно что-нибудь или неправильно, законно или незаконно. Не его дело — искать шерифу новую работу. Если заметит, что жена мэра украла что-нибудь в магазине, проводит ее домой, напросившись на выпивку и небольшую беседу. Вот такой тип.

— Мог он узнать про записку тайком от вас?

— Конечно, черт побери. Насколько мне известно, у него могут быть рычаги давления на любого. Достанет копию любого свидетельства, что проходит через нашу контору. Кругом пашет, сеет, удобряет и пожинает каждое зернышко.

— Способен наладить прослушивание?

— Не специалист, но, может быть, лучше среднего. У него большие связи. Если возникнут какие-то сложности, вызовет из Майами эксперта. Может это себе позволить.

— И нас могут прослушивать?

— Возможно, — подтвердил он. — Но маловероятно.

— Он не слишком блистателен, Стейнгер. Не до такой степени, чтобы его бояться.

— Я боюсь Дэйва, приятель.

Я показал несессер с туалетными принадлежностями, зубную щетку, две двадцатки под мыльницей, объяснил ситуацию. Стейнгер сперва не согласился. Ведь если Брун был вполне уверен, что не оставил никаких следов, зачем подставляться, забрав деньги? В конце концов я ему втолковал, что при этом риск был бы вдвое меньше, так как я, обнаружив в номере признаки тщательного обыска и найдя деньги нетронутыми, насторожился гораздо больше, чем при подозрении простой мелкой кражи.

— У Бруна есть семья?

— Никогда не было. Живет один. Причем весьма неплохо. Недавно переехал в квартиру в пентхаусе в новом высотном здании у Лазурного озера. Обычно живет на широкую ногу. Большой автомобиль с откидным верхом, скоростная моторная лодка, богатый гардероб. На службе одевается скромно, водит маленькую машину. Я время от времени с ним работал. У него есть способ прижать подозреваемого так, что тот изо всех сил торопится во всем признаться.

— Опишите его.

— Пять футов семь дюймов. Пожалуй, сто сорок фунтов. Ему за пятьдесят, но с успехом старается выглядеть на тридцать пять. Блондин. По-моему, красится, носит накладку. Поддерживает хорошую форму. Очень об этом заботится. Маникюр, массаж, зимой искусственный загар под лампой. На зубах либо коронки, либо хорошо сделанные вставные челюсти. Солидно держится в компании, гуляет почти всю рабочую неделю, и Эймос Тарк ни черта тут не может поделать. Пару лет назад одному из старших помощников Тарка не понравились загулы Дэйва, и он решил заставить его поработать. Дэйв был на пятьдесят фунтов легче этого умника, дюймов на шесть ниже и старше лет на двадцать. Ну, вышли они на стоянку. По-моему, все это заняло минут шесть. Дэйв даже не вспотел. А помощника подобрали потом, посадили в машину полиции округа и отвезли в больницу. Он здорово изменился. Теперь обращается к Дэйву «мистер Брун, сэр». Скажу просто: Дэйв крутой, осторожный и довольно умный. Лучше всего у него получается, когда кому-то надо кого-то немножечко прижать. Тогда зовут Дэйва Бруна, велят пошуровать в архивах, посмотреть, что у него имеется. Редко найдется человеческое существо, на которое ничего не имеется, если знаешь, что искать.

Я со своей стороны дал Стейнгеру полный отчет о беседе с Элен Баумер. Он сказал, видно, кто-то ее припугнул, и я удержался от замечания о полной очевидности этого.

Он признался, что в убийстве медсестры никакого прогресса.

— В этом проклятом месте проблема в том, что архитекторы проектировали дома в садах ради уединения. Сзади имеются какие-то открытые дворики, но заросли секвой образуют нечто вроде лабиринта. Если убийца вошел через заднюю дверь, что вполне возможно, так как мисс Верц нашли на кухне, нет смысла рыскать по соседям. Никаких отпечатков, но, если подумать, за тридцать один год работы в полиции у меня никогда не было ни одного отпечатка, с помощью которого хоть кого-нибудь можно было бы оправдать или обвинить в суде.

И замкнулся в мрачном молчании, пока я не заключил:

— Похоже, все связано со смертью доктора Шермана.

— Пожалуйста, не говорите мне этого. У меня на него досье, которое даже вы вряд ли поднимете. И не от чего оттолкнуться.

— Может, Пенни Верц случайно узнала что-то такое, о важности чего сама не подозревала.

— Ну и зануда же вы, Макги.

— Может, даже сообщила об этом Рику Холтону, но для него это пока тоже не имеет смысла. Если кто-нибудь мог сыграть на его ревности и заставить застрелить меня после ее убийства, это вывело бы из игры их обоих. Может, Элен Баумер тоже знает, но кто-то так хорошо постарался заткнуть ей рот, что, по-моему, вам от нее ничего не добиться.

— Спасибо. Хотите предложить мотив одного убийства, привязывая его к другому, совершенному в прошлом июле? Я намерен придерживаться мнения, что доктор сам сделал себе укол.

— Для этого были причины?

— Совесть.

— Он был плохим парнем?

— Никто не собирается ни в чем его обвинять. В любом случае сейчас от этого нет никакого толку. Только позвольте мне кое-что заявить. Я давно живу на свете, немало повидал, знал кучу женщин, но никогда в жизни не встречал стервы хуже Джоан Шерман. Клянусь Богом, истинный ужас. Каждый день жизни этого доктора она превращала в подлинный ад на земле. Голосина как у голубой цапли. Она была инспектором на плацу, а он — придурком рядовым. Обращалась с ним как со слабоумным. Здоровенная, надутая, громогласная добродетельная леди, постоянная прихожанка церкви, с характером гремучей змеи. Все время занята добрыми делами. У нее был диабет, довольно серьезный, но подконтрольный. Забыл, сколько кубиков инсулина она вводила себе по утрам. Не разрешала доктору делать укол. Утверждала, будто он чертовски неловок со шприцем. Три года назад у нее случилась диабетическая кома, и она умерла.

— Это он устроил?

Стейнгер пожал плечами:

— Если и так, то чересчур долго раздумывал...

— Хотите, чтоб я умолял вас продолжать? Хорошо, умоляю.

— Шерманы жили тогда милях в шести за городом, в очень милом домике, который стоял в самом центре лесистого участка в десять акров. У нас бастовали телефонисты. Положение было довольно поганое, подземные кабели перерезаны и так далее. В пятницу миссис Шерман прикатила свою машину на станцию техобслуживания. Ее должны были вернуть в понедельник. Поскольку телефоны намертво не работали, доктор решил приехать в воскресенье днем, посмотреть нескольких пациентов в больнице. Вдобавок, как он нам потом рассказывал, надо было захватить для жены инсулин. В то утро она использовала последнюю ампулу. Он забирал за один раз запас на месяц. Сделал обход, потом пришел к себе в кабинет поработать. Никто не увидел тут ничего странного. Насколько хватало храбрости, он старался держаться подальше от своей половины, и никто его не упрекал. По его словам, собирался вернуться к пяти — к обеду в гости ожидалась супружеская пара. Но забыл про время. Супруги пришли, позвонили в дверь, женщина подошла к окну, заглянула, увидела ее на диване. Говорит, вид был странный. Муж выбил дверь. Ни один телефон не работает. Положили ее в машину, повезли в больницу. По пути встретили доктора Шермана, посигналили, остановили. В больницу ее доставили мертвой. Говорят, он был страшно потрясен. На бедре был свежий след от утреннего укола, значит, она про него не забыла. По его утверждению, никогда не забывала. Провели вскрытие, ничего особенного не нашли. Я не помню про биохимию, только нет таких тестов, которые показали бы, принимал человек инсулин или нет. Он расщепляется, растворяется или что-то такое. Полиция округа осмотрела дом. Шприц был вымыт, лежал в стерилизаторе. Ампула в мусорной корзинке в ванной. Там осталась какая-то капля. Анализ показал, что лекарство действует в полную силу. По мнению докторов, в ее состоянии произошло резкое изменение, и поэтому обычной дозы оказалось недостаточно. Кроме того, они ели на завтрак оладьи с кленовым сиропом и сладкие рогалики. Шерман сказал, что она очень строго придерживалась диеты, но воскресный завтрак был единственным исключением за всю неделю. Ну-ка, объясните, как он это сделал. То есть если сделал, конечно.

Пару минут поразмыслив, я нашел решение, но вспомнил, что слишком уж часто демонстрировал Стейнгеру свою дурацкую сообразительность, и поэтому сдался.

Ему было приятно.

— Принес домой идентичную ампулу с дистиллированной водой. Может быть, подменил содержимое у себя в кабинете. Встал ночью, заменил ампулу с инсулином. Жена утром проснулась, вколола себе воду. Перед уходом в больницу он зашел в ванную, выудил из мусора ампулу с водой, вытащил из стерилизатора шприц, наполнил припрятанным инсулином, выпустил в раковину, бросил в корзину настоящую ампулу, сполоснул иглу, шприц, положил обратно в стерилизатор. По пути в город мог остановиться, раздавить ногой ампулу из-под воды и смести в грязь стеклянную пыль, если уж быть по-настоящему предусмотрительным. Я считаю его осторожным и терпеливым. Может быть, ждал много лет, пока не возникла поистине выгодная ситуация. Наверно, можно выдержать жизнь с такой жуткой старухой, зная, что в один прекрасный день, когда-нибудь, как-нибудь с ней расправишься. Мило?

— Прелестно. И никаких улик.

— Поэтому я и склоняюсь немножечко к версии самоубийства. Стью Шерман был очень порядочным типом. А ведь каждого доктора и во время учебы, и на работе предостерегают против убийства.

— А вдруг кто-нибудь тоже все это сообразил и как-нибудь намекнул доктору?

— Это только усиливает предположение о самоубийстве.

— Безусловно.

— И я не могу найти никакого мотива к убийству. Его смерть никого и никак не облагодетельствовала, Макги.

— Пришли туда, откуда ушли?

— Не знаю. Безусловно, хотелось бы знать, почему эта девушка Баумер так быстро изменила мнение. Или кто его изменил. Впрочем, не правда ли, жалкое существо? Только представьте, на что она похожа, если ее раздеть.

— Прошу вас, Эл.

Он фыркнул:

— Когда я был маленький, у нас жила тощая старая кошка. Была в ней персидская кровь, так что с виду вполне симпатичная. Как-то весной нахватала каких-то клещей, и с бедного животного дней за десять слезло все до последней шерстинки. Честное слово, глядишь и не знаешь, смеяться или плакать. Макги, теперь мне известно, что Элен угрюмая, некрасивая, нервная женщина, и стыжусь самого себя, но, если удастся с ней встретиться, когда мать не сумеет ворваться, чтобы заткнуть ей рот, думаю, я смогу ее так припугнуть, что она мне все выложит и сама о том не узнает. Предположим, попробую завтра, если получится. Что вы намерены делать?

— Могу побеседовать с Дженис Холтон, проверить, правильно ли догадался насчет ее друга.

— А если правильно?

— Будет доказано, что это именно мистер Пайк. Можно будет закрыть данный том дела.

— Что еще?

— Выясню, если смогу, почему Хардахи отфутболил меня.

— Как же вы к нему прорветесь, если он не желает вас видеть?

— Попробую. Кстати, какие у вас связи в Сауттауне?

— Не хуже других, то есть незначительные. По-вашему, тут замешаны какие-то негры?

— Нет. Но Сауттаун снабжает город поварами, горничными, экономками, дворниками, официантами, официантками, всеми видами разнорабочих. Мало что из происходящего между белыми среднего класса может от них укрыться.

— Знаете, я ведь часто об этом думал. Если бы мне когда-нибудь удалось подключиться к этому источнику, сэкономил бы пятьдесят процентов собственного труда. Они дьявольски много видят и слышат, об остальном догадываются. Иногда я получал небольшую подмогу. Но в последнее время, клянусь Богом, нет. Все эти фильмы про южных служителей закона очень плохо на нас сказываются, независимо от нашего отношения к ним. Я ста-

392

раюсь держаться на равных с ними, но, черт побери, они знают не хуже меня, что я представляю здесь два закона. Их два практически везде. Черный убивает белого человека, они предъявляют другое досье, на белого, который убил негра. Слово «насилие» здесь, в Сауттауне, тоже имеет другое значение. Скажем, в соседнем квартале, где вдоволь мусорных контейнеров, прекрасные тротуары, хорошая вода, образцовая почтовая служба, яркие фонари, замечательные стоянки и игровые площадки, «насилие» и «убийство» — серьезные, важные, гадкие, безобразные, пугающие слова. Извини, приятель. Все они против меня, так что я не могу не подумать о небольшой перемене порядка вещей.

Было уже поздно, мы долго проговорили. Стейнгер взял из стеклянной мотельной пепельницы последний окурок сигары длиной в дюйм. Помолчали. Странный человек, думал я. Смягчившийся и помрачневший с годами мужчина должен чувствовать себя обессиленным, но про него так не скажешь. Есть разные типы копов. Этот хороший. Налет циничной терпимости, понимание всех неизменных людских устремлений, уважение к правилам и процедурам полицейской работы.

Он тихонько рассмеялся:

— Разговор о Сауттауне напомнил мне один давнишний случай. Это было на рождественской неделе, кажется в сорок восьмом или сорок девятом. Я три года отслужил парашютистом-десантником, и городской совет назначил меня Санта-Клаусом. Надо было спрыгнуть в парк за день-другой до Рождества, а при следующем заходе должны были сбросить игрушки на грузовом парашюте. Детишки так и кишели вокруг.

Я мысленно представил фантастическую картину. Стейнгер в роли Санта-Клауса сажает какую-то маленькую беленькую просительницу на обтянутое красным бархатом колено и с громким «хо-хо-хо» превращает ее морозным дыханием в сухой и хрустящий осенний лист.

— Однажды Сид сбросил меня дьявольски высоко. Наверно, на семи тысячах. Должно быть, чтоб подольше летел. Ветер начал крепчать, я старался попасть в воздушный поток, спуститься пониже, а там уже поработать стропами и попасть в парк. Только вижу — ни чуточки не приближаюсь. Попал в поток, и он протащил меня до самого Сауттауна. Сид сделал следующий заход низко, сбросил по ветру над парком парашют с игрушками, так что он приземлился точно в том месте, где уже должен был стоять я. А я к тому времени приземлялся на поле прямо за школой Линкольна, в самом сердце Сауттауна. Хорошо приземлился, погасил парашют, свернул, сбросил лямки, оглядываюсь — вокруг стоит молчаливый кружок чернокожей ребятни в таком количестве, какого я раньше сроду в одном месте не видел. Все таращат глаза на меня. Тут я и говорю: «Веселого Рождества! Так-так-так! А вы хорошие мальчики и девочки?» Они только глазеют. Вдруг слышу: едет за мной старик Бойд — он уж давно умер, — всю дорогу с сиреной, с воем, который ветром разносит вокруг. Через десять секунд видно было уже всего нескольких ребятишек, на расстоянии, самых маленьких, которым трудно так быстро бежать, а через двадцать секунд ни одного малыша не осталось. Стою я один на том поле, Бойд подкатил, лихо развернулся, тормознул рядом, открыл дверцу. Привез меня назад в парк, я раздал мешок игрушек так быстро, что даже для газеты не успели сфотографировать. Отобрали игрушку у славненькой маленькой девочки, сунули мне, чтобы я ее снова вручил той же крошке, сфотографировали, и это был последний раз. В следующем году сослался на больное колено, больше никто прыгать не захотел, так что с тех пор традиция исчезла. Я все гадал, что подумали маленькие цветные детишки, прячась во всяких местах и видя, как полицейская машина забрала Санта-Клауса. Может, это их вовсе не удивило, а убедило, что каждый может быть арестован в любой момент. — Он зевнул и поднялся. — Еще увидимся.

Я вышел с ним вместе, признавшись:

— Эл, у меня в спине, прямо под левой лопаткой, торчит ледышка размером с пятьдесят центов. Такое бывает, когда я что-то должен знать и не знаю, но обязательно проясню ситуацию позже.

— А у меня шея мерзнет.

— Я не ношу оружия. Ну как, шея согрелась?

Он задумчиво посмотрел на меня:

— Когда я вас проверял, никто не утверждал, будто вы вот-вот станете директором банка, но никто не сказал также, что, если набрать побольше доказательств, вы загремите в кутузку. Откуда мне знать, что вы не навлечете беду на свою голову и еще на кого-то случайно подвернувшегося?

394

— Придется поверить.

Он подвел меня к своей машине, отпер багажник и достал револьвер.

— Вы его взяли у Холтона и отдали Дженис, предупредив меня. Я забрал у нее. Условимся так: вы его отобрали и собираетесь передать мне чуть позже. Я об этом еще не докладывал и бумаг не составлял. Отвертеться от бумаг — просто святое дело в наше время.

— Помните? Я сообщил вам об этом по телефону, а вы велели как можно скорее его принести.

— Помню ясно как день, Макги.

Он наблюдал, как я повернулся к свету и крутанул барабан, проверяя, полна ли обойма, затем с помощью отражателя высыпал на ладонь шесть пуль, защелкнул барабан, убедился, что револьвер не выстрелит, будучи на предохранителе; четырежды выстрелил вхолостую в землю, дважды с помощью механизма двойного действия, дважды спустив курок; проверил работу курка, открыл барабан, зарядил, поставил на предохранитель, сунул под рубашку за пояс слаксов, чувствуя на животе холод металла.

Стейнгер сел в машину и уехал. Я увидел розовое свечение, слабо соперничавшее с городским неоном, потом услышал неуверенный низкий раскат, нерешительный контрапункт, потонувший в реве грузовиков. Это был лишь намек на освежающий дождь, который нес ветер.

В третий раз я держал в руках тот же самый 38-й калибр. Простите, мисс Пенни, что я вас обманул, а потом оклеветал, чтобы забрать его у вашего любовника. Понимаете, я тогда вас не знал, ничего не знал о вашем глупом, честном, серьезном сердечке. На кого ты смотрела, упав на колени на кухонный пол, недоверчиво поднося руки к синим кольцам ножниц? Считала все это какой-то ужасной ошибкой, ждала лишь возможности объясниться? Но у тебя не было никакой возможности. Упала, истекла кровью и умерла. Всегда попадала в ловушки, падала, ушибалась. Неуклюжая веснушчатая девчонка.

Двое тучных туристов, мужчина и женщина, протопали вниз по дорожке. Она в свободном костюме, в тон его спортивной рубашке. Они оказались на свету, а меня в темноте не заметили.

— ...так ведь нет, — говорила она тонким, страдальческим голосом, — ты просто не можешь вынести, чтобы кто-нибудь хоть на минуту подумал, будто ты не купаешься в деньгах, вечно суешь чаевые каждой грязной официанточке, точно какой-то пчелиной царице, только все это просто для шика, Фред, хочешь сойти за крупную шишку, соришь деньгами, которые мы скопили на отпуск, но, если будешь стоять на своем и швырять их по сторонам, нам придется вернуться домой...

— Заткнись!

— Над тобой все смеются, когда ты даешь слишком много, принимают за дурака, ты лишаешься уважения, когда...

— Заткнись!

Она продолжала, но они уже были слишком далеко, я не разбирал слов. Тон, однако, был тот же самый.

Глава 15

Ранний подъем во вторник, пятнадцатого октября. Дернул за шнурок, раздвинул шторы, чувствуя под ногами жесткий ковер мотеля. Задумался, кто я такой, черт возьми. Благословенная утренняя рутина — мыло, щетка, полотенце, пена для бритья, паста, бритва. Каждое утро просыпаешься чуть-чуть другим человеком. Изменение незначительное. Но сон и сновидения изменяют картину у тебя в голове. Поэтому видишь в зеркале почти целиком себя и на три процента незнакомца. Необходима успокаивающая рутина, чтобы вернуться к себе, знакомому от макушки до пят.

Даже мелкие заботы оказывают целебное воздействие. Не ощущается ли в зубе дырочка? Кажется, волосы вылезают. Легкая судорога в плече, когда вот так повернешь руку. Вдруг бросаешь косой взгляд в зеркальную дверь. Немножко отвис живот? Ощупываешь себя, моешь, соскребаешь щетину, чистишь зубы, причесываешься. Оказываешь себе небольшие приятные знаки внимания. Символы узнавания. Вот он, я. Наконец-то. Это я. Единственный существующий я.

Медленное возвращение после завтрака. Восторженное изумление перед постоянно возникающими в крошечном процветающем обществе Форт-Кортни неизвестными, в результате чего все загадочные уравнения становятся все сложнее. Жена доктора, скользкий коротышка Дэйв Брун, перемена в поведении

Хардахи, странности Элен Баумер, шептун и прочие кусочки того и сего. Никаких новых фактов, внезапных озарений, которые связали бы все в одну картину, доступную моему пониманию. Значит, надо найти одно звено, разбить и выяснить все «почему», «кто», «зачем».

У 109-го стояла тележка горничной. Дверь была открыта. Войдя, я обнаружил Кэти, убиравшуюся в ванной. Лоретт Уокер застилала постель.

— Доброе утро, сэр, — сказали они.

Я сел в кресло, наблюдая и ожидая. Работают быстро, искоса бросая косые взгляды — то ли униженные, то ли высокомерные. Вдвоем убирать один номер — один из классических оборонительных приемов негритянских горничных в мотелях двадцати штатов. Именно в этот час утреннего отдыха достаточно симпатичные и молодые из них становятся добычей розничных торговцев, гастролирующих музыкантов, футболистов команд второй лиги, профессиональных игроков в гольф, водителей грузовиков, представителей различных фондов.

В конце концов, это единственная ситуация, когда белый мужчина и черная женщина встречаются в спальне, причем жертва не может бежать прямо в администрацию жаловаться на гостя. Среди прочих орудий защиты нож с выкидным лезвием в кармане фартука, кухонный нож, приклеенный пластырем к внутренней стороне шоколадного бедра, нож для колки льда в складках форменной блузы. Встречаются опытные, сообразительные и решительные белые, которые обманом заманивают некоторых в ловушку, застают врасплох, и те наполовину становятся шлюхами. Другие не способны смириться или согласиться. Классическая трагедия заключается в неизбежном падении с высоты, когда жертва не имеет возможности сопротивляться, причем в этом вдобавок участвует какой-то инструмент равнодушной судьбы. Высота — понятие относительное. Гордость забирается на такие вершины, что падение может убить.

— Вижу, вас не уволили, Кэти, — сказал я, когда она вышла из ванной с полотенцами.

Она бросила быстрый опасливый взгляд на Лоретт.

— Нет, сэр. Сердечно вас благодарю.

Воцарилось молчание. Я заметил, что они начали стирать пыль с уже вытертых предметов, деловито суетиться, не внося никаких улучшений. Лоретт Уокер, стоя ко мне спиной, объявила:

— Я уже могу идти, а вон та девушка все закончит.

— По-моему, уже закончено. Обе можете идти.

Лоретт выпрямилась, обернулась ко мне, вильнув ошеломляющим задом:

— Отсылаете нас обеих? Да ведь я ей с трудом втолковала, что она обязана по крайней мере дать вам шанс получить награду за услугу!

Кэти с бесстрастным лицом индианки стояла, прислушиваясь вполуха, уставившись в стену позади меня. Это была крупная сильная женщина, широкая в плечах и в бедрах, с тонкой талией, крепкой, стройной, словно колонна, темной шеей, полными, резко очерченными ногами, твердо стоявшими на земле.

— Кэти! — окликнул я.

— Да, сэр.

— Миссис Уокер напрасно старалась создать нам удобную ситуацию. Почему вы не уходите?

Кэти бросила взгляд на Лоретт, вопросительно подняв брови. Лоретт что-то тихо и неразборчиво проговорила. Кэти схватила простыни, полотенца и, не удостоив меня ни одним непроницаемым взглядом, вышла и захлопнула за собой дверь. Я услышал удаляющееся звяканье тележки, которую она катила перед собой.

Лоретт присела лицом ко мне на дальний краешек кровати, изучая меня. Маленькое хорошенькое личико цвета кофе наполовину с молоком, кожа гладкая, матовая, без каких-либо оттенков, глаза такие темные, что зрачок сливался с радужкой. Она выудила из кармана юбки сигареты и спички, закурила, выпустив длинную струю дыма, скрестила стройные ноги. Взгляд одновременно оценивающий и вызывающий.

— Презираете черных?

— Вовсе нет. А вот подозрительность презираю. Это плохое чувство.

— И плохо с ним жить, даже когда нет другого выхода. Может, вы ничего не хотите от Кэти потому, что тогда ничего не получите от меня?

— Как вы догадались? Я силой заставил бедняжку Кэти выпить отравленный джин, потом организовал убийство медсестры — исключительно ради нашей с вами встречи в этом самом номере. Выбирайте, детка. Гватемала? Париж, Монтевидео? Куда заказывать билет?

Она и сердилась, и забавлялась. Последнее перевесило. Наконец объявила:

— Мне еще одно надо узнать. Скажите, вы имеете хоть какое-то отношение к закону? Хоть какое-нибудь?

— Вообще никакого, Лоретт.

Она вздохнула, пожала плечами:

— Ну и ладно. Совсем рядом с той медсестрой живет белая женщина, в доме номер 60. У нее с понедельника до четверга работает уборщица, по полдня. В прошлый понедельник уборщица пришла и нашла записку от хозяйки, мол, уехала на неделю, в четверг приходить не надо. Эта женщина служит в офисе. В четверг уборщица не явилась, а пришла вчера — как всегда, в понедельник. И сообразила, что хозяйка еще не вернулась, а в квартире кто-то был. Может, подруга ее. Кто-то какое-то время лежал на кровати. Один человек. На подушке след от головы, покрывало помято. Может, что-то разлилось — кто-то брал ее тряпку, ведро и прочее, а по местам не расставил как следует. Вымыт кусок пола на кухне, кусок в ванной. В тех квартирах есть маленькие камины, там что-то сожгли. Она говорит, пепел вроде бы от сожженной ткани, а у нее пропали какие-то половые тряпки. Не знаю, пригодится вам эта информация или нет.

— Наверно, она убрала квартиру и вычистила камин?

— Точно. Она мне сказала, как зовут ту женщину, только я тут же намертво позабыла.

— Не имеет значения. Я могу выяснить.

— Уборщица говорит, от кухонной двери того дома совсем рукой подать до кухонной двери медсестры. Вниз по дорожке и за угол. Всю дорогу забор, большой, высокий, крепкий, с небольшими воротцами в частные дворики.

— Спасибо. Узнали еще что-нибудь?

— В Сауттауне много таких, кто сроду ничего прямо не скажет ни белому, ни черному. Или чуточку скажет, а остальное придержит, если подумает, что ради этого вы готовы дать ему на кусок хлеба, — очень уж сильно вам хочется знать. Это не по злобе. Там никому никогда денег на жизнь не хватает. Может быть...

Я вытащил из кармана бумажник, бросил на постель рядом с ней. Она открыла его, наклонив голову, чтобы не лез в глаза дым от торчащей во рту наполовину выкуренной сигареты, перелистала уголки банкнотов.

— Возьмите, сколько считаете нужным.

— А если все возьму?

— Значит, столько понадобилось.

— Никогда не думали, что я могу вас обжулить? — снова с открытой враждебностью бросила она.

— Миссис Уокер, там семьсот с чем-то. Я готов согласиться с ценой, которую вы себе назначаете, если вы согласитесь с той, в которую я ценю себя.

Она вытаращила на меня глаза, потом качнула головой:

— А вы правда особенный. Слушайте. Я возьму двести. Ладно? Может быть, принесу сдачу.

Хотела было подняться, чтобы вернуть бумажник, потом, повинуясь какому-то импульсу гордости и независимости, снова села и бросила его мне. Я поймал бумажник в воздухе дюймах в шести от собственного носа и сунул обратно в брючный карман. Она сложила банкноты, расстегнула одну пуговицу форменной блузы с высоким воротом, упрятала деньги в кремовую, почти невидимую, узенькую щель между непомерными грудями, застегнулась, огладила блузу и заключила с сокрушенной улыбкой:

— Я так долго с вами проговорила у черного хода, теперь слишком долго сижу тут за закрытой дверью, а ведь тут, доложу вам, все друг за другом присматривают.

Встала, унесла в ванную пепельницу, принесла обратно, сияющую чистотой, поставила на столик возле кровати.

— Ох, посыплются на мою голову кое-какие хорошенькие проблемки.

— Какие проблемки?

— Да уж тут ничего не поделаешь. Я что-то вроде начальницы, сразу после миссис Имбер. Должна следить, чтоб все прочие хорошенько работали. Из них многие старше меня, только вот по значению никто не сравнится. Не смогу объяснить, почему столько времени пробыла с вами наедине. И ко мне точно прицепятся, понадеются, будто меня выгонят с работы из-за того, что я вдруг спуталась с белым. Ох, уж они обязательно постараются. Да увидят, что Пятьдесят Фунтов доставит им больше хлопот.

— Пятьдесят фунтов?

Неожиданно вспыхнул столь яркий румянец, что окрасилась даже такая смуглая кожа.

— Глупости, мистер. В любом месте кто-то раньше или позже придумывает девушке-начальнице особое прозвище. Дело тут всего-навсего в моей фигуре. Прохожу мимо кого-то, а он и говорит: «Вон она идет. Девяносто фунтов важности — сорок фунтов девчонки и пятьдесят фунтов сисек». Так и прилипло — Пятьдесят Фунтов. Надо бы обозлиться, да мне теперь все равно.

— Посмотрите, Лоретт, не удастся ли разузнать об одном человеке, который работает на шерифа. Его зовут Дэйв Брун.

Она скривилась, словно хотела сплюнуть.

— Ну, он очень злой. Мистер Холтон и тот не такой, злится только временами. Когда мистер Брун хочет что-то узнать, полисмен иногда прихватывает какого-нибудь парнишку из Сауттауна, а потом к нему является мистер Брун. Парня привозят назад, а он ходит как старичок, разговаривает как старичок, голову не поднимает. Но ничего не рассказывает про мистера Бруна. Знаю одно — он богатый. Богатство большое. Имеет в Сауттауне много домов, штук сорок, хоть и под другими именами. Крыши в дождь текут, ступеньки у входа проваливаются, на три семьи один водопроводный кран, а арендная плата никогда не снижается, только растет. В окнах картонки вместо выбитых стекол. Налоги на дома повышаются, только не на те, что принадлежат мистеру Бруну.

— Вы сказали, что Холтону не найти домашнюю прислугу из-за его отношения к вашим сородичам. Мне известно, что мистер Пайк и мисс Пирсон пытались подыскать кого-нибудь для ухода за миссис Пайк. Я заметил, что двор у них убирает белый мужчина. На то есть какие-то особые причины?

Она остановилась у двери, лицо стало абсолютно бесстрастным.

— Началось это давно, года три назад, если не больше, сразу после постройки дома и женитьбы мистера Пайка. Над лодочным домиком жили муж с женой. Молодая пара. Хорошо платили. И выпили какую-то отраву, которой опрыскивают деревья. Пара... пара...

— Парафион?

— Похоже. Оба умерли в больнице. Мистер Пайк заплатил за хорошие похороны.

— Несчастный случай?

— Нет. Упаковка стояла прямо у стола на полу, а в ложечке был порошок. Насыпали его в красное вино и выпили. Должно быть, в кино видели, потому что разбили стаканы об стенку.

— Ну и что?

— За три дня до этого парень был в Сауттауне. Тихий парень, а тут надрался как свинья, поднял крик. Так напился, что никто его толком не понял. Вроде бы подписал какую-то бумагу, чтоб в тюрьму не попасть. А из-за этой бумаги кто-то вроде заставил его жену сделать какую-то жуткую гадость. Мол, все это невыносимо. Никому не известно, где тут правда, где что. Никто не знает, в чем было дело.

— Но с тех пор Пайки не могут найти помощников?

— Может быть, и смогли бы. Люди еще подумывали. А потом, прямо перед тем как мистеру Пайку позволили выйти из брокерского дела, вместо того чтобы предъявить обвинение по закону, он пробовал научиться играть в гольф и ударил клюшкой цветного мальчишку, Дэнни, который мячи подносил. Проломил ему череп. Мистер Пайк после этого бросил игру. Дал парнишке сто долларов, заплатил за больницу. Этого больше никто не видел. Мистер Пайк говорил, Дэнни просто не вовремя под руку подвернулся.

— Когда он замахнулся?

— Вот именно. А Дэнни рассказывал, что подхватил простуду, чихал, мистер Пайк отвлекся и промахнулся по мячу, набросился на него с диким криком, глаза выпучил, ну, Дэнни наутек — знал, что мистеру Пайку его не догнать, — и поэтому думает, мистер Пайк просто швырнул в него клюшку. Тогда каждый, кто собирался у них работать, решил отказаться.

— А за что ему должны были предъявить обвинение, когда он работал в брокерской конторе?

— Ну как же, — удивилась она, — за воровство! В какие еще неприятности можно вляпаться на такой работе? Мистер Макги, мне надо идти. Наверно, увидимся завтра. Если не приду, значит, я ничего особенного нынче вечером не узнала.

Не сумев встретиться ни с Дженис Холтон, ни с доктором Уинтином Хардахи, я ухватил оборванный кончик ниточки, которая, скорее всего, ни к чему не приведет: позвонил доктору Биллу Дайксу, хирургу, оперировавшему Хелену Пирсон Трескотт. Девушка из его кабинета сказала, что он на операции, но, возможно, по окончании позвонит, поэтому я ничего не стал передавать, а поехал в больницу в надежде с ним встретиться.

Очень любезная телефонистка на коммутаторе звякнула в комнату отдыха для врачей на третьем этаже хирургического крыла, застала его и подозвала меня к телефону. Представившись старым другом Хелены Трескотт, я объяснил, что просто хочу расспросить его о ней. Он поколебался, но в конце концов пригласил подняться, объяснил, как пройти. Встретил меня на пороге комнаты отдыха, и мы двинулись по коридору к небольшой приемной.

Он был в зеленом хлопчатобумажном халате и в зеленой шапочке. Пахло от него дезинфекционными средствами, на халате виднелись капли засохшей крови. Плотный, коренастый, моложе, чем я думал. Пальцы короткие, сильные с виду, руки толстые, от запястий до первых костяшек пальцев поросшие курчавыми рыжеватыми волосками.

Он тяжело плюхнулся на диван в приемной, вздохнул, потянулся, помассировал двумя пальцами переносицу, взглянул на стенные часы.

— Следующая операция назначена на одиннадцать пятнадцать. Молю Бога, чтобы все было красиво, чисто и просто, так как загружен я нынче днем как сукин сын. Что вы хотите узнать насчет миссис Трескотт, мистер Макги?

— Был вообще хоть какой-нибудь шанс?

— К моменту первого моего осмотра — никакого. Крупная, зрелая карцинома с метастазами в толстой кишке, с филаментами во всех мыслимых направлениях. Удалили основную опухоль и все, что можно. Вложили несколько радиоактивных гранул, чтобы немного замедлить процесс.

— Вы ей сказали, что она не выживет?

— Из плохих новостей я говорю каждому ровно столько, сколько он, на мой взгляд, спокойно перенесет. Позже понял, что ей можно было сказать всю правду. Но тогда не слишком хорошо ее знал, не догадывался, какая она храбрая и выносливая. Поэтому я ей сообщил, что, по-моему, все удалил, но с определенностью утверждать не могу. Дочерей не уведомил, думая, что она чересчур хорошо все поймет по их поведению. Рассказал Тому Пайку, чтобы в свое время с его помощью известить девушек.

— А как она себя чувствовала во второй раз?

— Плохо. Пришлось опять резать — надо было избавиться от непроходимости. К тому времени там уже образовались настоящие джунгли. Ничего похожего на анатомические учебники. Вот уж поистине злокачественная опухоль. Хорошей, опытной операционной сестре стало дурно. Внешне миссис Трескотт тоже полностью изменилась, за исключением глаз. Потрясающие были глаза у этой женщины. Как у молодой девушки.

— Очень плохо, что Морин сейчас в таком состоянии.

— Тут я ничем не могу помочь. Ножом в таких случаях ничего не сделаешь. Но почти все другие специалисты принимают участие. Провели все обследования, о которых кто-либо когда-либо слышал, причем некоторые, по-моему, специально для нее придумали. Поднять ее историю болезни сможет только пара здоровых мужчин.

— Заболевание локализуется в какой-то специфической области?

— Если под этим подразумевать голову — да. Неврологию — да. Ни физической травмы, ни опухоли, ни дефицита питательных веществ. Что-то разладилось в крошечных цепочках, в синапсах. Разложение тканей? Редкая вирусная инфекция? Некая форма психологически ориентированной абстиненции? Дисбаланс эндокринной секреции? Редкий вид аллергии? Моя личная догадка, к которой никто не прислушивается, ибо это не моя специальность, заключается в том, что проблема психиатрическая. Это согласуется с попытками самоубийства. Но психиатры утверждают, что досконально проверили со всех сторон. Серии шоковой терапии безрезультатны. Содиум пентотал безрезультатен. Беседы с психотерапевтами безрезультатны... А я думал, вы интересуетесь миссис Трескотт.

— Всей семьей, доктор Дайкс.

— И я просто сижу тут и откровенничаю, как семейная Библия, да? А вы просто слушаете, точно слушать врача, преступающего этический профессиональный закон, — обыкновеннейшее на свете дело.

— Я... я думал, вы откликнулись на дружескую заботу и беспокойство, доктор...

— Дерьмо собачье, Макги. Хотелось проверить, имеется ли у вас хоть капля здравого смысла. Имеется. Знаете, почему я говорю с вами о пациенте... и о семье пациента?

— Полагаю, вы мне объясните.

Он надолго угрюмо задумался, полузакрыв глаза.

— Пытаюсь выразить словами, что она для меня сделала. Даже когда от нее ничего не осталось, кроме боли и глаз, я приходил посидеть у ее постели, когда дела у меня были плохи... Когда молился, чтобы не довелось потерять одну девочку, и все-таки потерял. У Хелены Трескотт набирался храбрости, черт побери. Привязался к ней. Мы часто подолгу беседовали, до того самого времени, пока не пришлось держать ее под наркозом. Как-то ночью она рассказала мне о мужчине по имени Тревис Макги. Предупредила, что в один прекрасный день он может явиться и задать много вопросов. «Расскажите ему, как все было, Билл. Ничего не скрывайте. Доверьтесь. Передайте все, что знаете о моих девочках. Я хочу попросить его помочь Морин». Так что, приятель, это она облегчила вам дело, а не ваше неотразимое обаяние. Ясно?

— Ясно. Спасибо.

— Так на чем мы остановились?

— Следующее, что мне хотелось бы знать, — ваше мнение о докторе Шермане.

— Стью очень жалко. Хороший был человек. Там и сям небольшие пробелы, но в целом весьма основательный. Я имею в виду медицинскую компетенцию. В денежных делах чертовски глуп, подобно большинству врачей. Мы — очень легкая добыча в современном мире. Вы вздуваете акции золотых копей, урановых рудников в Уганде, а мы покупаем.

— Я так понял, он вкладывал деньги в «Девелопмент анлимитед».

— Те же золотые копи. Присоединившиеся ребята божатся именем Тома Пайка. Я отказался от шанса озолотиться. Хотя одно время был очень заинтересован.

— Что заставило вас отказаться?

— Мой брат. Обладатель наилучших мозгов в нью-йоркских финансовых кругах. Обучался экономике в Колумбийском университете. Занимается в нескольких банках анализом ценных бумаг и инвестициями в недвижимость. А несколько лет назад создал непремиальный взаимный фонд. Хедж-фонд[1]. За ним следят орлиным глазом, пытаясь предугадать, куда он в следующий раз шагнет. Так вот, он приехал с женой навестить нас. Меня пригласили на небольшой обед, из тех, которые Том устраивает время от времени. Холостяцкая вечеринка. Я привел с собой брата. Том, на мой взгляд, произнес впечатляющую речь. Я чуть было не вытащил чековую книжку. А когда мы вернулись домой, Дьюи мне объяснил все ошибки в его рассуждениях. Можно свести к следующему. Том употребил несколько замечательных терминов, высказал несколько очень хитрых идей, дал кучу объяснений про налоговые прикрытия и так далее. Но по мнению моего брата, вместе все это не складывается. Как будто Том вызубрил свою программу, но она не будет работать в том виде, в каком он ее излагает. Дьюи сравнил его с десятилетним ребенком, который рассказывает про Эйнштейна большой компании сверстников, так и не доучившихся до десятого класса. Слова очень веские, и поэтому, Бог свидетель, все кажется правильным и убедительным. Дьюи велел мне не связываться. Так что я все до последнего цента вложил в его взаимный фонд. И понемножечку разбогатею. Брат обещает. Знаете, я надеюсь, что он ошибся насчет Тома Пайка. Ведь если Том мошенничает, в Форт-Кортни сильно пострадает целая куча народу. Слушайте, мне надо идти мыться. Приятно было с вами поговорить. Она была совершенно особенной женщиной, эта миссис Трескотт.

Я снова попробовал дозвониться до Хардахи и опять потерпел неудачу. Но Дженис Холтон оказалась дома. Разумеется, при желании можно заехать. Я остановился перед домом на подъездной дорожке, подошел, позвонил, подождал.

Она вынырнула из-за дома в очень коротких, очень тесных желтовато-коричневых эластичных шортах, выцветшей зеленой майке, выгоревшей на спине, и старых, поношенных синих сапогах.

_____

[1] Х е д ж - ф о н д — фонд, занимающийся страховкой от возможного падения цен.

— Ах, это вы. Я кое-чем занята там, за домом. Не пройдете со мной? Не хочется бросать дело.

Расстелив на траве газеты под изначально светло-голубым металлическим садовым шезлонгом, она перекрашивала его в черный цвет из аэрозольного баллончика. Я встал в тени на удобной для разговора дистанции. Покрытая сильным загаром, она двигалась быстро, гибко, эффектно, как танцовщица, наклонялась и поворачивалась, сумела ловко, подобно индусу, сесть в позу лотоса. Вспотела от трудов под солнцем, спина поблескивала, подчеркивая игру маленьких крепких мускулов. Оглянулась, встряхнула черными волосами и проговорила:

— Что-то я разболталась в субботу вечером. Это на меня не похоже. Наверно, чувствовала себя одинокой.

— Забавно. Наоборот, мне казалось, что это я слишком разговорился, наскучив вам, Дженис.

— Простите, забыла ваше имя.

— Тревис.

— Да, Тревис. Значит, мы оба старались бежать от чего-то. Должна еще кое за что извиниться. Мэг вас мельком заметила и сочла в высшей степени интересным. Понимаете, она меня прикрывает, но ей неизвестно, с кем я встречаюсь. Решила, что с вами, а я не ответила ни «да», ни «нет». Считает, что вы очень хитро придумали — привезли домой моего пьяного мужа, мы уложили его и уехали вместе. М-м-м... Ничего я не упустила?

— Вон ту перекладину слева под сиденьем.

— Где? А, вижу. Спасибо.

Она аккуратно и точно закрасила последнее светло-голубое пятно, выпрямилась, наклонила голову, встряхнула баллончик. Внутри громыхнули шарики.

— Почти все истратила. Люблю, чтоб всего было в самую меру, ни больше ни меньше. Выпьете? Холодного пива? Еще чего-нибудь? Я себе обещала пиво.

И повела меня в прохладный дом, на веселую кухню. Предложила стакан, потом призналась, что тоже любит пить из бутылки. Прислонилась к раковине, скрестив изящные лодыжки, подняла бутылку и пила, запрокинув голову, пока глаза не увлажнились.

— Ух! — вздохнула она. — Наверно, Мэг видела, как вы подъехали. Тоже признает визит перед ленчем весьма soigné[1]. Должно быть, подглядывает из зарослей, тяжело дыша.

— Раз уж я удостоился такой чести, не должен ли знать о месте всех прочих свиданий, как по-вашему?

— Это не свидания. Просто встречи. И разговоры. Обо всем, что творится под солнцем. Мы держимся за руки, как одноклассники. Иногда чуточку плачем. Проклятье! Почему мужчинам не разрешается плакать?

— Время от времени они плачут.

— Слишком редко. Ну, мы встречаемся там, где нас точно никто не увидит.

— Довольно затруднительно.

— На самом деле не очень. Назначаем время, и оба приезжаем на огромную стоянку у «Кортни-Плаза». Как только замечаем друг друга, он отъезжает, я за ним. Он подыскивает местечко, где могут встать обе машины, пересаживаемся в одну, и никто нас не видит. В каком-нибудь саду, на темной улочке в жилых кварталах, рядом с аэропортом, где-нибудь... в безопасном, на его взгляд, месте.

— А как договариваетесь о встрече?

— А вот этого вам знать не нужно.

— Разве не со мной, по мнению некоторых, вы провели прошлую субботу? Мы ведь пробыли вместе весь или почти весь день, сидя в каком-нибудь проклятом автомобиле, держась за руки и плача, верно?

— Прошу вас, не шутите над этим.

— Простите.

— В субботу все могло быть иначе. Вторая фаза романа или что-то в этом роде. Может быть, хорошо, что Рик испортил дело. Мне все хочется отыскать место, где мы по-настоящему были бы наедине, в истинной безопасности. Чтобы вокруг были стены, над нами крыша, запертая дверь. Но не мотель, упаси Бог. Я, пожалуй, мотеля не вынесу. Да и риск. Понимаете, он... в его положении очень важно, чтоб люди ему целиком доверяли. Это было б не просто супружеской изменой.

— Он что, банкир?

---

[1] Предусмотрительный (*фр.*).

— Можно и так сказать, если угодно. В субботу он нашел нам пристанище, но не мог выбраться раньше полудня. Поэтому я собиралась вернуться и ждать на стоянке у небольшого торгового центра к северу от города, а потом ехать следом за ним. Он сказал, там безопасно, можно уединиться, никто ничего не узнает. Сказал, даже хозяин никогда не догадается о нашем визите. Нам, наверно, обоим известно, что, окажись мы когда-нибудь наедине в таком месте, ничто не поможет, ничто не спасет.

— И тут славный старичок Рик решил проехаться в Веро-Бич.

— Он был в жутком состоянии в понедельник утром — окостеневший, больной, разбитый, с трудом встал с постели. И разумеется, страдал похмельем. Когда я сообщила, что доставила его друга Макги в «Воини-Лодж», он вытаращил глаза, а потом расхохотался самым гадким образом. Мы, конечно, не разговариваем. Лишь по крайней необходимости.

Она подошла, забрала у меня пустую бутылку, бросила обе в кухонное мусорное ведро с откидной крышкой.

— Опять одна я болтаю, Тревис. При вас у меня как-то язык распускается. Вы по какой-то особой причине хотели со мной повидаться?

— Кажется, не могу выбросить вас из головы, Дженис.

Она пристально посмотрела на меня, нахмурилась, отчего над крупным носом меж темных бровей появились две вертикальные морщинки, и медленно покачала головой:

— Так-так, друг мой. Если я верно угадываю, задумали помочь оскорбленной даме расплатиться, вернуть веру в себя? Око за око и прочее? Что дальше? Здоровая молодая женщина, лишенная радостей секса, и так далее и тому подобное? Нет, милый мой. Даже если бы это осчастливило Мэг, оправдав ее подозрения.

— Сейчас, когда вы изложили идею, я увидел в ней некоторые плюсы. Но вы не выходите у меня из головы по другой причине.

— А именно?

— Допустим, я назову имя вашего друга. Милого, нежного, чуткого, замечательного и так далее.

— Этого вам, разумеется, не удастся. К чему вы клоните?

— А если удастся, сочтете необходимым бежать к нему с известием, что кому-то обо всем известно?

— На гипотетической основе? Дайте подумать. Зачем вам его называть? Чтобы знать наверняка? Что вам нужно?

— Ключ к этому человеку.

— Это изумительный человек!

— Все так думают?

— Нет, конечно! Не будьте идиотом! Любой человек, обладающий силой, энергией, собственным мнением, наживает врагов.

— Которые на него клевещут.

— Естественно.

— Ладно. Его зовут... Том-мпестьюс К. Флиггл, банкир.

— Тревис, какой вы дурак!

— Мы живем в дурацкое время, моя дорогая.

Едва заметное неудержимое подергивание мышц вокруг глаз Дженис при звуке первого слога вымышленного имени сообщило мне все, что нужно.

В двенадцать с несколькими минутами я увидел табличку на почтовом ящике дома номер 60 по Ридж-Лейн. Мисс Гулда Веннерсен. В углу таблички стояло название агентства недвижимости, управлявшего домами в садовом квартале. Из первого попавшегося телефонного автомата в аптеке я позвонил в офис, где меня соединили с мисс Форрестол. Я сказал, что работаю в кредитном бюро и был бы признателен за некоторые сведения о мисс Гулде Веннерсен. Отыскав карточку, она сообщила, что мисс Веннерсен, пятидесяти одного года, проживает в доме номер 60 в течение четырех лет и никогда не просрочивала платежи. На вопрос, служит ли мисс Веннерсен в страховой компании, ответила:

— Нет, только если не сменила работу, не уведомив нас. Конечно, она фактически не обязана нас информировать. Но служит, по нашим сведениям, в брокерской фирме «Киндер, Нойес и Штраус». Кассиршей.

Благодарю, дорогая моя.

Позвонив в брокерскую контору, я, к полному своему удовольствию, услышал от девушки на коммутаторе, что мисс Веннерсен там работала, как минимум, два года назад. Она служит в агентстве недвижимости. И мне был продиктован номер телефона. По наитию я полюбопытствовал, не работал ли в этой фирме мистер Том Пайк, и получил подтверждение — раньше работал.

Оказалось, что продиктованный девушкой телефон принадлежал «Девелопмент анлимитед». Я набрал его.

— Мисс Веннерсен? Сейчас переключу... Ох, простите, сэр. Она все еще в офисе в Джэксонвилле. Хотите выяснить, когда вернется?

Я поблагодарил и попросил не беспокоиться.

Вернулся в мотель, посмотреть, нет ли каких сообщений. Там меня поджидал Стейнгер.

Глава 16

Почему-то Стейнгер переменился, стал скованным, обрел нервную манерность, которой я прежде не замечал. Мы пошли в 190-й. Он беспокойно расхаживал взад-вперед. Я позвонил, чтобы принесли кофе и сандвичи, спросил, в чем дело.

— Дайте сосредоточиться, — попросил он, остановился у большого окна, сложив за спиной руки, перекачиваясь с носка на пятку, глядя на забавлявшихся в бассейне людей. Наконец объявил: — Может, буду работать в какой-то охранной шарашке. Постовым у ворот, надзирателем...

— Вас что, выгнали?

— Пока нет. Но может быть, выгонят.

— Почему?

— Миссис Баумер отправилась на экскурсию с садоводческим клубом. Я в конце концов уговорил дочь меня впустить. Приступил к действиям. Предупреждаю — у вас серьезные неприятности. Сокрытие информации — чуть ли не самое важное преступление. Может быть, смогу помочь, если вы мне сейчас доверитесь. И так далее и тому подобное. Пока она не раскололась.

— В чем ее проблема?

Он отошел от окна, тяжело рухнул в кресло.

— Она тряслась, всхлипывала, захлебывалась, брызгая слюной. Старалась побыстрей высказаться, все слова в кучу смешивались. Хватала меня за руки, умоляла, исповедовалась... Иисусе!

— В чем исповедовалась?

— Несчастная, неприметная, безобразная девочка была влюблена в доктора Шермана. Не столько поэтический роман, сколь-

411

ко страсть, жаркое дыхание. Вы ее видели. Приходила ли хоть одному мужчине в голову мысль до нее дотронуться? Так что она сама собой занялась — одному Богу известно, каким именно образом. Задерживалась с уходом, запирала дверь, оставляла свет в кабинете гореть, уходила в темную процедурную. Что-то там делала, объяснять мне не стала. Говорит, что-то грязное и ужасное. Думаю, это длилось годами. Нечто вроде разрядки. Через несколько дней после смерти Шермана разбирала архив. Не имела понятия, зачем Брун явился и как он вошел. Была в процедурной, вдруг вспыхнул свет — в дверях стоит Брун и смотрит. Велел одеться, сказал, побеседует с ней в кабинете. Макги, он явно убедил эту бедную, жалкую, больную, смиренную женщину в существовании неких законов насчет преступления против природы, в результате чего ее бросят в тюрьму как извращенку или дегенератку. Сказал, если она хоть когда-нибудь попытается намекнуть кому-либо, будто Шерман не покончил с собой, велит ее арестовать и упрячет подальше. Прихватил с собой какие-то «улики». Но, черт побери, откуда мне было знать, что она на последнем пределе? Вдруг одеревенела, закусила губу, давай вскрикивать, лязгать зубами, глаза закатила. Пришлось вызвать «скорую». Похоже на нервный срыв. Оставил там соседку ждать миссис Баумер.

— За это вас не уволят, Эл.

— Не за это. За то, что последует. Может быть.

— Что именно?

— Придется вплотную заняться Дэйвом Бруном. Слишком давно это тянется, слишком многое накопилось. По правилам, которых я формально должен придерживаться, невозможно прижать его к ногтю. Считается, мы с ним играем в одной команде. Он придает дурной запашок всему делу. Может, пора действовать не по уставу. Слушайте, мне надо взять кого-то с собой. Я боюсь своих собственных мыслей. Со мной должен быть тот, кто меня остановит, если я сорвусь с катушек.

— Может, сначала все хорошенько обдумаете?

— Хотите сказать, не желаете в этом участвовать?

— Если хотите, чтобы я шел с вами, — ладно. Только вот, прежде чем отправляться на встречу, нельзя ли на всякий случай проверить как следует, где был Брун в вечер смерти Шермана и в день смерти Пенни Верц?

— Насчет прошлой субботы не знаю, но помню, когда умер Шерман, он ездил в Бирмингем, доставлял оттуда одного арестанта. В любом случае давайте посмотрим, где сейчас может быть этот подонок.

Он подошел к телефону у кровати, набрал номер, пробормотал приветствие, осведомился про Бруна, выслушал ответ, нажал на рычажок, набрал другой номер. Ждал, как минимум, восемь гудков, сдался и заключил:

— Кажется, у меня есть еще время подумать. Он мелькает то тут, то там, но на протяжении последнего часа никто его не видал. Может, шатается вокруг суда. Тамошние приятели снабжают его крохами информации, должно быть за наличные из рук в руки. А может, пошел зачем-нибудь в муниципалитет. Или где-то в укромном уголке шепчется с очередным нанимателем.

Стейнгер ушел, пообещав держать связь и заскочить за мной по дороге на встречу с Дэйвом Бруном. После этого я выставил за дверь поднос с обеденной посудой, чтоб не давать никому повода за ним зайти. А перед уходом прибег к древнейшему и простейшему трюку, предупреждающему о любом вошедшем в ту дверь, из которой я вышел. Взяв лист почтовой бумаги с символикой и адресом мотеля, вышел, присел, сунул руку в дверную щель и бросил его на ковер, точно заметив место — на длине моей руки от локтя до пальцев. Дверь открывается внутрь, так что любой визитер его сдвинет. Даже если у незваного гостя хватит ума положить листок обратно, он никогда не ляжет точно на прежнее место. Если дверь распахивается наружу, лучше всего при закрытии сунуть в точно определенное место обломок спички или зубочистки, еле заметный снаружи. Впрочем, профессионал способен обойти подобную ловушку, равно как волосок, кусок жевательной резинки или копирки.

Потемнело, небеса разверзлись, хлынул дождь, под порывами ветра рикошетом разлетались капли, раскаленные улицы исходили паром под прохладными струями. Ветер терзал кроны пальм, ворошил широколистные растения, раскачивал вывески и висячие светофоры. Такой же шторм колыхал некогда «Лайкли леди», отчего она переваливалась, скрипела, стонала. А внутри было очень уютно.

Я снова попробовал добраться до Хардахи. Секретарша ответила, что он ушел на весь день, и я не смог определить, лжет она или нет. Отыскал юридическую контору Рика Холтона. Девушка поинтересовалась моим именем и исчезла. Вернувшись, повела меня по обшитому деревянными панелями коридору. В кабинете Холтона стоял огромный стол, окно позади во всю стену выходило в закрытый дворик, выложенный японскими речными камнями, с несколькими чахлыми деревцами в больших белых кадках. По стеклу лил непрерывный поток дождя. На стенах висела масса дипломов в рамках и фотографий политиков с добрыми пожеланиями.

Холтон заготовил широкую, доверительную улыбку младшего партнера фирмы, но она погасла прежде, чем девушка закрыла за собой дверь кабинета.

— Садитесь, Макги. Я сказал Салли, что не хочу никого видеть. Пусть думают, будто я занят треклятой конторской работой. Господи Иисусе! Перечитываю по три раза и ничего не понимаю. Знаете, к чему привело расследование? Ни к чему. По-моему, это какой-то псих. Черт возьми, Пенни открыла бы кому угодно. Он опомнился, перепугался и удрал. Очередная гнусная, бессмысленная случайность. Когда-нибудь его прихватят за что-то другое, он расколется и все откроется.

— Может быть, и так. Или Стейнгер что-нибудь раскопает.

— Он отлично работает.

— Лучше вашего друга Дэйва Бруна?

Он пожал плечами:

— Дэйв — мастер на всякие хитрости.

— Можно узнать ваше мнение по нескольким вопросам, Холтон? Не адвокатское. Личное.

— Оно дешево стоит в последнее время. Похоже, все пошло наперекосяк. Знаете, у нас с Пенни не ладилось. Мы почти приготовились закрыть книгу. Так почему ж я по ней так тоскую?

— Она была совсем особенная.

— И Дженис была совсем особенная. Говорю в прошлом времени. Я все проиграл. Ради того, чтоб покувыркаться на травке с Пенни Верц. Внешне ее даже сравнивать с Дженис нельзя. Что я хотел доказать? У Дженис нельзя попросту попросить прощения и жить дальше. Что сделано, то сделано. Она со своей стороны блюдет полную верность и от меня ожидает того же. Я ее потерял. Забавно... возвращался из Веро-Бич, не имея понятия,

414

что Пенни уже мертва. Пытался объяснить Джен, что просто уж так случилось. Сказал, у меня на стороне все кончено. Не был в этом уверен, но думал: если объявлю об этом Джен, наверняка буду чувствовать себя так же, как в пятницу вечером, когда Пенни не пошла за мной из вашего номера. Разговор этот был до того, как мы забрали детей. Она дала мне высказаться. Я посчитал, что она в самом деле задумалась и предоставляет мне шанс. Взял ее за руку. Знаете, она по-настоящему вздрогнула. И вежливо попросила не прикасаться к ней, потому что ее от этого тошнит. Это уж настоящий конец.

— Вы действительно собирались в меня выстрелить, когда караулили вечером в воскресенье?

Он откинулся в кресле, прищурился, глядя в звуконепроницаемый потолок.

— Господи Иисусе, не знаю. Увидел копию записки, которую она вам оставила. Стало ясно насчет вас обоих. Вспомнил про револьвер. Мне казалось, вся моя жизнь так перепуталась, что ничто уже не имеет особого смысла. А вы мне нанесли самый сильный за всю жизнь удар. До сих пор больно. Четыре дня прошло, а все еще больно глубоко дышать. У меня жуткий характер. Может быть, и выстрелил бы, Макги. С учетом всего вполне мог выстрелить. Жутко подумать. Если не считать Дженис и Пенни, все не так уж и плохо. У меня куча хороших друзей. Я хорошо обслуживаю клиентов. Заработал хорошую репутацию как помощник государственного прокурора, имею хорошие шансы стать окружным поверенным в будущем году. Это, как минимум, сорок тысяч плюс доход от других дел. Говорят, счастья за деньги не купишь, но кое-что на них очень даже можно приобрести. Спасибо, что вы меня обманули. И спасибо, что отвезли домой. Кстати, где револьвер?

— Я отдал его Стейнгеру, а тот вернул мне.

— Почему? — изумился Холтон.

— Просто одолжил на время, немного отсрочив официальную передачу.

— Когда будете отдавать, скажите, пусть оставит себе. По-моему, мне не стоит носить оружие. Ни на секунду. Но почему Эл Стейнгер подумал, будто вам может потребоваться револьвер?

— Наверно, муха какая-нибудь укусила.

— То есть не хотите говорить? Ладно. Я вчера утром проверял ваш рассказ о себе. Позвонил Тому Пайку, и тот объяснил, что вы старый друг миссис Трескотт и ее дочерей.

— Если так легко проверили, почему не выяснили все до того, как затевать вместе с Пенни дурацкую второсортную мелодраму?

Он вспыхнул:

— Да, теперь это кажется диким и глупым. Мы ведь как бы уговорили друг друга. Если б вышло — а согласитесь, что чуть не вышло, — может быть, я отыскал бы в бумагах, которые вы при себе носите, недостающий фрагмент. Мы свели все к одной теории, думали, что высокий мужчина был, вероятно, как-то связан с торговлей наркотиками.

— Да будет вам!

— Обождите минуточку! Я кое-что утаил при разговоре у вас в номере. Пенни это поняла и тоже промолчала. Мужчина, которого видели выходившим из кабинета Шермана, нес какой-то портфель, тяжелый, светлый. Согласно отчетности, ничего из зарегистрированных наркотиков не пропало. Но никто не контролировал заказы доктора для собственных экспериментов. Мог ведь он заказать экспериментальную партию, правда?

— Удалось вам узнать что-нибудь?

— Я говорил с Элен Баумер через день после смерти доктора. Она сказала, что из задней комнаты очень многое могло пропасть, и собиралась сравнить оставшееся с инвентарным списком в папке специальных заказов. А через два дня она полностью переменилась. Заявила, что передумала, верит в самоубийство, а из специальных заказов ничего не пропало. Я попросил показать папку, сказала, будто не может найти. Так и не нашла. Черт возьми, до этой дамочки кто-то добрался. Если Шерман покончил с собой, зачем тратить время, стараться заткнуть ей рот? Она, похоже, до смерти перепугана.

— Но если бы я убил доктора Шермана, для чего мне сюда возвращаться? Что мне могло тут понадобиться?

— Ну, теперь-то я понимаю, что вы ни при чем. С какой стати Тому Пайку отдавать вам двадцать тысяч наличными? Бывают дурацкие совпадения — так случилось и с моим здешним партнером, видевшим, что Пайк отдал деньги мужчине, который отвечает вашему описанию. Предположим, Шерман нарушил правила во время тяжелой болезни Морин, когда она была беременна вторым ребенком, дал ей какой-то экспериментальный препарат, предположим, он сделал это без ведома и согласия Тома, а побочный эффект неизвестного средства оказал некое разрушительное действие на мозг... Черт, кажется, ни у кого не было оснований тянуть деньги из Тома Пайка. Но вы виделись с Томом, и, хоть мы у вас ничего не нашли, кроме приличной денежной суммы, ее все-таки можно было считать каким-то подтверждением.

— Будьте добры, еще одно личное мнение. Как вы считаете, доктор Шерман убил свою жену?

— Бен Гаффнер — государственный прокурор — и я рассмотрели дело со всех сторон. Выдвигать против Шермана обвинение по обстоятельствам не имело смысла. Мы могли указать мотив и возможность, но доказать преднамеренное убийство было невозможно. Я считаю — убил. И Бен тоже. Специалисты, с которыми мы беседовали, говорят о почти абсолютной невероятности неожиданного ухудшения состояния до такой степени, чтобы она после введенной дозы инсулина впала в глубокую кому. Но формулировка «почти абсолютная невероятность» в суде не пройдет. Поэтому мы в конце концов прекратили расследование.

— Кто его вел?

— Этот случай относится к юрисдикции округа. Дело вел Дэйв Брун под совместным руководством моего офиса и шерифа. Даже если бы Дэйв сумел как-нибудь подкрепить обвинение и арестовать доктора, оснований для вынесения приговора было бы недостаточно.

— Ну, вернемся к смерти Шермана. Вам никогда не казалось, что у Пенни была некая ниточка, о которой она вам еще не говорила?

Он опешил, потом усмехнулся.

— Понимаю, куда вы клоните. Фактически мне... Постойте, дайте подумать. — Он откинулся в кресле, закрыл глаза руками. — Не знаю, есть ли тут какой-то смысл. Это было, наверно... неделю назад. В прошлый вторник. Она дежурила с одиннадцати до шести утра у одного послеоперационного пациента... Оказалось, в последний раз. Я пораньше отсюда вырвался, примерно без пятнадцати четыре, и поехал к ней повидаться.

Она только что встала и рассказала, что видела во сне доктора Шермана. Я особого внимания не обратил. А она вдруг умолкла, как бы озадаченная. Спрашиваю, в чем дело, говорит, просто думаю, этот сон кое-что мне напомнил. Не стала объяснять. Сказала, что надо сначала задать кое-кому один вопрос. Может быть, это полная ерунда, а может быть, кое-что значит. Ничего не понятно.

— А про сон что-нибудь помните?

— Не особенно. Глупость одна. Вроде бы он открыл у себя во лбу дверцу, попросил ее заглянуть, сосчитать, сколько раз там мигает оранжевый огонек.

— Не знаете, задала ли она кое-кому тот вопрос?

— Больше она никогда не упоминала об этом.

— Когда вы вели... неофициальное расследование смерти Шермана, вы что-нибудь рассказывали Дженис, к примеру про папку, которую отказалась показывать Баумер?

— Пожалуй, рассказывал больше обычного. Старался обеспечить прикрытие на время встреч с Пенни. Только Дженис сразу же леденела. Не поддалась на уловку, как я ни старался. Наверно, уже разузнала.

— Кто-то ее известил практически в самом начале.

— Шутите? Вот уж поистине доброжелатель!

— Думаете, она нашла себе другого мужчину?

— Я стараюсь об этом не думать. А вы как считаете?

— Скажем так, рогов она вам не наставила, Холтон.

— Прихожу домой, а там либо эта чертова Мэг с детьми, либо дети у Мэг. От Дженис ни слова. Ни записочки, ничего. Возвращается, спрашиваю, где была, говорит — выходила. Разговаривать не желает. Но я все твержу себе, что, если бы произошло то, чего я боялся, она бы по-другому выглядела. Знаете — волосы, губы, походка. Когда женщина вылезла из постели, видно, что она вылезла из постели. И взгляд у нее другой. Если она кого-то нашла, он нечестно играет. Раз он ей нравится, а на меня она злится, — знаю, что ей известно про Пенни, — стоит ему только взять ее за руку, увести, и дело в шляпе. Наверно, нехорошо говорить такое про свою жену. Только я ее знаю. И она мне уже не жена. Совсем. Никогда больше не будет. Моей — никогда.

— Она верит в убийство Шермана?

— Она обожала его. И уверена, что он не самоубийца. Не потому, что я что-нибудь раскопал или логически доказал. Инстинктивно. Говорит, что не мог он покончить с собой. Для нее этим все сказано.

— Стало быть, ей хотелось, чтобы вы отыскали убийцу?

— Не столько для того, чтоб убийца понес наказание, сколько ради восстановления доброго имени доктора.

— Что вы знаете о неприятностях Тома Пайка в фирме «Киндер, Нойес и Штраус»?

— Что? Ну и шустро вы скачете! Знаю одни только слухи. Он жутко рискует. Но верные ему люди просто клянутся его именем. Пришел в контору, за ним потянулось чертовски много народу. Игра на повышение, брокерские счета, масса сделок, счета с полной скидкой. Он умеет уговаривать. За очень короткое время сделал большие деньги для многих из нашего города. Только был тут один старичок, который вышел на пенсию с портфелем акций, котирующихся по высокому курсу, — «Интернешнл телефон», «Дженерал моторс», «Юнион карбайд»... Подписал соглашение, что Том Пайк будет временно распоряжаться его собственностью. Как я понял, Том продал все акции старика и начал крутить наличные на акциях совсем другой категории: «Фэрчайлд камера», «Тексас инструмент», «Теледайн», «Литтон». Через три месяца общий капитал сократился тысяч до двенадцати. А Том заключил около сорока сделок, причем общая сумма комиссионных дошла до восьми кусков. Старик спустил на Тома собак, утверждая, что по соглашению тот имел право направить на инвестиции с высокой степенью риска всего двадцать процентов его капитала, но проигнорировал это условие, пустил все на вздутые акции и воспользовался его счетом, чтобы заработать комиссионные. Адвокат старика послал жалобу прямо президенту фирмы в Нью-Йорк. Оттуда прислали пару юристов, чтоб вместе со старшим партнером провести расследование. Брокерские конторы очень щепетильны в подобных делах. Как я понял, состоялось общее собрание. Полный аудит всех сделок. Том Пайк объяснял, что старик выражал желание получать максимальные прибыли от сделок с высоким риском. Вроде бы у него есть другие ресурсы, он может рискнуть. Тот отрицал. Казалось, у Тома серьезные проблемы. Но одна женщина-служащая сумела подтвердить заявление Тома. Сказала, будто старик позвонил ей проверить свой счет, покупательную способность, узнал, что прибыль на тот момент составила двадцать пять тысяч, и сообщил ей по телефону, что желает избавиться от старых надоевших доходных акций, позволяет мистеру Пайку распоряжаться его счетом по своему усмотрению. Старик заявил, что она врет.

— Как зовут эту женщину?

— Гулда... с длинной фамилией... Кассирша.

— Гулда Веннерсен?

— Если знаете, зачем спрашиваете?

— Ничего я не знаю. Что дальше?

— Решили, что Том просто-напросто ошибся в расчетах, упустив из виду, что старик на пенсии и нуждается в обеспечении. Отстранили его на два месяца, отменили пару самых последних сделок, компенсировали убыток, вернули старику деньги почти в первоначальном объеме. И тогда Том послал всех к черту и открыл «Девелопмент анлимитед».

— И мисс Веннерсен теперь там работает.

— Ну и что?

— Ничего. Просто замечание. Как деловое сообщество отреагировало на проблемы Пайка?

— Дело шло так, что сперва все готовы были поверить в самое худшее. Люди начали закрывать счета. Говорили, будто он только комиссионные собирал, делая вид, будто с их деньгами все в порядке. Говорили, будто ничего не умеет, просто ему везет. Потом ситуация изменилась, и он оправдался. Бросил брокерский бизнес, увел своих крупных клиентов с рынка акций в земельные синдикаты. Он только выиграл, потому что имеет возможность строить вполне симпатичные пирамиды, используя собственность одной из них под гарантию очередных займов, и отрезает себе лакомые кусочки, сколачивая сделки. Он очень быстро раскручивается.

— Хороший кредит?

— Был неприятный момент, когда смерть доктора Шермана помешала ему сделать важные шаги. Но все равно должен иметь хороший кредит.

— Что это значит?

— Он привлек к сделкам банкиров, сберегательные и ссудные кассы, подрядчиков, бухгалтеров, агентов по продаже недвижимости. Черт, если дело когда-нибудь рухнет, весь город перевернется.

— Вместе с новым зданием?

— Цена ему четыре с половиной миллиона. Аренда участка через один синдикат, финансирование строительства и аренда помещений через другой.

— Действительно, очень быстро для такого молодого человека.

— А сколько лет парням, управляющим крупными фондами? Сколько лет руководителям некоторых крупных конгломератов? Том проворный, крутой, смелый, никто не догадывается о его следующем шаге, пока он его не сделает.

— И последнее. Вы хорошо знаете Хардахи?

— Больше с профессиональной стороны, чем лично. Очень солидный. В данный момент ему несколько не повезло. Сегодня утром на десять было назначено слушание дела насчет недвижимости, где я представлял одну из заинтересованных сторон. Явился Стэн Кранц, попросил об отсрочке, так как Уинт заболел и больше нет никого знакомого с делом. Сплошные сложности. Иисусе! Куча работы, а у меня просто мозги не ворочаются. Макги, что вам нужно? В чем вообще дело?

— По-моему, в убийстве медсестры.

— Для вас это так важно?

— Она была очень живой и приняла очень скверную смерть.

— А вы сентиментальный! Увлеклись, потому что она на меня разозлилась и переключилась на вас? Макги, она была просто-напросто...

— Замолчите.

— Вы серьезно?

— Желаете убедиться?

Он взглянул на меня, вытер губы тыльной стороной руки.

— Пожалуй, поверю вам на слово.

— До чего же вы странный поганец, Холтон. Маленький гад. Испорченный ребенок.

— Идите к черту, — без особого выражения буркнул он и крутнулся в кресле.

Когда я выходил, он смотрел в свой маленький восточный дворик с садиком. Дождь кончился.

Глава 17

Было пять вечера, когда я вернулся в 109-й. Отпер дверь, наклонился, протянул руку. Никакого листка бумаги на положенном месте. Я открыл дверь пошире. Скомканный лист лежал в пяти футах от створки. Логично предположить, что, если бы дверь открыла экономка или горничная, он лежал бы в мусорной корзине.

Первым делом я принялся проверять телефоны. Сняв нижнюю крышку аппарата у кровати, выяснил, что посетитель имеет высший разряд. Он воткнул «Континентал-0011», больше известный как «двухголовый жучок», принимающий все сказанное в помещении и по телефону и передающий на высоких частотах. Максимально возможная эффективная дальность — около трехсот футов. Батареи работают дней пять, если свежие. Цена около пятисот долларов. Стало быть, гость находится где-то на этой дистанции и ловит сигнал. Или оставил взамен реагирующий на голос магнитофон. Или располагает приемником и релейным приемно-передающим устройством, подключенным к источнику переменного тока в пределах слышимости. Тогда может слушать на гораздо большем расстоянии. Одно можно точно сказать. Когда я перочинным ножом отвинчивал с крышки винты, он обязательно должен был насторожиться — либо сразу, либо попозже, как только прослушает пленку.

Поэтому я сказал:

— Заходи в номер, поболтаем. Иначе окажется, что ты зря выбросил за игрушку пятьсот баксов.

Вытащил жучок, щелкнул крошечным переключателем. Потом как следует осмотрел снизу всю мебель и остальные места, где, по-моему, можно успешно припрятать микрофон с передатчиком. Профессионалы обычно ставят два. Находишь один, радуешься, сам себя поздравляешь, а тебя тем временем постоянно прослушивают. Если меня в первый раз обыскивал тот же субъект — Дэйв Брун, возникло второе основание считать его компетентность средней.

Я искал надежное место для пистолета, когда раздался звонок. Стейнгер сообщил, что до сих пор не сумел найти Бруна. Сказал, что продолжающееся расследование убийства Пенни

Верц ничего пока не принесло. Доложил, что справлялся об Элен Баумер, — ее держат на сильных транквилизаторах.

Я сказал, что мне докладывать нечего.

Это была правда. У меня лишь прибавилось вопросов, на которые нет ответов. Растянувшись на постели, я начал их мысленно перечислять.

Допустим, Том Пайк приготовился провести первое в полном смысле слова свидание с Дженис Холтон на квартире Гулды Веннерсен. Дженис не удалось сообщить ему, что все отменяется. Он отправился на стоянку, на место назначенной встречи, и в конце концов понял, что она не придет. Допустим, поехал в тот дом один, в конце дня пошел к Пенни, которая его впустила, и воткнул ей в горло ножницы. Оставил в квартире Веннерсен кровавые следы. Смыл их, отчистил обувь и обшлага брюк, сжег тряпку.

Но ведь он планировал быть там с Дженис. План пришлось изменить. Каким был первоначальный? Дженис, безусловно, имела вполне понятный мотив для убийства подружки ее мужа. Будь она поблизости в момент убийства, ему выпала бы неплохая возможность свалить вину на нее.

Но если планировалось выдать Дженис Холтон за убийцу, а Дженис не сумела бы доказать, что ее подставили, почему он все-таки пошел убивать Пенни в тот вечер?

Лоретт Уокер узнала от уборщицы, что кто-то лежал на постели Гулды Веннерсен. Значит, ему пришлось думать. Можно было отложить и попробовать в другой раз. Смерть медсестры неизбежно должна была разбить ее эффективный дуэт с Риком. Они оба непоколебимо верили, что доктор Шерман не мог покончить с собой.

Был ли у Пенни какой-то случайный клочок информации, который в ее сознании еще не укладывался в общую картину, и поэтому пришлось спешить? Или в душе лежавшего на кровати мужчины нарастало и нарастало какое-то нездоровое возбуждение, и в конце концов он поднялся, направился к дому Пенни и сделал свое дело — не мог не сделать, ибо чересчур долго его обдумывал, — хотя первоначальный оригинальный план уже стал невыполнимым.

А может быть, просто решил поговорить, прояснить подозрение о, возможно, имеющейся у медсестры важной зацепке.

А когда пришел, может быть, она сделала интуитивный шаг, и у него вдруг не осталось выбора, кроме неожиданного безжалостного убийства.

Но, рассуждая, я все возвращался к оригинальному плану. Даже если бы он оглушил, опоил Дженис Холтон и выдал ее за убийцу, она при расследовании рассказала бы, как попала в квартиру Веннерсен и с кем была. Какой смысл?

Я пытался сообразить, как он рассчитывал обезопаситься. Убить обеих, чтобы сошло за убийство и самоубийство? Сложная, хитрая, жутко опасная процедура. И вдруг понял, что подставить ее можно было бы очень легко, если б ей не удалось вспомнить, как она там оказалась, если б она совершенно забыла о любой связи этого случая с Пайком, даже о своем пребывании в доме Веннерсен или в доме Пенни.

Я осознал, что расхаживаю по комнате, не помня, как вскочил с кровати. Предположим, у Пайка есть некий способ, позволяющий наверняка лишать Морин воспоминаний. Начисто забывать о попытках самоубийства. Может быть, с его помощью можно было стереть у Дженис воспоминание об убийстве? Предположим, она очнулась бы в квартире Пенни рядом с мертвой девушкой, абсолютно не помня, как туда попала...

Пенни хотела мне что-то сказать о замечании доктора Шермана насчет памяти и механических навыков пальцев. Механических? Может, речь шла о ловкости рук?

Может, этот «Дормед» отбивает память? Электросон. Портативный аппарат, о котором рассказала Бидди.

Срочно требуется помощь специалиста. Я без труда вспомнил имя невропатолога из Майами. Когда разъяренный придурок швыряет тебе в спину кирпич, в результате чего у тебя отнимаются руки и ноги, ты уже никогда, никогда не забудешь того, кто вылечил наверняка сломанный позвоночник.

Доктор Стив Робертс. Я дозвонился через пятнадцать минут.

— Извини, Трев, — сказал он. — Леди, с которой я живу, только что подала мне чудесный запотевший бокал. Вот. Я попробовал и поцеловал леди. Что у тебя? Спина подводит?

— Нет. Нужна информация. Знаешь что-нибудь об аппарате электросна под названием «Дормед»?

— Конечно. Прелестное небольшое устройство. Очень эффективное.

— Если им часто пользоваться, можно отбить у человека память?

— Что? Нет. Абсолютно исключено. Очень малая частота, ничего невозможно нарушить. Если бить постоянными сильными зарядами, тоже не нарушится ни один конкретный процесс, но человек попросту превратится в растение. Каждая серия шоковой терапии разрушает клетки мозга. Равно как достаточно сильные алкогольные спазмы в течение достаточно долгого времени.

— А конвульсии влияют на память? Скажем, у женщины с почечной недостаточностью после потери ребенка?

— Ты имеешь в виду эклампсию? Нет, сомневаюсь. При этом взлетает давление, как космическая ракета, в мозгу может лопнуть кровеносный сосуд, прежде чем он получит какие-то повреждения. Кстати, где ты?

— В Форт-Кортни.

— Ведешь медицинскую практику без лицензии?

— Возможно, веду. Только не медицинскую. Стив, можешь вспомнить какой-нибудь способ лишить человека памяти?

— Совсем? Полная амнезия?

— Нет. Только последние события.

— Сколько длится эффект?

— Постоянно.

— Такое может случиться при сильной контузии. Травматическая амнезия. У многих очнувшихся после несчастного случая выпадает из памяти пара часов или дней, причем, кажется, навсегда. Но гарантии нет.

— Есть какой-нибудь медицинский или химический способ?

— Ну... Не могу сказать о существовании какого-нибудь, так сказать, признанного. То есть, как ты понимаешь, в нем нет особой потребности...

— Так есть или нет?

— Обожди минутку. Дай выпить.

Я ждал, как минимум, две минуты, прежде чем он снова заговорил:

— Трев? Прочту тебе краткий курс о работе мозга. В твоей голове около десяти миллиардов нейронов, крошечных клеток, передающих крошечные электрические заряды. В каждом крошечном нейроне содержатся, кроме прочего, около двадцати миллионов молекул рибонуклеиновой кислоты, или — коротко — ДНК. Эта самая ДНК вырабатывает молекулы протеина — только не спрашивай как. В любом случае эти молекулы протеина связаны с тем, что мы называем памятью. Пока ясно?

— Пожалуй.

— Некоторые эксперименты продемонстрировали, что в мозгу лабораторных животных при обучении новым навыкам образуется больше ДНК, а значит, и вырабатывается больше молекул протеина. Если ввести крысам магнезиум пемолин, который, как минимум, вдвое повышает производительность ДНК, крысы учатся гораздо быстрее и дольше помнят выученное. Попробовали получить и обратное доказательство. Мышам и крысам вводили химическое вещество, замедляющее работу ДНК по производству молекул протеина. Учили мышь проходить лабиринт, потом вводили препарат, и она тут же забывала только что выученное.

— Какой препарат?

— Пуромицин. Его испытывали на золотых рыбках в одном университете и получили чудовищно глупых рыбок. Ничему не могли научиться и ничего не помнили.

— А если ввести его человеку?

— По-моему, никто этого никогда не делал. Если подействует так же, как на лабораторных животных, можно стереть память о недавних событиях, может быть навсегда. Лично я предпочитаю магнезиум пемолин. Просто не знаю, как бы без него обходился. Что касается пуромицина, о его побочных эффектах понятия не имею.

— Может кто-нибудь его купить?

— Любой врач, любая имеющая разрешение лаборатория или исследовательский институт. Во что ты вляпался, скажи на милость?

— Пока не знаю.

— Расскажешь когда-нибудь?

— Если не наскучу. Скажи, а что там насчет памяти и механических навыков пальцев?

— А поконкретнее?

— Просто прокомментируй.

— Кажется, у ствола мозга и у действующих двигательных нервов и мышц есть некая дополнительная функция памяти.

Мы обнаружили, что, если человеку с истинной амнезией, который работал всю жизнь, например, ювелиром, вручить ювелирную лупу, он обязательно неосознанно поднесет ее к глазу, вставит и закрепит, как монокль. Швея надевает наперсток на правильный палец, а был у нас как-то хирург с такой тяжелой афазией, что вообще не воспринимал реальность, но, когда ему в руку вложили хирургическую нить, начал одной рукой вязать маленькие прекрасные хирургические узлы, даже не сознавая, что делает. Продолжать?

— Нет. Вполне достаточно.

— Не поворачивайся спиной ни к кому, у кого в руках заметишь кирпич.

— Никогда в жизни. — Я поблагодарил и положил трубку.

Через час я стоял за кустами у пустого, предназначенного к продаже дома на берегу озера, глядя, как выезжающий с подъездной дорожки Пайков фургон поворачивает в мою сторону на пути в город. За рулем Бидди, рядом Морин — дочери Хелены, улыбающиеся блондинки, одетые для приема.

Логично предположив, что Том Пайк уже в городе, проверяет, все ли приготовлено, следит, чтобы о его гостях позаботились, я направился под покровом растительности вдоль обочины, потом по границе участка туда, откуда был виден большой дом. Отсутствовали обе машины. Москиты пели в ушах тонкими, голодными голосами, на ветку сосны прямо над головой прилетела голубая сойка, принялась меня всячески обзывать, обвиняя в неслыханных злодеяниях.

Я прошел через дорогу и двор к черному ходу, громко постучал и прислушался. Не получив ответа и после второй попытки, попробовал отодвинуть язычок замка, но дверная рама прилегала чересчур плотно, поэтому миновал заднюю часть дома и приступил к штурму замка на первых раздвижных стеклянных дверях с помощью короткого крепкого ломика, купленного по дороге в торговом центре с мыслью о прочной конструкции стального шкафчика, который стоял в ванной Морин. Металлическая защелка легко отскочила, стеклянные двери и жалюзи раздвинулись. Я порадовался, что они еще не поставили простое и эффективное устройство, которое сейчас все чаще используется для блокировки стеклянных раздвижных дверей, — круглую дюймовую деревяшку, отрезанную до соответствующей длины и уложенную в колею, по которой скользят створки.

Сунув ломик длиной в фут за брючный пояс крючком вверх, быстро поднялся наверх в комнату Морин. В застывшем воздухе чувствовался праздничный аромат духов и банного мыла, перебивавший постоянно присутствующие запахи лекарств. Встал на колени на вязаный коврик в ванной, обследовал замок стального шкафчика. Солидный на вид, с такой сложной скважиной для ключа, что для вскрытия, по моему мнению, понадобилось бы много времени и терпения. Острым концом лома я согнул стальной язычок, одной рукой придержал шкафчик, налег на ломик, замок внезапно поддался, отлетевший кусочек металла со звоном ударился в стену.

В шкафчике были обычные для ванной принадлежности и медикаменты, способные причинить детям вред, — йод, аспирин, медицинский спирт. Коробка одноразовых шприцев для подкожных инъекций. Набор прописанных лекарств — таблетки в баночках и в коробочках, и всего три пузырька для инъекций, с металлическими колпачками на резиновых пробках, через которые можно вытянуть шприцем бесцветное содержимое. На каждом стоял номер — один и тот же. Два полных, один наполовину пустой. Кажется, весьма скудный запас рядом с количеством игл, достаточным для поста дежурной медсестры. Аптека «Гамильтон», торговый центр «Гроув-Хиллз».

Я стоял на коленях, усиленно думая, автоматически прислушиваясь к звукам в доме. Бидди сказала, что научилась делать Морин уколы. Итак, прописанные транквилизаторы можно вытянуть из пузырька полностью или частично, а туда впрыснуть пуромицин. Я взял один полный и один наполовину пустой. Металлические колпачки на полных в целости и сохранности. Тут я понял, что озадачен расстановкой трех пузырьков. Они стояли посреди металлической полки, не у стенки и не у края. Другие предметы на других полках стояли у стенок, поменьше — спереди, повыше — сзади. Похоже, что-то вынули — то, что стояло за маленькими пузырьками.

Я поднялся, пошел на поиски, отыскал в комнате Бидди маленький фонарик, вернулся, снова встал на колени, направил луч света в самый угол металлической полки. На ней был совсем слабый налет пыли, а за маленькими пузырьками оказались четыре чистых круглых пятнышка размером с монету в пятьдесят центов. Значит, отсюда совсем недавно забрали четыре пузырька или ампулы.

Дедуктивные рассуждения опровергают сами себя, смахивая на старую резинку — чересчур вытянешь, лопнет. Мои выводы перешли в сферу, где слишком много подходящих альтернатив.

Вдобавок было подозрение, что я все время вывожу заключения на основании действий и реакций того, кто не делает ни единого шага по логически предсказуемой схеме.

Если из шкафчика что-то забрали, жизненно важное для пребывания Морин Пирсон в нынешнем младенческом состоянии, тогда либо нужда в этом отпала, либо она в этот дом никогда уже не вернется.

Я домчался до прокатного автомобиля минуты за две, не больше. Солнце садилось. Толстая дама, копавшаяся в цветочной клумбе, стоя на четвереньках, выпрямилась и, разинув рот, уставилась из-под полей огромной мексиканской соломенной шляпы на меня, выскочившего галопом на пригородный асфальт. Я ей помахал.

До города долетел минут за восемь, там и сям оставляя на асфальте черные полосы от покрышек. Новое здание громоздилось на высоких пилонах, так что внизу оставалось место для парковки. Земля вокруг еще хранила грубые следы строительных работ, еще висела большая вывеска с перечислением основных подрядчиков, архитекторов, субподрядчиков и будущих арендаторов, часть тротуара была огорожена, тянулись временные деревянные тротуары. Уже за пять кварталов я в сумерках видел освещенные окна верхнего этажа. Под зданием стояло десятка четыре автомобилей, небрежно сбившихся в кучу возле ведущих в здание лестниц и пандуса. На неосвещенной стоянке они походили на мирное стадо неких жвачных животных, устроившихся на ночлег. Я начал было пристраиваться, потом подумал, что, если захочется поскорее уехать, приехавшие попозже загородят дорогу. Свернул направо, отъехал подальше, поставил автомобиль носом вперед неподалеку от въезда, немного правее, вылез, схватил с сиденья пиджак и оделся. Под передним сиденьем лежали револьвер и лом, поэтому я запер дверцы.

Только сделал первый шаг к стаду машин и входу в здание, раздался слабый кошачий крик, тонкий вой, а затем тупой, плотный, тяжелый удар, после которого крик оборвался. Что-то глухо хлюпнуло, словно кто-то сбросил на кошку мешок с мокрым песком. Потом донесся странный отголосок — звучное низкое «бр-рынь», от вибрации перенапрягшейся конструкции над головой. Я свернул с подъездной дороги к тротуару. В этом месте корпус здания отступал назад, так что крыша над передней частью стоянки была только в этаж высотой.

Прохожих на улице не оказалось. На самом дальнем углу стояли машины в ожидании переключения светофора. Я подошел к временному деревянному тротуару, крытому для безопасности пешеходов. Подпрыгнул, схватился за деревянный край, влез на дощатую крышу, перебрался оттуда на постоянное перекрытие над участком парковки внизу.

Перекрытие шло в глубину футов на пятьдесят при ширине около ста пятидесяти. На горизонте на западе тянулась длинная красная бледнеющая полоса, гаснущий дневной свет окрашивал все вокруг в разные оттенки серого. Разглядев выходящие на крышу двери здания, я сообразил, что задумана она как патио — может быть, для обедов на открытом воздухе в расположенном в новом здании ресторане.

Видно, сюда поднимали крупные предметы — мебель, оборудование, — распаковывали и заносили через двойные двери. У стены были свалены остатки деревянной решетчатой тары, разбитые и расщепленные, различные упаковочные и перевязочные материалы. Стена вздымалась на двенадцать этажей, прямо к освещенным окнам верхнего. Сразу за обломками контейнеров и выброшенной упаковкой я наткнулся на тело Морин Пирсон Пайк.

Она лежала на спине футах в трех от угла здания, почти параллельно стене. Верхняя часть тела чуть ближе, чем ноги. В серо-голубом костюме, белой блузке, одной голубой туфле-лодочке. Другая валялась рядом. Я заметил цвет костюма, когда они с Бидди проезжали мимо.

Она выглядела безобразно, хотя лицо не было повреждено. При ударе под прочной человеческой оболочкой все превратилось в сплошную кашу. Это был длинный тюк грубой трубчатой формы, еще скрывающий разорванное мясо и раздробленные кости, кроме одного места, где розовые осколки прорвали у локтя левый рукав костюма. Рот широко открыт, неподвижен. Глаза полузакрыты. Распластанное на крыше тело утратило обычные контуры, так что женские формы исчезли.

Словно с точным расчетом она почти всем телом упала на смятый лист грубой коричневой оберточной бумаги. Это была вощеная водонепроницаемая бумага для обертки тяжелого оборудования, которое транспортируют в деревянной решетчатой таре, прикрепляя болтами к крепким брусьям. На месте разрыва было видно, что бумага двухслойная, с черной гофрированной сердцевиной.

Я присел рядом на корточки. Дотронулся до блестящих волос, потом закрыл ей глаза. Чувствовал резкий запах внезапной смерти, остывающего мяса, начала процесса разложения. Все еще сидя на корточках, вытянул шею, взглянул вверх. Ни одна голова не торчит, не глазеет в нездоровом восторге вниз, в пологое ущелье, на катастрофическое падение.

Оглянулся на здание через дорогу, гораздо старше, конторское, четырехэтажное. Все окна темные. Сдвинул край придавившего бумагу контейнера, осторожно уложил на бумагу ее ноги. Взялся за угол, приподнял, обернул, подоткнул под другой бок. Прошел между ней и стеной, помедлил, толкнул тело, перекатил. Одного куска бумаги мало. Нашел другой, побольше, с простыню, быстро расправил, сунул кончик под тело, завернул наполовину, подогнул углы сверху и снизу, завернул целиком. В куче досок увидел несколько мотков крепкой толстой веревки. Отрезал три куска перочинным ножом, обвязал посередине, сделав длинную ручку, завязал еще в двух местах по обоим краям.

Завязывая узлы, стал забываться. Осознал, что узлы получаются чересчур аккуратными, а сам я удовлетворенно вздыхаю, оценивая замечательную работу и красивые чистенькие узлы. Поэтому отошел от кошмарного свертка, быстро осмотрелся и нашел место, удобство которого превосходило ожидания, — служебный люк в боковой стене здания, приблизительно в три квадратных фута. Четыре больших болта удерживали металлическую плиту. Я их выкрутил. Люк под плитой был всего фута в два глубиной и заканчивался решеткой, прикрывавшей какие-то воздушные фильтры.

Я вернулся к телу, посмотрел вверх, на окна здания через улицу. Потом поднял упрямую, неуклюжую, невероятно тяжелую ношу. Пришлось поставить тюк стоймя, обхватить и тащить заплетающейся, напряженной походкой шестьдесят футов по крыше к открытому служебному люку. Бумага сильно хрустела, тело мрачно сопротивлялось. Я втолкнул его в люк в сидячем положении, спиной вниз, потом согнул ноги в коленях и запихнул. Оно привалилось к решетке.

Сверток. Перевязанный и уложенный. Девушка в грубой бумажной коричневой упаковке. Мне пришло в голову, что я, зная по распределению веса, где голова, а где ноги, забыл, где перед, где спина. Значит, либо ее усадил, либо...

Тошнотворный, вязкий, липкий ужас блокировал мозг, лишил возможности думать и двигаться. Содрогнувшись, я с грохотом бросил на место металлическую крышку, плотно закрутил болты. Только выпрямившись, почувствовал, что вспотел, рубашка, пиджак, пояс брюк насквозь промокли.

Быстро пробежал крышу, убедился, что меня никто не видит, спрыгнул на деревянный навес, оттуда на тротуар. Идя к входу, свернул, услыхав предупредительный автомобильный гудок. На прием прибыли очередные гости. Я не стал спешить и пропустил их к лифту.

Глава 18

Когда я вышел из лифта, прием был в разгаре. Золотистый ковер, плотный, упругий. Кондиционеры усердствуют, поглощая избыток табачного дыма и испарения человеческих тел. Гул, жужжание десятков одновременно звучащих голосов. За стойкой бара, установленной во впечатляющем приемном зале «Девелопмент анлимитед», двое мужчин в красных пиджаках. Официантки лавируют, тщательно прокладывая себе путь сквозь толпу, балансируя подносами с коктейлями и закусками. В каждый экзотический деликатес воткнута зубочистка. Девушка в золотом мини, золотой ковбойской шляпе, с золотой гитарой расхаживает с застывшей улыбкой, научившись сохранять ее во время пения.

Поднимаясь один в лифте, я рассматривал себя в зеркале. Лицо какое-то помятое, не соответствующее. Для соответствия разгладил его пальцами. Один глаз вроде бы больше и ярче другого, чего я никогда раньше не замечал. Легкий пиджак достаточно темный, так что следов пота не видно. Но это был нервный пот — ледяной. Я не только ощущал собственный лошадиный запах, но и чувствовал, что, если мальчик с конюшни не выведет меня перед стойлами, а потом не разотрет, я отброшу копыта.

Гости принадлежали к деловым и инвестиционным кругам — преуспевающие мужчины Форт-Кортни со своими женщинами. Профессионалы, производители, банкиры, торговцы, подрядчики, торговцы недвижимостью, брокеры. Сорок, пятьдесят, шестьдесят. Звучные голоса выражают уверенность, оптимизм, ничтожные убытки, прирост капитала. У многих женщин острый вопрошающий взгляд, оценивающий прическу, одежду, манеры друзей и знакомых, проверяющий, кто с кем пришел.

Можно с легкостью отличить служащих офиса. Они моложе, напряженнее, тратят больше усилий, чтобы казаться общительными и приятными. Я для прикрытия получил в баре выпивку и направился через, видимо, самую длинную часть помещения, через пенал, который скоро заполнят девушки, архивные шкафы, столы, копировальные аппараты, электронные счетные машины.

Бидди Пирсон оказалась в небольшой оживленно беседовавшей компании в дальнем конце зала. Я пробрался к ней мимо других занятых разговорами групп. На ней был бирюзовый костюмчик — маленький пиджачок и короткая юбка. Слева от плеча до бедра пиджак и юбка застегнуты на пять больших старомодных пряжек, три на пиджаке, две на юбке. Чулки декоративной вязки из плотной белой пряжи, с такими же крупными ячейками, как стандартный рыболовецкий трал.

Заметив меня, она явно обрадовалась, что мне польстило, адресовала приглашающий взмах, представила Джеку и Элен таким-то, Уорду и Элли вот этаким. Я постарался развернуться и отгородить ее от компании, чтобы та рассосалась. Я не доверял собственному голосу. Боялся захрипеть. Но вопрос вышел вполне пристойно:

— Как дела?

— Замечательно! Том ужасно доволен. Согласитесь, декоратор проделал сказочную работу.

— Очень мило.

— Мори ведет себя просто прелестно! Кажется, понимает всю важность события, правда. И держится вполне изящно. — Она приподнялась на цыпочках, задрала голову, высматривая Морин.

Что ж, притворись, будто видел ее, перемолвился мимоходом.

— Выглядит в самом деле очаровательно. Ей идет этот цвет.

— А! Вы ее уже видели?

— Да. Внизу, в вестибюле.

Бидди была занята поисками, поэтому до нее дошло далеко не сразу. Она повернулась ко мне:

— Что? Где?

— Внизу, в вестибюле.

— Когда?

— Не знаю. Я всего только выпить успел. Должно быть, минут пять назад... Я выходил из лифта, она заходила.

Пальцы стиснулись у меня на запястье.

— Одна?

— Да.

— Боже мой, Тревис, почему вы не остановили ее и не привели сюда?

— Слушайте, Бидди, она прекрасно выглядела. Сказала, чтоб я поднимался, присоединялся к гостям. Сказала, должна что-то взять из машины. Обещала сейчас же вернуться. Неужели надо было хватать ее, тащить сюда с визгом и дракой?

— Ох, она ведь ужасно хитрая! Ну, тогда и черт с ней. Именно в тот момент, когда все так хорошо... Том сомневался, стоит ли ее везти. Она казалась такой... собранной. Извините. Лучше пойду найду Тома. Я-то думала, она с ним... А он, наверно, думает, что она со мной. Ему станет плохо, совсем плохо...

Я разобрался в окнах, сориентировался и пошел по широкому коридору, который вел мимо небольших кабинетов. Мимо меня туда-сюда двигались толпы, кто-то из служащих «Девелопмент анлимитед» водил экскурсии. Завернув за угол, я вошел в кабинет, выглянул, сообразил, что нахожусь не более чем в пятнадцати футах от стены, выходящей на улицу, — слишком близко. Снова свернул за угол, предположил, что в нужном мне кабинете дверь должна быть закрыта. Почти все были открыты для осмотра.

Совсем маленькая рыжеволосая женщина, семенившая мимо, остановилась, уставилась на меня. Вся в зеленом, с кучей бриллиантов, с широкой улыбкой прямо с рекламы мартини.

— Привет, дорогой! Вы какой-нибудь новый инженер? Я — Джоэни Мейс, дальше по коридору.

— Привет, Джоэни Мейс. Я не инженер. Я таинственный гость.

— С неприлично пустым бокалом? Ужас! Стойте на месте, таинственный гость. Не двигайтесь. Не дышите. Я вас обслужу.

И засеменила прочь. Моя сторона коридора была пуста. Слышались приближающиеся голоса. Я открыл дверь, шагнул в маленький кабинет. Свет не горел. Закрыв дверь, увидел, что он завален картонными папками с бланками и подсобными материалами. Пробрался к окну — центральная створка крепко закрыта, узкие с обеих сторон приоткрыты вовнутрь дюймов на восемнадцать и держатся на защелке. Высотой они были в пять футов, и еще фут от пола. Окно слева открыто. Я высунулся и посмотрел вниз — оно. Закрыл его, натянув рукава пиджака на ладони, нажал на ручку, пока она полностью не защелкнулась. Повернувшись, наступил на что-то мягкое. На ощупь можно догадаться, что это маленькая кожаная вечерняя сумочка. Я сунул ее под рубашку, затянув ремень еще на одну дырочку.

Осторожно, на дюйм, приоткрыл дверь. Приближалась погруженная в разговор группа. Когда она прошла, я улучил момент, вышел, возможно с излишней небрежностью, но вокруг не было никого, кто освистал бы плохую игру. Прислонился к стене в коридоре. Миссис Мейс несла выпивку, торопилась, высоко держа бокал, гордясь своим достижением. Мартини был чрезвычайно поганый. Я рассыпался в экстравагантных благодарностях. Она объявила, что я должен прийти в воскресенье поплавать в ее бассейне. Соберется компания пловцов. Выпьем несколько галлонов шампанского. Вкуснейшего. Ну конечно.

Плетясь следом за группой, мы попали в конце концов в большой зал. Бидди быстро подошла, отвела меня в сторону. Вид у нее был решительный и сердитый.

— Трев, я не оповестила Тома и не собираюсь. Раньше или позже он обнаружит исчезновение, этого будет вполне достаточно. Я просто не позволю своей сестре портить ему прекрасный день. Она и так достаточно напортила. Не окажете ли по своей доброте совершенно особое одолжение?

— Разумеется.

— Идите вниз и начинайте проверять каждый бар, какой отыщете. Их тут немало в районе трех-четырех кварталов. Если найдете ее в не совсем плохой форме, пожалуйста, приведите назад. Если в плохой, побудьте с ней, посадите в фургон, который стоит там внизу. Номер...

— Я знаю машину.

— Огромное спасибо! Бедный Трев! Вечно оказывает дурацкие услуги жуткой семейке Пирсонов. И послушайте, дорогой, никогда даже не намекайте Тому, что я знала о ее уходе. Он убьет меня. Посчитает, что я должна была ему сразу сказать. Но пропади все пропадом... и... еще раз спасибо.

Я начал медленный путь через толпы гостей. Пришлось пройти мимо компании, которая застыла в уважительном внимании, слушая Тома Пайка. Он стоял — высокий, энергичный, смуглый, красивый, чуть-чуть сутулый, чуть-чуть простоватый, чубастый, слегка ко всем снисходительный — и низким, звучным, прекрасным голосом изрекал:

— ...ответ даст возможность создания рабочих мест в центральных городских районах, если мы намерены продолжить создание жизнеспособной экономической базы в центре Форт-Кортни. Вкладом нашей компании в это прекрасное здание будет — если у всех у нас хватит смелости и дальновидности — закрытый торговый центр. Он займет тот небольшой квартал на Принсесс-стрит. Обновление города поможет избавиться от устаревших складов, освободить улицы в центре города, и я не вижу причин, которые помешали бы нам...

Рядом со мной кучка разодетых леди восторженно вздыхала над чем-то только что до смерти их поразившим и ускользнувшим от прочих потенциальных инвесторов.

Я спускался вниз в лифте с молчаливой супружеской парой. Она пристально смотрела в потолок небольшой кабины, чопорно поджав губы, насупив брови. Он уставился в синий коврик под ногами, стиснув зубы и мрачно задумавшись. Когда мы шли к стоянке, она, не принимая в расчет, что я близко, проговорила глухим равнодушным тоном:

— Почему бы тебе, дорогой, не позволить мне ехать домой в одиночестве? Сам же можешь вернуться и сколько угодно лапать вульгарную задницу Глории. Ей, должно быть, недостает знаков внимания.

Он не ответил. Я подошел к своей машине, отпер, сел и так крепко вцепился в руль, что захрустели костяшки пальцев. Так плотно зажмурился, что увидел взлетающие ракеты и огненные кольца. Выпадают маленькие удачи, ибо противникам всегда везет попеременно, а когда долго ведешь игру, постигаешь шансы на выигрыш и проигрыш. Бидди мне помогла. Я этого не ожидал. Я ожидал, что она ему скажет, как Макги видел Морин, вышедшую другой дорогой, не той, о которой он точно знал, и он ринется на меня, подойдет поближе, можно будет увидеть, что он собой представляет. Но вышло даже лучше.

Теперь надо найти Стейнгера, да поскорее.

Стейнгера я нашел только в четверть десятого. Объявил ему: если все сразу же будет записано, в дальнейшем сбережем массу времени и кучу вопросов.

— Вид у вас странный, — заметил он. — Вроде как бы испуганный.

— Такой уж день выдался, Эл.

— В чем, вообще, дело?

— Сперва организуйте запись.

— Ладно, ладно!

И он, оставив Наденбаргера посреди дороги курсировать самостоятельно, поехал со мной в моей машине в полицейское управление. Я сказал, что по возможности предпочел бы рассказывать в автомобиле. Он вернулся с обшарпанным старым магнитофоном и микрофоном размерами с зажигалку. Я отыскал ярко-белый знак въезда на шоссе 30, остановился в дальнем конце задом к ограде. Бесстрастная девушка долго подходила, чтобы принять заказ, долго ходила за двумя чашками кофе, пристраивала поднос к машине. Стейнгер проверил магнитофон. Он немного шипел, но не слишком. Головки следовало почистить и размагнитить.

Он перемотал пленку, включил запись, назвался, продиктовал дату и время, объявил, что записывает добровольное заявление Тревиса Макги в таком-то и таком-то месте, что это заявление имеет определенное отношение — пока неизвестно какое — к насильственной смерти мисс Пенни Верц от колотой раны и что упомянутая жертва была знакома с поименованным Макги. Вздохнул, передал мне микрофон.

Как только я начал, Стейнгер окаменел и выпучил на меня глаза. На протяжении повествования до того страстно хотел меня перебить, что совершал небольшие рывки и подскоки, но я не дал ему ни малейшей возможности. В один момент он скорчился, закрыв глаза руками, и послышался скрежет зубов. Я закончил, включил перемотку.

— Хотите, опять прокручу? Можете задавать вопросы.

— Нет, нет. Не сейчас. О Господи Иисусе, всеблагой и всемилостивый! Ах ты, гнусный, тупой подонок! Ох, и как мне могло взбрести в голову, что у тебя в мозгах есть хоть одна извилина! Надо было мне взять тебя, глупого гада, и закрыть за железной дверью. Господи Боже, у меня полночи уйдет только на изложение обвинений. И тебе хватило наглости, силы, идиотской... настырности просить меня лезть за трупом в дурацкую дыру, заявить, будто нашел его в канаве, не позволять провести опознание, держать в морозильнике как Джейн Доу[1], Бог весть сколько времени... Нет! Черт возьми, Макги! Нет! — Крик был полон страдания.

— Почему вы не хотите спросить меня кое о чем? Может быть, после этого успокоитесь, Стейнгер. У вас вся ночь впереди, успеете забрать тело.

Он кивнул. Я включил магнитофон.

— Вы абсолютно уверены, что она была мертва?

— Она упала на бетон с высоты в сто двадцать футов.

— Хорошо! Вы отдавали себе отчет, что уничтожали возможные свидетельства преступления, прикасаясь к наружной и внутренней ручкам дверей кабинета, закрывая окно, забрав сумочку?

— Он наверняка не оставил ничего существенного. Я и тело передвигал. Выпрыгнула она, упала или ее столкнули — труп выглядел бы одинаково.

---

[1] В американском судопроизводстве именами Джон или Джейн Доу обозначаются неизвестные лица.

— Но чего вы хотели добиться?

Я выключил микрофон.

— Эл, вы что, не хотите играть на моей стороне?

— Не могу! Это настолько из ряда вон...

— Кто может дать разрешение на попытку сыграть по-моему? Ваш босс?

— Старик Сэм Тепплер? Он рухнет замертво при одном намеке.

— Как насчет государственного прокурора вашего судебного округа, Гаффни?

— Гаффнер. Его зовут Бен Гаффнер.

— Есть какой-нибудь шанс получить его согласие? Прокуроры бывают разные. К какому он типу относится?

Эл Стейнгер вышел из машины, хлопнув дверцей, медленно обошел вокруг автомобиля, шаркая по асфальту ногами, поддергивая брюки, потирая шею. Подошел, посмотрел на меня поверх прицепленного к дверце подноса.

— Гаффнер работает четвертый срок. Пользуется дьявольским уважением. Но никто с ним не сблизился. Любит наказывать, никому не дает спуску. В курсе всех дел. В игрушки не играет, выстраивает свои дела точно каменные стены в старые времена. Могу сказать только... может и согласиться. Придется выложить ему всю историю, от начала и до конца. Он прямой, крутой, сам себе таким нравится. Но я с ужасом думаю, как мне ему объяснить, почему вы сейчас не за решеткой, Макги.

— Давайте попробуем.

Он пошел к телефонной будке на углу бензозаправки через хайвей, я наблюдал за ним в течение долгого разговора в освещенной кабине. По вялой походке на обратном пути нельзя было догадаться о полученном ответе.

Стейнгер сел рядом со мной, плотно закрыл дверцу.

— Он в пятидесяти пяти милях отсюда, в округе Лайм. Сказал, выезжает минут через десять. Захватит с собой пару сотрудников. Они ездят быстро. Откроют в суде какой-нибудь зал для слушаний. Там мы с ними и встретимся.

— Что вы ему сказали?

— Что один псих просит меня помочь спрятать тело жертвы убийства.

— А он что сказал?

— Спросил, зачем звоню. Я объяснил, что, возможно, у психа имеется неплохая идея. Он решил приехать послушать. Не думаю, что он купится.

— Стоит попытаться продать.

— Почему я вас не запер покрепче?

— Потому что в душе вы весьма славный малый.

Я помигал фарами, пришла девушка, забрала поднос, получила деньги. Стейнгер связался со своим офисом, сообщил, что сменяется чуть пораньше полуночи, и попросил диспетчеру оповестить Наденбаргера.

Мы подъехали к зданию суда. Он нашел ночного дежурного, попросил открыть небольшой зал рядом с судейскими кабинетами на втором этаже и велел ему встать у боковой двери со стороны стоянки в ожидании приезда мистера Гаффнера.

Трубки ламп дневного света осветили потертый красный ковер, стол под красное дерево, окруженный десятью стульями. В зале без окон воздух был застоявшимся, спертым. Стейнгер повозился с термостатом, что-то щелкнуло, повеяло прохладой. Мы принялись раскладывать на засаленной столешнице всякую всячину. Два пузырька с прописанными препаратами, один частично использованный. Жучок с двумя головками. Магнитофон, шнур которого воткнули теперь в розетку. Плоскую голубую сумочку в тон голубым туфлям-лодочкам, завернутым в бумагу вместе с мертвой женой Тома Пайка. Револьвер Холтона. Ломик, который оставил следы насильственного вторжения в раздвижные стеклянные двери и в стальной медицинский шкафчик.

Мы ждали Гаффнера. На губах Стейнгера играла слабая, усталая улыбка.

Глава 19

Бен Гаффнер уселся в центре за длинным столом, указав мне место напротив, а Стейнгеру слева от меня. Двое помощников прокурора сидели по бокам от него. Худой, бледный, по имени Рико — старший следователь. Кругленький рыжий Лозье, молодой адвокат, помогал Гаффнеру на выездных сессиях суда.

Гаффнер любил порядок. Он в удобном порядке разместил перед собой желтый официальный блокнот, четыре остро отточенных желтых карандаша, стеклянную пепельницу, сигареты и зажигалку. Рико принес магнитофон «Сони-800», подключил, вставил новую пленку, проверил, водрузил микрофон на книгу, положив ее в центре стола, вновь проверил, отрегулировал громкость и кивнул Гаффнеру.

Только тогда Гаффнер взглянул прямо на меня. Медленно вращались кассеты с пленкой. У него была лунообразная физиономия, а все мелкие, тонкие черты сосредоточились в центре луны. Волосы стрижены коротко, за исключением седого курчавого хохолка спереди, похожего на моток стальной проволоки. Глаза с необычным желтым оттенком, причем прокурор обладал способностью смотреть не отрывая глаз, не мигая, абсолютно без всякого выражения. Довольно эффективно.

— Ваше имя? — проговорил он наконец. Никаких отличительных признаков в голосе, в речи. Никакого акцента, намека на происхождение.

Имя, возраст, адрес, род занятий, семейное положение, местный адрес.

— Как я понял, вы делаете добровольное признание, мистер Макги. Должен предупредить...

— Я осведомлен о своих правах относительно дачи невыгодных для себя показаний, молчания, присутствия адвоката и прочего, мистер Гаффнер. Свободно и добровольно отказываюсь от них без каких-либо угроз, обещаний и принуждения с вашей стороны.

— Очень хорошо. Опишите мне собственными словами ваши действия, связанные с инкриминируемым вам преступлением...

— Так дело не пойдет, мистер Гаффнер.

— Оно пойдет так, как желательно мне.

— Тогда вы напрасно проделали долгий путь. Эл, ведите меня за железную дверь.

Пока Гаффнер сверлил меня желтым взглядом, можно было медленно сосчитать до десяти.

— Что же вы предлагаете, мистер Макги?

— Я хочу начать с событий пятилетней давности, рассказать, где и как познакомился с Хеленой Пирсон Трескотт и ее дочерьми: Не отниму у вас времени подробностями, не имеющими отношения к делу, которое, надеюсь, вы сможете вынести на рассмотрение Большого жюри. Кое-какие последующие события будут предположительными.

— Меня не интересуют ваши предположения.

— Меня не интересует ваша незаинтересованность моими предположениями. Я намерен вам их изложить вместе с имеющимися у меня фактами. Без предположений факты вместе не свяжутся. Просто придется вам все это вытерпеть, мистер Гаффнер. Утешьтесь возможностью получить несколько ниточек.

После очередного долгого немигающего желтого взгляда он согласился:

— Тогда приступайте. Постарайтесь не отвлекаться. Когда я вот так подниму руку, прервитесь, пожалуйста. Значит, мне надо сделать заметку в блокноте. Как только закончу писать, продолжайте, по возможности с того, на чем остановились. Ясно?

— Абсолютно.

На рассказ ушло много времени, обе стороны пятидюймовой кассеты с пленкой и половина другой. Прокурор исписал много страниц — быстро, аккуратно, очень мелко.

Выстроенная мною цепочка мотивов и логических заключений свелась к следующему.

Доктор Стюарт Шерман в самом деле убил жену, и следователь по особым делам округа Кортни Дэйв Брун в ходе расследования наткнулся на нечто дающее достаточные основания для вынесения Большим жюри обвинительного приговора. Однако практикующий врач был гораздо полезнее Дэйву Бруну, чем обвиненный убийца. Такой сообразительный тип, скорее всего, понадежнее спрятал улику. Возможно, пообещал доктору помощь и молчание в обмен на письменное признание, которое можно использовать для шантажа.

Затем учтем узкую лазейку, найденную Томом Пайком во время расследования его неэтичных брокерских действий. Вмешательство мисс Гулды Веннерсен кажется необычайно удачным. Можно предположить, что Дэйв Брун сделал шаг, оказав Пайку огромную услугу ради собственной выгоды. Может быть, он откопал сведения, позволяющие прижать Веннерсен, может, уже что-то было в запасе и он ждал только случая поэффективнее использовать компромат. Это дало Бруну определенную власть и над Пайком, который все больше и больше преуспевал.

Затем Хелена Пирсон Трескотт перед первой операцией сообщила дочерям об условиях завещания и о неожиданных размерах капитала. Морин наверняка поделилась новостью с Томом. Потом хирург, доктор Билл Дайкс, известил Тома Пайка, не уведомив дочерей, что страдавшая раком толстой кишки Хелена не выживет. В связи с условиями завещания ожидаемый младенец внезапно превратился в потенциальную угрозу, как претендент на значительную долю наследства. Идеальная схема — кончина Хелены, потом бездетной Морин и женитьба Тома Пайка на Бриджит.

Случайно или по плану, домашним врачом оказался доктор Шерман. Можно предположить, что Пайк с Бруном, связанные взаимовыгодными отношениями, стали сообщниками. Доверие гарантировали разнообразные отрывки опасной информации, хранившиеся в надежном месте и подлежавшие огласке только после смерти одного из заговорщиков.

На Шермана оказали давление, вынудив вызвать у Морин Пайк спонтанный выкидыш. Есть препараты, серьезно нарушающие функцию почек. Сделайте инъекцию, иначе вам грозит полное разоблачение, позор, а возможно, пожизненное заключение. Все вышло вполне удачно: Морин тяжело заболела.

Переходим теперь в сферу чистых предположений. Почему возникла необходимость стереть воспоминания Морин о ближайшем прошлом? Может, она заподозрила, что укол, сделанный доктором Шерманом, убил ребенка? Или, что несколько вероятнее, будучи вроде бы в коме, слишком много услышала из некоей тихой беседы доктора Шермана и ее мужа? Женщина ни в коем случае не умолчала бы об этом. Оставалось либо уничтожить память Морин, либо убить ее, невзирая на неизбежную потерю денег. Шерман экспериментировал с памятью животных, с сохранением приобретенных навыков, с периодом времени, за который они забываются. Как лечащий врач, он мог с легкостью ввести Морин большую дозу пуромицина. Когда память обо всех событиях последних дней начисто испарилась, Пайк, вероятно, быстро сообразил, с какой выгодой можно воспользоваться этим эффектом. С его помощью он собирался приступить к подготовке смерти жены, которая должна была умереть за Хеленой, а заодно заманить и держать в доме Бриджит, которая могла влюбиться в красавца мужа сестры.

После возвращения Морин из больницы Том Пайк с невольной помощью Бидди держал жену на пуромицине. Функция ее повседневной памяти фрагментарна, подавлены приобретенные навыки. Побочный эффект — возвращение в детство, к чувственным удовольствиям, стремление к бегству. Но это помогало держать рядом Бидди, которая не могла оставить сестру. Еще при жизни Хелены Том Пайк подготавливал сцену для самоубийства жены. Одна из попыток должна была стать успешной. Он ничем не рисковал, напичкав ее снотворным, выждав на первый взгляд рискованный период времени, а потом придя на помощь. Она ничего не помнила. Пайк нисколько не рисковал, уложив ее в горячую ванну, сделав два пробных надреза и один глубокий, выждав и выбив незапертую дверь. Она ничего не помнила и не догадывалась, что он сам привязал к балке грубо и неуклюже сплетенную веревку.

Только он не знал, что обычно потенциальные самоубийцы придерживаются одного способа, максимум двух. А тут было четыре.

Кажется, ясно, почему доктор Шерман становился опасным. Мало-помалу он осознавал, что свидетельство об убийстве его жены вряд ли будет когда-нибудь пущено в ход, так как по предъявлении обвинения он сообщил бы и об искусственном выкидыше, устроенном по просьбе Пайка и под давлением со стороны Бруна, и о том, как Пайк вводил Морин полученный от него препарат, который воздействует на мозг, вызывая эффекты, ошеломляющие неврологов и психиатров. Тем временем его заставляли вкладывать в сделки Пайка все заработанные деньги и даже средства от продажи страховых полисов. Может быть, Шерман замкнулся о признании. Может, стал вымогать деньги у Пайка за поставку пуромицина.

Как было совершено убийство? Пенни Верц за неделю до собственной смерти видела сон, который ей о чем-то напомнил. Потайная дверца во лбу Шермана, оранжевый огонек вроде того, что мигает на контрольной панели «Дормеда». Сосчитай вспышки. Может быть, она вспомнила случайное замечание Шермана о неких сложностях в обращении с аппаратом, который он достал для Морин Пайк и с которым учил обращаться Бидди?

Тщательная проверка, возможно, покажет, что в ночь смерти доктора Хелена и ее дочери уезжали на Кейси-Ки. Может быть, обнаружится, что Том Пайк уезжал из города, в Орландо или в Джэксонвилл. Там он взял напрокат машину, вернулся домой, положил портативный «Дормед» в чемоданчик и понес в кабинет Шермана для проверки. Аппарат тяжелый. Чемодан светлый.

Видели, как из кабинета Шермана вышел высокий мужчина. Высокий — понятие относительное. Пайк совсем не высокий. Впрочем, рост настолько запоминается, что пара ботинок на очень высокой подошве служит отличнейшей маскировкой. У меня есть пара с подошвами почти в четыре дюйма. Мои шесть футов четыре дюйма увеличиваются при этом до шести и восьми. Я ношу с ними пиджак на пару дюймов длиннее обычного. Люди запоминают размеры. Запоминают, что видели великана. И почти ничего больше не помнят.

Абсолютно естественно принести аппарат на проверку к Шерману. «Морин жалуется, что ей больно. Мы с Бидди проверили — и действительно, поначалу чувствуется короткая резкая боль. Попробуйте, и увидите».

Через несколько секунд доктор заснул при максимальных импульсах. Вытащить у него из кармана ключ, отпереть сейф с наркотиками. Закатать рукав, завязать жгут на предплечье, ввести смертельную дозу морфина, развязать жгут. Забрать из задней комнаты весь пуромицин. Немного обождать, снять парик, отключить аппарат, уложить в чемодан и уехать.

С Элен Баумер могли возникнуть проблемы. Попросить Бруна найти способ заткнуть ей рот. Брун легко справился с этим.

Холтон и медсестра Верц пустились в крестовый поход. Возможно, они ничего не сумели бы обнаружить. Брун дознался и сообщил Пайку, что Холтон с медсестрой вступили в интимные отношения. Значит, надо шепнуть новость Дженис. Неверность заразительна, а жена Холтона может стать хорошим источником информации об успехах его независимого расследования. Организуй с ней случайную встречу. Прояви сочувствие, сыграй на ее обиде и разочаровании. Оставайся на платонической стадии, но будь скрытен и осторожен, как при физической близости, — если узнает Бидди, навалятся новые трудности.

Смерть Хелены. Может быть, нарастает необходимость в деньгах, в крупной доле ее состояния. После убийства Шермана Брун получает новую компрометирующую информацию и, возможно, дороже обходится Тому Пайку.

Приезжает Макги, добавляя хлопот Тому Пайку, узнавшему, что Хелена послала ему письмо. Вдруг она что-то заподозрила? История о розысках «Лайкли леди» кажется неубедительной.

Тут Пенни Верц задает Пайку пару вопросов. Вы сообщали доктору о проблемах с «Дормедом»? Он проверял его по вашей просьбе?

Посадить Бруна на хвост Макги. Брун докладывает о просьбе Холтона обыскать номер в мотеле. После чего, говорит Брун, Холтон, сестра и Макги провели вместе немало времени в этом самом 109-м номере. Потом Холтон ушел, а сестра оставалась всю ночь. Но к тому времени Пайк придумал, как быть с Пенни Верц. Уже устроено воскресное свидание с Дженис. Он временно перевел Веннерсен в Джэксонвилл и завладел ключом от ее квартиры, через два дома от мисс Верц.

В этот миг я почему-то обратил внимание на Стейнгера, посмотрел на него и увидел, что он сверлит меня негодующим, сердитым взглядом.

— Простите, Эл. Думаю, не сумев встретиться с Дженис, он отправился на квартиру один. По-моему, если бы встретился и она последовала за ним в своей машине, они добрую часть дня занимались бы там любовью. В конце концов, впоследствии она все равно никому бы не рассказала об этом. Потом, обождав, когда Дженис заснет, он мог отправиться к Пенни. Она его впустила бы. Можно было убить ее любым подвернувшимся под руку орудием, вернуться, ввести спящей женщине большую дозу пуромицина, притащить ее в сонном состоянии к Пенни, закрыть дверь и уехать. Она оказалась бы в квартире медсестры, спавшей с ее мужем. Амнезия в результате эмоциональной травмы. Не такая уж редкость. Но он долго лежал, думал, наверно, решил рискнуть. Кровь брызнула на ботинки и на обшлага. Он вернулся в квартиру Веннерсен, смыл кровь с себя, с пола, сжег тряпки в камине. Горничная вычистила камин в понедельник.

— Кто это подтвердит? — спросил Гаффнер.

— Лучше всего Том Пайк. Мой источник недоступен. Я напрочь забыл, кто это мне рассказал.

— Можем дать вам побольше времени, посидите подумайте.

— У меня жуткая память.

Желтый взгляд. Легкое пожатие плеч.

— Продолжайте.

Может быть, продолжал я, расследование покажет, что Том Пайк прилетел в Джэксонвилл в воскресенье утром, располагая кучей времени для прямого звонка Рику Холтону, и нашептал ему про записку, зная, что тот очертя голову ринется на поиски. Выудив у Наденбаргера содержание записки, он вдруг увидел возможность драматически решить таким образом проблему Макги, а заодно вывести из игры самого Холтона.

Но дело не выгорело, и Пайку пришлось опять напустить на меня Бруна. Мне намекнули, что Бруну вполне могут принадлежать сорок многоквартирных домов в Сауттауне, так что, может быть, любопытно выяснить, почему он так хорошо живет и имеет возможность приобретать недвижимость.

В итоге я понял, что должен проникнуть в дом Пайка, где и прихватил вот эти вещи. Об этом подробно рассказано на пленке Эла, которую предлагаю послушать.

И мы послушали. Я радовался перерыву — у меня пересохло в горле.

Одного члена компании недоставало. После моего рассказа о письме с чеком на двадцать пять тысяч долларов, которое переслал доктор Уинтин Хардахи, сперва готовый помогать, а потом полностью отказавшийся иметь со мной дело, Гаффнер послал мистера Лозье, знакомого с Хардахи, доставить последнего, не сообщая зачем.

Лозье вернулся один, тихо сел, дослушал запись, сделанную в автомобиле.

Гаффнер повернулся к нему и спросил:

— Ну?

— Ну, сэр, пожалуй, я в жизни не слышал такого безумного...

— Я вас про Хардахи спрашиваю.

— Сэр, я не стал объяснять ему, зачем он нужен. Он охотно пошел... И вдруг на полпути разрыдался. Я затормозил, и он сообщил, когда снова смог заговорить, что обещал Дэйву Бруну сотрудничать, а Брун обещал не выдавать.

— Чего не выдавать?

Молодому юристу явно было весьма неловко.

— Видимо, сэр, мистер Хардахи имел... м-м-м... гомосексуальную связь со своим партнером по теннису, а Дэйв Брун около года прослушивал кабинет, где они встречались.

— Что он подразумевал под сотрудничеством?

— Брун хотел знать содержание письма, написанного миссис Трескотт мистеру Макги. Мистер Хардахи убедил Бруна, что никогда его не читал. Упомянул о чеке для мистера Макги. Брун просил не оказывать мистеру Макги помощи и не давать советов. Добавил, что, может быть, мистер Пайк сообщит мистеру Хардахи об инвестиционной возможности, и тогда ему лучше вложить в дело солидную сумму.

— Где он? — тихо спросил Гаффнер.

— В машине.

— Что ж, Ларри, спуститесь, пожалуйста, и отвезите домой этого бедного, жалкого, глупого сукина сына. Предупредите, что скоро мы с ним побеседуем. Уведомите его, что в отсутствие жалоб другой стороны обвинение не возбуждается.

После ухода Лозье Гаффнер обратился к Стейнгеру:

— Не слишком ли многого я потребую, попросив вас, лейтенант, поехать и привезти сюда Бруна?

— Бог свидетель, я повсюду гонялся за ним целый день, а он попросту испарился.

Гаффнер перевел немигающий взгляд на меня:

— Как по-вашему, мистер Макги, может ли мистер Пайк под нажимом внезапно расколоться и сделать перед нами признание?

— Нет, сэр. По-моему, он никому никогда не признается. Вряд ли он чувствует хоть каплю вины и раскаяния. Только, видите ли, если Морин исчезнет, доказать ее смерть невозможно. Ему не удастся жениться на младшей сестре и выиграть. Попав в пиковое положение, он задергается и наделает ошибок. — Я сам слегка удивился, что обратился к прокурору «сэр», поскольку не часто разбрасываюсь подобными словечками.

— Вам не кажется, мистер Макги, что вы приписываете очень умному человеку очень глупые и жестокие поступки?

— В данный момент они кажутся глупыми и жестокими, так как мы все получили вполне хорошее представление о его поступках и вызвавших их причинах. Но когда положение дел осложняется больше и больше, мистер Гаффнер, расширяется вероятность случайности. Повезет или не повезет. Что у нас было бы, если б я не появился на сцене? Не стану утверждать, будто блистательно отличился в каком-нибудь эпизоде, — просто добавился к общей неразберихе и, по-моему, послужил катализатором. Удача стала отворачиваться от него. Особенно в тот момент, когда я решил не ставить машину рядом с другими. Морин упала на крышу с адским грохотом. Я не сообразил, что стряслось, но понял, что стукнуло прямо над головой. Так громыхнуло, что крепкая крыша загудела, как барабан. Ладно. Кругом ни одного рабочего. В здании пусто, кроме компании на верхнем этаже. Пришлось выяснить, откуда шум. Может быть, я догадывался. Может быть, в подсознании все связалось в мгновенной вспышке интуиции. А если бы я ее не нашел?

— Он не знает, что вы нашли тело.

— И поэтому будет следовать плану. Очередной побег. Активные поиски. Беспокойство. Утром ее находят рабочие, все согласуется с недавними попытками самоубийства, с ее состоянием. Сейчас он носится по всей округе. Считает себя свободным. Жестоко — да. Насчет глупости можно поспорить. По-моему, он формально здоров, но я назвал бы его классическим социопатом. Вам известны симптомы? Блестящий ум, эмоциональность, масса обаяния, впечатление полной честности, цельности.

— Я вполне в этой области образован, мистер Макги, — объявил Гаффнер.

— Значит, знаете и о готовности рисковать, об уверенности в своей способности справиться с чем угодно. Подобные типы хитры и жестоки. Никогда не признают вины. Чертовски трудно предъявить им обвинение.

Он кивнул, соглашаясь, и я поведал ему о супружеской паре, работавшей у Пайков, об инциденте в гольф-клубе, добавив описание спальни Тома, необычно стерильной, аккуратной и совершенно безликой.

Гаффнер попросил дополнений у Стейнгера.

— О нем известно не слишком много, — сказал Стейнгер, разглядывая кончик незажженной сигары. — Родился во Флориде. Рос в разных местах в центре штата. Родители занимались садоводством, покупали небольшие сады, теряли их, брали другие в аренду, один год преуспевали, другой терпели неудачу. Не знаю, остался ли кто из родных, где они, если остались. Том уехал учиться куда-то на север. Появился здесь несколько лет назад, сразу после женитьбы, имея достаточно денег для постройки дома. Думаю, должны быть сведения о кредитоспособности, так как он делал займы, и, по-моему, будь в его делишках что-нибудь странное, ничего бы он не получил. Те, кто его не любят, не любят по-настоящему, но помалкивают. Те, кто любят, считают его величайшим из всех двуногих созданий.

— Эго, — помолчав, тихо проговорил Бен Гаффнер. — Внутреннее убеждение, что все прочие на белом свете слабые, глупые и доверчивые. Может быть, так и есть, ибо на нас лежит лишний груз, который практически ни один том пайк не пожелает таскать, — переживания, человеческие эмоции... Любовь, вина, жалость, гнев, сострадание, отчаяние, ненависть... Такие, как он, это чувствовать не способны, только сами того не знают и поэтому думают, что в душе мы ничем от них не отличаемся. Жизнь для них — плутовская игра, мы — сплошные обманщики, наравне с ними.

— Вы действительно образованы в этой области, сэр, — признал я.

— Что же нам сейчас предпринять? Предположим, удастся расколоть Бруна, выставить главным свидетелем на процессе. Если он подтвердит то, что, по-вашему, Макги, мнению, может подтвердить, у меня будет повод выдвинуть обвинение. Пайк сумеет привлечь к защите самых талантливых адвокатов. Присяжные поверят либо Бруну, либо Пайку. Все улики косвенные. Пайк симпатичный и убедительный. Мне придется представить чересчур фантастическую историю и свидетельства медицинских экспертов, которые опровергнут его эксперты. Долгий-долгий процесс, стоящий кучу общественных денег, и, по-моему, шансы на обвинение один к четырем.

— Приблизительно так, — огорченно кивнул Стейнгер.

— А если Брун не расколется? Или навсегда исчезнет? Не от чего оттолкнуться. Я себя выставлю полным идиотом, если выдвину обвинение.

— Исчезнет? — переспросил Стейнгер. — Думаете, Пайк ему поможет верным способом?

— Только при уверенности, что Брун не оставил никаких сведений, не предназначенных для чужих ушей. Либо ловкач Брун успеет дать деру. Переведет средства в акции — и прощай навсегда. Он же знает, что рано или поздно Пайк пожелает избавиться от единственного звена, которое связывает его со всеми событиями.

— Что же нам остается, мистер Гаффнер? — спросил Стейнгер.

450

— Думаю, вам с Рико надо двигаться. Который час? Три пятнадцать. Лучше всего раздобыть для доставки закрытый фургон. Следует убедиться, что Пайка нет поблизости. Вытащить тело с первым лучом рассвета. Отвезти в Лайм-Сити. Дно старой фосфатной шахты на ранчо Харли сухое?

— С тех пор как он ее пробил, дно хорошо просохла.

— Глубина футов восемьдесят у северной стены. Отыщите высокую седовласую матрону...

— Миссис Андерсон.

— Она умеет держать язык за зубами. Я хочу, чтоб вы сняли с трупа красивую одежду, прицепили к ней ярлык, помеченный вашими инициалами, и положили в мой сейф. Ясно, Рико? Я хочу, чтобы тело одели в дешевое поношенное платье, опустили на дно шахты, а потом поскорее нашли. Можно послать Хесслинга под предлогом проверки известий о крутившихся там вчера вечером детях. Затем я смогу доложить по обычным каналам. Отдадим приказ о вскрытии, а я постараюсь найти того, кто опередит доктора Рауза и проведет полную серию анализов тканей мозга. — Он медленным характерным движением повернул ко мне круглую голову с лунообразным лицом. — Не такой уж большой риск в деле, по которому вообще ничего нет. Она куда-то побрела, ее должны найти. Стало быть, убежала, может быть, остановила машину, проехалась, оказавшись в конце концов мертвой на дне фосфатной шахты.

— А вдруг Пайк позаботится, чтобы исчезновение обязательно было зарегистрировано? — вмешался Стейнгер. — Вдруг она точно подойдет под описание и он явится для опознания?

— Лучше мы сами опознаем тело. Потом можно изменить мнение. Кого предлагаете, Рико?

— Может, бродяжку, которую месяцев пять-шесть назад привлекали к ответственности по жалобе страхового агента? — предложил тихий бледный следователь. — Что касается отпечатков, можно вытащить их из досье, а потом вернуть на место.

— По-моему, годится, — одобрил Гаффнер.

Явился Лозье, сообщив, что Хардахи взял себя в руки. Гаффнер сказал, что попозже решит, брать ли у Хардахи письменные показания под присягой. Потом, медленно повернув голову, пристально оглядел всех по очереди желтым взглядом.

— Слушайте все внимательно. Мы затеяли большую глупость. Надеюсь, никому из вас не надо приказывать держать рот на замке. Я не верю всей выстроенной Макги конструкции. Верю части, достаточной для продолжения начатого им идиотства. Мы должны помнить — наш субъект не собирается суетиться. Не продемонстрирует страха или подозрительности. Психопаты на удивление прагматичны. Раз тело исчезло, значит, кто-то его забрал. Он дождется, когда обнаружится кто и зачем, а в период ожидания будет вести себя абсолютно естественно и понятно, как встревоженный муж пропавшей жены. После того как Рико загрузится и уедет, ваша задача, Стейнгер, — доставить мне Бруна. Лозье, обождите там в холле, я скажу пару слов мистеру Макги.

Со стола все убрали, осталась лишь переполненная пепельница. Гаффнер, выглядя столь же свежим и отдохнувшим, как в начале, встал, взглянул мне в лицо.

— Вы, конечно, наживка. Миссис Пайк не найдут, и мисс Пирсон начнет все острей и острей чувствовать свою вину. Станет ругать себя. И признается зятю, что знала об уходе Морин и не сообщила ему. Скажет, будто вы видели уходившую Морин. Сведения о теле сможете дать только вы. Нет тела — план рухнул.

— Значит, он должен со мной поговорить.

— К тому же он еще гадает, о чем написала вам миссис Трескотт.

— И вы должны знать, что он мне скажет. Именно это нужно вам для продвижения расследования. А вдруг он решит смириться с поражением, забыть о потерянных деньгах и начать заново? Если сумеет выкрутиться с помощью своих финансовых связей?

— Как только начнется рабочий день, мистер Макги, я сделаю несколько конфиденциальных телефонных звонков нескольким крупнейшим бизнесменам Форт-Кортни, моим хорошим знакомым. Скажу, будто просто оказываю небольшую услугу. Скажу, будто мне любезно сообщили о возбужденном налоговым управлением против Пайка деле по поводу подачи ложных деклараций, так что, может быть, самое время выйти из игры, если они случайно играют с ним вместе. Думаю, он немедленно попадет в тяжкое положение. У вас, Макги, будет возможность это положение немножко усугубить. Полагаю, удастся таким образом поторопить Пайка.

— Хотите, чтоб я это сделал? Каким образом?

— По-моему, он скорей среагирует, лучше поймет, получив от вас предложение продать тело за сто тысяч долларов. Только я не хочу торопиться с этим, пока мы как следует не прижмем Бруна. Сначала хочу его видеть в камере. Это будет добавочное давление. Поэтому мы отвезем вас обратно в мотель. Прошу не отвечать ни на какие звонки и заказывать еду в номер до получения от меня дальнейших инструкций. Вы способны... м-м-м... подавить свою природную склонность к самостоятельным действиям?

— В данном случае уступаю более изощренному уму, мистер Гаффнер.

— Спасибо, — сказал он без тени юмора.

Глава 20

Я проспал без помех до полудня. Дверь была на цепочке, снаружи на ручке висела табличка: «Не беспокоить».

Проснувшись, первым делом припомнил, как примерно за час до рассвета меня привезли к новому зданию Пайка. Рядом со мной сидел Гаффнер, за нами в другой машине следовал Лозье.

Меня подстегивала мысль, что она все еще там, под металлической плитой служебного люка, проводит первые часы вечности в ожидании, прильнув к внутренней решетке, плотно упакованная, аккуратно перевязанная.

Хелена, я не очень-то хорошо справился. Я старался, но дело пошло слишком быстро. Славный Том протиснулся вместе с ней мимо ящиков в маленьком кабинете, наверно, запечатлел на лбу нежный прощальный поцелуй, открыл пошире окно и сказал: «Посмотри, дорогая, какой очаровательный будет внизу ресторан». Она по плечи высунулась в окно. Быстрый толчок — коленом под выпяченный зад, рукой в спину. Рука ее бросила сумочку, чтобы за что-нибудь ухватиться, ухватилась только за вечернюю пустоту, и она полетела, медленно переворачиваясь, как кошка.

Я принял душ, побрился, ослабевший и равнодушный. Мне казалось, все кончено. Странное чувство. Никакого горячего, яростного стремления отомстить за медсестру, отомстить за высокую, прелестную, светловолосую Морин. Может быть, потому, что любое тяжелое для нас событие для Пайка никогда не имело бы никакого значения.

Это неодушевленный предмет. Сердце — пустой бумажный мешок. Глаза из искусственного стекла.

Только я направился к телефону, раздался решительный стук. На вопрос через дверь, кто там, откликнулся Стейнгер. Я впустил его. Вид у него был странный. Он как бы вплыл в номер, точно напился до полного счастья. Но он не был пьян. Улыбка скупая, задумчивая. Взглянул на часы и уселся.

— У нас есть немножко свободного времени.

— У нас? Как мило.

— Я организовал прослушивание разговоров мистера Тома Пайка удачнее, чем ваших. Клочок бумаги на полу нашли?

— Лейтенант, вы меня огорчаете. Прослушивать члена собственной команды! Какой позор!

— В моей команде один человек — я сам. Много думал о вас всякого разного. Среди прочего, и о том, не темните ли вы, может, это Пайк заслал вас сюда по той или иной причине. Так что насчет бумажки на полу?

Я объяснил и спросил:

— Так почему же вы мне не сказали об этом вчера вечером?

— Хотел, чтобы вы все осколки собрали, тогда у нас было бы больше шансов убедить Гаффнера. Вы с ним здорово справились.

— Вы потратили на меня дорогую штуковину, Эл. Муниципальная собственность?

— Личная. На чужого не хотел тратить. Знал, что получу жучок обратно. Вы вполне могли подумать на Бруна. Но это был не он. В последний раз его видели чуть раньше полудня в понедельник. Приехал в банковскую и трастовую компанию Кортни, открыл свой депозитный сейф, породив у меня нехорошее ощущение, что собрался навсегда исчезнуть. Поэтому было весьма приятно узнать, что нам предстоит встретиться.

— Вы все время поглядываете на часы.

— Верно. Но еще полно времени. Хотите узнать, как я организовал прослушивание старины Тома?

— Ведь вы все равно расскажете.

— Ну конечно! Кому же еще я могу рассказать? Пошел прямо к парню, который случайно оказался старшим из шести братьев Пенни Верц и который случайно работает в телефонной компании «Сентрал Флорида белл». Объявил, что нуждаюсь в небольшом незаконном содействии, и, знаете, мы первым делом отлично прослушали обе частные незарегистрированные линии Пайка. Разумеется, ничего, что можно было бы предъявить в суде.

— Разумеется.

— Господи, ну и утречко у него выдалось! Пришлось ведь подгонять всех, кто ищет жену-беглянку, уговаривать пожелавших забрать свои деньги из синдикатов и корпораций, так что, могу поспорить, старик Дэйв Брун не раз дозванивался, пока не пробился. Примерно в десять минут одиннадцатого все-таки дозвонился. Выложил тридцать пять центов за три минуты.

— Ну?

— Ну, слава Богу, на предложение Тома встретиться в обычном месте Дэйв ответил отказом. Избавил нас от больших трудов. Место выбрал сам Брун. В шести милях к юго-западу от города. Я только что оттуда вернулся, проверил там все, кое-что приготовил. Очень приятное место для встречи. Большой кусок пастбища. Раньше принадлежал старику Гловеру. Пайк вместе с кем-то еще какое-то время назад купил его, чтобы превратить в так называемое ранчетто. Два акра земли. Ближе к западной стороне ворота с барьером для скота, большое открытое пространство и всего один большой старый тенистый дуб прямо в центре, приблизительно в четверти мили от ближайшей ограды.

— Когда они встретятся?

— В два тридцать. Я оставил на посту Наденбаргера. Можно обойти кругом, пройти сзади кратчайшим путем. Меньше шансов наткнуться на одного из них.

— Похоже, вы необычайно довольны, мистер Стейнгер.

— Еще бы. Брун велел Пайку захватить большую сумму денег. Поторговались немножко. Пайк назвал абсолютный предел — тридцать тысяч. Брун согласен считать это лишь частью. Предупредил не выкидывать фокусов. Кругом пусто — мошки, жаворонки да каньюки. Сойдутся под деревом, мило поговорят.

— А на дереве вы жучков понатыкали.

Он помрачнел и скривился:

— Вы просто ничему не даете порадоваться, Макги. Я уже пожалел, что решил прихватить вас с собой для забавы.

— Очень жаль, что испортил вам удовольствие. Я еще ничего не ел. Время есть?

— Пятнадцать минут.

Стейнгер быстро, уверенно вел полицейский седан головоломным обходным путем по узким грязным дорогам. Наконец остановился в каком-то месте, ничем не отличавшемся от других, вышел, вытянул антенну рации.

— Лью, ты слышишь меня?

— Слышу, Эл. Пока ничего. Совсем. Слушай, захвати снадобье от комаров из машины.

— Ладно. Мы уже идем. Сообщи, если кто-то появится раньше нас.

Он сказал, что оставил Наденбаргера на посту с биноклем, карабином и приемно-передающим устройством, соединенным с установленным на дубе микрофоном, и не хочет бросать машину на дороге — вдруг Брун или Пайк решат объехать вокруг ранчо, проверить, все ли чисто. Нам пришлось пролезть под одной оградой и перелезть через другую. Было жарко и душно, но любой ветерок нес прохладу. На первый взгляд Стейнгер шагал вяло, но продвигался неожиданно быстро.

Вышли к грязной дороге, пересекли ее, перепрыгнули на другой стороне через лужу. Вслед за Стейнгером я вошел в купу небольших сосен, густых, высотой в восемь-десять футов. Он сделал мне знак пригнуться, и последний десяток футов до Наденбаргера мы преодолели ползком. Наденбаргер лежал на животе рядом с оградой, глядя в бинокль, оглянулся, с некоторым отвращением посмотрел на меня и доложил:

— Пока ничего, Эл. Может, все отменилось?

Стейнгер проигнорировал этот вопрос и заметил, обращаясь ко мне:

— Как будто на трибуне у ринга. Нравится?

С трех сторон нас прикрывали сосны. Заглянув под нижний ряд проволоки, можно было увидеть большой дуб примерно в пятистах ярдов. Стейнгер указал на ворота:

— Пять минут третьего. Представление начинается.

И в самом деле, вдали появился пыльный темно-зеленый «форд» двух-трехлетней давности. За ним тянулся длинный шлейф пыли. Вчерашний дождь быстро и полностью высох.

— Брун, — сказал Стейнгер.

Приближаясь к открытым воротам с перегораживающими дорогу скоту стальными барьерами, автомобиль замедлил ход, а проехав, прибавил скорость.

— Посмотрел, не явился ли Пайк раньше, — одобрительно прокомментировал Стейнгер, — а теперь объезжает вокруг. Мили четыре. Проследует вон по той грязной дороге за нами.

В ожидании оживали старые инстинкты, заученные привычки. Местность, прикрытие, маскировка, линия огня. Коричневая хвоя лиственницы подо мной издавала слабый аромат. От застоявшейся воды поблизости пахло болотом. Зудели насекомые, резко, пронзительно вскрикивали луговые жаворонки. Трава шуршала, клонилась под ветром. Послышался звук мотора, усилился, машина проехала позади нас, подпрыгивая и громыхая на кочках, начала удаляться. Тучи дорожной пыли на миг заслонили солнце.

Через несколько долгих минут мы увидели дальние отблески за ровным пастбищем — он проезжал по противоположной параллельной дороге, держась за зарослями пальм и сосен. В редких просветах поблескивали хромированные детали.

Вернувшись к воротам, автомобиль сбавил ход, въехал, проследовал через открытое пастбище по траве, выросшей на фут с лишним после того, как отсюда перевели скот, развернулся полукругом, переваливаясь и подскакивая, остановился футах в пятидесяти за одиноким дубом.

Как только из него вылез мужчина, Стейнгер рванулся, выхватывая бинокль у Лью Наденбаргера:

— Дурак чертов! Он осматривается, а у тебя солнце бьет прямо в линзы!

— Извини, Эл.

Мы следили за мужчиной, который медленно шел в тень дуба. Для меня пятьсот ярдов слишком далеко, так что впечатление было лишь самое общее. Маленький человечек, скупые, точные движения, волосы светлые, лицо смуглое, белая рубашка, брюки цвета хаки.

Показалось, будто он поднес к губам руку, и меня испугал сухой короткий кашель, неожиданно прозвучавший из передатчика, который стоял между Стейнгером и Наденбаргером на ровном месте в нескольких футах от небольшой бровки.

— Прямо там разговаривайте, — тихо умолял Стейнгер. — Прямо там. Ради Бога, не садитесь в машину. Нам надо, чтоб вы разговаривали прямо там...

Шли минуты. Потом вдалеке показалась машина, поднимавшая на большой скорости тучи пыли. Тормознула, свернула в ворота. Красный фургон «фолкон». Когда я в последний раз видел его на ходу, в нем сидели дочери Хелены.

Фургон проехал тем же путем сквозь траву, каким двигался Брун. Описал вокруг дерева круг пошире в другом направлении, остановился с нашей стороны, но не загородил поле зрения.

Стейнгер опустил бинокль, отложил, включил старенький магнитофон, работавший сейчас на батарейках, подключил приемник, снова взглянул в бинокль и сообщил:

— У Дэйва в руках пистолет.

Из динамика с сильным резонансом раздался голос Бруна, кричавшего через залитое солнцем пространство:

— Может, выключишь мотор и выйдешь?

Пайк находился слишком далеко от микрофона, ответа слышно не было.

— Беседуйте в тени, братцы, — заклинал Стейнгер. — Поговорите в тени под чудесным высоким деревом.

— Я хочу, чтоб ты как следует рассмотрел пистолет, Том! — кричал Брун. — И не выкидывай фокусов, пока кое-чего не услышишь. Если я не звякну сегодня в одно место, к государственному прокурору отправится со специальной доставкой письмо на восьми страницах. Я полночи его писал. А теперь брошу пистолет в свою машину, и можно будет поговорить о делах.

Следя за далекой сценой, мы увидели, как оба медленно направляются в тень большого дуба.

— Вот и прекрасно, — шепнул Стейнгер.

Голос Бруна звучал в динамике на удивление ясно и четко. Тон спокойный.

— Отдаю тебе должное, Том. Здорово меня нагрел. Мне никогда даже в голову не приходило, будто в той бутылке не то, чем ты пичкал жену. Что это за чертовщина?

— В основном окись азота. По моим расчетам, должна была разъесть свинцовый колпачок приблизительно через двадцать четыре часа.

— Откуда ты мог точно знать, когда велел ее спрятать, что я поставлю бутылку в свой сейф?

— Я не знал. Если б ты ее туда не поставил, я нисколько бы не пострадал, правда?

— Зато был уверен, что я пострадаю. В сейфе все превратилось в вонючую грязную кашу. Бумаги, пленки, фотографии, чертовская куча наличных. Эта дрянь даже уголок сейфа проела. Женщина в банке прямо взбесилась из-за вони. Дело в том, Пайк, что погибла куча вещей, не имеющих ни малейшего отношения к нашим с тобой делам.

— Ты меня вынудил принять меры, Дэйв.

— Это еще почему?

— Слишком дорого обходился. Я не мог себе это позволить.

— Когда стояла очередь желающих отдать тебе свои сбережения?

— Ты отхватывал такие куски, что я даже не видел прибыли. А потом источник пересох. Пришлось выбивать у тебя рычаги управления.

— Ничего не вышло. У меня память хорошая. Я изложил кучу фактов в письме. Их можно проверить. Ты только себе осложнил жизнь, Пайк. Я ведь верну все деньги, сожженные этой чертовой кислотой, и начну с тридцати тысяч, которые тебе, черт возьми, стоило прихватить с собой.

— Дела чересчур осложнились. Я их не привез.

— Тогда я спущу воду, приятель, и смою тебя в унитаз.

— Я так не думаю.

— Почему же?

— Потому что ты только наполовину умный, Дэвид. Но достаточно, чтобы оценить сложившееся в данный момент положение. И продолжать на меня работать. Только снизив расценки.

— Черта с два!

— Будь ты умным, то так неожиданно не удрал бы. Я понял по твоему поведению, что уничтожил настоящие улики. Надо было меня убедить, будто у тебя по-прежнему на руках все козыри. Ну, письмо не письмо, а теперь у тебя лишь одно твое слово против моего. Кому поверят? Подумай. Может быть, с пленками Шермана и подписанным заявлением тебе удалось бы меня уничтожить. Теперь ты всего-навсего потенциальная неприятность. В знак полного доверия я привез три с половиной тысячи долларов. У тебя хватит ума понять, что я останусь неплохим источником дохода. Разумеется, не такого, как раньше. И ты согласишься.

— Ты уверен? Уверен, что я соглашусь получать там и сям небольшие куски?

— По сравнению с полным нулем, почему нет?

— Риск не окупится.

— Какой риск?

— Пусть я только наполовину умный, как ты говоришь. Но достаточно, чтобы предвидеть твой скорый конец. Тебя собираются сцапать, а когда сцапают, ты меня выставишь на обозрение.

— За что сцапают?

— За убийство людей. Может быть, с доктором Шерманом это был единственный выход. Но по-моему, тебе понравилось. Ты сказал, за убийство медсестры возьмут Дженис Холтон. Вышло все по-другому, а ты все равно полез без какой-то особой надобности. А в скором времени собрался устроить самоубийство жены, причем тоже с большим удовольствием. Потом еще кто-нибудь тебе помешает. Может, я. Нет, спасибо. Ты превратился в насекомое, Пайк. Я таких повидал, знаю, что с ними было. Может, при этом считаешь себя жутко важным.

— Моя несчастная жена вчера вечером выбросилась из окна двадцатого этажа, Дэвид.

— Что? Что за чертовщина! В газетах ничего не было...

— Уверяю тебя, она выпрыгнула в окно. Я слышал звук удара и точно знаю, никуда она не сбежала. Думал, рабочие найдут тело, но, похоже, оно исчезло.

— Что значит — исчезло, черт побери?

— Бидди сегодня призналась, что ее старый друг, мистер Макги, сообщил на приеме, будто видел выходившую в одиночестве Морин. Полагаю, ему известны условия трастовых фондов. Поэтому думаю, он со мной свяжется, чтобы продать небольшую информацию. Твоя следующая задача, Дэвид, — добраться до него первым и посмотреть, не удастся ли из него выжать всю эту историю бесплатно.

Брун молчал. Я с трудом ассоциировал раздающиеся из маленького динамика голоса с двоими мужчинами, стоявшими вдали под деревом на солнечном пастбище.

— Ах ты, жалкий проклятый дурак, — прошипел Брун.

— Совершенно необходимо поскорей разворачиваться, — невозмутимо продолжал Том Пайк. — Даже если бы он не вмешался, все равно траст закрыли бы и перевели основную сумму на имя Бриджит только через несколько месяцев.

— Кто-то украл тело, а по-твоему, это какое-то недоразумение. Дурак чертов!

— Нечего дергаться, Брун. Есть труп или нет, ни у кого все равно никаких доказательств.

— Неужели ты даже не понимаешь, что все кончено? Ну, доложу тебе, у меня есть лишь один способ выкрутиться, партнер.

Из динамика вдруг раздался напряженный вздох, изумленный выкрик. Далекие фигуры внезапно слились, закрутились. На таком расстоянии это казалось причудливым танцем. Фигура повыше взметнулась, качнулась, упала, послышался звук удара. Потом оба лежали, невидимые в траве. Потом встал Дэйв Брун, на секунду уставившись вниз. Стейнгер быстро опустил бинокль. Брун медленно повернулся кругом, оглядывая горизонт.

— Может, надо...

— Заткнись, Лью, — бросил Стейнгер.

Брун вышел из тени, направился по залитой солнцем траве к своей машине. Открыл багажник. Пошел назад. Стейнгер наставил на него бинокль.

— Моток веревки. Наверно, хочет его связать и увезти подальше.

— Да ведь если он уедет... — начал было Наденбаргер.

— Если бы я не мог с этой дистанции засадить пулю в мотор вот из этого карабина, Лью, то не стал бы рисковать.

Брун на какое-то время склонился над Томом Пайком, потом разогнулся, подхватив Пайка под мышки, протащил его футов пятнадцать. Бросил, побежал к дереву, подпрыгнул, схватился за ветку, быстро подтянулся, исчез в листве.

— Вот сукин сын! — сказал Стейнгер.

— Зачем он полез на дерево? — умоляюще спросил Лью.

— Взял с собой конец веревки. Догадайся.

Наденбаргер озадаченно призадумался. Я понял смысл и схему, а вскоре получил подтверждение: Том Пайк медленно сел в траве, неестественно наклонясь на бок.

Потом медленно встал на ноги.

— О Боже! — закричал Наденбаргер.

— Заткни свою проклятую глотку! — рявкнул Эл.

Из динамика долетел странный звук, сдавленный, полузадушенный крик. Пайк пробежал несколько шагов в одну сторону, но был вынужден остановиться. Его потянуло обратно. Попытался рвануться в другую, не смог далеко отбежать.

— Сунул оба пальца в петлю на шее, чтобы не давила на горло, — сообщил Стейнгер, не отрывая глаз от бинокля.

— Брун! — прокричал низкий, надтреснутый, яростный голос.

Пайк вроде бы бежал на месте, потом чуть сдвинулся. Вверх. И еще чуть-чуть. Бегущие ноги болтались в воздухе. Потом стал поворачиваться. Потом туфли оказались выше самых высоких стеблей травы.

Внезапно показался Дэйв Брун. Наденбаргер вскинул карабин, Стейнгер схватился за дуло, пригнул к земле. Брун вскочил в красный фургон, быстро развернулся, остановил рядом с висящим Пайком. Вылез, посмотрел на Пайка, побежал к своей машине.

— Пора! — скомандовал Эл Стейнгер.

Схватив карабин, он с изумившим меня проворством перескочил через ограду, а к тому времени, как мы с Наденбаргером перелезли, опережал нас на двадцать ярдов. Зеленый «форд» тронулся, набирая скорость, Стейнгер остановился, упал на одно колено, сделал четыре прицельных выстрела. После четвертого задний бампер взорвался бело-оранжевой вспышкой бензина, но автомобиль продолжал двигаться. Брун выбросился из передней дверцы, перекувырнулся в траве, вскочил, метнулся в угол дальнего края пастбища, но быстро замер на месте после пятого выстрела Стейнгера. Повернулся, поднял руки и медленно пошел к дереву. Машина остановилась в высокой траве, позвякивая, пламенея, чернея. Брун прибавил шаг, а потом побежал к дубу.

— Догони его, Лью. Схвати.

Лью продемонстрировал неплохой стиль, пустившись обманчиво ленивой прытью хорошего футболиста. Мы со Стейнгером направлялись к дереву. Он бежал трусцой, я было начал его обгонять, но он карабином преградил мне путь.

Таким образом, до красного фургона все добрались приблизительно одновременно. Наденбаргер не оставил Дэйву Бруну никаких шансов. Одной мясистой рукой захватил крюком шею, другой лапой заломил руку за спину.

Брун дергался вверх-вниз, хрипел, боролся, вопил:

— Сними его, Эл! Эй, Эл! Сними его!

Мы взглянули на Тома Пайка. Он медленно повернулся к нам. Кулаки были сжаты у шеи, пальцы вцепились в захлестнувшую горло веревку. Он смахивал на подтягивающегося спортсмена с почерневшим от усилий лицом.

Я видел, что его надо немедленно приподнять, поставить на крышу фургона, ослабить давление на горло. Сделал быстрый шаг, и Стейнгер ударил меня карабином в затылок. Удар был на редкость точным. Померк белый свет, хотя солнце сияло по-прежнему, колени ослабли, я рухнул на четвереньки, уткнувшись руками в торф, но все-таки не совсем отключился. Оглянулся на Эла, моргая, чтобы разогнать тьму и выступившие от боли слезы.

— Не уничтожай доказательств, приятель, — сказал он.

— Эл, не надо! — молил Брун. — Пожалуйста, ради Бога, не надо.

Наденбаргер крепко держал Бруна, смотрел, разинув рот, на Тома Пайка.

— Иисусе, — тихо пробормотал он. — Ох, Иисусе!

Том Пайк продолжал тихо вращаться. Чуть приподнял левую ногу, согнув колено. Классические туфли, дорогие брюки, синие носки из какого-то блестящего дакрона. Нога снова обвисла.

— Разве он еще шевелится, Лью? — спокойно спросил Стейнгер.

— Ну... вон та нога чуть дернулась.

— Это просто рефлекс, приятель. Вроде нервной посмертной судороги. Не имеет никакого значения.

— Ты меня убиваешь, Эл, — ныл Брун. — Ты же знаешь.

— Ты кругом виноват. Ты убил Тома Пайка, Дэйви.

— Жалкий ты тип, Эл. Проклятый ублюдок, Эл Стейнгер.

Медленно, медленно Том Пайк повернулся лицом к нам. Он изменился. Исчезло напряжение в мышцах рук, пальцев. Просто вялые руки, прижатые петлей, пальцы, прильнувшие к горлу. Лицо налилось кровью, глаза уставились в бесконечность.

— Видишь теперь? Это была лишь нервная судорога, — ласково продолжал Эл.

— Правда, Эл. Он и впрямь мертвый,.— подтвердил Лью.

Я поднялся, ощупывая свежую шишку на затылке.

— Как по-вашему, давно он умер, Макги? С учетом всего.

— Я бы сказал, что он умер к тому моменту, когда Брун стал отъезжать, Эл. С учетом всего.

— Думаю, нам не следует ни к чему прикасаться. Получим из лаборатории реконструкцию событий, совпадающую со свидетельством очевидцев.

Он отдал мне карабин, вынул из заднего кармана наручники, защелкнул один на запястье Бруна, велел Лью пригнуть его и защелкнул второй на противоположной лодыжке. Лью выпустил Бруна, а Стейнгер толкнул. Тот сел на траву, вздернув колени.

— Лью, иди к машине, подгони ее сюда. По пути вполне можешь остановиться, забрать наше барахло. Мы прямо тут обождем.

Последний раз взглянув на тело, Наденбаргер поспешил прочь.

Труп перестал вертеться. Стейнгер, глядя вдаль, вздохнул, сплюнул.

— Извините, пришлось вас ударить.

Я взглянул в мутные темные глазки:

— Наверно, только так можно было остановить меня поскорее, Эл.

— Как вы?

— Только чуть-чуть тошнит.

— Забавно. Меня тоже.

Глава 21

Я оставался в городе, изо всех сил стараясь помочь Бриджит Пирсон пережить наихудшее. На стратегическом совещании Бен Гаффнер поддержал мое мнение о бесполезности оглашения истинных обстоятельств гибели Морин. На нас сверху могла посыпаться масса неприятных вопросов. Лучше признаться в ошибочной идентификации в округе Лайм и придерживаться легенды о фосфатной шахте.

Он согласился с бессмысленностью продолжения расследования смерти доктора Шермана. Все материалы вполне могут остаться в архивах как дело о самоубийстве.

Однако убийство Пенни Верц было необходимо активно расследовать и соответствующим образом закрыть дело. Для этого потребовались приемлемые мотивы.

Пригодился Дэйв Брун.

Ему хватило ума признаться в убийстве Тома Пайка в состоянии аффекта. Обнаружив, что Пайк мертв, он якобы попытался повесить его, инсценировав самоубийство. Таким образом, перед Гаффнером встал выбор — подыграть Бруну или настаивать на убийстве первой степени. Для убийства первой степени нужно было лишь свидетельство очевидцев, видевших старания Пайка вырваться, когда Брун медленно волок его по земле.

Гаффнер в обход некоторых правил прокрутил Бруну пленку с записью разговора под дубом. После этого Брун внезапно вспомнил об имевшихся у него сведениях насчет интрижки Пайка с медсестрой и о том, что последний убил ее из ревности. Из уважения к репутации покойной мисс Верц Гаффнер свел дело к домогательствам Пайка, который совершил убийство на почве страсти, так как его ухаживания были отвергнуты. В результате Брун обрел шанс на обвинение в убийстве второй степени, по которому при сроке в десять, пятнадцать, двадцать лет через шесть можно выйти на поруки.

Хотя к моменту двойных похорон — мистера и миссис Пайк — армия аудиторов и инспекторов начала обнаруживать, что под видом распределения прибылей Том Пайк раздавал предыдущим инвесторам средства, полученные от следующих, куча народу в Форт-Кортни не верила и никогда не поверила не только в обман, но и в сколько-нибудь сомнительное обращение с их деньгами столь блестящего, солидного, симпатичного и воспитанного мужчины. Нет, обязательно существовал некий чудовищный заговор, который спланировали Они — тайные неуловимые враги. Они наняли этого типа Бруна, заключив с ним какую-то хитроумную сделку, а теперь, вероятно, присвоят прекрасную собственность, насчет которой Том Пайк перед смертью строил грандиозные планы.

Поэтому на похороны собрался почти весь город. Бидди была твердо уверена в абсурдности любых обвинений. Равно как и Дженис Холтон. Уверенность Бидди была такова, что я не рискнул ни одним словом выразить даже легчайшую тень сомнения, иначе она никогда не позволила бы мне хоть чем-то помочь. Держалась на транквилизаторах и безумной отваге. Я помог ей закрыть дом, предназначенный для продажи сразу после прояснения ситуации с недвижимостью и правами наследования. Средства должны были отойти беднягам, вложившим деньги в «Девелопмент анлимитед». К счастью, Морин, несомненно, умерла первой, так что трастовый фонд переходил прямо к Бриджит. Поскольку Морин подписывала определенные документы, связанные с предприятиями ее мужа, деньги могли направить кредиторам «Девелопмент анлимитед», если бы Том умер раньше ее.

Бидди сказала, что собирается ехать на Кейси-Ки, открыть старый дом, провести там в одиночестве какое-то время. Заверила, что с ней все будет в полном порядке. Будет гулять по берегу, рисовать, постепенно придет в себя.

Утром, когда я укладывал вещи перед тем, как покинуть «Воини-Лодж», заглянула Лоретт Уокер, сказав, что услышала от Кэти о моем отъезде. Я пригласил ее войти. Она прислонилась к стойке, закурила сигарету, заметила:

— Долго вы тут пробыли.

— Не мог расстаться с этими садами.

— Много всякого произошло. Так всегда бывает с вашим приездом?

— С радостью отвечаю: нет.

— Вы неправильно складываете рубашки! Наверняка все сомнутся. — Подойдя, она вытащила рубашку из сумки, разложила ее на постели, быстро, ловко свернула, уложила обратно, заключила: — Так лучше, — и отвернулась. — Очень жаль, не смогла разузнать для вас ничего особенного.

— Вы сделали очень много хорошего. Никогда не узнаете сколько.

— Ведь никто не шныряет вокруг и не требует, чтобы я повторила.

— Я же сказал, что оставлю вас в стороне.

— Для меня лучше было бы, чтобы вы не держали слова, — огорченно сказала она.

— Что это значит?

— Захотелось чуть-чуть вам поверить, и я себе сказала: «Ладно, вперед, девочка, пускай он потреплет тебя хорошенько. Будет добрый урок. Никогда больше не станешь любезничать с белыми».

— И поэтому вы согласились?

На ней вновь была маска совиной тупости.

— Ну, потом вы сказали, есть шанс полетать на самолете. Выбираю Париж. В любом случае вот вам сдача с двух сотен. Я потратила восемьдесят ваших долларов на людей, не сумевших сказать ничего стоящего.

— Так давайте разделим остаток.

Она мгновенно вспыхнула:

— Стало быть, я не смогу сказать самой себе, что однажды оказала вам просто услугу, черт побери? Думаете, будто купили меня за шестьдесят долларов?

— Это прямо из рабских времен. Вы оказали услугу, а я, по-вашему, не имею на это права? Знаю, вам не нужно ни цента, только, ради Бога, возьмите шестьдесят долларов, купите какой-то красивый на заказ сшитый костюм, пожалуй умеренно синий, и носите его, черт возьми, в знак дружбы и доверия.

— Ну... по-моему, вас не надо учить уговаривать, мистер. В этом смысле... пожалуй, возьму. И большое спасибо. Вы правда требуете, чтобы я их потратила только на костюм?

— Исключительно, — подтвердил я, укладывая шестьдесят оставшихся в свой бумажник.

— Ну, тогда... — улыбнулась она, пожимая плечами, — пойду в другие номера. У нас аншлаг нынче вечером.

Я протянул руку.

— Вы очень помогли. Приятно было познакомиться с вами, миссис Уокер.

Поколебавшись секунду, она ответила рукопожатием.

— И мне тоже. До свидания. — Открыла дверь, повернулась на пороге, взглянула на меня, облизнулась. — Макги, я вам желаю приятного и безопасного возвращения домой, слышите?

Выскочила и захлопнула дверь. Последним, что я увидел, последним впечатлением были стройные, сильные, быстрые коричневые ноги. Еще одна леди в грубой коричневой упаковке. Нет, нехорошая аналогия. В этой гладкой упаковке не было ничего грубого. Она была особенной — безупречной, законченной, матовой и необычайно прелестной.

Я вернулся с сознанием, что все аномалии настроения — хандра, раздражительность, беспокойство — внезапно исчезли. Глядя, как Пайк висит, очень медленно поворачиваясь, я опять ощутил полноту жизни — может быть, потому, что его жизнь так очевидно закончилась. Я преисполнился вызывающего веселья, здоровья, развлекательных планов.

Через три месяца, в сером ветреном январе, появилась Бриджит Пирсон.

Извинилась за приезд в Байя-Мар без всякого предупреждения, объяснила, что сделала это по внезапному побуждению. Поднялась на борт «Лопнувшего флеша», села в салоне, аккуратными маленькими глотками попивая спиртное, улыбаясь как-то чересчур быстро и чересчур часто. За прошедшее время она похудела, неким странным образом обрела ту же самую чуть диковатую элегантность, которая отличала Хелену во времена нашего плавания на «Лайкли леди». Те же длинные ноги, те же самые жесты, столько общего, что я словно вновь встретился со старой любовью.

Она рассказала, что не находит покоя, не знает, что с собой делать, подумывает, не отправиться ли в какую-нибудь поездку. Призналась, что до сих пор терзается из-за маленьких непонятных противоречий в воспоминаниях о Томе Пайке. Они тревожат ее. Кажется, будто она приближается к чему-то неизвестному и нехорошему. Правильно ли она судит о происшедшем? Не сумею ли я помочь ей понять?

Что ж, не забивай свою чистенькую головку всякой дрянью, милая детка. Господь с тобой, старичок дядя Трев прокатит тебя на старой комфортабельной и роскошной яхте, просто будет с тобой ласково разговаривать, утешать и любить, и в улыбке твоей опять засияет солнце.

Я представил, что было бы в ее глазах, в выражении губ, если б когда-нибудь она услышала о происходившем между мной и ее матерью на борту «Лайкли леди» в то давнее лето на Багамах. Произвел промежуточные подсчеты. Я сейчас на икс лет старше прелестной юной леди, а тогда был на икс лет младше ее прелестной матери.

Нет, спасибо. Слишком поздно мне браться за главную роль в морской версии «Выпускника»[1]. Даже если бы это было возможно в моих нынешних обстоятельствах, к чему мне неизбежные ошеломляющие переживания из-за капризной, граничащей с инцестом связи.

Я слишком долго молчал. Понимал, что она тщательно все обдумала и пришла с четкой целью слегка приоткрыть дверь в ожидании, что я туда ринусь. Наполовину высказанное предложение оказалось отвергнутым.

Мы немножечко вежливо поболтали.

Я сказал, что не вижу особой противоречивости в Томе Пайке. И это была правда. Она сказала, что собирается встретиться кое с какими друзьями в Майами, так что пора идти. Я сказал — очень жаль, что она не может побыть здесь подольше.

На полпути по причалу она оглянулась, весело махнула рукой и пошла дальше, прочь из моей жизни.

Я вернулся на судно, налил еще выпить. Для леди смешал немного «Плимута» со свежим апельсиновым соком.

Она сидела на краешке большой кровати в капитанской каюте, полируя ногти, завернутая в большое пушистое желтое полотенце. Резко запрокинула голову, откинув темные волосы, взглянула на меня с кривой циничной усмешкой:

— Богатые возможности, Макги?

— Либо ни капли дождя, либо ливень.

— Дай-ка вспомнить. Что с возу упало — то пропало. Как она выглядит?

— Худая, как привидение. Неприкаянная....

— Ищет утешения? Очень мило! И ты велел бедняжке заглянуть как-нибудь в другой раз?

— Любой признак ревности всегда меня радует, — объявил я, протянув ей бокал.

Она выпила, поблагодарила улыбкой, поставила на ближайшую тумбочку. Я растянулся позади нее, сунув под голову пару подушек.

---

[1] «Выпускник» — фильм режиссера Майкла Николса, герой которого — молодой человек, соблазненный матерью любимой им девушки.

— Жалеешь, что я здесь оказалась? — спросила она.

— Надо руководствоваться инстинктом. А он велит не связываться.

— Она очень хорошенькая.

— И богатая. И талантливая.

— М-м-м! — промычала она. Пилочка для ногтей производила резкие скрежещущие звуки.

Я отхлебнул из своего стакана.

— Мистер Макги, сэр! Что вас поистине больше всего поразило — ее появление или мое?

— Твое. Определенно. Взглянул вниз с верхней палубы, увидел, как ты стоишь, почти до смерти задохнулся.

Я лениво протянул палец, подцепил край полотенца, дернул. Небольшой рывок — и оно упало. Она медленно распрямила длинную, стройную, чудесную спину. Дотянулась до своего бокала, отпила половину, поставила назад.

— Можно предположить, что вы говорите серьезно, мистер Макги?

— На дворе поганая погода, у тебя необычайно красивая спина, а стервозная гримаска, с которой ты говорила о мисс Пирсон, просто очаровательна, поэтому все вполне серьезно, моя дорогая.

— Позволишь разделаться с последними тремя ногтями?

— Пожалуйста, миссис Холтон.

— Попробую, мистер Макги. Думаю, это хорошее испытание для моего характера, немногого, что осталось.

И я принялся слушать деловитый скрежет пилочки для ногтей, любоваться ею, потягивая спиртное, вспоминая, как она выглядела в тот день, когда красила из аэрозоля старый железный шезлонг.

Слушал, как с моря идет январский дождь, сражаясь с ветром, надвигаясь на пляж, на судовую стоянку, тихо гремит, неустанно стучит по палубам моего плавучего дома.

Послесловие

За более чем тридцатипятилетний период своей литературной деятельности Джон Д. Макдональд написал 69 романов, изданных отдельными книжками в мягких обложках. Подобно «Кондоминиуму» («Condominium»), в котором описываются махинации финансово-промышленных корпораций с целью прибрать к рукам земли Флориды, или роману «Еще одно воскресенье» («One More Sunday»), где речь идет о деятельности евангелической церкви, собирающей средства с использованием телевидения и компьютеров, подавляющая часть этих романов посвящена теме противозаконной, алчной и нередко жестокой деятельности воротил крупного бизнеса. В других произведениях поднимается проблема коррупции в политических кругах местного масштаба или, как, например, в «Забудьте все наши клятвы» («Cancel All Our Vows»), повествуется о хрупкости и ущербности семейных отношений в предместьях американских городов.

Однако в большей степени Макдональд известен все же по серии произведений, начало которой было положено в 1964 году романом «Расставание в голубом» («The Deep Blue Goodby») — повествование в нем ведется от имени некоего Тревиса Макги. Другие книги, уже без участия Макги, вроде «Единственная девушка в игре» («The Only Girl in The Game») (о невинной девушке, обманным путем вовлеченной в деятельность преступного синдиката, орудующего в лас-вегасском отеле, и в конце концов убитой) или «Пожалуйста, запросите нас о подробностях» («Please Write for Details») (о группе бездомных американцев, которых рекламные объявления заманили в сомнительного рода религиозную секту) чрезмерно насыщены всякого рода стереотипами вроде разъяренной невинности, неконкретными протестами против «системы», да и вообще написаны гораздо более примитивным языком.

Что же касается Макги, то это определенно привлекательная и отнюдь не простая личность, в которой удачно сочетаются едкие комментарии по поводу жизни в современной Америке, четкие и ясные моральные взгляды и к тому же богатый жизненный опыт. Этот симпатичный, сильный мужчина ростом под метр девяносто, в прошлом профессиональный футболист, чувствует себя вполне уютно и независимо, живя на своей лодке

«Сломанный побег», выигранной им в результате шулерских махинаций в покер и пришвартованной в Форт-Лодердейле. Когда ему требуется машина, он пользуется «роллс-ройсом» модели 1936 года, переделанным в некое подобие грузовика. Средства на свое существование «отставника-пенсионера» он получает преимущественно от деятельности, которую сам же называет «спасительными операциями». В одном из телевизионных интервью в 1984 году сам Макдональд образно сравнил Макги с «обнищавшим рыцарем на хромом коне».

Обычно Макги появляется в романах в связи с какими-то обязательствами, доставшимися ему из прошлого. Например, желая помочь жене или дочери своего давнего, а ныне покойного друга или узнав, что честный и порядочный, но совершенно беспомощный человек стал жертвой неких преступных организаций. Свой долг перед прошлым Макги выполняет страстно, даже рьяно, полагаясь в первую очередь на физическую силу, природный ум, а порой и на помощь неких властных структур, в свое время оказавшихся перед ним в долгу. «Спасительные операции» носят не только спасительный и финансовый, но также и эмоциональный характер, ибо он регулярно приглашает своих подзащитных дам совершить с ним длительное уединенное путешествие на борту «Сломанного побега». В чем-то он действительно похож на современную разновидность странствующего рыцаря вкупе с психотерапевтом, использующим свои незаурядные личные качества в борьбе с корпоративной коррупцией.

Включенные в романы небольшие эссе, как правило, призваны еще более рельефно очертить моральные принципы Макги. В подобных эссе, равно как и в самих романах, наиболее часто поднимается вопрос о вреде, наносимом окружающей среде промышленными выбросами крупных предприятий, заинтересованных лишь в одном: как бы урвать побольше прибылей. Макги ностальгически вспоминает мир Флориды, некогда похожий на рай, полный певчих птиц, красивых озер и болот, а ныне испоганенный чрезмерным перенаселением и потому превращающийся в «дешевую, жалкую и шумную показуху», все более покрывающуюся асфальтом и опускающуюся в пучину безмерной жестокости. Жители крупных городов, чувствующие «близкий конец эры свободного выбора», в массовом порядке, словно саранча, переселяются во Флориду.

Всегда уважавший порядок, чистоту и уют на собственной лодке, ибо замызганное и неухоженное судно, по мнению Макги, красноречиво свидетельствует об эмоциональной безответственности его владельца, он яростно противится всяким современным нововведениям типа «индустриализованного воздуха» (хотя в иных условиях и сам не прочь в жаркий летний полдень отдохнуть под струями кондиционера), компьютерной информации, университетских программ, проводимых при поддержке федерального правительства, всевозможных агентств, за бесценок вербующих своих служащих в бедных и разлагающихся предместьях Нью-Йорка, а также большинства проявлений «системы» и нынешней общественной организации. Во всех своих романах Макдональд настойчиво и довольно эффективно бичует субкультуру потребителей наркотиков, байкеров, всякого рода любителей излишеств, охотников и вообще любителей пострелять, сторонников «бесчувственного» секса, а также тех, кто усиленно стремится искоренить или как-то изменить человеческую совесть. В романах 60-х годов, типа «Глаза с желтизной» («One Fearful Yellow Eye»), он связывает зло современного мира с некими социальными и внешними причинами, с расизмом южных штатов, нацистским прошлым или трагическими и разрушительными последствиями Второй мировой войны; в более же поздних книгах причины коррупции видятся уже в неких особенностях индивидуальной психической структуры человека либо в обобщенном чувстве зла, перерастающем свои собственные причины.

Впрочем, иногда и сам Макги не прочь воспользоваться плодами некоторых форм коррупции. Так, в романе «Бледно-серая вина» («Pale Grey for Guilt») он на пару со своим закадычным другом Мейером (чертовски умным, волосатым любителем шахмат, в прошлом экономистом) разрабатывает хитроумный план по выпуску в обращение большого числа поддельных акций, что позволяет не только обогатиться им самим, но также помочь вдове их убитого друга и заманить в ловушку группу преступников.

Все романы Макдональда являются весьма познавательными и увлекательно описывают то механизм функционирования фондового рынка, то работу профессиональных татуировщиков, то процедуру запуска воздушных шаров, то различные стадии съемки порнографического фильма («Свободное падение в багровых тонах» — «Free Fall in Crimson»), то хитрости установления личности человека посредством анализа его деловой активности («Пустое медное море» — «The Empty Copper Sea»), то премудрости того, как на море избежать опасностей обратного прибоя, а то и как найти в большом городе элегантную «девушку по вызову».

Макги отнюдь не является примитивным моралистом или «гласом разгневанных», как это можно было наблюдать в некоторых романах Макдональда, написанных им до появления данного персонажа. Он — прекрасно информированный путешественник, хорошо разбирается в еде и выпивке, женщинах и литературе, может с одинаковой легкостью цитировать поэта Рильке, отдельные положения Второго закона термодинамики или произведения Синклера Льюиса, иронически высказываться о подчеркнутой мужественности героев Хемингуэя, комментировать военные подвиги генерала Паттона или деяния героев Микки Спиллейна.

Ярко выраженный «сексуальный разбойник», Макги тем не менее имеет четко разработанный и опробованный им же кодекс поведения в общении с женщинами. Он никогда даже пальцем не прикоснется к жене друга, сколь бы великой ни оказалась та помощь, которую он ей оказал. Во время своих «терапевтических круизов» он способен неделями, а то и месяцами ждать, пока героиня окончательно не залечит свои раны и не выплеснет мучающую ее боль, и лишь после этого станет заниматься с ней любовью. Обольстительность Макги, его обожание женщин и уважение к старомодной «сексуальной тайне» являются вполне человечным и в чем-то тонизирующим средством, а отнюдь не просто механически упрощенным актом. При этом он отнюдь не одними лишь «постельными» методами облагораживает и гуманизирует стереотипный образ крутого детектива, часто замечая, что человеческий мозг — «компьютер избирательного свойства», умеющий оперировать деталями головоломки, которые на первый взгляд вроде бы никак не подходят друг к другу, и высмеивает те романы, в которых детектив неизменно демонстрирует чудеса дедукции или физической удали.

Мир, окружающий Макги, столь же коррумпирован, сколь и жесток, и зло он встречает честно, лицом к лицу и с полным знанием дела. Образ своего героя Макдональд рисует достаточно лаконично, порой резковато, иногда при посредстве метафоричной, чувствительной и даже юмористичной прозы. В некоторых более ранних романах из данной серии Макги предстает перед нами простоватым и в чем-то незамысловатым защитником американских ценностей, демонстрирует верность ветеранам воины, считает индустриальных магнатов чужеродными созданиями, преступниками вроде скрывающихся нацистов или расистами. Однако начиная с 1970 года в романах «Загар и песчаное безмолвие» («A Tan and Sandy Silence»), «Бирюзовые рыдания» («The Turquoise Lament») и «Свободное падение в багровых тонах» Макги обнаруживает, что и сам способен убивать «не по закону», может временами получать удовольствие от жестокости, быть алчным и равнодушным к другим людям. Ощущение зла становится более сложным, многослойным, а сам Макги, также усложняющийся, все чаще занимается самокопаниями и становится более уязвимым. Несмотря на то что в итоге он все же остается верным своим принципам и своей чувствительности, Макги постепенно, от романа к роману, смотрит на мир и себя самого уже не столь строго по-моралистски.

В ранних романах статус Макги как безупречного любовника ни разу не подвергался сомнению; по завершении своих «терапевтических круизов» он неизменно расставался с девушками, дабы сохранить в целости свою сексуальную независимость, и лишь в одной книжке, «Бледносерая вина», подружка сама уходит от него, но и то лишь потому, что страдает от редкой неизлечимой болезни. В более же поздних произведениях, вроде «Бирюзовых рыданий» или «Коричной кожи» («Cinnamon Skin»), благодарные спасенные красавицы по завершении «терапии» по собственной инициативе оставляют Макги, предпочтя ему либо нового мужчину, либо просто работу, тем самым показывая, что признательность, верность прошлому и привлекательность отнюдь не то же самое, что настоящая любовь. В поздних романах меняется и роль Мейера — теперь это уже не просто высокоэрудированный закадычный дружок, ему также приходится — не без помощи Макги — бороться со стыдом за собственную трусость («Свободное падение в багровых тонах») и восстанавливать попранную честь («Коричная кожа»). Макги же, постепенно старея и становясь еще более чувствительным, все более отчетливо понимает, что «спасательные операции» необходимы не только сексуально привлекательным жертвам, но также проницательным друзьям, да и ему самому.

Библиография произведений Джона Макдональда

Романы

The Brass Cupcake.
Judge Me Not.
Murder for the Bride.
Weep for Me.
The Damned.
Dead Low Tide.
The Neon Jungle.
All These Condemned.
Area of Suspicion.
A Bullet for Cinderella.
Cry Hard, Cry Fast.
April Evil.
Border Town Girl (novelets).
Murder in the Wind.
You Live Once.
Death Trap.
The Empty Trap.
The Price of Murder.
A Man of Affairs.
Clemmie.
The Executioners.
Soft Touch.
The Deceivers.
The Beach Girls.
The Crossroads.
Deadly Welcome.
The End of the Night.
The Only Girl in the Game.
Slam the Big Door.
One Monday We Killed Them All.
Where Is Janice Gantry?
A Flash of Green.

The Girl, The Gold Watch, and Everything.
A Key to the Suite.
The Drowner.
On the Run.
The Deep Blue Goodby.
Nightmare in Pink.
A Purple Place for Dying.
The Quick Red Fox.
A Deadly Shade of Gold.
Bright Orange for the Shroud.
Darker Than Amber.
One Fearful Yellow Eye.
The Last One Left.
Three for McGee (omnibus).
Pale Grey for Guilt (McGee).
The Girl in the Plain Brown Wrapper.
Dress Her in Indigo.
The Long Lavender Look.
A Tan and Sandy Silence.
The Scarlet Ruse.
The Turquoise Lament.
McGee (omnibus).
The Dreadful Lemon Sky.
The Empty Copper Sea.
The Green Ripper.
Free Fall in Crimson.
Cinnamon Skin.
One More Sunday.
The Lonely Silver Rain.
Barrier Island.

Сборники рассказов

End of the Tiger and Other Stories.
Seven

The Good Old Stuff: 13 Early
Stories.

Рассказы

Double Hannenframmis.
He Was Always a Nice Boy.

Wedding Present.
Blurred View

Романы Джона Макдональда, ранее издававшиеся в издательстве «Центрполиграф»

След тигра
Мыс страха
Капкан на «волчью стаю»
Утопленница
Расставание в голубом
Глаза с желтизной
Оранжевый для савана

Смерть в пурпуровом раю
Шустрая рыжая лисица
Смертельный блеск золота
Легкая нажива
Девушка, золотые часы и
все остальное

СОДЕРЖАНИЕ

Литературно-художественное издание

Джон Макдональд

МЕСТЬ В КОРИЧНЕВОЙ БУМАГЕ

Детективные романы

Ответственный за выпуск *З.В. Полякова*

Художественный редактор *И.А. Озеров*

Технический редактор *Л.И. Витушкина*

Корректор *О.А. Левина*

Изд. лиц. ЛР № 065372 от 22.08.97 г.
Подписано к печати с готовых диапозитивов 28.08.2000.
Формат 60×84 $^1/_{16}$. Бумага газетная. Гарнитура «Таймс».
Печать офсетная. Усл. печ. л. 27,9. Уч.-изд. л. 27,61.
Тираж 7 000 экз. Заказ № 1281

ЗАО «Издательство «Центрполиграф»
111024, Москва, 1-я ул. Энтузиастов, 15
E-MAIL: CNPOL@DOL.RU

Отпечатано с готовых диапозитивов
Марийским полиграфическо-издательским комбинатом
424000, г. Йошкар-Ола, ул. Комсомольская, 112

ЦЕНТРПОЛИГРАФ

Книга-почтой

Если Вы желаете приобрести книги издательства «Центрполиграф» без торговой наценки, то можете воспользоваться услугами отдела «Книга-почтой»

Все книги будут рассылаться наложенным платежом без предварительной оплаты. Заказы принимаются на отдельные книги, а также на целые серии, выпускаемые нашим издательством. В последнем случае Вы будете регулярно получать по 2 новых книги выбранной серии в месяц.

Для этого Вам нужно только заполнить почтовую карточку по образцу и отправить по адресу:

111024, Москва, а/я 18, «Центрполиграф»

ПОЧТОВАЯ КАРТОЧКА

В
РОССИЯ

Куда _____ г. Москва, а/я 18

_____

Кому _____ «ЦЕНТРПОЛИГРАФ»

_____

Индекс предприятия связи и адрес отправителя
680011
г.Хабаровск, ул. Мира,
д. 10, кв. 5.
Ивановой Г.П.

111024

Пишите индекс предприятия связи места назначения

Мин. связи России. Издательство «Марка». 1992
З. 105470. ППФ Гознака. U 55 к

На обратной стороне открытки необходимо указать, какую книгу Вы хотели бы получить или на какую из серий хотели бы подписаться. Укажите также требуемое количество экземпляров каждого названия.

Стоимость пересылки почтового перевода наложенного платежа оплачивается отделению связи и составляет 10—20% от стоимости заказа.

Книги оплачиваются при получении на почте.

К сожалению, издательство не может долго удерживать объявленные цены по независящим от него причинам, в связи с общей ситуацией в стране. Надеемся на Ваше понимание.

МЫ РАДЫ ВАШИМ ЗАКАЗАМ!